DROEMER

Über die Autoren:
Bill Clinton, geboren 1946, war von 1993 bis 2001 Präsident der Vereinigten Staaten von Amerika. Nach seinem Abschied aus dem Weißen Haus gründete er die Clinton Foundation, eine gemeinnützige Stiftung, die sich weltweit für die Förderung der Chancengleichheit von Mädchen und Frauen, für Gesundheitsvorsorge, nachhaltige wirtschaftliche Entwicklung und den Klimaschutz engagiert. Er ist bisher als Sachbuchautor hervorgetreten, seine Autobiographie *Mein Leben* war weltweit ein Nr.-1-Bestseller. *The President Is Missing* ist sein erster Roman.

James Patterson, geboren 1947, ist einer der erfolgreichsten Autoren im Spannungsgenre überhaupt. Zahlreiche Bestseller, vor allem um den Kriminalpsychologen Alex Cross, machten ihn international bekannt. Die weltweite Gesamtauflage seiner Romane liegt bei 375 Millionen Exemplaren. Außerdem hält er den Guinness-Weltrekord für die meisten Nr-.1-Titel auf der *New York Times*-Bestsellerliste. Er ist ein unermüdlicher Kämpfer für die Sache des Buches, in jüngster Zeit widmet er sich deshalb vordringlich der Leseförderung für Kinder.

BILL CLINTON
JAMES PATTERSON

THE PRESIDENT IS MISSING

ROMAN

Aus dem Amerikanischen von
Anke und Eberhard Kreutzer

Die amerikanische Originalausgabe erschien 2018 unter dem Titel
»The President Is Missing« bei Little, Brown and Company,
New York, und Alfred A. Knopf, New York.

Besuchen Sie uns im Internet:
www.droemer.de

Vollständige Taschenbuchausgabe November 2019
Droemer Taschenbuch

Redaktion: Kirsten Reimers
Covergestaltung: ZERO Werbeagentur, München,
nach einem Entwurf von Mario J. Pulice
Coverabbildung: Ping Amranand / GettyImages
Satz: Adobe InDesign im Verlag
Druck und Bindung: CPI books GmbH, Leck
ISBN 978-3-426-30693-2

2 4 5 3 1

Die Figuren und Ereignisse in diesem Buch sind frei erfunden. Etwaige Ähnlichkeiten mit tatsächlichen lebenden oder verstorbenen Personen sind rein zufällig und von den Verfassern nicht beabsichtigt.

Besonderer Dank gebührt Robert Barnett, unserem Anwalt und Freund, der uns zu diesem Buchprojekt zusammengebracht, uns mit Rat, mit Zuckerbrot und manchmal Peitsche zur Seite gestanden hat.
Auch David Ellis sei Dank, der uns – mit Geduld und kluger Umsicht – von den Recherchen über die ersten beiden Handlungsskizzen bis zum letzten von zahlreichen Entwürfen die Treue gehalten hat. Ohne Davids Hilfe und Inspiration wäre diese Geschichte so nicht zustande gekommen.
Dank an Hillary Clinton, die mit der Bedrohung und den Konsequenzen nicht beherzigter Warnungen gelebt und gekämpft hat, für ihre fortgesetzte Ermutigung zur Wirklichkeitsnähe.
An Sue Patterson für ihre besondere Fähigkeit, Kritik mit Ermutigung zu verknüpfen, oft in einem Atemzug.
An Mary Jordan, die immer einen kühlen Kopf behält, selbst wenn alle um sie herum die Nerven verlieren.
An Deneen Howell und Michael O'Connor, die dafür sorgten, dass wir uns alle an den Vertrag und pünktlich an den Zeitplan hielten.
An Tina Flournoy und Steve Rinehart dafür, dass sie dabei geholfen haben, dem Neuling der beiden Partner pflichtgetreu seinen Part beizusteuern.
Und an die Männer und Frauen des US Secret Service sowie alle anderen, die im Gesetzesvollzug, beim Militär, in den Geheimdiensten und im diplomatischen Dienst mit großem persönlichem Einsatz für unser aller Sicherheit und Wohlergehen sorgen.

DONNERSTAG, 10. MAI

1

»Der Sonderausschuss des Repräsentantenhauses eröffnet die erste Anhörung …«

Die Haie ziehen ihre Kreise, riechen Blut. Dreizehn an der Zahl, acht von der Oppositionspartei und fünf von meiner, Haie, gegen die ich gemeinsam mit Anwälten und Beratern Verteidigungsstrategien vorbereitet habe, denn wie ich aus leidvoller Erfahrung weiß, kommt man gegen Raubtiere mit Stillhalten nicht weit. Früher oder später bleibt einem keine andere Wahl, als zum Gegenangriff überzugehen und sich seiner Haut zu wehren.

Tun Sie das nicht, hat mich meine Stabschefin Carolyn Brock gestern Abend angefleht, und das nicht zum ersten Mal. *Sie müssen um diese Anhörung einen großen Bogen machen, Sir. Sie können nur verlieren.*

Sie dürfen deren Fragen nicht beantworten, Sir.

Das wäre das Ende Ihrer Präsidentschaft.

Ich lasse der Reihe nach den Blick über die dreizehn Gesichter schweifen, die mir wie in einer Neuauflage der spanischen Inquisition entgegenstarren. Der Mann mit dem silbergrauen Haar in der Mitte, hinter dem Namensschild **Mr Rhodes**, räuspert sich.

Lester Rhodes, der Sprecher des Repräsentantenhauses, nimmt gewöhnlich nicht an Ausschuss-Hearings teil, doch diesen Sonderausschuss, den er mit handverlesenen Abgeordneten seiner Partei besetzt hat, Leuten, die es sich zur Lebensaufgabe gemacht haben, meine Agenda zu sabotieren und mich politisch wie persönlich zu vernichten, diesen Leckerbissen lässt er sich nicht entgehen. Brutalität im Streben nach Macht ist älter als die Bibel, und ein paar meiner Gegner hegen gegen mich einen abgrundtiefen Hass. Es genügt ihnen nicht, mich einfach nur aus dem Amt zu jagen. Sie werden nicht ruhen und rasten, bis sie mich hinter Gittern, gestreckt und gevierteilt sehen, meinen Namen aus den Geschichtsbüchern getilgt haben. Was sag ich, sie würden auch noch mein Haus in North Carolina abfackeln und auf das Grab meiner Frau spucken, wenn sie könnten.

Ich ziehe das Mikrofon am Flexarm zu voller Länge aus, so nah wie möglich zu mir heran. Ich will mich nicht vorbeugen müssen, wenn ich spreche, während die Ausschussmitglieder auf ihren Lederstühlen kerzengerade wie Königinnen und Könige thronen. Vorgebeugt sähe ich schwach und eingeschüchtert aus – eine unterschwellige Botschaft, dass ich ihnen nicht gewachsen wäre.

Ich sitze ihnen allein gegenüber. Keine Berater, keine Anwälte, keine Notizen. Das amerikanische Volk wird mich nicht zu sehen bekommen, wie ich mich, die Hand über dem Mikrofon, im Flüsterton mit einem Anwalt berate, bevor ich sie wegziehe und meinen Gegnern erkläre: *Das ist mir momentan entfallen, Herr Abgeordneter*. Ich habe es nicht nötig, mich zu verstecken. Ich sollte nicht hier sitzen, und ganz bestimmt *will* ich nicht hier sitzen, aber was soll ich machen? Da bin ich nun mal, nur ich. Der Präsident der Vereinigten Staaten stellt sich den Fragen einer pöbelnden Meute.

In einer Ecke des Raums verfolgt das Triumvirat meiner engsten Berater das Geschehen: Stabschefin Carolyn Brock; Danny Akers, mein ältester Freund und Rechtsberater des Weißen Hauses; Jenny Brickman, meine stellvertretende Stabschefin und engste politische Beraterin – alle mit stoischer, undurchdringlicher Miene, besorgt. Jeder von ihnen hat versucht, mir die Sache auszureden. Sie sind der einhelligen Meinung, ich sei dabei, den größten Fehler meiner Präsidentschaft zu begehen.

Aber da bin ich nun mal. Es ist so weit. Wir werden sehen, ob sie richtigliegen.

»Mr President.«

»Mr Speaker.« Streng genommen sollte ich ihn in dieser Konstellation mit *Mr Chairman* ansprechen, doch mir fallen noch eine Menge andere Bezeichnungen für ihn ein, die ich für mich behalten werde.

Für den Auftakt gibt es eine Reihe von Optionen. Zum Beispiel eine als Frage verschleierte selbstgerechte Ansprache des Sprechers. Doch ich habe genügend Videomaterial von Lester Rhodes gesehen, von Zeugenbefragungen aus der Zeit vor seinem Karrieresprung, als er noch ein mittelmäßiger Abgeordneter im Kontrollgremium war, um zu wissen, dass er am liebsten mit einem Frontalangriff eröffnet und dem Zeugen sofort an die Gurgel springt, um ihn aus dem Konzept zu bringen. Er weiß – wie jeder andere auch, seit Michael Dukakis 1988 in der Debatte um die Todesstrafe die erste Frage vergeigt hat –, wie entscheidend die Eröffnungsfrage ist. Geht sie daneben, kann man den Rest vergessen.

Ob der Sprecher gegen einen amtierenden Präsidenten dieselbe Strategie verfolgt?

Aber ja!

»President Duncan«, fängt er an, »seit wann machen wir es uns zur Aufgabe, Terroristen zu schützen?«

»Tun wir nicht«, kontere ich so prompt, dass ich ihm dazwischenfahre, weil man eine solche Frage nicht eine Sekunde lang im Raum stehen lassen darf. »Werden wir nie. Jedenfalls nicht, solange ich Präsident bin.«

»Sind Sie sich da ganz sicher?«

Hat er das wirklich gerade gesagt? Mir steigt die Hitze ins Gesicht. Es ist noch keine Minute vergangen, und schon hat er bei mir einen Nerv getroffen.

»Mr Speaker«, setze ich nach, »wenn ich es gesagt habe, dann meine ich es auch. Um es noch einmal ganz deutlich zu sagen: Wir machen es uns nicht zur Aufgabe, Terroristen zu schützen.«

Nach dieser Bekräftigung schweigt er einen Moment. »Nun, Mr President, um uns hier nicht in Wortklaubereien zu verlieren: Sind die Söhne des Dschihad für Sie eine Terrororganisation?«

»Selbstverständlich.« Meine Berater haben mir davon abgeraten, *selbstverständlich* zu sagen; es kann, wenn man nicht genau den richtigen Ton trifft, herablassend klingen.

»Diese Gruppierung wurde schon von Russland unterstützt, nicht wahr?«

Ich nicke. »Von Zeit zu Zeit hat Russland die SdD unterstützt, das stimmt. Wir haben Russlands Unterstützung der SdD und anderer Terrororganisationen verurteilt.«

»Die Söhne des Dschihad haben auf drei verschiedenen Kontinenten Terrorakte begangen, ist das korrekt?«

»Das ist eine zutreffende Zusammenfassung, ja.«

»Und sie sind für den Tod Tausender Menschen verantwortlich?«

»Ja.«

»Einschließlich Amerikaner?«

»Ja, das ist korrekt.«

»Zum Beispiel für die Explosionen im Hotel Bellwood Arms in Brüssel, bei denen siebenundfünfzig Menschen ums Leben kamen, darunter eine Delegation bundesstaatlicher Abgeordneter aus Kalifornien? Für den Hackerangriff auf das Flugsicherungssystem der Republik Georgien, der drei Flugzeuge zum Absturz brachte, wobei in einem davon der Botschafter der Vereinigten Staaten in Georgien saß?«

»Ja«, antworte ich. »Diese beiden Terrorakte liegen zwar vor meiner Präsidentschaft, aber in der Tat hat sich die Terrormiliz Söhne des Dschihad zu diesen beiden Anschlägen bekannt –«

»Gut, dann reden wir doch mal davon, was passiert ist, *seit* Sie Präsident sind. Ist es nicht so, dass die Söhne des Dschihad hinter einem Hackerangriff auf militärische Datensysteme Israels stehen und geheime Informationen über verdeckte Einsätze sowie Truppenbewegungen Israels enthüllt haben? Und zwar erst vor wenigen Monaten?«

»Ja«, antworte ich, »das stimmt.«

»Dann der nächste Anschlag, diesmal bei uns vor der Haustür, hier in Nordamerika«, fährt er fort. »Vor gerade mal einer Woche. Freitag, den vierten Mai. Haben die Söhne des Dschihad da nicht einen weiteren Terroranschlag verübt, indem sie sich in die Rechner des U-Bahn-Systems von Toronto hackten und es zum Erliegen brachten, sodass Züge entgleisten und siebzehn Menschen starben, zig weitere verletzt wurden und Tausende stundenlang im Dunkeln ausharren mussten?«

Auch für diesen Angriff waren die SdD verantwortlich, da hat er recht. Und auch seine Opferzahlen stimmen. Nur dass es die SdD nicht als Terroranschlag verbuchen.

Für sie war es ein Probelauf.

»Vier der Todesopfer in Toronto waren US-Amerikaner, korrekt?«

»Das ist richtig«, bestätige ich. »Zwar haben sich die Söhne des Dschihad zu diesem Anschlag nicht bekannt, doch wir sind davon überzeugt, dass sie dahinterstecken.«

Er nickt, wirft einen Blick auf seine Notizen. »Der Anführer der Söhne des Dschihad, Mr President. Das ist ein Mann namens Suliman Cindoruk, richtig?«

Jetzt geht's zur Sache.

»Ja, Suliman Cindoruk ist der Anführer der SdD«, bestätige ich.

»Der gefährlichste und umtriebigste Cyberterrorist der Welt, richtig?«

»Da stimme ich zu.«

»Ein türkischstämmiger Muslim, nicht wahr?«

»Er ist türkischstämmig, aber kein Muslim«, erwidere ich. »Er ist ein säkularer rechtsradikaler Nationalist, der gegen den Einfluss des Westens in Süd- und Osteuropa kämpft. Sein ›Dschihad‹ hat nichts mit Religion zu tun.«

»Sagen Sie.«

»In Übereinstimmung mit jeder geheimdienstlichen Einschätzung, die ich gesehen habe, ja«, kontere ich. »Und die auch Sie gelesen haben, Mr Speaker. Wenn Sie unbedingt islamfeindliche Emotionen schüren wollen, nur zu, aber damit tragen Sie ganz bestimmt nicht zur Sicherheit unseres Landes bei.«

Er ringt sich ein säuerliches Lächeln ab. »Fest steht, dass er der meistgesuchte Terrorist der Welt ist, nicht wahr?«

»Den wir fassen wollen«, sage ich. »So wie wir jeden Terroristen fassen wollen, der versucht, unserem Land Schaden zuzufügen.«

Er schweigt für einen Moment. Er kämpft mit sich, ob er mich noch einmal fragen soll: *Sind Sie sich da sicher?* Wenn er das wagt, werde ich mich mächtig zusammenreißen müssen, um diesen Tisch nicht umzustoßen und ihm an die Gurgel zu springen.

»Nur der Klarheit halber«, sagt er. »Die Vereinigten Staaten wollen Suliman Cindoruk fassen.«

»Das bedarf keiner Klärung«, blaffe ich. »Daran gibt es nicht den geringsten Zweifel. Hat es nie gegeben. Wir jagen Suliman Cindoruk nun schon seit einem Jahrzehnt. Wir werden nicht ruhen, bis wir ihn haben. Ist Ihnen das klar genug?«

»Nun, Mr President, bei allem gebotenen Respekt –«

»Nein«, falle ich ihm ins Wort. »Wenn Sie eine Frage einleiten mit ›bei allem gebotenen Respekt‹, heißt das nur, dass Sie etwas ganz und gar Respektloses sagen wollen. Denken Sie, was Sie wollen, Mr Speaker, aber Sie *sollten* Respekt zeigen, wenn schon nicht vor mir, dann gegenüber all den anderen Menschen in diesem Land, die es sich zur Lebensaufgabe gemacht haben, den Terrorismus zu bekämpfen und unser Land zu schützen. Wir sind nicht perfekt, werden wir auch nie sein. Aber wir werden nicht aufhören, unser Bestes zu geben.« Ich winke missbilligend ab. »Stellen Sie schon Ihre Frage.«

Mir pocht der Puls in den Schläfen, ich hole tief Luft und spähe zu meinem Mitarbeitertrio hinüber. Jenny, meine politische Beraterin, nickt; sie wünscht sich schon lange, dass ich unserem neuen Sprecher des Repräsentantenhauses die Zähne zeige. Danny gibt keine Regung preis. Carolyn, meine stets besonnene Stabschefin, sitzt ein wenig vorgebeugt, die Ellbogen auf die Knie gestützt, die Hände unterm Kinn verschränkt. Als Punktrichter bei den Olympischen Spielen würde mir Jenny für diesen Ausbruch eine Neun geben, bei Carolyn gäbe es nicht einmal eine Fünf.

»Ich lasse mir von Ihnen meinen Patriotismus nicht infrage stellen, Mr President«, sagt mein silbergrauer Gegenspieler. »Das amerikanische Volk ist über das, was letzte Woche in Algerien passiert ist, tief besorgt, und damit haben wir uns noch nicht befasst. Das amerikanische Volk hat jedes Recht zu erfahren, auf wessen Seite Sie stehen.«

»Auf wessen *Seite* ich stehe?« Ich schnelle so heftig nach vorn, dass ich fast das Mikrofon vom Tisch stoße. »Ich stehe auf der Seite des amerikanischen Volkes und sonst nirgends.«

»Mr Pres–«

»Ich stehe auf der Seite der Leute, die rund um die Uhr arbeiten, um unser Land vor Angriffen zu bewahren. Der Menschen, die sich nicht davon leiten lassen, wie etwas in der Öffentlichkeit ankommt oder woher gerade der politische Wind weht. Die nicht mit ihren Erfolgen hausieren gehen und die sich nicht verteidigen können, wenn sie kritisiert werden. Auf deren Seite stehe ich.«

»President Duncan, die Männer und Frauen, die sich tagtäglich für die Sicherheit unserer Nation einsetzen, haben meine volle Unterstützung«, fühlt er sich bemüßigt, klarzustellen. »Um die geht es hier nicht. Hier geht es um Sie, Sir. Hier geht es nicht um irgendwelche Spielchen. Mir macht das hier keinen Spaß, das können Sie mir glauben.«

Unter anderen Umständen hätte ich gelacht. Lester Rhodes hat sich auf diese Anhörung vor dem Sonderausschuss gefreut wie ein Collegestudent auf seinen einundzwanzigsten Geburtstag.

Der Mann zieht seine Show ab. Speaker Rhodes hat das mit diesem Sonderausschuss gedeichselt, und zwar mit dem einzigen Ziel, dass mich dieser Zirkus eines Vergehens im Amt für schuldig befindet und der Justizausschuss des Repräsentantenhauses daraufhin ein Amtsenthebungsverfahren einleitet. Die acht Kongressmitglieder auf seiner Seite sitzen alle fest im Sattel: Sie haben ihre Bundeswahlkreise so schamlos manipuliert, dass sie ihre Wiederwahl in zwei Jahren in der Tasche haben; sie könnten mitten im Hearing die Hose runterlassen oder am Daumen lutschen und hätten trotzdem keinen ernsthaften Gegenkandidaten zu fürchten.

Meine Berater haben recht. Es spielt überhaupt keine Rolle, ob die Beweislage gegen mich stark oder schwach ist oder in sich zusammenfällt. Die haben sich längst entschieden.

»Stellen Sie Ihre Fragen«, sage ich. »Bringen wir dieses Affentheater hinter uns.«

Drüben in der Ecke verzieht Danny Akers schmerzlich das Gesicht und flüstert Carolyn etwas zu, die nickt, ohne ihr Pokergesicht zu verziehen. Danny hat meine Bemerkung über das *Affentheater*, mein Angriff auf dieses Verfahren, nicht gefallen. Mehr als einmal hat er mir zu verstehen gegeben, meine Vorgehensweise sehe »schlecht, sehr schlecht« aus und liefere dem Kongress einen triftigen Grund für Ermittlungen.

Womit er nicht falschliegt. Nur dass er nicht die ganze Geschichte kennt. Er hat nicht die höchste Zugangsermächtigung und weiß nicht, was Carolyn weiß. Wäre er im Bilde, würde er die Dinge anders sehen. Er würde begreifen, welcher Bedrohung unser Land ausgesetzt ist, in einem Ausmaß, wie wir es noch nie gesehen haben.

Eine Bedrohung, die mich dazu gebracht hat zu handeln, wie ich es in meinen kühnsten Träumen nicht für möglich gehalten hätte.

»Mr President, haben Sie am Sonntag, dem neunundzwanzigsten April dieses Jahres, Suliman Cindoruk angerufen? Also vor etwas über einer Woche? Haben Sie sich mit dem meistgesuchten Terroristen der Welt telefonisch in Verbindung gesetzt oder nicht?«

»Mr Speaker«, antworte ich, »wie ich bereits mehrfach ausgeführt habe, obwohl das eigentlich nicht nötig sein sollte, können wir nicht alles, was wir tun, um unser Land zu schützen, in aller Öffentlichkeit verhandeln. Das amerikanische Volk versteht, dass die nationale Sicherheit, dass die Außenpolitik hochsensible, komplexe Erfordernisse mit sich bringt und dass ein Teil meiner Regierungsarbeit der Geheimhaltung unterliegen muss. Nicht etwa, weil wir etwas geheim halten wollen, sondern weil wir es müssen. Darum geht es ja gerade beim Exekutivrecht des Präsidenten.«

Rhodes würde die Anwendbarkeit des Exekutivrechts auf Verschlusssachen wahrscheinlich bestreiten. Doch Danny Akers, der Rechtsberater des Weißen Hauses, ist davon überzeugt, dass wir diesen Kampf gewinnen werden, da es hier um meine verfassungsmäßige Befugnis in auswärtigen Angelegenheiten geht.

So oder so verkrampft sich mir bei meinen eigenen Worten der Magen. Doch laut Danny kann ich, wenn ich mich nicht darauf berufe, gleich ganz auf das Vorrecht des Präsidenten verzichten. Und wenn ich *das* tue, muss ich die Frage beantworten, ob ich am Sonntag vor zwei Wochen Suliman Cindoruk angerufen habe.

Ich werde diese Frage nicht beantworten.

»Also, Mr President, ich weiß nicht, ob das amerikanische Volk mit dieser Antwort viel anzufangen weiß.«

Also, Mr Speaker, ich weiß nicht, ob das amerikanische Volk Sie für einen so tollen Sprecher hält, aber schließlich hat das amerikanische Volk Sie ja auch nicht zum Sprecher gewählt, oder? Sie haben im dritten bundesstaatlichen Wahlkreis von Indiana mickrige achtzigtausend Stimmen bekommen. Ich wurde mit vierundsechzig Millionen Stimmen gewählt. Aber Ihre Kumpane in Ihrer Partei haben Sie zu ihrem Vorsitzenden erkoren, weil Sie so viele Spendengelder für sie gesammelt und ihnen meinen Kopf versprochen haben.

Das würde im Fernsehen vermutlich weniger gut rüberkommen.

»Demnach leugnen Sie nicht, Suliman Cindoruk an dem besagten Tag angerufen zu haben, sehe ich das richtig?«

»Ich habe Ihre Frage bereits beantwortet.«

»Nein, Mr President, haben Sie nicht. Sie sind sich dessen bewusst, dass die französische Zeitung *Le Monde*, unter Berufung auf eine anonyme Quelle, eine ihr zugespielte Telefonaufzeichnung veröffentlicht hat, der zufolge Sie Suliman Cindoruk am Sonntag, dem neunundzwanzigsten April dieses Jahres, angerufen und mit ihm gesprochen haben. Sie wissen davon?«

»Ich habe den Artikel gelesen.«

»Und leugnen Sie es?«

»Ich gebe Ihnen dieselbe Antwort wie zuvor. Ich diskutiere das nicht. Ich lasse mich auf dieses Katz-und-Maus-Spiel, ob ich es getan oder nicht getan habe, nicht ein. Etwaige Schritte, die ich im Sicherheitsinteresse unseres Landes unternehme, werde ich hier weder bestätigen noch bestreiten. Nicht, solange es erforderlich ist, sie im Interesse der nationalen Sicherheit geheim zu halten.«

»Nun ja, Mr President, wenn eine der größten Zeitungen Europas darüber schreibt, weiß ich, ehrlich gesagt, nicht so recht, was daran noch ein so großes Geheimnis sein soll.«

»Sie haben meine Antwort gehört«, sage ich. Gott, ich klinge wie ein Arschloch. Schlimmer, ich klinge wie ein Anwalt.

»*Le Monde* berichtet ...« Er hält eine Zeitung hoch. »›Der amerikanische Präsident Jonathan Duncan führte auf eigene Initiative ein Telefonat mit Suliman Cindoruk, dem Anführer der Söhne des Dschihad, einem der meistgesuchten Terroristen der Welt, um zwischen der Terrororganisation und dem Westen eine Annäherung zu finden.‹ Bestreiten Sie das, Mr President?«

Ich kann nicht antworten, und er weiß es. Er will mich zappeln lassen.

»Ich habe dem Gesagten nichts hinzuzufügen. Ich werde mich nicht wiederholen.«

»Das Weiße Haus hat zu dem Artikel in *Le Monde* nie einen Kommentar abgegeben.«

»Das ist richtig.«

»Suliman Cindoruk aber schon, nicht wahr? Er hat ein Video veröffentlicht, in dem er sagt: ›Der Präsident mag um Gnade flehen, wie er will, die Amerikaner haben von uns keine Gnade zu erwarten.‹ Das hat er gesagt, nicht wahr?«

»Das hat er gesagt.«

»Das Weiße Haus hat darauf mit einer Verlautbarung reagiert. Darin heißt es: ›Die Vereinigten Staaten werden nicht auf Hetztiraden eines Terroristen reagieren.‹«

»Das ist richtig«, bestätige ich.

»Und? Haben Sie ihn um Gnade angefleht?« An diesem Punkt ist meine politische Beraterin Jenny Brickman drauf und dran, sich die Haare zu raufen. Auch sie hat nicht die höchste Zugangsermächtigung und kennt nicht die ganze Geschichte; ihr geht es vor allem darum, dass ich bei diesem Hearing wie ein Kämpfer dastehe. *Wenn Sie sich nicht wehren können,* hat sie gesagt, *dann gehen Sie besser nicht hin. Sonst machen Sie sich zum Prügelknaben.*

Und sie hat recht. In diesem Moment hebt Lester Rhodes seinen Stock, um einen Haufen streng geheimer Informationen sowie politischer Fehltritte aus mir herauszuprügeln.

»Sie schütteln den Kopf, Mr President. Nur dass ich Sie richtig verstehe – Sie leugnen, Suliman Cindoruk um Gna-«

»Die Vereinigten Staaten werden niemals irgendjemanden um irgendetwas anflehen«, sage ich.

»Na schön, damit widersprechen Sie Suliman Cindoruks Behauptung, Sie hätten ihn –«

»Ich wiederhole: Die Vereinigten Staaten«, sage ich mühsam beherrscht, »werden niemals irgendjemanden um irgendetwas anflehen. Reicht das jetzt, Mr Speaker? Oder soll ich es noch mal sagen?«

»Nun, wenn Sie ihn nicht angefleht –«

»Nächste Frage«, sage ich.

»Haben Sie ihn dann vielleicht freundlich gebeten, uns nicht anzugreifen?«

»Nächste«, wiederhole ich, »Frage.«

Er hält inne und geht seine Notizen durch. »Meine Zeit ist gleich um«, sagt er. »Nur noch ein paar Fragen.«

Einer ist abgehakt – fast abgehakt –, zwölf kommen noch, alle mit jeder Menge Spitzfindigkeiten und Fangfragen im Köcher.

Rhodes ist fast so sehr für seine Schlussfragen wie für seine Eröffnungen berüchtigt. Ich weiß genau, was jetzt kommt. Und er weiß schon jetzt, dass ich darauf nicht antworten kann.

»Mr President«, sagt er, »sprechen wir über Dienstag, den ersten Mai. In Algerien.«

Das war vor über einer Woche.

»Am Dienstag, dem ersten Mai«, sagt er, »ist eine Gruppe proukrainischer, antirussischer Separatisten in Nordalgerien in ein Gehöft eingefallen, auf dem sich Suliman Cindoruk mutmaßlich versteckte. Was sich als richtig erweisen sollte. Sie hatten Cindoruk aufgespürt und befanden sich auf diesem Gehöft, um ihn zu töten.

Aber ihre Pläne wurden vereitelt, Mr President, und zwar von einem Sonderkommando sowie von CIA-Agenten aus den Vereinigten Staaten. Auf diese Weise gelang Suliman Cindoruk die Flucht.«

Ich schweige.

»Haben Sie diesen Gegenangriff angeordnet?«, fragt er. »Und falls ja, warum? Wieso entsendet ein amerikanischer Präsident ein Einsatzkommando der Vereinigten Staaten, um einem Terroristen das Leben zu retten?«

2

»Der Vorsitzende erteilt dem Gentleman aus Ohio, Mr Kearns, das Wort.«

Ich presse Daumen und Zeigefinger gegen die Nasenwurzel, um gegen die Erschöpfung anzukämpfen. Im Lauf der letzten Woche habe ich nur wenige Stunden geschlafen, und die Anstrengung, mich zu verteidigen, während mir die Hände gebunden sind, laugt mich aus. Vor allem aber bin ich wütend. Ich habe Wichtigeres zu tun. Ich habe keine Zeit für diesen Mist.

Ich blicke nach links – zum rechten Flügel der Kommission. Mike Kearns ist der Vorsitzende des Justizausschusses und Lester Rhodes' Günstling. Er trägt gerne Fliege, um zu zeigen, wie intelligent er ist. Ich für meinen Teil habe schon Haftnotizen mit mehr Tiefgang gesehen.

Aber der Bursche kann Fragen stellen, das muss man ihm lassen. Bevor er in den politischen Ring stieg, war er Bundesanwalt. Zu den Köpfen, die er hat rollen lassen, gehören zwei Geschäftsführer aus der Pharmaindustrie und ein ehemaliger Gouverneur.

»Der Kampf gegen den Terror ist eine sehr ernste Angelegenheit der nationalen Sicherheit, Mr President. Würden Sie dem zustimmen?«

»Absolut.«

»Würden Sie mir dann auch darin beipflichten, dass sich ein amerikanischer Bürger, der uns daran hindert, Terroristen zu bekämpfen, des Hochverrats schuldig macht?«

»Ich würde eine solche Handlungsweise verurteilen«, sage ich.

»Und wäre das ein Fall von Hochverrat?«

»Darüber müssten Anwälte und Gerichte entscheiden.«

Wir sind beide Anwälte, aber ich habe meinen Standpunkt deutlich gemacht.

»Wenn nun der Präsident den Kampf gegen Terroristen behindern würde, wäre das ein Vergehen, das ein Amtsenthebungsverfahren rechtfertigen würde?«

Gerald Ford hat einmal bemerkt, ein Vergehen, das eine Amtsenthebung rechtfertigt, sei das, was die Mehrheit des Repräsentantenhauses dafür hält.

»Es ist nicht meine Aufgabe, darüber zu befinden.«

Er nickt. »Nein, ist es wohl nicht. Sie haben sich vorhin geweigert, die Frage zu beantworten, ob Sie Sondereinsatzkräfte und CIA-Agenten entsendet hätten, um einen Anschlag auf Suliman Cindoruk in Algerien zu vereiteln.«

»Mr Kearns, ich habe gesagt, dass einige Angelegenheiten, die die nationale Sicherheit betreffen, nicht öffentlich diskutiert werden können.«

»Laut der *New York Times* haben Sie aufgrund streng geheimer Informationen gehandelt, denen zufolge diese antirussische Miliz Suliman Cindoruk ausfindig gemacht hatte und kurz davor war, ihn zu töten.«

»Das habe ich gelesen. Ich werde das nicht kommentieren.«

Früher oder später sieht sich jeder Präsident vor Entscheidungen gestellt, bei denen er trotz richtiger Wahl für sich und seine Regierung, zumindest kurzfristig, politischen Schaden in Kauf nehmen muss. Wenn viel auf dem Spiel steht, muss man tun, was richtig ist, und darauf hoffen, dass sich die politischen Wogen wieder glätten. Das gehört zu dem Job, den man übernommen hat.

»Mr President, ist Ihnen Titel 18, Paragraf 798 des United States Code geläufig?«

»Ich kenne zwar die Paragrafen des United States Code nicht auswendig, Mr Kearns, aber ich denke, Sie beziehen sich auf das Spionagegesetz.«

»In der Tat, Mr President. Es geht um den missbräuchlichen Umgang mit geheimen Informationen. In dem entsprechenden Abschnitt heißt es, dass es einen Verstoß gegen Bundesrecht darstellt, geheime Informationen vorsätzlich so zu handhaben, dass es der Sicherheit oder dem Interesse der Vereinigten Staaten abträglich ist. Erscheint Ihnen das plausibel?«

»Ihre Lesart ist sicher richtig, Mr Kearns.«

»Wenn ein Präsident in voller Absicht geheime Informationen dazu nutzen würde, einen Terroristen zu beschützen, der davon besessen ist, uns anzugreifen, würde ein solcher Fall Ihrer Meinung nach unter diese Bestimmung fallen?«

Meinem Rechtsberater zufolge nicht, da diese Klausel sicher nicht auf den Präsidenten anwendbar ist. In seinen Augen wäre es eine neue Auslegung des Spionagegesetzes zu behaupten, ein Präsident könne mal eben so die amtliche Geheimhaltung von sensiblen Informationen aufheben.

Aber egal. Selbst wenn ich in der Stimmung wäre, mich in juristischen Wortgefechten über den Geltungsbereich eines Bundesgesetzes zu ergehen – was ich nicht bin –, können sie auch so ein Amtsenthebungsverfahren einleiten und sich irgendwelche Begründungen aus den Fingern saugen. Es muss keine Straftat sein.

Alles, was ich getan habe, diente dazu, mein Land zu schützen. Ich würde es wieder tun. Nur dass ich darüber Stillschweigen wahren muss.

»Ich kann Ihnen nichts weiter dazu sagen, als dass es mir bei allen meinen Entscheidungen ausschließlich um die Sicherheit meines Landes ging. Und daran wird sich auch künftig nichts ändern.«

Ich sehe, wie Carolyn in der Ecke etwas auf ihrem Handy liest und eine Antwort tippt. Für den Fall, dass ich hier abbrechen muss, um auf etwas, das sie gerade erfahren hat, zu reagieren, suche ich Blickkontakt mit ihr. Etwas von General Burke im Zentralkommando? Oder vom Staatssekretär im Verteidigungsministerium? Von unserem Cybersicherheitsteam, das wir eingerichtet haben, um herauszufinden, womit wir es zu tun haben und wie wir uns dagegen wehren können? Wir müssen jederzeit mit der nächsten Hiobsbotschaft rechnen. Wir glauben – wir hoffen –, uns bleibt noch mindestens ein Tag.

Sicher ist derzeit allerdings nur eines: dass die Lage extrem unsicher ist. Wir müssen jederzeit bereit sein, für den Fall –

»Dienen Telefonate mit den Anführern des IS dem Schutz unseres Landes?«

»Was?«, schnauze ich und wende meine Aufmerksamkeit wieder dem Hearing zu. »Was reden Sie da? Ich habe nie mit den Anführern des IS telefoniert. Was hat der IS mit alledem zu tun?«

Bevor ich den letzten Satz zu Ende bringe, wird mir siedend heiß bewusst, was ich getan habe. Ich wünschte, ich könnte meine unbedachten Worte zurücknehmen und herunterschlucken. Aber es ist zu spät. Er hat mich volle Breitseite erwischt, als ich gerade nicht aufmerksam war.

»Interessant«, sagt er, »wenn ich Sie frage, ob Sie die IS-Anführer angerufen haben, verneinen Sie das kategorisch. Wenn Sie der Speaker hingegen fragt, ob Sie mit Suliman Cindoruk telefoniert haben, kommen Sie uns mit dem ›Exekutivprivileg‹. Ich denke, das amerikanische Volk versteht den Unterschied.«

Ich schnaube hörbar und spähe zu Carolyn Brock hinüber, die keine Miene verzieht, auch wenn ich ihr von den zusammengekniffenen Augen ablesen kann: *Hab ich's Ihnen nicht gesagt?*

»Abgeordneter Kearns, hier geht es um eine Angelegenheit der nationalen Sicherheit. Fangfragen-Spielchen sind da völlig fehl am Platz. Wir haben es mit ernsten Angelegenheiten zu tun. Wenn Sie so weit sind, mir eine ernsthafte Frage zu stellen, werde ich Ihnen gerne Rede und Antwort stehen.«

»Bei diesem Kampf in Algerien ist ein Amerikaner ums Leben gekommen, Mr President. Ein Amerikaner, ein CIA-Agent namens Nathan Cromartie, ist gestorben, als er diese antirussische Miliz daran hinderte, Suliman Cindoruk zu töten. Ich denke, *das* ist für das amerikanische Volk eine ernste Angelegenheit.«

»Nathan Cromartie war ein Held«, sage ich. »Wir trauern um ihn. Ich trauere um ihn.«

»Sie haben gehört, was seine Mutter darüber zu sagen hatte«, fährt er fort.

Habe ich. Wie wir alle. Nach dem Vorfall in Algerien haben wir nichts an die Öffentlichkeit gebracht. Wie denn auch! Doch dann stellte diese Miliz ein Video von dem toten Amerikaner ins Netz, und es dauerte nicht lange, bis Clara Cromartie darauf ihren Sohn Nathan identifizierte. Und ihn als CIA-Agenten enttarnte. Ein gigantischer Shitstorm brach los. Die Medien stürzten sich auf die Mutter, und binnen Stunden verlangte sie Auskunft darüber, wieso ihr Sohn hatte sterben müssen, um einen Terroristen zu retten, der für den Tod Hunderter unschuldiger Menschen verantwortlich war, einschließlich vieler Amerikaner. In ihrer Trauer und ihrem Schmerz schrieb sie praktisch das Drehbuch für die Anhörung vor dem Sonderausschuss.

»Finden Sie nicht auch, dass Sie der Familie Cromartie Antworten schuldig sind, Mr President?«

»Nathan Cromartie war Patriot«, erwidere ich. »Und er hat sehr wohl verstanden, dass vieles von dem, was wir im Interesse der nationalen Sicherheit tun, unter die Geheimhaltung fällt. Ich habe persönlich mit Mrs Cromartie gesprochen, und ich bin über das Schicksal ihres Sohnes tief betroffen. Darüber hinaus werde ich mich zu der Angelegenheit nicht äußern. Ich kann und werde es nicht.«

»Nun, kommen Ihnen im Nachhinein, Mr President«, macht er ungerührt weiter, »nicht doch vielleicht Zweifel daran, ob Ihre Strategie, mit Terroristen zu verhandeln, wirklich funktioniert hat?«

»Ich verhandle nicht mit Terroristen.«

»Wie auch immer Sie es nennen wollen«, sagt er. »Sie anzurufen. Sich mit ihnen zu besprechen. Sie zu hätscheln –«

»Ich verbitte mir –«

An der Decke flackern, für den Bruchteil einer Sekunde, die Lampen, zwei Mal. Der eine oder andere im Raum stöhnt genervt, Carolyn Brock horcht auf und macht sich eine Notiz.

Sein Gegner nutzt den Moment und holt zum nächsten Schlag aus.

»Sie machen kein Geheimnis daraus, Mr President, dass Sie dem Dialog gegenüber der Demonstration von Stärke den Vorzug geben, dass Sie lieber mit Terroristen diskutieren.«

»Nein«, sage ich deutlich und merke, wie mir der Puls in den Schläfen pocht, denn diese Art von Simplifizierung bringt alles, was in unserer politischen Kultur schiefläuft, auf den Punkt. »Ich betone nur immer wieder, dass ich, solange Hoffnung auf eine friedliche Beilegung von Konflikten besteht, der friedlichen Alternative den Vorzug gebe. Das Gespräch zu suchen hat nichts mit Kapitulation zu tun. Sind wir hier, um eine außenpolitische Debatte zu führen, Herr Abgeordneter? Ich möchte diese Hexenjagd nur ungern mit einer substanziellen Debatte stören.«

Ein kurzer Blick in die Ecke. Carolyn Brock verzieht das Gesicht, eine seltene Regung in ihrer kontrollierten Miene.

»Der eine nennt es *mit dem Feind im Gespräch bleiben,* Mr President, der andere nennt es *hätscheln.*«

»Ich *hätschle* unsere Feinde nicht«, sage ich. »Ebenso wenig schließe ich Gewaltanwendung aus. Gewaltanwendung ist immer eine Option, doch für mich erst, wenn alle anderen Mittel erschöpft sind. Einem Country-Club-Söhnchen, das sein Leben mit Bierbongs und dem Verprügeln von Anwärtern in geheimen Studentenverbindungen verbracht hat und jeden mit seinen Initialen anredet, mag das nicht in den Kopf gehen, aber ich habe auf einem echten Schlachtfeld mit dem echten Feind Bekanntschaft gemacht und überlege es mir deshalb dreimal, bevor ich unsere Söhne und Töchter ins Gefecht entsende. Ich war *einer* von diesen Söhnen, und ich bin mir der Risiken bewusst.«

An dieser Stelle lehnt sich Jenny vor, um mehr zu hören. Sie drängt mich schon lange, Einzelheiten aus meiner Militärzeit preiszugeben. *Erzählen Sie denen von Ihrer Zeit als Soldat. Sagen Sie denen, was Sie in der Kriegsgefangenschaft erlebt haben.*

Erzählen Sie denen von Ihren Verwundungen, von der Folter. Im Wahlkampf war das ein endloses Hin und Her – etwas in meinem Lebenslauf, mit dem ich hätte punkten können. Hätte ich auf meine Ratgeber gehört, wäre es das beherrschende Thema gewesen. Aber ich habe mich nie darauf eingelassen. Es gibt Dinge, über die spricht man einfach nicht.

»Sind Sie fertig, Mr Pres–«

»Nein, noch lange nicht. Ich habe das alles bereits dem Vorstand des Repräsentantenhauses dargelegt, dem Sprecher und anderen. Ich habe ihnen klargemacht, dass ich für diese Anhörung keine Zeit habe, weil ich gegenwärtig ganz und gar von ernsteren Dingen in Anspruch genommen werde. Sie hätten sagen können, ›In Ordnung, Mr President, auch wir sind Patrioten und werden respektieren, was Sie tun, selbst, wenn Sie uns nicht gänzlich ins Bild setzen können.‹ Aber was machen Sie? Sie konnten der Versuchung nicht widerstehen, mich vor diesen Ausschuss zu zerren, um politisches Kapital daraus zu schlagen. Lassen Sie mich daher in aller Öffentlichkeit wiederholen, was ich Ihnen bereits unter vier Augen gesagt habe. Ich werde Ihnen keine spezifischen Fragen über etwaige Gespräche oder Aktionen beantworten, die ich möglicherweise geführt oder veranlasst habe, denn das wäre gefährlich. Es geht um eine *Bedrohung* unserer nationalen Sicherheit. Falls mich meine Bemühungen, diese Bedrohung abzuwenden, das Amt kosten sollten, sei's drum. Aber damit eines klar ist: Ich habe nichts getan oder gesagt, ohne dabei einzig und allein die Sicherheit der Vereinigten Staaten im Auge zu haben. Und daran wird sich auch nichts ändern.«

Mein Fragesteller lässt sich durch die Beleidigungen, die ich ihm eben ins Gesicht geschleudert habe, nicht im Mindesten irritieren. Im Gegenteil, die Tatsache, dass mir seine Fragen offensichtlich unter die Haut gehen, scheint ihn nur noch anzustacheln. Er wirft erneut einen Blick auf seine Notizen und seine Fragenliste, während ich mich um Haltung bemühe.

»Was ist die schwierigste Entscheidung, die Sie diese Woche

zu treffen hatten, Mr Kearns?« Ich kann der Versuchung nicht widerstehen, den Spieß einmal umzudrehen. »Welche Fliege Sie zu dieser Anhörung tragen sollen? Auf welcher Seite Sie Ihre lächerliche Resthaarfrisur scheiteln sollen?

Bei mir hat sich in den letzten Tagen und Wochen fast alles um die nationale Sicherheit gedreht, was äußerst schwierige Entscheidungen erfordert; bei Gleichungen mit vielen Unbekannten weiß man nie, ob das Kalkül aufgeht. Zuweilen sind sämtliche Optionen schlicht und ergreifend beschissen, und ich suche nach derjenigen, die am wenigsten beschissen ist. In einem solchen Fall tue ich einfach mein Bestes. Natürlich frage ich mich dann, ob es die richtige war und ob es am Ende gut geht. In manchen Fällen ist der Ausgang ziemlich offen, aber ich kann nicht die Hände in den Schoß legen. Ich muss handeln und dann mit dem Ergebnis leben.

Das gilt auch für die Kritik, die ich dafür ernte, selbst von einem politischen Mitläufer, der sein Fähnchen nach dem Winde hängt, der einen Zug auf dem Schachbrett macht, ohne den übrigen Spielverlauf zu kennen, und sich dann endlos über diesen genialen Zug auslässt, ohne auch nur zu ahnen, in welche Gefahr er unsere Nation damit bringt.

Mr Kearns, ich würde meine Handlungsweise gerne mit Ihnen diskutieren, aber es liegt nun mal in unserem nationalen Interesse, in dieser Sache Geheimhaltung zu wahren. Was Sie natürlich wissen. Man nennt das, glaube ich, ›das Wohl der Nation über die eigenen Interessen zu stellen‹. Sollten Sie auch mal versuchen.«

In der Ecke hebt Danny Akers die Hände, das Zeichen für eine Unterbrechung.

»Klar. Wissen Sie was? Sie hatten recht, Danny. Machen wir Schluss. Ich bin hier fertig. Das war's.«

Mit einer ausladenden Handbewegung fege ich das Mikro vom Tisch. Als ich aufstehe, kippe ich meinen Stuhl um.

»Ich hab's kapiert, Carrie. Ist keine gute Idee, auszusagen. Die werden mich in Stücke reißen. Schon kapiert.«

Carolyn Brock springt auf und streicht ihr Kostüm glatt. »Okay, besten Dank an alle. Wenn Sie dann bitte den Raum verlassen.«

Es handelt sich um den Roosevelt Room gegenüber dem Oval Office. Ein passender Ort für ein Meeting – oder wie in diesem Fall für eine Probeanhörung vor dem Sonderausschuss –, denn diesen Raum ziert zum einen das Porträt von Teddy Roosevelt hoch zu Ross als *Rough Rider* wie auch der Nobelpreis, den er für die Beendigung des Kriegs zwischen Japan und Russland bekommen hat. Es gibt keine Fenster, und die Türen sind leicht zu sichern.

Alle stehen auf. Einer der Anwälte im Juristenteam des Weißen Hauses zieht sich die Fliege vom Hals, ein hübsches kleines Accessoire, das er beigesteuert hat, um in die Rolle des Abgeordneten Kearns zu schlüpfen. Er sieht mich schuldbewusst an, doch ich winke ab. Schließlich hat er nur seinen Part gespielt, um mir zu zeigen, was schlimmstenfalls passieren kann, wenn ich an dem Plan festhalte, nächste Woche auszusagen.

Auch mein Pressesprecher, der heute in die Haut von Lester Rhodes geschlüpft ist, bis hin zur grauen Perücke, mit der er eher an Anderson Cooper als an den Sprecher des Repräsentantenhauses erinnert, wirft mir einen verlegenen Blick zu, und ich erteile ihm ebenfalls Absolution.

Während sich der Raum allmählich leert, sinkt mein Adrenalinspiegel, und ich fühle mich entmutigt und ermattet. In welchem Maße sich dieser Job wie eine Achterbahnfahrt anfühlt – prickelnde Höhen, abgründige Talfahrten –, das erzählt einem vorher niemand.

Zuletzt stehe ich alleine da und starre auf den Kavalleristen über dem Kamin, während sich die leisen Schritte von Carolyn, Danny und Jenny nähern.

»›Schlicht und ergreifend beschissen‹ war mein persönlicher Favorit«, sagt Danny ungerührt.

Rachel hat mich schon immer ermahnt, mit Kraftausdrücken sparsamer umzugehen. Sie findet, Fluchen und andere Unflätigkeiten zeugten von einem Mangel an Kreativität. Ich weiß nicht. Wenn's hart auf hart kommt, kann ich mit meinen Schimpfkanonaden ziemlich kreativ sein.

Außerdem wissen Carolyn und meine anderen engen Mitarbeiter, dass ich diese Generalprobe als eine Art Therapie verstehe. Wenn sie mich schon nicht von meinem Vorhaben abbringen können, erhoffen sie sich zumindest davon, dass ich hier schon einmal Dampf ablasse, um mich im Ernstfall auf Antworten zu konzentrieren, die der Würde des Amts gerecht werden.

Jenny Brickman bemerkt in charakteristischer Feinfühligkeit: »Sie müssten vollkommen durchgeknallt sein, um sich nächste Woche vor den Ausschuss schleppen zu lassen.«

Ich nicke Jenny und Danny zu. »Ich brauche Carrie«, sage ich, die Einzige der drei mit der höchsten Zugangsermächtigung und somit die einzige Mitarbeiterin im Raum, mit der ich offen über die bedrohliche Lage sprechen kann.

Die anderen gehen.

»Was Neues?«, frage ich Carolyn, als wir alleine sind.

Sie schüttelt den Kopf. »Nein.«

»Dann passiert es also morgen?«

»Soweit ich weiß, ja, Mr President.« Sie deutet mit dem Kopf zur Tür, die Jenny und Danny gerade hinter sich zugezogen haben. »Die beiden haben recht, wissen Sie. Die Anhörung am Montag ist eine Lose-lose-Situation.«

»Vergessen wir die Anhörung, Carrie. Ich habe diesem Probelauf zugestimmt. Ich habe Ihnen eine Stunde gegeben. Das war's. Wir haben wahrlich Wichtigeres um die Ohren, oder?«

»Ja, Sir. Das Team ist bereit für das Briefing, Sir.«

»Ich möchte mit dem Threat-Response-Team sprechen, dann mit Burke, dann mit der Staatssekretärin. In dieser Reihenfolge.«

»Ja, Sir«, sagt sie, »bin gleich zurück.«

»Danke.«

Carolyn geht.

Als ich wieder allein bin, blicke ich erneut zum ersten Präsidenten Roosevelt auf und denke nach. Allerdings nicht über die Anhörung am Montag.

Ich denke darüber nach, ob es am Montag unser Land noch gibt.

3

Als sie die Ankunftshalle des Reagan National Airport betritt, bleibt sie einen Moment stehen, scheinbar, um zu den Wegweisern aufzuschauen, in Wahrheit nur, um nach dem Flug den Moment im Freien zu genießen. Mit einem tiefen Atemzug saugt sie die Frische des Ingwerbonbons im Mund ein und horcht auf den eigenwilligen ersten Satz des ersten Violinkonzerts von Johann Sebastian Bach, gespielt von Wilhelm Friedemann Herzog, das leise aus ihren Ohrhörern dringt.

Setz eine glückliche Miene auf, sagen sie einem immer. Glück, so die Begründung, ist die beste Emotion, um keinen Verdacht zu erregen, wenn man beobachtet wird. Menschen, die lächeln, die zufrieden wirken, gar lachen und Witze machen, wirken nicht bedrohlich.

Sie gibt sich lieber sexy. Ohne Begleitung ist die Masche leichter abzuziehen, und bisher hat sie immer funktioniert – das ein wenig spöttische Lächeln, der stolze Gang, während sie ihren Bottega-Veneta-Trolley durchs Terminal zum Ausgang hinter sich herzieht. Es ist eine Rolle wie jede andere, ein Kostüm, in das sie schlüpft und das sie ablegt, sobald sie fertig ist, doch sie kann mit eigenen Augen sehen, dass es den Zweck nicht verfehlt: wie die Männer versuchen, ihren Blick auf sich zu lenken, wie sie unwillkürlich in ihren Ausschnitt starren, dessen Tiefe sie genauestens abwägt, nur so viel, dass beim Gehen ihre Titten wippen und im Gedächtnis der Kerle haften bleiben; wie die Frauen sie neidisch in der vollen Länge ihrer eins dreiundsiebzig, von den schokobraunen, kniehohen Lederstiefeln bis zum flammend roten Haar, beäugen, bevor sie zu ihren Männern schielen, um festzustellen, wie ihnen die Aussicht gefällt.

Der hochgewachsene, langbeinige, vollbusige Rotschopf, für alle sichtbar versteckt, wird ihnen in Erinnerung bleiben.

Auf dem Weg durch die Halle Richtung Taxistand müsste sie eigentlich schon in Sicherheit sein. Hätte sie jemand erkannt, wüsste sie es bereits. Sie wäre nicht bis hierher gekommen. Aber noch ist die Gefahr nicht ganz ausgestanden, und so erlaubt sie sich keine Unachtsamkeit. Niemals. *In dem Moment, in dem man unachtsam wird, begeht man einen Fehler,* hat der Mann zu ihr gesagt, der ihr vor etwas mehr als fünfundzwanzig Jahren zum ersten Mal ein Gewehr in die Hand gedrückt hat. *Kühl und logisch* lautet ihr Lebensmotto. Denken und sich nichts anmerken lassen.

Jeder Schritt ist eine Qual, was aber nur an ihren zusammengekniffenen Augen abzulesen wäre, und die versteckt sie unter ihrer Ferragamo-Sonnenbrille über dem selbstbewussten Lächeln.

Sie schafft es bis zu den Taxis draußen an der Auffahrt, freut sich über die frische Luft, verzieht die Nase, als ihr die Auspuffdünste entgegenschlagen. Flughafenmitarbeiter in Uniform brüllen den Taxifahrern etwas zu und dirigieren die Fahrgäste zu den Autos in der Schlange. Eltern mühen sich mit quengeligen Kindern und sperrigen Rollkoffern ab.

Sie begibt sich zum mittleren Gang und hält nach dem Fahrzeug mit dem Kennzeichen Ausschau, das sie sich eingeprägt hat, sowie dem Roadrunner-Aufkleber an der Seite. Es ist noch nicht da.

Sie schließt für einen Moment die Augen und hält sie geschlossen, bis das *Andante,* ihr Lieblingssatz im Stück, vorbei ist, eine zuerst sehnsüchtig melancholische, dann beruhigende, fast meditative Passage.

Als sie die Augen wieder öffnet, hat sich das Taxi mit dem richtigen Nummernschild und dem Aufkleber an der Seite in die Schlange eingereiht. Sie rollt ihren Koffer heran und steigt ein. Von dem überwältigenden Fast-Food-Mief im Wageninneren kommt ihr das Frühstück fast hoch. Sie unterdrückt die Übelkeit und lehnt sich zurück.

Mit Beginn des letzten, ungestümen Satzes, des *Allegro assai*, bricht sie das Konzert abrupt ab. Als sie die Ohrhörer herausnimmt, fühlt sie sich ohne die beruhigende Begleitung der Violinen und Cellos nackt.

»Wie ist der Verkehr heute so?«, fragt sie auf Englisch mit einem Akzent aus dem Mittleren Westen.

Durch den Rückspiegel sind die Augen des Fahrers auf sie gerichtet. Zweifellos wurde er instruiert, so etwas zu unterlassen.

Starren Sie Bach gefälligst nicht an.

»Ziemlich angenehm heute«, antwortet er, indem er jedes Wort betont, der Entwarnungscode, den sie zu hören hoffte. Zwar hat sie in dieser frühen Phase auch nicht ernsthaft mit Komplikationen gerechnet, aber man kann nie wissen.

Da sie sich nun einen Moment entspannen kann, schlägt sie ein Bein über das andere und zieht den Reißverschluss des ersten Stiefels auf, dann des zweiten. Mit einem leisen Seufzer der Erleichterung befreit sie ihre Füße von diesen Stiefeln mit der zehn Zentimeter hohen Fersenhebung. Sie wackelt mit den Zehen und streicht sich mit dem Daumen das Fußgewölbe entlang, die einzige Massage, die der enge Fond des Taxis erlaubt.

Wenn sie Glück hat, wird sie sich für den Rest ihres Unternehmens nicht mehr größer machen müssen; ihre eins dreiundsiebzig werden genügen. Sie öffnet den Reißverschluss ihres Handkoffers, verstaut die Gucci-Stiefel darin und zieht ein Paar Nike-Sportschuhe heraus.

Als sich der Wagen in den dichten Verkehr einfädelt, wirft sie einen prüfenden Blick aus dem linken und aus dem rechten

Seitenfenster. Sie beugt sich herunter, bis der Kopf auf Kniehöhe ist. Als sie sich wieder aufrichtet, hat sie die rote Perücke auf dem Schoß und trägt ihr tintenschwarzes Haar in einem gnadenlos strengen Nackenknoten.

»Jetzt sind Sie … wieder Sie selbst, nicht wahr?«, fragt der Fahrer.

Sie antwortet nicht, sondern straft ihn mit einem kalten, durchdringenden Blick, der jedoch keine Wirkung zeigt, da er nicht in den Rückspiegel schaut.

Bach mag keinen Small Talk.

Hat man ihm das nicht gesagt? Abgesehen davon ist viel Zeit vergangen, seit sie das letzte Mal »sie selbst« gewesen ist. Wenn's hochkommt, kann sie sich ab und zu einmal entspannen. Je länger sie in diesem Metier arbeitet, je öfter sie sich neu erfindet – eine Fassade gegen die nächste tauscht, im Schatten lauert oder sich, wie gerade eben, für jedermann sichtbar versteckt –, desto mehr rückt die Erinnerung an ihr wahres Selbst oder auch nur die Idee von einer eigenen Identität in weite Ferne.

Das wird sich bald ändern, hat sie sich geschworen.

Nachdem Perücke und Stiefel im Handkoffer auf dem Sitz neben ihr verschlossen sind, greift sie zur Bodenmatte unter ihren Füßen. Sie packt sie am Rand und löst sie mit einem Ruck von ihrer Klettbefestigung.

Darunter befindet sich eine mit Schnappriegeln gesicherte Bodenplatte. Sie öffnet die Riegel und klappt die Platte hoch.

Dann richtet sie sich kurz auf und wirft einen Blick auf den Tacho, um sich zu vergewissern, dass der Fahrer nicht das Tempolimit überschreitet oder andere Dummheiten macht und dass keine Polizeistreife in der Nähe ist.

Schließlich holt sie die Hartschalenbox aus dem Fach unter der Bodenverkleidung. Sie legt den Daumen auf das Siegel. Die Daumenabdruckerkennung braucht nur einen Moment, dann öffnet sich das Siegel.

Nicht, dass ihre Auftraggeber irgendeinen Grund hätten,

sich an ihrer Ausrüstung zu schaffen zu machen, doch Vorsicht ist besser als Nachsicht.

Sie öffnet die Box zu einer kurzen Inspektion. »Hallo, Anna«, flüstert sie den Namen, den sie ihrer Waffe gegeben hat. Anna Magdalena ist eine Schönheit, ein mattschwarzes halb automatisches Gewehr, mit dem sie in weniger als zwei Sekunden fünf Schuss abfeuern und das sie in weniger als drei Minuten nur mit einem Schraubenzieher zusammensetzen beziehungsweise auseinandernehmen kann. Sicher, es gibt neuere Modelle auf dem Markt, doch Anna Magdalena hat sie noch nie im Stich gelassen, egal aus welcher Entfernung. Dutzende von Leuten könnten – rein theoretisch – ihre Treffsicherheit bestätigen, darunter ein Staatsanwalt in Bogotá, Kolumbien, der bis vor sieben Monaten noch einen Kopf auf dem Körper trug, oder der Anführer einer Rebellenarmee in Darfur, der vor anderthalb Jahren plötzlich sein Hirn ins Lammragout vor sich ergoss.

Sie hat auf jedem Kontinent getötet, Generäle, Aktivisten, Politiker und Geschäftsleute liquidiert. Man kennt von ihr nur das Geschlecht, ihren Lieblingskomponisten klassischer Musik und ihre hundertprozentige Erfolgsrate beim Töten.

Das hier wird Ihre größte Herausforderung, Bach, hat der Mann gesagt, der sie für diesen Job angeheuert hat.

Nein, hat sie ihn korrigiert. *Das wird mein größter Coup.*

FREITAG, 11. MAI

4

Ich schrecke aus dem Schlaf, starre in die Dunkelheit und taste nach meinem Handy. Es ist kurz nach vier Uhr morgens. Ich schicke Carolyn eine SMS.

Was Neues?

Ihre Antwort kommt prompt; auch sie ist wach.

Nein, Sir.

Hätte ich mir eigentlich denken können. Bei Neuigkeiten hätte mich Carolyn unverzüglich angerufen. Doch seit wir wissen, mit was für einer Bedrohung wir es zu tun haben, hat sie sich an diese frühmorgendlichen SMS gewöhnt. Ich atme langsam aus und strecke die Arme, um die Nervosität abzubauen. Kein Gedanke daran, wieder einzuschlafen. Heute ist der entscheidende Tag.

Ich verbringe einige Zeit auf dem Laufband. Das Bedürfnis, jeden Tag einmal ordentlich ins Schwitzen zu kommen, habe ich mir seit meinen Baseballtagen bewahrt, und jetzt, in diesem Job, habe ich es nötiger denn je. Es wirkt wie eine Massage vor dem Stress des Tages. Als Rachels Krebs wiederkam, hatte ich ein Laufband im Schlafzimmer aufstellen lassen, um sie selbst beim Training im Auge zu behalten.

Heute begnüge ich mich mit Rücksicht auf meinen derzeitigen körperlichen Zustand – das Wiederaufflammen meiner Krankheit wäre das Letzte, was ich im Moment brauchen kann – mit einer gemächlichen Gangart, statt zu joggen oder auch nur schnell zu gehen.

Ich putze mir die Zähne und sehe mir hinterher die Bürste

an. Nichts als die schaumigen Reste der Zahncreme. Ich grinse in den Spiegel und überprüfe das Zahnfleisch.

Ich ziehe mich aus, drehe mich um und betrachte mich von hinten im Spiegel. Die Hautunterblutungen sind vor allem an den Waden, aber auch an der Rückseite der Oberschenkel zu sehen. Es wird schlimmer.

Nach dem Duschen ist es Zeit, den täglichen Geheimdienstbericht zu lesen und mich über die aktuellen Entwicklungen zu informieren. Dann geht's zum Frühstück ins Speisezimmer. Darauf haben Rachel und ich immer großen Wert gelegt. »Der Rest der Welt kann dich in den nächsten sechzehn Stunden haben«, pflegte sie zu sagen. »Beim Frühstück gehörst du mir.«

Gewöhnlich auch beim Abendessen. Wir nahmen uns einfach die Zeit, auch wenn wir zu Rachels Lebzeiten nicht im Speisezimmer gegessen haben; meist haben wir uns an den kleinen Tisch in der Küche neben der Tür gesetzt, ein intimeres Ambiente, und manchmal sogar zusammen gekocht, um uns mal wie ganz normale Leute zu fühlen. Wie wir, nur wir beide, nicht anders als zu Hause in North Carolina, hier in der Küche im Weißen Haus Pfannkuchen gewendet oder Pizzateig ausgerollt haben, das gehört zu unseren glücklichsten Momenten.

Während ich ein Stück des hart gekochten Eis auf die Gabel nehme und geistesabwesend durchs Fenster zum Blair House im Lafayette-Park hinüberstarre, dient mir das Fernsehgemurmel im Hintergrund als weißes Rauschen. Den Fernseher gibt es erst seit Rachels Tod.

Ich frage mich, wieso ich überhaupt noch Nachrichten höre. Alles dreht sich um das Amtsenthebungsverfahren, die Sender biegen sich jede Meldung so zurecht, dass sie zu ihrer Version der Geschichte passt.

Auf MSNBC behauptet ein Auslandskorrespondent, die israelische Regierung verlege einen palästinensischen Top-Terroristen in ein anderes Gefängnis. *Könnte das Teil des »Deals«*

von Präsident Duncan mit Suliman Cindoruk sein? Ein Deal, der mit Israel und einem Gefangenenaustausch zu tun hat?

CBS News glaubt zu wissen, ich trüge mich mit dem Gedanken, eine freie Stelle im Landwirtschaftsministerium mit einem oppositionellen Senator aus den Südstaaten zu besetzen. *Hofft der Präsident, gegnerische Stimmen beim Absetzungsverfahren fürs eigene Lager zu gewinnen, indem er Posten verteilt?*

Wenn ich jetzt zum Kochsender wechseln würde, geht es mir durch den Sinn, bekäme ich wahrscheinlich zu hören, ich hätte sie vor einem Monat nur deshalb im Weißen Haus empfangen und ihnen meine Vorliebe für Mais verraten, um mich bei den Senatoren aus Iowa und Nebraska einzuschmeicheln, Hardlinern, die mich aus dem Amt jagen wollen.

Fox News erklärt seinen Zuschauern, mein Mitarbeiterstab sei in der Frage, ob ich aussagen solle oder nicht, gespalten, Stabschefin Carolyn Brock sei die Anführerin der Pro-Aussage-Gruppe, während Vizepräsidentin Katherine Brandt an der Spitze der Kontrafraktion stehe. *»Es werden bereits Pläne geschmiedet«*, sagt gerade ein Reporter draußen vor dem Weißen Haus, *»die Anhörung vor dem Repräsentantenhaus als parteipolitische Farce abzutun und dem Präsidenten somit eine Entschuldigung zu liefern, sich im letzten Moment vor einer Aussage zu drücken.«*

In der *Today Show* sind auf einer farbcodierten Landkarte die fünfundfünfzig Senatoren der gegnerischen Partei sowie diejenigen Senatoren meiner Partei zu sehen, die sich demnächst zur Wiederwahl stellen müssen und daher in Versuchung geraten könnten, sich den Überläufern anzuschließen, von denen zwölf genügen würden, um mich bei einem Amtsenthebungsverfahren schuldig zu sprechen.

Auf CNN erfahre ich, wir bestellten schon an diesem Morgen Senatoren ins Weiße Haus, um sie für den Fall der Fälle auf meinen Freispruch festzunageln.

Good Morning America will von Quellen aus dem Weißen Haus wissen, ich hätte mich bereits entschieden, nicht zur Wiederwahl anzutreten, und bemühte mich, mit dem Sprecher des Repräsentantenhauses eine Vereinbarung zu treffen, wonach sie mir die Amtsenthebung ersparen, wenn ich mich zum Verzicht auf eine zweite Amtszeit verpflichte.

Wo haben sie nur all diesen Blödsinn her? Zugegeben, es ist sensationell, und Sensationen verkaufen sich nun mal besser als Fakten.

Jedenfalls setzen die allgegenwärtigen Spekulationen über mein Geschick meinen Mitarbeitern mächtig zu, erst recht, wenn man bedenkt, dass die meisten von ihnen nicht in die Vorgänge in Algerien oder in mein Telefonat mit Suliman Cindoruk eingeweiht sind und somit nicht mehr wissen als der Kongress oder die Medien oder das amerikanische Volk. Doch bis jetzt haben sie sich von den Angriffen auf das Weiße Haus nicht in ihrer Loyalität erschüttern lassen und sind stolz auf ihren Zusammenhalt. Sie ahnen nicht, wie viel mir das bedeutet.

Ich drücke eine Taste auf meinem Handy. Rachel hätte mich umgebracht, hätte ich beim Frühstück zum Telefon gegriffen. »JoAnn, wo steckt Jenny?«

»Sie ist hier, Sir. Wollen Sie mit ihr sprechen?«

»Ja, danke.«

Carolyn Brock kommt herein, die einzige Person, die es sich erlauben kann, mich beim Essen zu stören. Dabei habe ich nie ausdrücklich gesagt, allen anderen sei der Zutritt verboten. So etwas gehört zu den vielen Dingen, die ein Stabschef für einen tut – für reibungslose Abläufe sorgen, als Torwächter fungieren, sich mit dem Personal herumschlagen, um mir den Rücken freizuhalten.

In ihrem makellosen Kostüm, das Haar streng nach hinten frisiert, erscheint sie korrekt und zugeknöpft wie immer. Es ist, wie sie mir mehr als einmal erklärt hat, nicht ihre Aufgabe, mit dem Stab auf Du und Du zu sein, sondern für eine straffe Organisation zu sorgen, die Leute für gute Arbeit zu loben und den täglichen Kleinkram zu erledigen, damit ich mich auf die großen, schwierigen Dinge konzentrieren kann.

Doch natürlich ist das stark untertrieben. Niemand hat einen härteren Job als der Stabschef des Weißen Hauses. Sicher, Carolyn kümmert sich um den Kleinkram, die Personalfragen und die Terminplanung. Doch sie ist ebenso bei den großen Dingen an meiner Seite. Das muss sie auch, denn schließlich ist sie die Ansprechpartnerin für die Abgeordneten, das Kabinett, die Interessenvertreter und die Presse. Eine bessere Unterstützung kann ich mir nicht wünschen. Sie erfüllt all diese Aufgaben und hält dabei ihr Ego im Zaum. Man versuche nur mal, ihr ein Kompliment zu machen. Sie wischt es weg wie einen Fussel von ihrem tadellosen Kostüm.

Dabei gab es einmal Zeiten, und das ist noch gar nicht so lange her, da sagte man von Carolyn Brock, sie werde es eines Tages zur Sprecherin des Repräsentantenhauses bringen. Als Abgeordnete hatte sie bereits drei Legislaturperioden gedient, eine Progressive, die es fertiggebracht hatte, einen konservativen Wahlkreis im südöstlichen Ohio zu gewinnen, und die zügig in den Rängen des Kongresses bis in die Führungsriege aufgestiegen war. Sie war intelligent, umgänglich, telegen – ein politisches Multitalent. Unter den Spendensammlern war sie der Renner; sie schmiedete Allianzen, die sie bis an die Spitze des Wahlkampfausschusses für die Kongresswahlen brachten. Mit gerade einmal vierzig Jahren war sie kurz davor, die oberste Sprosse der Parteiführung zu erklimmen, wenn nicht sogar, sich für ein höheres Amt zu empfehlen.

Dann kam das Jahr 2010. Niemand machte sich Illusionen darüber, dass bei den Zwischenwahlen in unserer Partei Blut fließen würde. Die gegnerische Seite brachte einen starken Kandidaten an den Start, den Sohn eines ehemaligen Gouverneurs. Schon nach einer Woche war es ein Rennen Kopf an Kopf.

Fünf Tage vor der Wahl machte sich Carolyn bei einer mitternächtlichen Flasche Wein mit ihren engsten Mitarbeiterinnen Luft und ließ sich zu einer abfälligen Bemerkung über ihren Gegner hinreißen, der soeben einen Wahlkampf-Spot mit böswilligen Attacken auf Carolyns Mann, einen bekannten Strafverteidiger, gesendet hatte. Ihre Bemerkung wurde von einem eingeschalteten Mikrofon aufgenommen. Bis heute weiß niemand, wer dahintersteckte und wie das passieren konnte. Carolyn hatte geglaubt, mit ihren beiden Mitarbeiterinnen in einem geschlossenen Restaurant unter sich zu sein.

Als »Schwanzlutscher« titulierte sie ihren Gegner. Binnen weniger Stunden verbreitete sich die Tonaufnahme wie ein Lauffeuer quer durch die Kabelnachrichtensender und im Internet.

Sie hatte zu diesem Zeitpunkt mehrere Möglichkeiten, darauf zu reagieren. Sie hätte bestreiten können, dass *ihre* Stimme auf dem Band zu hören war. Oder eine ihrer beiden Mitarbeiterinnen hätte die Bemerkung auf sich genommen. Oder sie hätte erklären können, was wahrscheinlich der Wahrheit entsprach – sie sei müde und ein wenig beschwipst und wegen des negativen Wahlkampf-Spots über ihren Mann einfach wütend gewesen.

Doch sie tat nichts dergleichen, sondern gab folgende Erklärung ab: »Ich bedauere, dass meine private Unterhaltung abgehört wurde. Hätte ein Mann das gesagt, wäre es keine große Sache gewesen.«

Ich bewunderte sie für ihre Reaktion. Heutzutage wäre sie vielleicht damit durchgekommen. Doch damals hatte sie jede Menge Wertkonservative in ihrer Anhängerschaft und verlor das Rennen. Sie wusste, dass dieses S-Wort für immer an ihrem Namen haften würde und sie daher höchstwahrscheinlich nie wieder eine Chance bekäme. Die Politik geht oft brutal mit ihren Verwundeten um. Carolyns Verlust war mein Gewinn. Sie gründete eine politische Consulting-Firma und nutzte ihren Verstand und ihre Fähigkeiten fortan, um quer durchs Land anderen zum Sieg zu verhelfen. Als ich beschloss, mich um die Präsidentschaft zu bewerben, stand auf meiner Liste für meinen möglichen Wahlkampfleiter nur ein einziger Name.

»Sie sollten sich diesen Müll nicht ansehen, Sir«, sagt sie, als ein politischer Berater, von dem ich noch nie gehört habe, auf

CNN erklärt, meine Weigerung, mich zu dem Telefonat zu äußern und damit dem Kongresssprecher das Feld zu überlassen, sei ein *schwerer taktischer Fehler*.

»Wussten Sie übrigens«, sage ich, »dass Sie mich zur Aussage vor dem Sonderausschuss drängen? Dass Sie die Pro-Aussage-Streitkräfte im Bürgerkrieg anführen, der im Weißen Haus tobt?«

»Nein, aber wenn Sie's sagen.« Sie schlendert zur Tapete im Speisezimmer hinüber, mit Szenen aus dem Amerikanischen Unabhängigkeitskrieg. Jackie Kennedy hat sie dort anbringen lassen, ein Freundschaftsgeschenk. Betty Ford mochte die Tapete nicht und ließ sie entfernen. Carter ließ sie wieder anbringen. Seitdem wurde sie mehrmals abgezogen und wieder angebracht. Rachel liebte die Malerei, und deshalb ist sie dort nun wieder zu sehen.

»Nehmen Sie sich einen Kaffee, Carrie, Sie machen mich nervös.«

»Guten Morgen, Mr President«, sagt Jenny Brickman, meine stellvertretende Stabschefin und engste politische Beraterin. Sie hat meine Kampagne zur Gouverneurswahl geleitet und bei meinem Wahlkampf um das Präsidentenamt unter Carolyn gearbeitet. Ihre Erscheinung kann man nur so beschreiben: eine zierliche Person mit wuscheligem blondiertem Haar und der Gabe, wie ein Bierkutscher zu fluchen. Sie ist mein »lächelndes Messer«. Wenn ich sie lasse, zieht sie für mich in den Krieg. Sie würde sich nicht damit zufriedengeben, den Gegner auseinanderzunehmen. Wenn ich sie nicht im Zaum hielte, würde sie ihn vom Kinn bis zum Nabel aufschlitzen. Mit der Sanftmut eines Pitbulls und etwas weniger Charme würde sie ihn in Stücke reißen.

Nach meinem Sieg hat sich Carolyn auf politische Strategien spezialisiert. Sie hat stets das Machtgefüge im scharfen Blick, auch wenn sie gegenwärtig die wichtigere Aufgabe erfüllt, mein Programm durch den Kongress zu bringen und meine Außenpolitik zu forcieren.

Jenny dagegen konzentriert sich gänzlich auf die politische Taktik, um meine Wiederwahl zu sichern. Und setzt, wie ich einräumen muss, zunächst einmal alles daran, dass ich wenigstens die ersten vier Jahre überstehe.

»Vorerst hält unsere Fraktion im Kongress still«, sagt sie nach Rücksprache mit unserer Parteiführung. »Sie sind begierig, Ihre Seite der Algerien-Geschichte zu hören.«

Ich kann mir ein Grinsen nicht verkneifen. »›Sagen Sie ihm, er soll gefälligst seinen Kopf aus dem Arsch ziehen und sich wehren‹, das kommt der Sache wohl näher?«

»Fast ein wortwörtliches Zitat, Sir.«

Ich stelle meine Verbündeten auf eine harte Probe. Sie wollen für mich einstehen, doch mein Schweigen macht es ihnen fast unmöglich. Sie haben Besseres verdient, doch im Moment sind mir die Hände gebunden.

»Ein bisschen Geduld«, sage ich. Wir machen uns über die Stimmverteilung im Kongress keine Illusionen. Lester hat die Mehrheit, und seine Fraktion kann es kaum erwarten, mich auf Knopfdruck aus dem Amt zu katapultieren. Wenn Lester eine Abstimmung erzwingt, bin ich erledigt.

Andererseits wird eine starke Verteidigung gegenüber dem Kongress den Weg für meine Rehabilitierung vor dem Senat ebnen, wo Lesters Partei nur fünfundfünfzig Stimmen hat, für meine Absetzung jedoch eine Zweidrittelmehrheit von siebenundsechzig braucht. Wenn also unsere Fraktion im Kongress zusammenhält, macht es das unseren Leuten im Senat umso schwerer, abtrünnig zu werden.

»Im Senat hören wir von unserer Seite Ähnliches«, sagt Jenny. »Senatsführerin Jacoby bemüht sich, die Fraktion auf ›mutmaßliche Unterstützung‹ – ihre Worte – einzuschwören. Sie argumentiert, eine Enthebung sei eine Rosskur, und bevor eine so schwerwiegende Entscheidung getroffen werden könne, müssten wir erst mehr über die Hintergründe erfahren. Aber wie die Dinge derzeit liegen, sind sie lediglich bereit, offen zu bleiben.«

»Das heißt, mir den Rücken zu stärken.«

»Dafür geben Sie ihnen keinen Grund, Sir. Sie lassen sich von Rhodes in die Eier treten, ohne sich zu wehren. ›Die Sache mit Algerien sieht richtig übel aus‹, bekomme ich von allen Seiten zu hören. ›Wir können nur hoffen, dass er dafür eine triftige Erklärung hat.‹«

»Okay, das war unterhaltsam, Jenny. Nächster Punkt.«

»Könnten wir nur bitte noch einen Moment dabei bleiben –«

»Nächster Punkt, Jenny. Sie hatten Ihre zehn Minuten zur Amtsenthebung, und gestern Abend habe ich Ihnen eine Stunde für diesen Probelauf gegeben. Fürs Erste war's das zum Thema. Ich habe Wichtigeres im Kopf. Sonst noch etwas?«

»Ja, Sir«, wirft Carolyn ein. »Die Themenaufstellung, die wir für die Wiederwahl geplant haben? Wir sollten jetzt damit beginnen. Wir brauchen positive Nachrichten als Gegengewicht zu den negativen. Sie haben im Moment keine Zeit für diesen politischen Mumpitz. Lassen Sie denen ihren Hexenprozess, während Sie versuchen, die realen Probleme realer Menschen zu lösen.«

»Und Sie glauben nicht, das geht in dem Absetzungsgetöse unter?«

»Senatorin Jacoby ist anderer Meinung, Sir. Unsere Leute bitten flehentlich um ein gutes Thema, für das sie die Werbetrommel rühren können.«

»Dasselbe habe ich im Kongress gehört«, bekräftigt Jenny. »Wenn Sie ihnen etwas geben, für das sie sich richtig erwärmen können, etwas, das ihre Begeisterung weckt, wird es sie daran erinnern, wie wichtig es ist, die Präsidentschaft zu verteidigen.«

»Daran müssen sie also erst erinnert werden«, seufze ich.

»Offen gesagt, ja, im Moment schon.«

Ich ergebe mich und hebe die Hände. »Also gut. Legen Sie los.«

»Fangen Sie mit der Anhebung des Mindestlohns an, gleich kommende Woche«, sagt Carolyn. »Als Nächstes das Verbot von Sturmgewehren. Dann Studienkredite –«

»Ein Verbot von Sturmgewehren hat im Kongress so viel Chancen wie eine Resolution, den Reagan National Airport nach mir umzubenennen.«

Carolyn beißt sich auf die Lippen und nickt. »Stimmt, Sir, es kommt nicht durch.« Wir wissen beide, dass sie das Sturmgewehr-Verbot nicht vorschlägt, um es durchzubekommen, zumindest nicht im Kongress. Sie fährt fort: »Aber Sie glauben daran und Sie besitzen die Glaubwürdigkeit, um dafür zu kämpfen. Wenn es die Oppositionspartei dann kippt, und den Mindestlohn gleich mit, beides gegen den Wunsch der meisten Amerikaner, führen Sie sie vor. Und treiben Senator Gordon in die Enge.«

Lawrence Gordon, ein Senator unserer Seite, der in seiner dritten Amtszeit wie fast jeder Senator glaubt, ihm stünde das höchste Amt im Staate zu, im Unterschied zu den meisten allerdings ernsthaft darüber nachdenkt, gegen einen amtierenden Präsidenten der eigenen Partei anzutreten.

Larry Gordon steht zu beiden Themen auf der falschen Seite unserer Partei und unseres Landes. Er ist gegen eine Mindestlohnerhöhung und hat für den zweiten Zusatzartikel, zumindest so, wie ihn die Waffenlobby versteht, mehr übrig als für den Ersten, Vierten und Fünften zusammen. Jenny würde ihm am liebsten einen Tritt gegen das Schienbein verpassen, bevor er auch nur daran denken kann, sich die Schuhe zuzubinden.

»Gordon würde es nicht wagen, gegen mich anzutreten«, sage ich. »Dazu fehlt ihm der Mumm.«

»Andererseits verfolgt niemand die Berichterstattung über Algerien so begierig wie er«, wendet Jenny ein.

Ich sehe Carolyn an. Jenny hat ein hervorragendes politisches Gespür, während Carolyn dank ihrer langjährigen Arbeit im Kongress neben ihrem guten Instinkt auch über jede Menge interne Einblicke verfügt; sie weiß, wie Washington tickt, und abgesehen davon ist sie der klügste Mensch, dem ich je begegnet bin.

»Dass Gordon gegen Sie antritt«, sagt Carolyn, »macht mir

keine Sorgen, dass er damit liebäugelt, schon. Und allein dadurch Spekulationen anfacht. Sich umwerben lässt. Seinen Namen in der *Times* liest oder auf CNN hört. Was hat er schon zu verlieren? Es verschafft ihm einen ersten Vorsprung. Und Streicheleinheiten. Wer ist beliebter als ein Herausforderer? Er ist wie ein Quarterback, der an der Seitenlinie auf seinen Einsatz wartet. Mehr als ein Egotrip ist für ihn nicht drin, doch das genügt, um Ihre Glaubwürdigkeit zu untergraben. Er strahlt als neuer Stern und lässt Sie blass erscheinen.«

Ich nicke. Wie könnte ich dem widersprechen.

»Ich denke, wir sollten den Mindestlohn oder das Verbot von Sturmgewehren ins Rennen bringen«, sagt sie. »Wir sorgen dafür, dass Gordon Sie darum bittet, ihn in die Arbeit einzubinden. Dann ist er uns etwas schuldig. Und er weiß, wenn er uns reinlegt, jubeln wir ihm das eine oder andere Gesetzesvorhaben unter.«

»Erinnern Sie mich dran, Ihnen nie ans Bein zu pinkeln, Carolyn.«

»Die Vizepräsidentin ist dabei«, sagt Jenny.

»Selbstverständlich ist sie das.« Carolyn verzieht das Gesicht. Sie hegt gegenüber Kathy Brandt, die bei der Kandidatennominierung meine stärkste Gegnerin war, ein gesundes Maß an Skepsis. Auch wenn sie die richtige Wahl für das Amt der Vizepräsidentin war, macht sie das noch lange nicht zu meiner engsten Verbündeten. So oder so würde Kathy in ihrem eigenen Interesse dieselbe Gleichung aufstellen. Würde ich aus dem Amt gejagt, würde sie Präsidentin und sich sofort für die nächste Wahl nominieren lassen; auch sie kann es nicht brauchen, dass sich Larry Gordon oder irgendjemand sonst Flausen in den Kopf setzt.

»Ich stimme zwar Ihrer Einschätzung des Problems zu«, sage ich, »aber mit Ihrer Lösung denken Sie um allzu viele Ecken. Ich möchte bei beiden Vorhaben Erfolge sehen. Und ich werde wegen Gordon keine faulen Kompromisse machen. Wir werden die Opposition in die Zange nehmen. Es ist das

Richtige, und ob wir nun gewinnen oder verlieren: Wir werden stark sein und sie sich ins Unrecht setzen.«

Jenny meldet sich zu Wort. »Das ist der Mann, dem ich meine Stimme gegeben habe, Sir. Ich finde, Sie sollten es tun, aber es wird wohl nicht reichen. Im Moment stehen Sie wirklich geschwächt da, und ich kann mir nicht vorstellen, dass irgendeine innenpolitische Initiative etwas daran ändern wird. Das Telefonat mit Suliman. Dieser Algerien-Albtraum. Was Sie jetzt brauchen, ist eine Situation, in der Sie als Oberbefehlshaber rüberkommen, eine Situation, in der alle hinter Ihnen stehen –«

»Nein«, sage ich wie von ihr erwartet. »Jenny, ich werde keinen Militärschlag anordnen, nur um den starken Mann zu markieren.«

»Es gibt jede Menge unumstrittene Ziele, Mr President. Ich bitte Sie ja nicht, in Frankreich einzumarschieren. Wie wäre es mit einem der Drohnenziele im Nahen Osten, aber statt einer Drohne weiten Sie es zu einem Luftangriff –«

»Nein. Die Antwort lautet nein.«

Sie stemmt die Hände in die Hüften und schüttelt den Kopf. »Ihre Frau hatte recht. Sie sind wirklich ein lausiger Stratege.«

»Aber sie hat es als Kompliment gemeint.«

»Mr President, darf ich offen sein?«, fragt sie.

»Ach, ist doch sonst nicht Ihre Art.«

Sie streckt die Hände vor sich aus, als versuche sie, mir die Sache begreiflich zu machen, vielleicht ist es aber auch eine flehentliche Geste. »Die werden Sie des Amtes entheben«, erklärt sie. »Und wenn Sie nicht schnellstens etwas tun, um das Ruder herumzureißen, etwas wirklich Dramatisches, verlassen die Senatoren Ihrer eigenen Partei das sinkende Schiff. Und ich weiß, dass Sie nicht abtreten werden. Das liegt Ihnen nicht im Blut. Das heißt, Präsident Jonathan Lincoln Duncan wird nur unter einem einzigen Aspekt in die Geschichte eingehen. Sie werden der erste Präsident sein, der aus dem Amt gezwungen wurde.«

5

Nach dem Gespräch mit Jenny und Carolyn eile ich über den Flur in mein Schlafzimmer, wo Deborah Lane bereits ihren Geschenkesack aufschnürt.

»Guten Morgen, Mr President«, sagt sie.

Ich ziehe an meinem Krawattenknoten, knöpfe mein Hemd auf. »Einen wunderschönen guten Morgen, Doc.«

Sie mustert mich von oben bis unten und ist offensichtlich nicht glücklich.

In letzter Zeit scheine ich auf viele Menschen diese Wirkung zu haben.

»Sie haben schon wieder vergessen, sich zu rasieren«, bemerkt sie.

»Das kann warten.« In Wahrheit habe ich mich seit vier Tagen nicht rasiert. Am College der University of North Carolina befolgte ich das abergläubische Ritual, mich in der Woche der Abschlussprüfungen nicht zu rasieren. Meine Erscheinung irritierte die Leute, da mein Kopfhaar irgendwo zwischen Hellbraun und Dunkelblond angesiedelt ist, mein Gesichtshaar sich jedoch nicht an die Vorgabe hält; irgendwie hat sich in meinen Bartwuchs ein feurig rotes Pigment eingeschlichen. Und mein Bart wächst sehr schnell, alle nannten mich damals deshalb nach diesem legendären Holzfäller, Paul Bunyan.

Seit den College-Tagen habe ich keinen Gedanken mehr daran verschwendet. Bis jetzt.

»Sie sehen müde aus«, sagt sie. »Wie viele Stunden haben Sie letzte Nacht geschlafen?«

»Zwei oder drei.«

»Das ist nicht genug, Mr President.«

»Ich habe im Moment mächtig viel am Hals.«

»Was Sie ohne Schlaf nicht meistern werden.« Sie drückt mir ihr Stethoskop auf die nackte Brust.

Dr. Deborah Lane ist nicht meine offizielle Ärztin, sondern

Spezialistin für Hämathologie in Georgetown. Sie ist unter dem Apartheids-Regime in Südafrika aufgewachsen, jedoch im Highschool-Alter in die Vereinigten Staaten geflüchtet und nie zurückgekehrt. Ihr kurz geschnittenes Haar ist inzwischen gänzlich ergraut. Ihr Blick ist forschend, doch freundlich.

Seit einer Woche kommt sie jeden Tag ins Weiße Haus, da es einfacher und weniger auffällig ist, wenn eine professionell aussehende Frau – und sei es mit einer unverkennbaren Bereitschaftstasche – ins Weiße Haus kommt, als dass der Präsident tagtäglich im MedStar Georgetown University Hospital vorstellig wird.

Sie legt mir die Blutdruckmanschette an. »Wie fühlen Sie sich?«

»Fürchterliche Schmerzen im Hintern«, sage ich. »Können Sie mal nachsehen, ob der Kongresssprecher da drinsteckt?«

Sie wirft mir einen vielsagenden Blick zu, lacht aber nicht. Sie verzieht nicht einmal den Mund.

»Physisch«, beantworte ich ihre Frage, »fühle ich mich gut.«

Sie leuchtet mir mit einer Stiftlampe in den Mund. Sie inspiziert meinen Oberkörper, meinen Unterleib, Arme und Beine, dreht mich um und mustert mich von hinten.

»Die Unterblutungen werden schlimmer«, sagt sie.

»Ich weiß.« Früher ähnelten sie eher einem Ausschlag, jetzt sieht es so aus, als hätte mir jemand die Waden und die Rückseite der Oberschenkel mit dem Hammer traktiert.

In meiner ersten Amtszeit als Gouverneur von North Carolina wurde bei mir eine Blutkrankheit diagnostiziert, die als Immunthrombozytopenie – ITP – bekannt ist und bedeutet, dass man zu wenig Thrombozyten hat. Mein Blut gerinnt nicht immer so gut, wie es sollte.

Damals habe ich es öffentlich gemacht und wahrheitsgemäß erklärt, dass mich die ITP nur selten beeinträchtigt. Mir wurde geraten, Aktivitäten zu meiden, die zu Blutungen führen können, was für einen Mann jenseits der vierzig nicht weiter schwer war. Meine Baseballtage waren längst Geschichte, und für Stierkampf oder Messerwerfen hatte ich mich noch nie begeistert.

In meinen Jahren als Gouverneur brach die Krankheit zwei Mal aus, während meines Präsidentschaftswahlkampfs hingegen ließ sie mich in Frieden. Erst als Rachels Krebs wiederkam, meldete sich auch meine ITP zurück. Meine Ärztin ist davon überzeugt, dass übermäßiger Stress ein wesentlicher Auslöser für den Rückfall war, doch ich nahm's locker. Nun habe ich vor einer Woche wieder Blutergüsse unter der Haut entdeckt, zuerst an den Waden. Die schnelle Verfärbung und Ausbreitung sagt uns beiden das Gleiche – das ist der schlimmste Ausbruch, den ich je hatte.

»Kopfschmerzen?«, fragt Dr. Deb. »Schwindel? Fieber?«

»Nein, nein und nein.«

»Erschöpfung?«

»Aus Schlafmangel, sicher.«

»Nasenbluten?«

»Nein, Ma'am.«

»Zahnfleischbluten?«

»Die Zahnbürste ist sauber.«

»Blut im Urin oder Stuhl?«

»Nein.« Es ist nicht leicht, demütig zu bleiben, wenn alle, sobald du den Raum betrittst, für dich einen großen Bahnhof machen, wenn dir die Weltmärkte an den Lippen hängen und wenn du das größte militärische Arsenal der Welt befehligst, doch wenn du das Gefühl hast, besser mal runterzukommen, versuch es damit, deinen Stuhl nach Blut zu untersuchen.

Sie tritt zurück und summt leise vor sich hin. »Ich werde Ihnen noch einmal Blut abnehmen«, sagt sie. »Ihre Werte von gestern haben mich beunruhigt. Ihre Thrombozytenzahl lag unter zwanzigtausend. Ich weiß immer noch nicht, wie Sie mich beschwatzt haben, Sie nicht augenblicklich ins Krankenhaus einzuweisen.«

»Das habe ich Ihnen ausgeredet«, antworte ich, »weil ich der Präsident der Vereinigten Staaten bin.«

»Wie konnte ich das nur vergessen.«

»Ich schaff das schon mit zwanzigtausend, Doc.«

Die Normwerte liegen zwischen hundertfünfzigtausend und vierhundertfünfzigtausend Blutplättchen pro Mikroliter, mit unter zwanzigtausend ist also wirklich kein Staat zu machen, aber es liegt immer noch oberhalb der kritischen Grenze.

»Sie nehmen Ihre Steroide?«

»Gewissenhaft.«

Sie greift in ihre Bereitschaftstasche und streicht mir mit einem Tupfer Alkohol auf den Arm. Die Blutabnahme ist kein reines Vergnügen, da sie mit Nadeln aus der Übung ist. Bei ihrem fachlichen Rang überlässt man die einfachen Aufgaben anderen. Doch ich muss die Zahl der Personen, die davon wissen, so klein wie möglich halten. Auch wenn die Öffentlichkeit über meine ITP-Erkrankung prinzipiell im Bilde ist, braucht niemand zu erfahren, wie schlimm sie gerade ist, *ausgerechnet* jetzt. Und so hat Deborah Lane bis auf Weiteres ihren Soloauftritt.

»Machen wir eine Proteinbehandlung«, schlägt sie vor.

»Wie, sofort?«

»Ja, sofort.«

»Das letzte Mal habe ich über den größten Teil des Tages keinen zusammenhängenden Satz herausgebracht. Das geht gar nicht, Doc. Nicht heute.«

Sie hält inne, und der Tupfer in ihrer Hand gleitet zu meinen Fingerknöcheln herunter.

»Dann eine Steroidinfusion.«

»Nein, die Pillen vernebeln mir das Hirn schon genug.«

Sie legt den Kopf ein wenig schief, während sie sich ihre Antwort gut überlegt. Immerhin bin ich kein ganz gewöhnlicher Patient. Die meisten Patienten tun, was der Arzt ihnen sagt. Die meisten Patienten sind nicht Anführer der freien Welt.

Sie wirft den Tupfer weg und legt die Stirn in tiefe Falten, dann greift sie zur Nadel. »Mr President«, sagt sie in einem Ton, der mich an meine Grundschullehrer erinnert, »Sie können vielleicht auf der ganzen Welt Leuten sagen, wo's langgeht. Aber Sie können Ihren Körper nicht so schikanieren.«

»Doc, ich –«

»Sie riskieren innere Blutungen«, fährt sie fort. »Gehirnblutungen. Sie könnten einen Schlaganfall bekommen. Womit auch immer Sie es zu tun haben, kann es *das* Risiko nicht wert sein.«

Sie blickt mir in die Augen. Ich sage nichts, was Antwort genug ist.

»So schlimm?«, flüstert sie, schüttelt den Kopf und winkt ab. »Nein, ich weiß ja, dass Sie es mir nicht sagen können.«

Ja, es ist so schlimm. Und der Angriff kann theoretisch in einer Stunde erfolgen oder irgendwann im Lauf des Tages. Er hätte auch schon vor zwanzig Sekunden erfolgt sein können, und gleich kommt Carolyn hereingehastet, um es mir zu sagen.

Ich kann nicht einmal eine Stunde außer Dienst sein, geschweige denn länger. Es ist zu riskant.

»Es muss warten«, sage ich. »Wahrscheinlich ein paar Tage.«

Ein bisschen außer Fassung über das, was sie nicht weiß, nickt Dr. Deb nur und stößt mir die Nadel in den Arm.

»Ich werde die Steroide verdoppeln«, sage ich, das heißt, ich werde mich fühlen, als hätte ich vier statt zwei Bier getrunken. Um die Gratwanderung komme ich nicht herum.

Sie bringt die Blutabnahme zu Ende, packt die Probe ein, greift, bereit zu gehen, nach ihrer Tasche. »Sie tun Ihren Job, und ich mache meinen«, sagt sie. »Ich habe die Laborergebnisse binnen zwei Stunden auf dem Tisch. Aber wir wissen beide, Ihre Werte befinden sich im freien Fall.«

»Ja, ist mir klar.«

An der Tür dreht sie sich noch einmal zu mir um. »Ihnen bleiben nicht mehrere Tage, Mr President«, sagt sie. »Möglicherweise nicht mal einer.«

6

Heute und nur heute werden sie feiern.

Das muss er ihnen zugestehen. Sein kleines Team hat zielstrebig, hingebungsvoll und höchst erfolgreich rund um die Uhr gearbeitet. Jeder braucht einmal eine Pause.

Der Wind, der vom Fluss herüberkommt, fährt ihm durchs Haar. Er zieht an seiner Zigarette, deren Spitze glüht orangefarben in der frühen Abenddämmerung. Er genießt die Aussicht von seiner Penthouse-Terrasse über die Spree. Und auf das Getriebe am anderen Ufer mit der East Side Gallery und dem Vergnügungszentrum. In der Mercedes-Benz-Arena findet an diesem Abend ein Konzert statt. Er kennt den Namen der Band nicht, doch den Klängen nach zu urteilen, die gedämpft über den Fluss herüberwehen, ist es Rock mit lautstarken Elektrogitarren und stampfenden Bässen. Dieser Teil von Berlin hat sich stark verändert, seit er vor vier Jahren das letzte Mal hier gewesen ist.

Er dreht sich zu seiner Penthouse-Wohnung um, hundertsechzig Quadratmeter mit fünf Zimmern und einer offenen Designer-Küche, in der sich sein Team lachend und gestikulierend Champagner nachgießt und wahrscheinlich jetzt schon einiges intus hat – vier junge Männer, keiner von ihnen über fünfundzwanzig, der eine oder andere von ihnen wahrscheinlich noch Jungfrau, jeder ein Genie auf seinem Gebiet.

Elmurod mit seinem ungepflegten Bart und über den Gürtel hängenden Bauch trägt eine blassblaue Kappe mit der Aufschrift *Vet. Weltkrieg III*. Mahmad hat schon sein T-Shirt ausgezogen und gibt in gespielter Bodybuilder-Pose mit seinem eher dürftigen Bizeps an.

In diesem Moment drehen sich alle vier zur Tür um, Elmurod geht hin und macht auf. Acht Frauen stolzieren herein, alle mit auftoupiertem Haar und in hautengen Kleidern, jede mit Kurven wie das Playmate des Monats und fürstlich bezahlt, um den Mitgliedern seines Teams die Nacht ihres Lebens zu bescheren.

Obwohl die Wärme- und Drucksensoren auf der Terrasse ausgeschaltet sind, setzt er seine Schritte mit Bedacht. Schließlich ist dies alles so konstruiert, dass die ganze Terrasse explodieren würde, sobald darauf etwas Schwereres als ein Vogel landete. Diese Vorsichtsmaßnahme hatte ihn fast eine Million Euro gekostet.

Aber was ist schon eine Million Euro, wenn man sich gerade einhundert Millionen verdient hat?

Eine der Prostituierten, eine Asiatin, die kaum über zwanzig sein kann, mit Titten, die nicht echt sein können, und mit einem plötzlichen Interesse an ihm, das nicht aufrichtig sein kann, kommt ihm entgegen, als er in die Wohnung zurückkehrt und die Terrassentür hinter sich zuzieht.

»Wie heißt du?«, fragt sie.

Er lächelt. Sie flirtet nur, spielt eine Rolle. Seine Antwort ist ihr vollkommen egal.

Doch es gibt Menschen, die alles dafür geben oder tun würden, um die Antwort auf diese Frage zu erfahren. Und er würde gar zu gern nur ein einziges Mal die Vorsicht über Bord werfen und sagen, wie er wirklich heißt.

Suliman Cindoruk, würde er gerne antworten, *und ich arbeite gerade an einem Neustart der Welt.*

7

Nachdem ich die verschiedenen Papiere durchgesehen habe, die mir mein Rechtsberater Danny Akers und seine Mitarbeiter in Abstimmung mit dem Justizminister vorbereitet haben, schließe ich den Ordner auf meinem Schreibtisch.

Der Entwurf zu einer Präsidialverfügung, mit der ich das Kriegsrecht verhänge, sowie ein juristisches Memorandum, das sich mit der Verfassungsmäßigkeit eines solchen Schritts befasst.

Des Weiteren ein Gesetzesentwurf, den der Kongress verabschieden muss, ein anderer zu einer Präsidialverfügung über die landesweite Aussetzung des Haftprüfungsgesetzes.

Ferner eine Verfügung über die Einführung von Preiskontrollen und die Rationierung diverser Verbrauchsgüter, verbunden mit entsprechenden Gesetzesentwürfen, wo nötig.

Ich kann nur beten, dass es nicht so weit kommt.

»Mr President«, sagt JoAnn, meine Sekretärin, »der Sprecher des Repräsentantenhauses.«

Lester Rhodes schenkt JoAnn ein höfliches Lächeln und schreitet mit ausgestreckter Hand ins Oval Office. Ich bin bereits um meinen Schreibtisch herumgekommen, um ihn zu begrüßen.

»Guten Morgen, Mr President«, sagt er und mustert mich während des Handschlags, vermutlich, weil er sich über den ungepflegten Bartschatten wundert.

»Mr Speaker«, sage ich. Gewöhnlich füge ich noch *danke, dass Sie hergekommen sind* oder *schön, Sie zu sehen* hinzu, doch bei diesem Mann kann ich mich zu solchen Höflichkeitsfloskeln nicht durchringen. Schließlich ist der Plan seiner Partei, sich bei den Zwischenwahlen die Mehrheit im Kongress wiederzuholen, auf seinem Mist gewachsen, und zwar mit dem Versprechen, »unser Land zurückzuerobern«. Auch die lächerliche Idee eines »Zeugnisses« über meine bisherige Amtsführung hat er ausgebrütet, mit Zensuren für Außenpolitik, Wirtschaft sowie eine Reihe weiterer zentraler Streitpunkte und dem vernichtenden Urteil: *»Duncan is flunkin'«* – Duncan ist durchgefallen.

Er nimmt auf dem Sofa Platz, ich im Sessel. Er streckt die Arme, sodass seine Manschetten aus den Ärmeln hervorschnellen, und macht es sich bequem. In seinem graublauen Hemd mit dem weiß abgesetzten Kragen und gleichfarbigen Manschetten, der perfekt geknoteten leuchtend roten Krawatte ist er für die Rolle des ranghohen Abgeordneten perfekt kostümiert in den Farben der Flagge.

Er platzt immer noch vor Stolz auf seine neu erworbene Machtposition. Erst seit fünf Monaten ist er Sprecher. Er kennt seine Grenzen noch nicht. Das macht ihn nicht harmloser, sondern gefährlicher.

»Ich habe mich gefragt, welchem Umstand ich Ihre Einladung verdanke«, sagt er. »Wussten Sie, dass in den Nachrichten darüber spekuliert wird, wir träfen uns, um einen Deal miteinander auszuhandeln, Sie und ich? Sie erklären sich bereit, nicht noch mal zu kandidieren, und ich blase das Amtsenthebungsverfahren ab.«

Ich nicke langsam. Auch diese Geschichte ist mir nicht neu.

»Aber ich habe meinen Mitarbeitern gesagt, seht euch noch mal diese Videos der Kriegsgefangenen an, habe ich gesagt, die bei Desert Storm zusammen mit Corporal Jon Duncan gefangen genommen wurden. Seht euch die Angst in ihren Gesichtern an. Ihre Angst war offenbar groß genug, um vor laufender Kamera ihr eigenes Land zu denunzieren. Und wenn ihr das gesehen habt, dann fragt euch, was die Iraker mit Jon Duncan gemacht haben müssen, als er sich als einziger amerikanischer Kriegsgefangener weigerte, vor die Kamera zu treten. Und wenn ihr das voll und ganz begriffen habt, dann stellt euch die Frage, ob Jon Duncan jemand ist, der vor einem Haufen Abgeordneter kneift.«

Das heißt, er hat immer noch keine Ahnung, warum ich ihn hergebeten habe.

»Lester«, antworte ich, »wissen Sie, weshalb ich nie darüber rede? Was mir im Irak widerfahren ist?«

»Nein«, räumt er ein. »Bescheidenheit, nehme ich an.«

Ich schüttle den Kopf. »In dieser Stadt ist niemand bescheiden. Nein, ich rede über diese Dinge nicht, weil es Wichtigeres gibt als politisches Kalkül. Die meisten gewöhnlichen Abgeordneten brauchen diese Lektion nicht zu lernen, der Sprecher des Repräsentantenhauses hingegen schon, im Interesse einer funktionstüchtigen Regierung und zum Wohle des Landes. Und je früher, desto besser.«

Er öffnet die Hände, bereit für die Pointe.

»Lester, wie oft ist es in meiner Präsidentschaft vorgekommen, dass ich die Geheimdienstkomitees nicht zur Beratung von verdeckten Operationen hinzugezogen habe? Oder in besonders sensiblen Fällen die ›Gang der Acht‹?«

Von Gesetzes wegen bin ich dazu verpflichtet, zunächst einen Sachstand festzustellen, bevor ich eine verdeckte Operation anordne, und diesen Sachstand den Geheimdienstausschüssen des Senats und des Repräsentantenhauses mitzuteilen, wenn möglich, vor der Operation. Bei besonderer Dringlichkeit kann ich die Offenlegung jedoch auf die sogenannten Acht beschränken – die Sprecher und Oppositionsführer sowohl des Repräsentantenhauses als auch des Senats sowie die Vorsitzenden und ranghöchsten Mitglieder der beiden Geheimdienstausschüsse.

»Mr President, ich bin erst seit wenigen Monaten Sprecher. Aber nach meiner Kenntnis sind Sie in dieser Zeit Ihrer Offenlegungspflicht stets nachgekommen.«

»Und Ihr Vorgänger hat Ihnen gewiss bestätigt, dass dies auch für seine Zeit gilt.«

»Ja, davon gehe ich aus«, räumt er ein. »Weshalb es umso besorgniserregender ist, dass selbst die Acht noch kein Wort über Algerien gehört haben.«

»Für mich ist es besorgniserregend, Lester, dass Sie eines offenbar nicht begreifen: Wenn ich diesmal nichts offenlege, muss ich dafür sehr triftige Gründe haben.«

Er beißt die Zähne zusammen, wird ein wenig rot. »Sogar im Nachhinein, Mr President? Es steht Ihnen zu, zuerst zu handeln und Ihre Maßnahmen im Nachhinein offenzulegen, falls Sie der Zeitfaktor dazu zwingt – aber selbst jetzt, nach diesem Debakel in Algerien, geben Sie nichts preis. Nachdem Sie dieses Monster haben entkommen lassen. Sie brechen das Gesetz.«

»Dann fragen Sie sich doch mal, wieso, Lester.« Ich lehne mich in meinem Sessel zurück. »Aus welchem Grund werde ich so etwas wohl tun? Obwohl ich genau weiß, wie Sie reagieren werden? Obwohl ich weiß, dass ich Ihnen damit einen Vorwand für meine Amtsenthebung auf dem Silbertablett serviere?«

»Darauf kann es nur eine Antwort geben, Sir.«

»Ach ja? Und die wäre?«

»Nun, wenn ich ganz offen sein darf …«

»Nur zu, wir sind hier ganz unter uns.«

»Also gut«, sagt er und nickt theatralisch. »Die Antwort lautet, dass Sie für das, was Sie getan haben, keine *gute* Erklärung haben. Sie versuchen, mit diesem verdammten Terroristen einen Waffenstillstand auszuhandeln, und Sie haben die Miliz daran gehindert, ihn zu töten, damit die Ihnen nicht diesen Friede-Freude-Eierkuchen-Deal vermasselt. Und um ein Haar wären Sie damit auch durchgekommen. Wir hätten nie ein Sterbenswort von Algerien erfahren. Sie hätten die ganze Sache abgestritten.«

Er beugt sich vor, stützt die Ellbogen auf die Knie und starrt mir so eindringlich in die Augen, dass ihm fast die Tränen kommen. »Aber dann ist dieser junge Amerikaner dabei draufgegangen, die Miliz hat ein Video davon online gestellt, und alle Welt hat es gesehen. Es hat Sie kalt erwischt. Und Sie schweigen *immer noch*. Weil Sie um jeden Preis verhindern wollen, dass irgendjemand erfährt, was Sache ist, bis Sie alles in trockenen Tüchern haben.« Er zeigt mit dem spitzen Finger auf mich. »Aber ich sage Ihnen, der Kongress lässt sich nicht einfach so übergehen. Solange ich Sprecher bin, wird kein Präsident auf eigene Faust mit Terroristen einen Deal aushandeln, an den die sich sowieso nie halten werden und bei dem wir wie Schwächlinge dastehen. Solange –«

»Das reicht, Lester.«

»Ich bin Sprecher des Hauses, dieses Land wird –«

»Es reicht!« Ich springe auf. Nach ein paar Sekunden fasst sich Lester und folgt meinem Beispiel.

»Nur dass das klar ist«, sage ich. »Hier gibt es keine Kameras. Versuchen Sie also nicht, mir weiszumachen, Sie glaubten für eine Sekunde selber, was Sie da reden. Tun Sie nicht so, als glaubten Sie im Ernst, ich hätte nichts Besseres mit meiner Zeit anzufangen, als jeden Tag mit Terroristen zu turteln. Sie wissen so gut wie ich, dass ich dieses Miststück auf der Stelle ausschalten würde, wenn dies im Interesse unseres Landes läge. Sie ziehen da eine tolle Show ab, Lester, das muss man Ihnen lassen – mit diesem ganzen Schwachsinn, den Sie faseln, von wegen, ›*make love not war*‹ mit den Söhnen des Dschihad. Aber spazieren Sie gefälligst nicht hier ins Oval Office herein und plustern sich auf, als glaubten Sie selbst an den Müll, den Sie da verbreiten.«

Er blinzelt, das ist Neuland für ihn. Er ist es nicht mehr gewohnt, dass jemand die Stimme gegen ihn erhebt. Doch er schweigt, weil er weiß, dass ich recht habe.

»Ich spiele Ihnen hier am laufenden Meter in die Hände, Lester. Ich leiste Ihren Machtspielchen Vorschub, indem ich Schweigen bewahre. Mit jeder Sekunde, in der ich nichts sage, gieße ich Ihnen mehr Öl ins Feuer. Sie dreschen bis zum Gehtnichtmehr in aller Öffentlichkeit auf mich ein. Und ich sitze einfach nur da und sage: ›Danke, Sir, wollen Sie noch mal?‹ Sie sollten so viel Verstand haben zu begreifen, dass ich einen verdammt guten Grund dafür haben muss, wenn ich meinem eigenen machtpolitischen Interesse schade, indem ich beharrlich schweige. Es muss also etwas auf dem Spiel stehen, das mir ein solches Opfer wert ist.«

Lester hält den Blickkontakt, solange er kann. Schließlich senkt er den Blick zu Boden. Er steckt die Hände in die Hosentaschen und wippt auf den Fersen.

»Dann sagen Sie es mir«, versucht er es andersherum. »Nicht den Geheimdienstkomitees. Nicht den Acht. *Mir*. Wenn es so wichtig ist, wie Sie sagen, dann ziehen Sie mich ins Vertrauen.«

Lester Rhodes ist wirklich der Allerletzte, den ich in die Einzelheiten einweihen würde. Doch das kann ich ihm nicht ins Gesicht sagen.

»Ich kann nicht. Lester. Ich kann nicht. Ich muss Sie bitten, mir zu vertrauen.«

Es gab einmal Zeiten, da hätte eine solche Erklärung eines Präsidenten gegenüber dem Sprecher des Hauses genügt. Doch diese Zeiten sind schon lange den Bach runtergegangen.

»Damit kann ich mich nicht einverstanden erklären, Mr President.«

Interessante Wortwahl – *kann nicht* statt *will nicht*. Lester bekommt jede Menge Druck von seinem Wahlausschuss, besonders von den Feuerspuckern, die auf jeden Pups in den sozialen Netzwerken oder im Talkradio reagieren und die diese ganze Geschichte ausgeheckt haben. Ob es stimmt oder nicht, ob sie daran glauben oder nicht, sie haben nun mal ein Zerrbild von mir in die Welt gesetzt, und der Sprecher Lester Rhodes kann nicht bekannt geben, er habe sich in diesem wichtigen Moment eines Besseren belehren lassen und sei zu dem Schluss gekommen, er werde mir *vertrauen*.

»Denken Sie an den Cyberangriff in Toronto«, sage ich. »Die Söhne des Dschihad haben sich bis jetzt noch nicht dazu bekannt. Überlegen Sie mal, was das heißt. Diese Typen haben es sonst immer sehr eilig damit, sich zu allem und jedem zu bekennen. Bisher kam noch zu jedem Angriff, hinter dem sie stecken, die Botschaft an den Westen, sich aus ihrem Teil der Welt rauszuhalten. Unser Geld da rauszuhalten, unsere Truppen da rauszuhalten. Diesmal nicht. Wieso wohl, Lester?«

»Sagen Sie's mir«, antwortet er.

Mit einer stummen Geste lade ich ihn ein, wieder Platz zu nehmen, ich setze mich ihm gegenüber.

»Das bleibt unter uns«, sage ich.

»Ja, Sir.«

»Die Antwort lautet, wir wissen nicht, warum. Aber meine Vermutung? Toronto war ein Probelauf, der Beweis, dass er die Ware hat. Wahrscheinlich, um seine Anzahlung für den eigentlichen Job zu erhalten.«

Ich lehne mich zurück und gebe ihm Zeit, meine Worte auf

sich wirken zu lassen. Lester hat diesen belämmerten Gesichtsausdruck eines Kindes, das begreift, dass es etwas verstehen sollte, das es nicht versteht, und es nicht zugeben will.

»Wieso liquidieren Sie ihn dann nicht?«, fragt er. »Wieso haben Sie ihm dann in Algerien den Kopf aus der Schlinge gezogen?«

Ich starre Lester an.

»Das bleibt unter uns«, versichert er.

Ich kann Lester nicht ins Bild setzen, allenfalls kann ich ihm etwas geben, woran er eine Weile zu knabbern hat.

»Wir haben nicht versucht, Suliman Cindoruk zu retten«, sage ich. »Wir haben versucht, ihn lebendig zu fassen.«

»Aber …« Lester breitet die Hände aus. »Wieso sind Sie dann dieser Miliz in die Quere gekommen?«

»Die wollten ihn nicht lebendig haben, Lester. Die wollten ihn *töten*. Die hatten Raketenwerfer dabei, die sie auf sein Haus richten wollten.«

»Und?« Lester zuckt mit den Achseln. »Ein gefangener Terrorist, ein toter Terrorist. Wo ist da der Unterschied?«

»In diesem Fall ist es ein gewaltiger Unterschied«, sage ich. »Wir brauchen Suliman Cindoruk lebendig.«

Lester blickt auf seine Hände, dreht an seinem Ehering. Verharrt in der Rolle des Zuhörers, ohne etwas beizusteuern.

»Unser Geheimdienst hat uns davon in Kenntnis gesetzt, dass diese Miliz ihn gefunden habe. Mehr wussten wir nicht. Uns blieb also nichts weiter übrig, als uns an deren Operation in Algerien dranzuhängen, diese Leute an ihrer tödlichen Attacke zu hindern und Suliman in unsere Gewalt zu bringen. Den Angriff haben wir vereitelt, doch im Nahkampf ist uns Suliman entwischt. Und ja, dabei ist ein Amerikaner gestorben. Dadurch ging etwas, das wir streng geheim halten wollten, binnen Stunden in den sozialen Netzwerken viral.«

Mit zusammengekniffenen Augen nickt Lester bedächtig und lässt sich die Neuigkeiten durch den Kopf gehen.

»Ich glaube nicht, dass Suliman alleine arbeitet«, fahre ich fort. »Ich bin davon überzeugt, dass er Auftraggeber hat. Und ich bin außerdem davon überzeugt, dass Toronto nur das Aufwärmtraining, der Probelauf, der Appetithappen war.«

»Und wir sind das Hauptgericht«, flüstert Lester.

»Richtig.«

»Ein Cyberangriff«, murmelt er. »Größer als Toronto.«

»So groß, dass Toronto dagegen wie ein verstauchter Zeh wirkt.«

»Mein Gott.«

»Ich brauche Suliman lebendig, weil er möglicherweise der einzige Mensch ist, der die Sache noch stoppen kann. Und weil er uns verraten kann, wer dahintersteckt, mit wem er zusammenarbeitet. Aber ich will nicht, dass irgendjemand erfährt, was ich weiß und was ich denke. Ich versuche, etwas zu tun, das für die Vereinigten Staaten unglaublich schwer ist – unter dem Radar zu fliegen.«

Im Gesicht des Sprechers sind erste Anzeichen des Verstehens zu erkennen. Mit der Miene eines Mannes, der sämtliche Karten in der Hand hält, lehnt er sich auf dem Sofa zurück. »Sie sagen, unsere Anhörungen würden das, was Sie tun, durchkreuzen.«

»Daran besteht kein Zweifel.«

»Wieso haben Sie sich dann überhaupt zu der Aussage bereit erklärt?«

»Um Zeit zu gewinnen«, erkläre ich. »Anfang der Woche wollten Sie noch mein gesamtes Geheimdienstteam vor Ihren Ausschuss zerren. Das konnte ich nicht zulassen. Im Austausch gegen den Zeitgewinn habe ich mich selbst angeboten.«

»Aber jetzt brauchen Sie sogar noch mehr Zeit. Über nächsten Montag hinaus.«

»Ja.«

»Und Sie wollen, dass ich zu meiner Fraktion gehe und sie um diesen Aufschub bitte.«

»Ja.«

»Aber ich darf niemandem sagen, warum. Ich darf denen

nichts von dem sagen, was ich gerade erfahren habe. Ich muss meinen Leuten sagen, ich hätte beschlossen, Ihnen zu ›vertrauen‹.«

»Sie haben die Führung übernommen, Lester. Also führen Sie! Sagen Sie Ihren Leuten, Sie seien zu dem Schluss gekommen, es liege in unserem nationalen Interesse, die Anhörungen zeitweilig auszusetzen.«

Er lässt den Kopf hängen, ringt mit den Händen und läuft sich für die Ansprache warm, die er vermutlich ein Dutzend Mal vor dem Spiegel geprobt hat, bevor er zu dieser Verabredung kam.

»Mr President«, sagt er, »ich verstehe Ihre Abneigung gegen diese Anhörungen. Doch so, wie Sie Ihre Pflichten wahrnehmen, so nehmen wir unsere ernst, nämlich die Kontrolle der Exekutivgewalt. Ich wurde in dieses Amt gewählt, um diese Kontrollfunktion sicherzustellen. Ich kann nicht einfach vor meine Fraktion hintreten und erklären, wir würden uns um diese Verantwortung drücken.«

Es war von vornherein egal, was ich ihm heute sagen würde. Er kam mit einem Bühnenmanuskript und hält sich daran. Patriotismus kommt darin nicht vor. Wie meine Mama zu sagen pflegte: Falls dieser Bursche je einen selbstlosen Gedanken hatte, war dieser längst an Einsamkeit gestorben.

Aber ich bin noch nicht fertig.

»Wenn die Sache gut ausgeht«, sage ich, »und wir diesen Terrorangriff vereiteln, werden Sie an meiner Seite stehen. Ich werde aller Welt erklären, der Sprecher habe seine Parteidifferenzen hintangestellt und das Richtige für sein Land getan. Ich werde Sie als leuchtendes Beispiel hochhalten für das, was in Washington richtig läuft. Sie werden Sprecher auf Lebenszeit.«

Er nickt mehrfach, räuspert sich. Er tippt mit der Schuhspitze auf den Boden.

»Und falls …« Er bringt es nicht über sich, den Satz zu vollenden.

»Falls es schiefläuft? Nehme ich die Schuld auf mich. Die ganze Schuld.«

»Aber ich bleibe nicht ungeschoren«, erkennt er. »Weil ich diese Anhörungen verschoben habe, ohne den Mitgliedern meiner Partei oder der Öffentlichkeit einen Grund dafür zu nennen. Sie können mir nicht versprechen, dass ich unbeschadet daraus hervorgehe –«

»Lester, das bringt der Job, den Sie übernommen haben, mit sich, ob Ihnen das nun klar war oder nicht. Ob es Ihnen gefällt oder nicht. Ich kann Ihnen nicht widersprechen. Es gibt keine Garantie. Nichts ist sicher. Ich sehe Ihnen als Oberbefehlshaber in die Augen und sage Ihnen, dass die nationale Sicherheit unseres Landes auf dem Spiel steht und dass ich Ihre Hilfe brauche. Werden Sie mir nun helfen oder nicht?«

Er braucht nicht lange. Er mahlt mit dem Unterkiefer, blickt auf seine Hände. »Mr President. So gerne ich Ihnen helfen würde, müssen Sie verstehen, dass auch wir eine Verant-«

»Lester, verdammt, setzen Sie Ihr Land an die erste Stelle!« Ich fahre so schnell aus meinem Sessel hoch, dass mir, wütend, wie ich bin, für einen Moment schwindelig wird. »Ich verschwende hier offenbar meine Zeit.«

Auch Lester erhebt sich vom Sofa, lässt erneut seine Manschetten unter den Ärmeln hervorschnellen und rückt sich die Krawatte zurecht. »Dann sehen wir Sie also am Montag?« Als sei alles, was ich ihm eben erklärt habe, an ihm abgeperlt. Ihm geht es einzig und allein darum, vor seine Fraktion zu treten und sich damit zu brüsten, er habe mir Paroli geboten.

»Sie glauben, Sie wüssten, was Sie tun«, sage ich. »Aber Sie haben nicht den leisesten Schimmer.«

8

Nachdem Sprecher Rhodes den Raum verlassen hat, starre ich auf die Tür. Ich weiß auch nicht, was ich mir von ihm erhofft habe. Ein wenig guten, alten Patriotismus? Verantwortungsgefühl vielleicht? Ein bisschen Vertrauen in den Präsidenten?

Träum weiter. In der politischen Kultur, die gegenwärtig herrscht, ist damit nichts zu holen. Sämtliche Anreize gehen in die entgegengesetzte Richtung.

Rhodes wird in seine Ecke zurückkehren und eine Attacke führen, über die er in Wahrheit keine Kontrolle hat, weil seine Fraktion bei jedem Tweet zappelig wird. Auf unserer Seite ist es nicht viel besser. Die Teilhabe an der Demokratie steht in einer Welt aus Twitter, Snapchat, Facebook und Nachrichtensendungen rund um die Uhr zunehmend unter dem Diktat der Sofortbefriedigung. Wir bedienen uns der neuen Technologien und fallen dabei in primitive Muster menschlicher Beziehungen zurück. Es geht alles so einfach und schnell. Allzu oft sind Wuttiraden wirkungsvoller als der Versuch, Antworten zu finden. Empörung schlägt Vernunft; Emotionen schlagen Fakten. Ein scheinheiliger, hämischer Einzeiler, egal, wie weit hergeholt, geht als Klartext durch, eine sachliche, gut fundierte Reaktion wird als unauthentisch und abgedroschen wahrgenommen.

Das erinnert mich an einen alten Politikerwitz: »Wieso hegst du so schnell eine Abneigung gegen Leute?« »Das erspart mir eine Menge Zeit.«

Wo ist die sachliche, geradlinige Berichterstattung geblieben? Weil die Grenze zwischen Fakt und Fiktion, zwischen Wahrheit und Lüge mit jedem Tag immer mehr verschwimmt, wissen wir kaum noch, was das ist. Es ist schwer geworden, dafür überhaupt noch eine Definition zu finden.

Ohne eine freie Presse, die sich der Aufgabe verschrieben hat, diese dünne Linie zwischen Tatsachen und frei erfundenen

Behauptungen immer wieder aufs Neue zu klären, ohne einen ungehinderten investigativen Journalismus können wir nicht überleben. Unter den gegenwärtigen Umständen allerdings steht unsere Presse, zumindest was die politische Berichterstattung angeht, unter großem Druck, genau das Gegenteil zu tun und ihre eigene Macht auszuspielen, um – mit den Worten eines klugen Kolumnisten – sämtliche Politiker, auch die ehrlichen, fähigen unter ihnen, oft aus vergleichsweise geringfügigem Anlass, zu »entnormalisieren« und unter Generalverdacht zu stellen.

»Falsche Äquivalenz« lautet der Fachbegriff. Wenn sich bei einer Person oder Partei die Missstände zu einem Berg auftürmen, den es anzuprangern gilt, muss man auf der gegnerischen Seite nach einem Maulwurfshügel suchen und ihn zum Berg hochstilisieren, um nicht den Vorwurf der Parteilichkeit auf sich zu ziehen. Natürlich bringen diese zum Berg verzerrten Maulwurfshügel auch ihre Vorteile mit sich: verstärkte Berichterstattung in den Abendnachrichten, Millionen von Retweets, ein gefundenes Fressen für die Talkshows. Wenn sich die Berge und Maulwurfshügel schließlich zum Verwechseln ähnlich sehen, bleiben im Wahlkampf oder im Regierungsgeschäft zu wenig Zeit und Energie, um die Themen anzugehen, die den Menschen wirklich unter den Nägeln brennen. Versuchen wir es trotz alledem, werden wir vom Lärm um die nächste Tagessensation übertönt. Und dafür bezahlen wir einen hohen Preis. Das Ganze schaukelt sich hoch und führt zu noch mehr Frustration, Polarisierung, Lähmung, schlechten Entscheidungen und verpassten Gelegenheiten. Doch ohne den Antrieb, tatsächlich etwas Positives zu erreichen, lassen sich immer mehr Politiker in diese Stimmungslage hineinziehen und schüren die Flammen von Wut und Ärger weiter, statt als Feuerwehr zu fungieren. Alle wissen, dass es falsch ist, doch der kurzzeitige Nutzen ist so groß, dass wir weitertaumeln und uns darauf verlassen, dass unsere Institutionen, dass unser Rechtsstaat einem Angriff nach dem anderen standhalten, ohne dass unsere Freiheit, unsere Persönlichkeitsrechte und unsere Lebensart Schaden nehmen.

Ich habe mich zur Präsidentenwahl aufstellen lassen, um diesen Teufelskreis zu durchbrechen. Ich hoffe, ich kann es immer noch. Doch im Moment muss ich mich um den Wolf vor der Haustür kümmern.

JoAnn tritt ein und sagt: »Danny und Alex sind da.«

JoAnn hat schon bei meinem Vorgänger im Gouverneursamt in North Carolina gearbeitet und die Amtsübergabe so effizient organisiert, dass ich beeindruckt war. Alle hatten Angst vor ihr. Ich wurde davor gewarnt, sie einzustellen, weil sie von »denen« kam, der gegnerischen Partei. Doch JoAnn erklärte mir ohne Umschweife: »Mr Governor-Elect, ich bin frisch geschieden, habe zwei Kinder an der Mittelschule und kein Geld. Ich komme nie zu spät, bin nie krank und tippe schneller, als Sie spucken können, und falls Sie sich wie ein Mistkerl benehmen, bin ich die Erste, von der Sie es erfahren.« Seit dem Tag arbeitet sie für mich. Ihr Ältester hat gerade eine Stelle im Finanzministerium angetreten.

»Mr President«, begrüßt mich Danny Akers, mein Rechtsberater im Weißen Haus.

Danny und ich waren im Wilkes County, North Carolina, Nachbarn. Wir sind in einer winzigen Stadt von gerade mal einer Quadratmeile, zwischen einem Highway und einer einzigen Verkehrsampel, aufgewachsen. Wir sind zusammen schwimmen und angeln gegangen, Skateboard gefahren, haben miteinander Ball gespielt und gejagt. Wir haben voneinander gelernt, wie man einen Schlips bindet, wie man ein Auto kurzschließt, eine Angelrute auswirft und einen Breaking Ball beim Baseball hinbekommt. Von der Grundschule über die Northwest Highschool bis zur University of North Carolina haben wir alles gemeinsam durchlaufen. Wir sind sogar zusammen eingerückt und kamen nach dem College im Rang eines E4 zu den Rangers. Das Einzige, was wir nicht zusammen erlebt haben, war Desert Storm; Danny wurde nicht wie ich der

»Bravo Company« bei der Infanterie zugeteilt und hat somit nie im Irak gekämpft.

Während ich mich – vergeblich – bemühte, von meinen Verwundungen aus dem Einsatz bei Desert Storm zu genesen, und mit dem Gedanken spielte, Baseballprofi zu werden, fing Danny an der UNC sein Jurastudium an. Danny legte, als ich ebenfalls an die UNC kam, bei Rachel Carson, einer Studentin im Abschlussjahr, ein gutes Wort für mich ein.

»Mr President.« Alex Trimble entspricht mit dem mächtigen Brustkasten und dem militärischen Igelschnitt schon auf den ersten Blick dem Klischee des Secret-Service-Manns. Der Mann sprüht zwar nicht vor Witz, doch er führt das Team meiner Personenschützer mit heiligem Ernst und so effizient wie eine Militäroperation.

»Setzen Sie sich. Setzen Sie sich.« Ich sollte an meinen Schreibtisch zurückkehren, doch ich nehme auf dem Sofa Platz.

»Mr President«, sagt Danny, »mein Memorandum zu Titel 18, Paragraf 3056.« Er reicht mir das Dokument. »Die lange oder die kurze Version?«, fragt er, obwohl er die Antwort weiß.

»Die kurze.« Im Moment ist mir wahrlich nicht danach, mich in Juristenjargon zu ergehen. Außerdem bin ich davon überzeugt, dass dieses Memo mit höchster Sorgfalt erstellt wurde. Als Staatsanwalt habe ich es immer geliebt, im Gerichtssaal die Klingen zu kreuzen, wohingegen Danny von Anfang an eher der Gelehrtentyp war, der es genoss, die Stellungnahmen des Obersten Gerichtshofs durchzuackern und knifflige juristische Probleme zu sezieren. Danny hat Ehrfurcht vor dem geschriebenen Wort. Als ich Gouverneur von North Carolina wurde, verließ er seine Kanzlei, um mein Rechtsberater zu werden. Er machte sich hervorragend, bis ihn der damalige Präsident ans Bundesberufungsgericht für den vierten Gerichtsbezirk berief. Er ging in seiner Stellung auf, und wäre ich nicht Präsident geworden, und hätte ich ihn nicht gebeten, mit mir nach Washington zu kommen und erneut für mich zu arbeiten, wäre er dort für den Rest seines Lebens glücklich und zufrieden gewesen.

»Sagen Sie mir einfach, was ich tun kann und was nicht«, sage ich. »Und dann mache ich sowieso, was ich will.«

Danny zwinkert mir zu. »Rein rechtlich können Sie den Personenschutz nicht ablehnen. Allerdings gibt es einen Präzedenzfall dafür, ihn aus Gründen der Privatsphäre zeitweilig abzulehnen.«

Alex Trimble durchbohrt mich mit seinem Blick. Ich habe das Problem schon einmal bei ihm angeschnitten, die Frage kommt für ihn also nicht gänzlich unerwartet, aber vermutlich hat er gehofft, Danny könnte mir das Vorhaben ausreden.

»Mr President«, sagt Alex, »bei allem Respekt, aber das kann nicht Ihr Ernst sein.«

»So ernst wie ein Herzanfall.«

»Ausgerechnet jetzt –«

»Es ist beschlossene Sache«, sage ich.

»Wir können den Einsatzradius flexibel halten«, versucht er es noch einmal. »Zumindest Vorkehrungen treffen.«

»Nein.«

Alex krallt die Finger um die Armlehnen seines Stuhls und bekommt den Mund nicht zu.

»Ich brauche einen Moment mit meinem Rechtsberater«, erkläre ich ihm.

»Mr President, bitte überstürzen Sie –«

»Alex, ich brauche einen Moment mit Danny«, beharre ich.

Mit Kopfschütteln und einem tiefen Seufzer verlässt Alex den Raum. Danny blickt zur Tür, um sicherzugehen, dass wir alleine sind. Dann sieht er mich an.

»Söhnchen, du bist verrückter als ein Märzhase«, sagt er, mit einem Anflug des altvertrauten Südstaaten-Näselns, als er mir den Lieblingsspruch meiner Mama ins Gedächtnis ruft. Er kennt sie alle so gut wie ich. Danny hatte gute Eltern, hart arbeitende Leute, die nur viel von zu Hause weg waren. Sein Dad machte bei einer Spedition jede Menge Überstunden, seine Mutter arbeitete in einer Fabrik vor Ort in der Nachtschicht.

Mein Vater war Mathematiklehrer an der Highschool und

kam, als ich vier Jahre alt war, bei einem Autounfall ums Leben. Und so lebten wir in meiner Kindheit von der Teilrente eines Lehrers und dem, was Mama als Kellnerin bei Curl Ray's am Miller's Creek verdiente. Doch abends kam sie immer nach Hause und half den Akers mit Danny aus. Sie liebte ihn wie einen zweiten Sohn; er verbrachte so viel Zeit bei uns wie bei sich zu Hause.

Normalerweise kann er mir ein Schmunzeln entlocken, wenn er diese Erinnerungen wachruft, doch heute beuge ich mich nur vor und ringe die Hände.

»Na schön, willst du mir sagen, was hier vor sich geht?«, versucht er es anders. »Du machst mir eine Heidenangst.«

Willkommen im Klub. Ich spüre, wie ich mich, allein mit Danny, aus der Deckung wage. In diesem Job waren er und Rachel, wenn es hoch herging, von Anfang an meine Zuflucht, mein sicherer Hafen.

Ich sehe ihn an. »Unser Angelplatz am Lake Gaston liegt in weiter Ferne«, sage ich.

»Gut, denn du könntest nicht mal eine Angelrute aufspulen, wenn dein Leben dran hinge.«

Auch das bringt kein Lächeln auf meine Lippen.

»Du bist genau an dem Platz, wo du hingehörst, Mr President«, sagt er. »Wenn die Kacke am Dampfen ist, möchte ich keinen anderen am Drücker sehen.«

Ich atme langsam aus und nicke.

»Hey.« Danny steht auf und setzt sich neben mich aufs Sofa. Er klopft mir sacht aufs Knie. »Am Drücker zu sitzen heißt nicht, alleine dazustehen. Ich bin schließlich auch noch da. An deiner Seite, genau da, wo ich immer gewesen bin, egal, welchen Titel du trägst. Und daran wird sich auch nichts ändern.«

»Ja, ich – ich weiß.« Ich drehe mich zu ihm um. »Das weiß ich.«

»Es geht nicht um diesen Amtsenthebungsschwachsinn, stimmt's? Das wird sich nämlich von selbst erledigen. Lester

Rhodes? Wenn Dummheit wehtäte, käme der Junge aus dem Schreien nicht raus.«

Er zieht alle Register und holt einen weiteren Lieblingsspruch von Mama Lil aus der Trickkiste, um mich an sie, an ihre Stärke zu erinnern. So wie sie nach Daddys Tod die Peitsche geführt hat, hätte sie es mit jedem Ausbilder bei der Army aufnehmen können, und wenn ich meine Silben verschluckte oder mir eine doppelte Verneinung über die Lippen kam, gab's eins hinter die Löffel. Sie ging früh zur Arbeit und kam nachmittags mit zwei Styroporboxen heim, Dannys und meinem Abendessen für den nächsten Tag. Während sie unsere Hausaufgaben durchsah und uns nach dem Schultag fragte, massierte ich ihr die Füße.

Ihr Jungs seid nicht reich genug, pflegte sie zu sagen, *als dass ihr es euch leisten könntet, in der Schule nicht aufzupassen.*

»Es ist diese andere Sache, nicht wahr?«, vermutet Danny. »Das, was du mir nicht sagen kannst, ist der Grund dafür, dass du in den letzten zwei Wochen deinen halben Terminkalender zusammengestrichen hast? Der Grund dafür, dass du dich auf einmal so lebhaft für Kriegs- und Haftprüfungsrecht und für Preiskontrollen interessierst? Weshalb du dich über Suliman Cindoruk und Algerien ausschweigst wie leise rieselnder Schnee, während dir Lester Rhodes den Rotz aus dem Leib prügelt?«

»Du hast es erfasst«, sage ich, »darum geht es.«

»Dachte ich mir.« Danny räuspert sich und trommelt mit den Fingern. »Auf einer Skala von eins bis zehn«, sagt er. »Wie schlimm?«

»Tausend.«

»Himmel! Und du willst auch noch von der Leine? Ich muss schon sagen, das klingt nach einer lausigen Idee.«

»Gut möglich. Aber was Besseres fällt mir nicht ein.«

»Du hast Angst«, sagt er.

»Stimmt. Ich habe Angst.«

Wir schweigen eine Weile.

»Weißt du, wann ich dich das letzte Mal so erlebt habe?«

»Als ich in Ohio über zweihundertsiebzig Wählerstimmen bekam?«

»Nein.«

»Als ich begriff, dass die Bravo Company in den Irak muss?«

»Nein, Sir.«

Ich sehe ihn an.

»Als wir in Fort Benning aus diesem Bus gestiegen sind«, sagt er, »und Sergeant Melton rief: ›Wo sind die E4-Rekruten? Wo sind diese verdammten Bücherwürmer, diese Penner?‹ Wir waren noch nicht mal aus diesem Bus raus, und schon wetzte der Sergeant gegen uns College-Jungen, die gleich mit einem höheren Sold antraten, die Messer.«

Ich schmunzle. »Daran erinnere ich mich nur zu gut.«

»Dachte ich mir. Und ich werde nicht vergessen, wie dich der Sergeant das erste Mal bis aufs Blut getriezt hat. Ich sehe noch den Blick in deinem Gesicht, als wir in diesem Bus den Gang entlangschlichen. Wahrscheinlich hab ich genauso geguckt. Wir hatten Angst wie die Maus in der Schlangengrube. Weißt du noch, was du gemacht hast?«

»Mir in die Hose geschissen?«

Danny dreht sich zu mir um und sieht mir eindringlich in die Augen. »Du erinnerst dich nicht, Ranger, was?«

»Nein, ums Verrecken nicht.«

»Du hast dich vor mich gestellt«, sagt er.

»Hab ich das?«

»Allerdings. Ich hatte auf dem Gangplatz gesessen und du am Fenster. Ich war also vor dir im Gang. Aber in dem Moment, als der Sergeant draußen gegen die E4er loslegte, hast du dich vorgedrängelt, damit du, obwohl du selbst ganz schön Schiss hattest, als Erster aus dem Bus steigst, um mich zu schützen. Das war dein erster Impuls.«

»Hm. Ich kann mich nicht entsinnen.«

Danny klopft mir auf den Schenkel. »Also, und wenn du noch so viel Angst hast, President Duncan«, sagt er. »Ich setze trotzdem auf dich, wenn es darum geht, uns zu beschützen.«

9

Während sie sich das Gesicht in der Sonne wärmt und ihr die Musik von Wilhelm Friedemann Herzog in den Ohren klingt – eine Einspielung der Sonaten und Partiten für Violine solo von Johann Sebastian –, kommt Bach zu dem Schluss, dass es keine so schlechte Idee war, sich die Zeit mit Sightseeing in der National Mall zu vertreiben. Das Lincoln Memorial mit seinen griechischen Säulen und der imposanten Marmorstatue, die über der scheinbar endlos hohen Treppe thront, ist übertrieben majestätisch, passender für eine Gottheit als für einen Präsidenten, den man wegen seiner Demut verehrt. Doch dieser Widerspruch ist so durch und durch amerikanisch, so typisch für eine Nation, die sich auf Freiheit und Individualrechte gründet und genau diese Prinzipien im Rest der Welt mit Füßen tritt.

Diese Gedanken kommen ihr nur am Rande; nicht der geopolitische Kurs Amerikas bringt sie her. Und so wie das Land selbst ist dieses Denkmal bei aller Ironie nicht weniger beeindruckend.

Das Reflexionsbecken, das in der morgendlichen Sonne schimmert. Die Veterans' Memorials, besonders das zum Koreakrieg, bewegen sie mehr, als sie erwartet hätte.

Doch die wichtigste Sehenswürdigkeit, ihren persönlichen Favoriten, hat sie am frühen Morgen besucht – das Ford's Theater, den Schauplatz des kühnsten Attentats auf einen Präsidenten in der amerikanischen Geschichte.

Im Freien ist es so hell, dass sie die Augen zusammenkneifen muss und ihr die übergroße Sonnenbrille wie gerufen kommt. Sie macht reichlich von der Kamera um ihren Hals Gebrauch und fotografiert aus sämtlichen Blickwinkeln alles, was ihr vor die Linse kommt. Das Washington Monument, Abe, Franklin D. Roosevelt und Eleanor sowie die Inschriften an den Veteranen-Ehrenmalen in Nahaufnahme, nur für den unwahrscheinlichen Fall, dass sich irgendjemand dafür interessiert, wie

Isabella Mercado – der Name in ihrem Pass – den Tag verbracht hat.

In ihren Ohrhörern erklingen jetzt die inbrünstigen Klagen des Chors und die tanzenden Violinen der Johannes-Passion, die dramatische Konfrontation von Pilatus und Christus vor der Menschenmenge.

Weg, weg mit dem, kreuzige ihn!

Wie so oft schließt sie die Augen und verliert sich in der Musik. In ihrer Fantasie sitzt sie 1724, als die Passion zum ersten Mal gespielt wird, in der Nikolaikirche in Leipzig und fragt sich, was der Komponist wohl empfindet, als er sein Werk das erste Mal zum Leben erweckt und mit eigenen Augen sieht, wie die Gemeinde von seiner Schönheit ergriffen wird.

Sie ist im falschen Jahrhundert geboren.

Als sie die Augen wieder öffnet, sieht sie eine Frau auf einer Bank beim Stillen ihres Kindes. Sie spürt ein Flattern im Bauch. Sie nimmt die Ohrhörer heraus, betrachtet die Frau und lässt den Blick auf dem Säugling an ihrer Brust ruhen, dann auf dem zarten Lächeln im Gesicht der Mutter. Das meinen sie, wenn sie von »Liebe« sprechen, dessen ist sich Bach gewiss.

Sie erinnert sich noch an Liebe. Mehr an das Gefühl als an ein Bild, auch wenn sie die Erinnerung an das Aussehen ihrer Mutter dank zweier Fotos, die sie auf die Flucht hatte mitnehmen können, lebendig erhält. Ihren Bruder hat sie noch deutlicher im Gedächtnis, auch wenn es ihr schwerfällt, sich seine düstere Miene in Erinnerung zu rufen, den blanken Hass in seinen Augen, als sie sich das letzte Mal gesehen haben. Inzwischen hat er eine Frau und zwei Töchter. Er ist glücklich, glaubt sie. Er hat Liebe gefunden, hofft sie.

Sie steckt sich ein weiteres Ingwerbonbon in den Mund und winkt ein Taxi heran.

»M Street South West, Ecke Capitol Street South West«, sagt sie und klingt wahrscheinlich wie eine Touristin. Umso besser.

Sie unterdrückt den Brechreiz, als ihr im Wageninneren Bratfettgeruch entgegenströmt. Um eine Unterhaltung mit dem geschwätzigen afrikanischen Fahrer zu unterbinden, steckt sie sich wieder die Ohrhörer ein. Sie bezahlt in bar und atmet eine Weile die frische Luft ein, bevor sie sich zum Restaurant begibt.

Es nennt sich Pub und hat eine Vielfalt an geschlachteten Tieren im Angebot, die mit gebratenem Mischgemüse auf riesigen Tellern serviert werden. »Probieren Sie mal unsere Nachos!«, wird ihr empfohlen, wobei es sich offenbar um einen Teller mit frittierten Tortillas und geschmolzenem Käse handelt, äußerst sparsam mit Gemüse garniert, und dazu noch mehr Fleisch von geschlachteten Tieren.

Sie isst keine Tiere. Sie würde keine Tiere töten. Sie haben nichts verbrochen, um es zu verdienen.

Sie setzt sich auf einen Schemel an einem langen, tresenartigen Tisch für Einzelgäste am Fenster und blickt auf die Straße, wo dicht an dicht große, wuchtige Fahrzeuge an der Ampel halten, und auf riesige Werbetafeln, die Reklame für Biersorten, Fast Food und »Autokredite« machen, sowie auf Kleidungsgeschäfte und Kinos. Auf den Straßen drängen sich die Passanten. Das Restaurant ist fast leer; es ist jetzt elf Uhr vormittags, der Lunch-Rush, wie sie es nennen, hat noch nicht begonnen. Auf der Speisekarte findet sich fast nichts, was sie essen kann. Sie bestellt ein alkoholfreies Getränk und eine Suppe und wartet.

Aschgraue Wolken brauen sich am Himmel zusammen. Die Zeitung hat vorhergesagt, die Wahrscheinlichkeit für Regen liegt bei dreißig Prozent.

Folglich kann sie ihren Auftrag heute Abend mit siebzigprozentiger Wahrscheinlichkeit ausführen.

Ein Mann kommt herein und setzt sich auf den Schemel links neben ihr. Sie wendet sich ihm nicht zu. Das Gesicht geradeaus, schielt sie nur mit den Augen nach links und wartet darauf, dass das Kreuzworträtsel auf der Theke erscheint.

Wenig später klatscht der Mann, die Seite mit dem Kreuzworträtsel nach oben, die Zeitung aufs Holz und trägt in der obersten waagerechten Spalte des Rätsels Buchstaben in die Kästchen ein.

Die Buchstaben ergeben: **BESTÄTIGT**

Unterdessen blickt sie auf ihre Karte von der National Mall und schreibt auf den weißen oberen Rand mit Kugelschreiber: *Lastenaufzug?*

Der Mann tut so, als brüte er über dem nächsten Rätselwort, und tippt dabei mit seinem Bleistift auf das Wort, das er bereits geschrieben hat.

Die Kellnerin bringt ihr das Getränk. Sie nimmt einen großen Schluck und genießt die beruhigende Wirkung der Kohlensäure auf ihren aufgewühlten Magen. Sie schreibt: *Verstärkung?*

Wieder tippt er auf dasselbe Wort, ein Ja auf ihre Frage.

Dann schreibt er in eine senkrechte Spalte des Rätsels: **HASTDU**

Hab ich, schreibt sie. *Wenn es regnet, Treffen um 21:00?*

Er schreibt: **WIRDSNICHT**

Sie kocht innerlich, sagt und tut jedoch nichts, sondern wartet ab.

JAUMNEUN, schreibt er in eine waagerechte Spalte weiter unten.

Er steht auf, bevor die Kellnerin seine Bestellung entgegennehmen kann, und lässt das Kreuzworträtsel neben ihr auf der Theke liegen. Sie zieht die Zeitung heran und schlägt sie auf, als interessiere sie sich für einen Artikel. Die Karte und die Zeitung wird sie später in unterschiedlichen Mülleimern entsorgen.

Sie kann es kaum erwarten, heute Abend abzureisen. Sie zweifelt kaum daran, dass sie ihre Aufgabe erledigen wird. Das Einzige, was sich ihrer Kontrolle entzieht, ist das Wetter.

Sie hat noch nie im Leben gebetet, doch wenn sie es täte, dann heute – darum, dass es keinen Regen gibt.

10

13:30 Uhr im *Situation Room*, kühl, schalldicht, fensterlos.

»Montejo wird morgen für ganz Honduras das Kriegsrecht ausrufen«, sagt Brendan Mohan, mein Nationaler Sicherheitsberater. »Er hat bereits die meisten seiner politischen Rivalen hinter Gitter gebracht, doch damit wird er sich nicht zufriedengeben. Es herrscht Lebensmittelknappheit, deshalb wird er wohl Preiskontrollen einführen, um die Bevölkerung noch für ein paar Tage ruhigzustellen, bis er die volle Kontrolle hat. Nach unserer Schätzung verfügen die *Patriotas* über eine zweihunderttausend Mann starke Armee nebenan in Managua, die nur auf ein Zeichen wartet. Falls er nicht abtritt –«

»Wird er nicht«, wirft Vizepräsidentin Kathy Brandt ein.

Mohan, General a. D., schätzt es nicht, unterbrochen zu werden, hat aber vor der Befehlskette Respekt. Er zuckt mit den breiten Schultern und wendet sich mit seiner Antwort an sie.

»Ich stimme Ihnen zu, Madam Vice President. Aber möglicherweise ist er nicht in der Lage, das Militär zurückzuhalten. In diesem Fall wird er abgesetzt. Behält er die Kontrolle über das Militär, stürzt er nach unserer Einschätzung Honduras binnen eines Monats in einen Bürgerkrieg.«

Ich wende mich Erica Beatty zu, der CIA-Direktorin, einer belesenen Frau mit dunklen Waschbäraugen, kurz geschnittenem grauem Haar und leiser Stimme. Sie ist der Inbegriff einer Spionin, schon eine Ewigkeit bei der CIA. Die Behörde hat sie vom College weg engagiert und in den 1980er-Jahren als Offizierin in geheimer Mission in Westdeutschland stationiert. 1987 wurde sie von der Stasi verhaftet unter dem Vorwand, man habe sie auf der Ostseite der Berliner Mauer mit falschem Pass und Plänen vom Staatsratsgebäude, dem Regierungssitz der DDR, gefasst. Nahezu einen Monat lang wurde sie gefangen gehalten und verhört, bevor die Stasi sie schließlich laufen ließ. Als nach dem Fall der Mauer und der Wiedervereinigung die Stasi-Akten eingesehen werden konnten, stellte sich heraus, dass sie trotz brutaler Folter keine Informationen preisgegeben hatte. Nachdem ihre Tage als Geheimagentin Geschichte waren, stieg sie in den Rängen der CIA rasch auf und profilierte sich als eine der herausragenden Russland-Expertinnen in Amerika. Sie beriet die Vereinigten Stabschefs, leitete die *Central-Eurasia*-Abteilung der CIA, war zuständig für Geheimdienstoperationen in den Ländern der ehemaligen Sowjetrepublik und den Staaten des Warschauer Pakts, bis sie in die Führungsriege der Behörde aufstieg. Sie war in meinem Wahlkampfteam die engste Beraterin über Russland. Ungefragt meldet sie sich nur selten zu Wort, doch wenn sie sich erst einmal warmgelaufen hat, kann sie einem vermutlich mehr über Präsident Dimitri Tschernikow sagen als Tschernikow selbst.

»Was meinen Sie, Erica?«, frage ich.

»Montejo spielt Tschernikow direkt in die Hände«, sagt sie. »Tschernikow bemüht sich seit seiner Amtsübernahme darum, einen Zugang zu Zentralamerika zu finden. So eine Chance hatte er noch nie. Montejos zunehmender Faschismus verleiht den *Patriotas* Glaubwürdigkeit, sodass sie mehr wie Freiheitskämpfer als russische Marionetten erscheinen. Montejo spielt genau die Rolle, die Tschernikow ihm auf den Leib geschrieben hat. Montejo ist ein Feigling und ein Irrer.«

»Aber er ist *unser* feiger Irrer«, wendet Kathy ein.

Kathy hat recht. Wir können die von Russland gesteuerten *Patriotas,* Tschernikows Schergen, nicht in die Region lassen. Natürlich könnten wir einen Sturz von Präsident Montejo zum Staatsstreich erklären und sämtliche amerikanischen Hilfsleistungen einstellen, doch was hätten wir davon? Damit brächten wir die Regierung von Honduras nur noch mehr gegen uns auf, und Russland wäre glücklich, in Zentralamerika einen Fuß in der Tür zu haben.

»Habe ich hier irgendwelche guten Optionen?«, frage ich.

Keinem am Tisch fällt eine ein.

»Nun zu Saudi-Arabien«, sage ich. »Was zum Teufel ist da passiert?«

Die Frage übernimmt Erica Beatty. »Sir, die Saudis haben zig Leute festgenommen, denen sie zur Last legen, an dem angeblichen Komplott gegen König Saad ibn Saud beteiligt gewesen zu sein. Offenbar haben sie Waffen und Sprengstoff sichergestellt. Zwar ist es nie zu einem Mordanschlag gekommen, doch die Saudis argumentieren, zum Zeitpunkt der Razzien und Massenverhaftungen durch die Mabahith, die Geheimpolizei, seien die Vorbereitungen dazu im ›letzten Stadium‹ gewesen.«

Saad ibn Saud ist erst fünfunddreißig Jahre alt, der jüngste Sohn des vorherigen Königs. Vor nur einem Jahr hat sein Vater die Führungsriege umgebildet und mit Saads Ernennung zum Kronprinzen und damit Anwärter auf den Thron für Überraschung gesorgt. In der königlichen Familie hat er sich damit einige Feinde gemacht. Nur drei Monate nach Saads Aufstieg starb sein Vater, und Saad ibn Saud wurde Saudi-Arabiens jüngster König.

Bislang war es ein steiniger Weg für ihn. Er hat überkompensiert, indem er mit der Geheimpolizei gegen Dissidenten vorgegangen ist und zum Beispiel vor einigen Monaten in einer einzigen Nacht mehr als ein Dutzend von ihnen hinrichten ließ. Das hat mir wahrlich nicht geschmeckt, aber ich konnte nicht viel tun. Ich brauche ihn in der Region. Sein Land ist unser engster Verbündeter, ohne ein stabiles Saudi-Arabien ist unser Einfluss dort gefährdet.

»Wer steckt hinter dem Attentat, Erica? Der Iran? Jemen? Oder war es hausgemacht?«

»Das wissen sie noch nicht. Wir genauso wenig. Die Menschenrechts-NGOs behaupten, es habe gar kein Anschlagskomplott gegeben, das sei nur ein Vorwand, um weitere politische Rivalen des Königs hinter Gitter zu bringen. Wir wissen, dass sie im Zuge dieser Verhaftungswelle auch einige weniger wohlhabende, doch einflussreiche Mitglieder der königlichen

Familie festgenommen haben. Dem Land stehen schwierige Tage bevor.«

»Bieten wir unsere Hilfe bei der Aufklärung an?«

»Selbstverständlich. Das FBI ist schon vor Ort. Wie weit sie unsere Hilfe annehmen, wissen wir noch nicht. Es ist eine … angespannte Lage.«

Unruhen in diesem Teil des Nahen Ostens, während mir hier zu Hause die Hände gebunden sind. Das hat mir gerade noch gefehlt.

Um 14:30 Uhr, zurück im Oval Office, sage ich am Telefon: »Mrs Kopecky, Ihr Sohn hat seinem Land einen unschätzbaren Dienst erwiesen. Wir ehren sein Opfer für dieses Land. Ich bete für Sie und Ihre Familie.«

»Er hat … sein Land geliebt, President Duncan«, sagt sie mit zittriger Stimme. *»Er hat an seine Mission geglaubt.«*

»Ich bin sicher, er –«

»Ich nicht«, sagt sie. *»Ich weiß nicht, was wir dort immer noch zu suchen haben. Wann bekommen die ihr dämliches Land endlich selber in den Griff?«*

An der Decke flackert das Licht, ein kurzes An-Aus-An. Was ist nur mit den Lampen los?

»Das verstehe ich, Mrs Kopecky«, sage ich.

»Sie dürfen Margaret sagen, das tun alle«, sagt sie. *»Darf ich Sie Jon nennen?«*

»Margaret«, sage ich zu einer Frau, die gerade ihren neunzehnjährigen Sohn verloren hat, »Sie können mich nennen, wie Sie mögen.«

»Ich weiß, dass Sie versuchen, aus Irak rauszukommen, Jon«, sagt sie. *»Aber strengen Sie sich mehr an. Sehen Sie bloß zu, dass wir da rauskommen.«*

Zehn Minuten nach drei sind Danny Akers und meine politische Beraterin Jenny Brickman bei mir im Oval Office.

Carolyn tritt ein, sucht meinen Blick und kommt mit einem kurzen Kopfschütteln meiner Frage zuvor – immer noch nichts Neues, Lage unverändert.

Es ist schwer, sich auf andere Dinge zu konzentrieren. Doch ich muss. Wegen dieser Bedrohung bleibt die Welt nicht stehen.

Carolyn setzt sich zu uns.

»Das hier ist vom Gesundheitsministerium«, sagt Danny. Ich war heute für die Ausführungen des Gesundheitsministers nicht in Stimmung, und so habe ich, um die Zeit, die ich auf weniger dringliche Dinge verwende, auf ein Minimum zu reduzieren, Danny hingeschickt, damit er mir die Kurzfassung präsentiert.

»Es geht um Medicaid, die Gesundheitshilfe für Arme«, sagt Danny, »und betrifft Alabama. Sie erinnern sich, dass Alabama zu den Bundesstaaten gehörte, die sich weigerten, Medicaid auszuweiten, obwohl ihnen der *Affordable Care Act,* das Gesetz zur Gesundheitsvorsorge, die Handhabe dafür gibt?«

»Sicher.«

Carolyn springt auf und eilt zur Tür, die sich in diesem Moment öffnet. Meine Sekretärin, JoAnn, überreicht ihr einen Zettel.

Als Danny meinen Gesichtsausdruck sieht, verstummt er.

Carolyn liest die Notiz und sieht mich an. »Sir, Sie werden im Situation Room gebraucht.«

Wenn es das ist, was wir beide befürchten, wenn dies der Moment ist, hören wir erstmals gemeinsam davon.

11

Sieben Minuten später betreten Carolyn und ich den *Situation Room*.

Und augenblicklich wird klar: Es ist nicht, was wir befürchtet haben. Der Angriff hat noch nicht begonnen. Mein Puls beruhigt sich. Zwar sind wir nicht zu unserem Vergnügen hier, aber der Albtraum ist es nicht. Noch nicht.

Als wir eintreten, sind bereits versammelt: Vizepräsidentin Kathy Brandt, mein Nationaler Sicherheitsberater Brendan Mohan, der Vorsitzende der Vereinigten Stabschefs, Admiral Rodrigo Sanchez. Verteidigungsminister Dominick Dayton. Sam Haber, der Direktor vom Heimatschutz. Und CIA-Direktorin Erica Beatty.

»Sie sitzen in einer Stadt namens al-Baida«, ergreift Admiral Sanchez das Wort. »Im mittleren Jemen. Kein Zentrum militärischer Auseinandersetzungen. Die von den Saudis angeführte Koalition ist hundert Kilometer entfernt.«

»Und wieso treffen sich die beiden?«, frage ich.

Erica Beatty von der CIA antwortet auf meine Frage. »Das wissen wir nicht, Mr President. Doch Abu Dikh ist der militärische Kopf der al-Shabaab, und al-Fadhli befehligt AQAP, einen Ableger von al-Qaida.« Sie zieht die Augenbrauen hoch und sieht mich eindringlich an.

Die Anführer der somalischen Terroristen sowie eines al-Qaida-Ablegers kommen zu einem Treffen zusammen.

»Wer sonst noch?«

»Offenbar ist Abu Dikh mit kleinem Gefolge angereist«, sagt sie, »al-Fadhli mit seiner Familie. So wie immer.«

Klar. Er bringt seine Sippe mit, um ein schwierigeres Ziel abzugeben.

»Wie viele?«

»Sieben Kinder«, sagt sie. »Fünf Jungen, zwei Mädchen. Zwischen zwei und sechzehn Jahren. Und seine Frau.«

»Sagen Sie mir, wo genau dieses Treffen stattfindet. Nicht geografisch, sondern im Hinblick auf die Zivilbevölkerung.«

»Sie treffen sich in einer Grundschule«, sagt sie, fügt jedoch eilig hinzu: »Allerdings sind im Moment keine Kinder im Gebäude. Denken Sie an den Zeitunterschied von acht Stunden. Dort ist es jetzt Nacht.«

»Sie meinen, da sind jetzt keine Kinder«, werfe ich ein, »außer den fünf Jungen und zwei Mädchen al-Fadhlis.«

»Natürlich, Sir.«

Dieser Mistkerl nutzt seine eigenen Kinder als Schutzschild und fordert uns heraus, seine ganze Familie zu töten, um ihn zu kriegen. Was für ein Feigling, wer tut so etwas?

»Und es besteht keine Chance, al-Fadhli von seinen Kindern abzusondern?«

»Er scheint in einem anderen Trakt der Schule zu sein, falls uns das weiterhilft«, sagt Sanchez. »Das Meeting findet in einem Büro irgendwo im Gebäudekern statt. Die Kinder schlafen unterdessen in einem Saal, wahrscheinlich eine Sporthalle oder ein Versammlungsraum.«

»Aber die Bombe wird die ganze Schule zerstören«, sage ich.

»Davon müssen wir ausgehen, ja, Sir.«

»General Burke?«, sage ich in die Sprechanlage. »Ihr Vorschlag?«

Burke ist ein Vier-Sterne-General, Leiter des Zentralkommandos der Vereinigten Staaten und uns aus Katar zugeschaltet. *»Mr President, ich brauche Ihnen sicher nicht zu sagen, dass dies zwei hochrangige Ziele sind. Wir haben es hier mit den besten militärischen Köpfen in ihrer jeweiligen Organisation zu tun. Abu Dikh ist der Douglas McArthur von al-Shabaab. Al-Fadhli ist nicht nur der oberste Militärkommandeur, sondern auch der Top-Stratege der AQAP. Es wäre ein bedeutender Schlag, Sir. Möglicherweise bietet sich eine solche Gelegenheit nie wieder.«*

»Bedeutend« ist ein relativer Begriff. Diese Männer sind ersetzbar, und je nachdem, wie viele Unschuldige wir töten, bringen wir in ihrem Gefolge mehr künftige Terroristen hervor, als wir jetzt töten. Andererseits wäre es ein Rückschlag für ihre Organisationen, keine Frage. Und wir können Terroristen nicht in dem Glauben lassen, sie seien unverwundbar, solange sie sich hinter ihren Familien verstecken.

»Mr President«, sagt die CIA-Direktorin, »wir wissen nicht, wie lange dieses Treffen dauert. Es könnte jeden Moment zu Ende sein. Offensichtlich haben sich diese beiden militärischen Befehlshaber etwas Wichtiges zu sagen, etwas, das zu heikel oder zu bedeutend ist, um darüber durch Mittelsmänner oder auf elektronischem Weg zu kommunizieren. Doch sie könnten in fünf Minuten fertig sein.«

Mit anderen Worten, jetzt oder nie.

»Rod?«, frage ich Admiral Sanchez, den Vorsitzenden der Vereinigten Stabschefs.

»Ich empfehle, zuzuschlagen«, sagt er.

»Dom?«, frage ich den Verteidigungsminister.

»Ich stimme zu.«

»Brendan?«

»Ebenfalls.«

»Kathy?« Ich sehe die Vizepräsidentin an.

Sie nimmt sich einen kurzen Moment Zeit und atmet langsam aus. Dann streicht sie sich eine graue Strähne hinters Ohr. »Es war seine Entscheidung, nicht unsere, seine Familie als menschlichen Schutzschild zu missbrauchen«, sagt sie. »Ich bin ebenfalls für einen Schlag.«

Ich drehe mich wieder zur CIA-Direktorin um. »Erica, sind Ihnen die Namen der Kinder bekannt?«

Sie kennt mich inzwischen. Ohne ein Wort reicht sie mir einen Zettel mit sieben Namen.

Ich lese sie, vom sechzehnjährigen Jungen, Jasim, bis zum zweijährigen Mädchen Salma.

»Salma«, sage ich. »Das bedeutet ›Frieden‹, nicht wahr?«

Sie räuspert sich. »Ja, soweit ich weiß.«

Ich sehe ein kleines Kind vor mir, das friedlich in den Armen seiner Mutter schläft und noch nichts von der hasserfüllten Welt da draußen weiß. Vielleicht wächst Salma ja einmal zu einer Frau heran, die den entscheidenden Wandel bringt. Vielleicht wird aus ihr einmal der Mensch, der die Gräben überwindet und dafür sorgt, dass wir uns gegenseitig verstehen. Wir müssen daran glauben, dass so etwas eines Tages möglich ist, nicht wahr?

»Wir könnten warten, bis das Treffen zu Ende ist«, sage ich. »Wenn jeder von ihnen seines Weges geht, können wir Abu Dikhs Konvoi folgen und ausschalten. Dann haben wir zumindest einen Top-Terroristen liquidiert. Nicht alle beide, aber immer noch besser als keinen.«

»Und al-Fadhli?«, fragt Sanchez.

»Wir folgen auch seinem Konvoi und hoffen, dass er sich an irgendeiner Stelle von seiner Familie entfernt. Und dann schlagen wir zu.«

»Das wird er nicht, Sir. Ich meine, sich von seiner Familie entfernen. Er wird so wie immer in eine dicht bevölkerte Gegend zurückkehren und verschwinden. Wir werden ihn aus den Augen verlieren.«

»Al-Fadhli taucht nur selten einmal auf, um Luft zu holen.« Erica Beatty teilt seine Skepsis. »Deshalb ist das hier eine so großartige Chance.«

»Großartig.« Ich drehe die Hand um. »Klar, sieben Kinder zu töten fühlt sich ... großartig an.«

Ich stehe auf und schreite den Raum ab. Mit dem Rücken zu meinem Team höre ich Kathy Brandt sagen: »Mr President, al-Fadhli ist nicht dumm. Wenn wir nur ein, zwei Kilometer von ihrem Treffpunkt entfernt Abu Dikh liquidieren, weiß er, dass Sie beide in der Schule geortet haben. Und er weiß genau, warum Sie ihn verschont haben. Wie ein Lauffeuer wird sich die Botschaft unter seinen Waffenbrüdern verbreiten: Haltet eure Kinder in eurer Nähe, und die Amerikaner schlagen nicht zu.«

»Um *unsere* Kinder scheren die sich einen Dreck«, fügt Erica Beatty hinzu.

»Dann folgen wir derselben Logik?«, frage ich. »Sind kein bisschen besser? Denen sind unsere Kinder egal, folglich kümmern uns deren Kinder einen Dreck?«

Kathy hebt eine Hand. »Nein, Sir, das sage ich ja gar nicht. Diese Männer töten in voller Absicht Zivilisten. Wir tun das nicht absichtlich. Es ist das letzte Mittel. Wir führen einen generalstabsmäßigen Militärschlag gegen einen Top-Terroristen aus und nehmen nicht wahllos Zivilisten und Kinder ins Visier.«

Sicher, das ist das entscheidende Argument. Nur dass die Terroristen, die wir bekämpfen, zwischen einer militärischen Aktion der Vereinigten Staaten und dem, was sie tun, keinen Unterschied sehen. Sie können nicht mithilfe von Drohnen Bomben auf uns abwerfen. Sie können es nicht mit unserer Army, unserer Air Force aufnehmen. Was sie tun, zivile Ziele zu bombardieren, ist ihre Version eines gezielten militärischen Vorgehens.

Sind wir nicht anders? Ziehen wir nicht die Grenze da, wo wir mit einem Militärschlag *wissentlich* unschuldige Kinder töten? Unbeabsichtigte Konsequenzen sind eine Sache. Diesmal kennen wir das Ergebnis, bevor wir losschlagen.

Rod Sanchez sieht auf die Uhr. »Diese Debatte könnte sich jeden Moment von selbst erledigen. Ich glaube nicht, dass sie noch sehr lange –«

»Schon gut, das hatten wir schon geklärt«, sage ich. »Ich hatte Sie verstanden.«

Ich senke den Kopf und schließe die Augen, um mich gegen die Vorgänge im Raum abzuschotten. Ich habe ein Team von überaus fähigen, erfahrenen Profis, das mich berät. Doch letztlich muss ich allein die Entscheidung treffen. Es war klug von den Gründervätern, den Oberbefehl über das Militär in zivile Hände zu legen. Weil es dabei nicht nur um militärische Effizienz gehen darf. Es geht dabei ebenso um Politik, um Werte und um das, wofür wir als Nation einstehen.

Wie kann ich sieben Kinder töten?

Tust du nicht. Du tötest zwei Terroristen, die ihren nächsten Coup planen, bei dem sie unschuldige Zivilisten niedermetzeln. Al-Fadhli ist selbst für den Tod seiner Kinder verantwortlich, indem er sich hinter ihnen versteckt.

Sicher, trotzdem Haarspalterei. Ich habe die Wahl. Ich entscheide, ob sie am Leben bleiben oder sterben. Wie soll ich einmal vor meinen Schöpfer treten und ihren Tod rechtfertigen?

Es ist keine Haarspalterei. Wenn du auf diese Gelegenheit verzichtest, belohnst du sie für ihre feige Taktik.

Aber das zählt nicht. Was zählt, sind sieben unschuldige Kinder. Können die Vereinigten Staaten dafür geradestehen?

Fragt sich nur, wieso sich diese Top-Terroristen persönlich treffen. So was hat es unseres Wissens noch nie gegeben. Sie müssen etwas Großes planen. Etwas, das weit mehr Todesopfer fordern wird als sieben Kinder. Wenn du jetzt einschreitest, kannst du einen solchen Angriff vielleicht noch vereiteln. Und unterm Strich Leben retten.

Ich öffne die Augen, hole tief Luft und warte darauf, dass mein Herz langsamer pocht. Es tut mir nicht den Gefallen. Es rast nur umso schneller.

Ich kenne die Antwort. Ich habe sie von Anfang an gekannt. Ich habe nicht nach der Antwort gesucht, nur nach einer Rechtfertigung.

Ich lasse mir noch einen Moment Zeit und flüstere ein Gebet. Ich bete für diese Kinder. Ich bete darum, dass eines Tages kein Präsident mehr eine solche Entscheidung treffen muss.

»Gott stehe uns bei«, sage ich. »Dieser Militärschlag ist genehmigt.«

12

Ich kehre mit Carolyn ins Oval Office zurück, als es, Freitag, den elften Mai, quälend langsam auf siebzehn Uhr zugeht. Wir schweigen. Wie jeden Freitag sehnen sich unzählige berufstätige Frauen und Männer nach dem Feierabend, dem Auftakt zum Wochenende, der dringend benötigten Ruhepause und Zeit mit der Familie.

Doch während der letzten vier Tage haben Carolyn und ich auf diese Stunde an diesem Tag gewartet und dafür geplant, ohne zu wissen, ob es der Anfang von etwas ist oder das Ende oder beides.

Den Anruf habe ich letzten Montag kurz nach zwölf Uhr mittags auf meinem privaten Handy bekommen. Carolyn und ich genehmigten uns gerade Truthahn-Sandwiches in der Küche. Wir wussten bereits, dass wir es mit einer kurz bevorstehenden Bedrohung zu tun hatten. Von welchem Ausmaß oder welcher Größenordnung, das stand noch in den Sternen. Ebenso, wie wir diese Bedrohung abwehren sollten. Unsere Mission in Algerien war bereits – für alle Welt sichtbar – grandios gescheitert. Suliman Cindoruk läuft immer noch frei herum. Also wurde mein gesamtes Nationales Sicherheitsteam für den Tag darauf, den Dienstag, zu einer Aussage vor den Sonderausschuss des Repräsentantenhauses geladen.

Doch in dem Moment, als ich in der Küche mein Sandwich auf den Teller legte und diesen Anruf entgegennahm, änderte sich alles. Die Dynamik wendete sich von einer Sekunde zur anderen. Zum ersten Mal hatte ich einen winzigen Hoffnungsschimmer. Zugleich hatte ich von dem Moment an mehr Angst als je zuvor in meinem Leben.

»Siebzehn Uhr, Standard Eastern Time, Freitag, den elften Mai«, wurde mir gesagt.

Und so denke ich in diesen Minuten, kurz vor fünf, nicht mehr an die sieben unschuldigen Kinder im Jemen, die aufgrund einer Entscheidung, die ich getroffen habe, jetzt tot unter Schutt und Asche verschüttet liegen.

Jetzt zählt für mich nur noch die eine Frage, was jeden Moment mit unserem Land passieren kann und was ich am besten dagegen tue.

»Wo bleibt sie?«, murmele ich.

»Es ist noch nicht ganz fünf, Sir. Sie wird jeden Moment da sein.«

»Das wissen Sie nicht«, sage ich und schreite auf und ab. »Das können Sie nicht wissen. Fragen Sie unten nach.«

Bevor sie dazu kommt, klingelt ihr Handy. Sie geht ran. »Ja, Alex … sie – in Ordnung … Ist sie allein? … Ja … Gut, tun Sie, was nötig ist … Ja, aber machen Sie schnell.«

Sie steckt ihr Handy ein und sieht mich an.

»Sie ist da«, vermute ich.

»Ja, Sir, sie ist da. Sie durchsuchen sie gerade.«

Ich blicke aus dem Fenster, in einen Himmel, dunkel wie Blutergüsse, der Regen verheißt. »Was wird sie uns sagen, Carrie?«

»Wenn ich das nur wüsste. Ich verfolge Ihr Gespräch von nebenan.«

Die Instruktion an mich lautet, ein Gespräch unter vier Augen, keine andere Person im Raum. Folglich werde ich physisch mit meinem Gast allein im Oval Office sein. Doch Carolyn wird im Roosevelt-Zimmer auf einem Überwachungsmonitor alles verfolgen.

Ich wippe auf den Zehen und weiß nicht, was ich mit meinen Händen anfangen soll. Mein Magen rebelliert. »Gott, so nervös war ich seit …« Ich bringe den Satz nicht zu Ende. »Ich glaube, so nervös war ich noch nie.«

»Aber man merkt es Ihnen nicht an, Sir.«

Ich nicke. »Ihnen auch nicht.« Carolyn zeigt niemals Schwäche. Das passt einfach nicht zu ihr. Und in diesem Moment hat es etwas Beruhigendes, da sie die Einzige ist, der ich bei dieser Sache vertraue.

In der gesamten Regierung weiß außer mir nur noch sie von diesem Treffen.

Carolyn verlässt den Raum. Ich stehe neben meinem Schreibtisch und warte darauf, dass JoAnn die Tür öffnet und meine Besucherin hereinführt.

Nach einer gefühlten Ewigkeit, in der sich die Zeiger der Uhr im Schneckentempo bewegen, geht die Tür auf. »Mr President«, sagt JoAnn.

Ich nicke. Es ist so weit.

»Führen Sie sie herein.«

13

Das Mädchen betritt den Raum. Sie trägt ein graues, langärmliges T-Shirt mit der Aufschrift *Princeton* zu zerrissenen Jeans und Work Boots. Sie ist spindeldürr mit langem Hals und hohen Wangenknochen; die mandelförmigen, weit auseinanderstehenden Augen deuten auf eine osteuropäische Herkunft hin. Das Haar trägt sie zu einer dieser Frisuren, die ich nie verstehen werde – auf der rechten Seite kurz rasiert, doch so, dass ihr längeres Haar bis zu den hageren Schultern darüber fällt.

Eine Kreuzung aus Calvin-Klein-Model und Eurotrash-Punkrockerin.

Sie lässt den Blick blitzschnell durch den Raum schweifen, doch anders als die meisten, die zum ersten Mal im Oval Office sind. Die meisten Besucher verschlingen die Porträts und all die Kinkerlitzchen, sehen sich am Präsidentensiegel und dem *Resolute*-Schreibtisch satt.

Nicht dieses Mädchen. Was ich hinter der undurchdringlichen Fassade des Gesichts in ihren Augen sehe, ist blanker Abscheu. Hass auf mich, auf dieses Büro und auf alles, wofür es steht.

Zugleich ist sie angespannt, auf der Hut – darauf gefasst, dass jeden Moment jemand auf sie losgeht, ihr Handschellen anlegt und eine Kapuze über den Kopf stülpt.

Sie entspricht der Personenbeschreibung, die ich bekommen habe. An der Pforte hat sie den Namen genannt, den wir erwartet haben. Sie ist es. Trotzdem brauche ich die Bestätigung.

»Nennen Sie die Codeworte«, fordere ich sie auf.

Sie zieht die Brauen hoch. Das kann sie doch nicht überraschen.

»Sagen Sie's.«

Sie verdreht die Augen.

»Dark Ages«, sagt sie, dunkles Zeitalter, als seien die Worte Gift auf ihrer Zunge. Sie spricht mit starkem osteuropäischem Akzent, rollt das R.

»Wie kommen Sie an diesen Code?«

Sie schüttelt den Kopf, schnalzt mit der Zunge. Auf die Antwort kann ich lange warten.

»Ihr … Sicherheitsdienst … kann mich nicht leiden«, sagt sie.

»Sie haben die Metalldetektoren ausgelöst.«

»Das tue ich … immer. Die … wie heißt das auf Englisch? Die Bombenfrag- – die – «

»Schrapnells«, helfe ich ihr weiter. »Bombensplitter. Von einer Explosion.«

»Ja, das«, sagt sie und tippt sich an die Stirn. »Sie haben zu mir gesagt, zwei … Zentimeter weiter rechts? … Und ich wäre nicht mehr aufgewacht.«

Sie steckt die Daumen in die Gürtelschlaufen ihrer Jeans. Es liegt Trotz, Herausforderung in ihrem Blick.

»Wollen Sie wissen … was ich getan habe, das zu verdienen?«

Ich vermute, dass es mit einem Militärschlag zu tun hat, den ein amerikanischer Präsident – möglicherweise ich – in einem fernen Land befehligt hat. Doch ich weiß so gut wie nichts über diese Frau. Ich kenne weder ihren richtigen Namen, noch weiß ich, woher sie stammt. Ich kenne weder ihre Triebfeder noch ihren Plan. Nachdem sie am Montag vor vier Tagen – über Umwege – mit mir in Verbindung getreten war, verschwand sie wieder vom Schirm, und alle meine beträchtlichen Anstrengungen, mehr über sie zu erfahren, haben nichts gefruchtet. Mit Gewissheit weiß ich über diese junge Frau rein gar nichts.

Dennoch bin ich mir dessen ziemlich sicher, dass das Schicksal der freien Welt in ihren Händen liegt.

»Ich habe begleitet meinen … Cousin … zur Messe, als mich das Geschoss traf«, erzählt sie.

Ich stecke die Hände in die Hosentaschen. »Hier sind Sie in Sicherheit«, versichere ich ihr.

Ihr Blick geht zur Decke und in die Ferne, sodass ihre Augen größer wirken, ein schönes Kupferbraun. Und sie sieht dabei noch jünger aus. Weniger hartgesotten, als sie sich gibt, mehr wie ein verängstigtes Mädchen, das sich unter der harten Schale verbirgt.

Sie hat auch jeden Grund zur Panik. Ich hoffe, sie hat Angst. Ich jedenfalls habe eine Heidenangst, auch wenn ich es mir genauso wenig anmerken lassen werde wie sie.

»Nein«, antwortet sie. »Ich glaube nicht.«

»Ich verbürge mich dafür.«

Sie blinzelt heftig, wendet sich angewidert ab. »Der amerikanische Präsident macht Versprechen.« Sie greift in die Gesäßtasche ihrer Jeans und holt einen zerkrumpelten, gefalteten Briefumschlag heraus. Sie faltet ihn auf, streicht ihn glatt und legt ihn auf den Tisch neben dem Sofa.

»Mein Partner weiß nicht, was ich weiß«, sagt sie. »Das weiß nur ich. Und ich habe nicht aufgeschrieben.« Sie tippt sich mit der rechten Hand an den Kopf. »Ist nur hier drinnen.«

Ihr Geheimnis, das meint sie damit. Sie hat es also auf keinem Computer, den wir hacken, in keiner E-Mail, die wir abfangen könnten, hinterlegt, sondern einzig und allein an einem Ort, an dem selbst die ausgeklügeltste Technologie nicht herankommt – in ihrem Gedächtnis.

»Und ich weiß nicht, was mein Partner weiß«, fügt sie hinzu.

Verstehe. Sie hat sich von ihrem Partner getrennt. Jeder von ihnen, verdeutlicht sie mir, hütet einen Teil des Puzzles. Jeder von ihnen ist für die Lösung unentbehrlich.

»Ich brauche Sie beide«, sage ich. »Verstehe. Das haben Sie schon in Ihrer Nachricht am Montag deutlich gemacht.«

»Und Sie werden heute Abend alleine kommen«, sagt sie.

»Ja. Auch das haben Sie deutlich gemacht.«

Sie nickt, als hätten wir gerade eine Übereinkunft getroffen.

»Woher wissen Sie von *Dark Ages?*«, frage ich erneut.

Sie senkt den Blick. Vom Beistelltisch neben dem Sofa nimmt sie ein Foto von meiner Tochter und mir in die Hand, auf dem wir vom Hubschrauber, der *Marine One,* zum Weißen Haus hinübergehen. »Ich weiß noch, wie ich das erste Mal einen Helikopter gesehen habe«, erinnert sie sich, »ich war ein kleines Mädchen. Es kam im Fernsehen. Da war ein Hotel in Dubai, das gerade eröffnete. Mari-Poseidon nannten sie es. Dieses ... prächtige Hotel auf dem Wasser im Persischen Golf. Es hatte einen Heli – einen Heli ... Pad?«

»Einen Helipad, ja«, bestätige ich. »Einen Hubschrauber-Landeplatz auf dem Dach.«

»Ja, das. Der Helikopter ist auf dem Dach von dem Hotel gelandet. Ich weiß noch, wie ich dachte, wenn Menschen fliegen können, dann können sie ... alles.«

Weiß der Himmel, wieso sie mir etwas über Hotels in Dubai und über Hubschrauber erzählt. Vielleicht ist es nichts weiter als nervöses Geplapper.

Ich mache einen Schritt auf sie zu. Sie wendet sich ab, stellt das Foto wieder hin und wappnet sich.

»Wenn ich nicht wieder hier rauskomme«, warnt sie, »werden Sie nie meinen Partner sehen. Dann können Sie es nicht mehr stoppen.«

Ich nehme den Brief vom Tisch. Er ist federleicht und dünn. Eine Spur von Farbe schimmert durch. Zweifellos hat der Secret Service ihn inspiziert und auf verdächtige Spuren oder dergleichen untersucht.

Immer noch misstrauisch, immer noch auf dem Sprung vor Agenten, die jeden Moment zur Tür hereinstürzen könnten, um sie in irgendeinen Guantánamo-artigen Vernehmungsraum zu verschleppen, macht sie ein paar Schritte zurück.

Würde ich mir von einer solchen Aktion das Geringste versprechen, täte ich es auf der Stelle. Doch sie hat die Sache so eingefädelt, dass es mir nichts brächte. Diese junge Frau hat etwas durchgezogen, was nur wenige Menschen zuwege brächten.

Sie hat mich gezwungen, nach ihren Regeln zu spielen.

»Was wollen Sie?«, frage ich. »Warum machen Sie das?«

Zum ersten Mal regt sich etwas in ihrem stoischen Gesicht. Sie verzieht den Mund, wenn auch alles andere als amüsiert. »So eine Frage kann auch nur der Präsident dieses Landes stellen.« Sie schüttelt den Kopf, zeigt mir wieder ihr Pokerface.

»Sie erfahren es noch früh genug«, gibt sie mir zu verstehen und deutet mit dem Kopf auf den Brief. »Heute Abend.«

»Ich muss Ihnen also vertrauen«, sage ich.

Sie runzelt die Stirn, nimmt mich mit einem vielsagenden Blick ins Visier. »Ich habe Sie noch nicht überzeugt?«

»Halbwegs«, erwidere ich. »Aber noch nicht ganz.«

Sie starrt mich an. Es ist ein selbstbewusster, herausfordernder Blick, der mir sagt, ich müsse ein Narr sein, es drauf anzulegen. »Ihre Entscheidung«, entgegnet sie nur.

»Warten Sie«, sage ich, als sie sich umdreht und nach dem Türknauf greift. Widerwillig bleibt sie stehen. Immer noch mit dem Gesicht zur Tür statt zu mir, sagt sie: »Wenn Sie mich nicht gehen lassen, bekommen Sie meinen Partner nie zu sehen. Auch wenn mir jemand folgt, werden Sie meinen Part–«

»Niemand wird Sie aufhalten«, versichere ich ihr. »Und niemand wird Ihnen folgen.«

Sie rührt sich nicht von der Stelle, lässt die Hand weiterhin am Knauf. Denkt nach. Wägt das Für und Wider ab. Wovon, weiß ich nicht. Ich könnte den ganzen Raum mit dem füllen, was ich nicht weiß.

»Wenn meinem Partner etwas passiert«, warnt sie mich, »wird Ihr Land brennen.«

Sie öffnet die Tür und geht. Sie ist weg. Einfach so.

Und ich bleibe mit dem Brief allein zurück. Ich muss sie ziehen lassen. Mir bleibt keine Wahl. Ich kann mir nicht die einzige Chance verscherzen, die ich habe.

Immer vorausgesetzt, ich glaube ihr. Immer vorausgesetzt, alles, was sie sagt, ist wahr. Ich glaube ihr fast zu hundert Prozent, doch in meinem Metier ist das schon das Höchste der Gefühle.

Ich öffne den Umschlag, in dem stehen wird, wo das Treffen heute Abend stattfinden soll. Ich spiele noch einmal alles durch, was eben geschehen ist. Kümmerlich wenig. Sie hat mir so gut wie nichts gesagt, was uns weiterhilft.

Zweierlei, wird mir klar, hat sie bezweckt und erreicht. Zum einen musste sie mir diesen Brief aushändigen. Zum anderen wollte sie wissen, ob sie mir trauen kann, ob ich sie gehen lassen würde.

Ich begebe mich zum Sofa, setze mich und starre auf den Umschlag, während ich versuche, aus dem, was sie gesagt hat, Schlüsse zu ziehen, auf dem Schachbrett einige Züge vorauszudenken.

Es klopft an der Tür, Carolyn tritt ein.

»Ich habe ihre Probe bestanden«, sage ich.

»Das war auch alles«, bestätigt sie. »Und der«, fügt sie mit Blick auf den Brief in meiner Hand hinzu.

»Fragt sich nur, ob sie auch meine bestanden hat«, denke ich laut nach. »Wie soll ich beurteilen, ob das Ganze real ist?«

»Ich glaube, was sie sagt, stimmt, Sir.«

»Woraus schließen Sie das?«

Über uns flackern schon wieder die Lichter, ein kurzer Stroboskopeffekt. Carolyn blickt auf und stößt einen leisen Fluch aus. Noch etwas, worum sie sich kümmern muss.

»Wieso glauben Sie ihr?«, frage ich.

»Der Grund, weshalb ich ein paar Minuten gebraucht habe,

wieder hereinzukommen, Sir.« Sie zeigt auf ihr Handy. »Wir haben gerade eine Nachricht aus Dubai bekommen. Dort hat es einen Vorfall gegeben.«

Einen Vorfall in Dubai. »Mit einem Helikopter?«

Sie nickt. »Einem Helikopter, der bei der Landung auf dem Helipad des Hotels Mari-Poseidon explodiert ist.«

Ich fahre mir mit der Hand übers Gesicht.

»Ich habe den Zeitpunkt überprüft, Sir. Es ist passiert, als sie bereits im Oval Office war. Wie hätte sie davon wissen können, wenn sie nicht selbst dahintersteckt?«

Ich sacke zurück. Somit hat sie ein drittes Ziel erreicht. Sie hat mir gezeigt, dass sie nicht blufft.

»Na schön«, flüstere ich. »Sie hat mich überzeugt.«

14

Oben in meiner Privatwohnung ziehe ich eine Schublade der Kommode auf, in der sich nur ein Gegenstand befindet. Ein Foto von Rachel. Ich habe jede Menge Fotos von ihr hier hängen, Schnappschüsse, auf denen sie vor Leben sprüht und glücklich ist, vor der Kamera Grimassen schneidet, mich umarmt oder lacht. Dieses Bild ist nur für mich. Es ist eine Woche vor ihrem Tod entstanden. Ihr Gesicht darauf ist von der Chemo fleckig; sie hat nur noch wenige Haarbüschel auf dem Kopf; ihre Wangen sind ausgemergelt. Für die meisten Menschen wäre dieses Foto nur schwer zu ertragen, Rachel Carson Duncan in einem erbarmungswürdigen Zustand, kurz bevor sie der Krankheit erliegt. Doch für mich ist es Rachel in ihrem besten, stärksten, schönsten Moment – das Lächeln, der Friede und die Entschlossenheit in ihren Augen.

An diesem Punkt war der Kampf schon vorbei. Es war nur noch eine Frage der Zeit, hatten sie uns gesagt – von Monaten, eher Wochen. Wie sich herausstellte, blieben ihr noch ganze sechs Tage. Es waren sechs Tage, die ich für nichts in der Welt missen möchte. Alles, was zählte, waren sie und ich. Wir sprachen über unsere Ängste. Wir sprachen über Lilly. Wir sprachen über Gott. Wir lasen aus der Bibel, beteten, lachten und weinten, bis die Tränen versiegten. Ich hatte nicht geahnt, dass Intimität so elementar und kathartisch sein kann. Nie habe ich mich mit einem anderen Menschen so tief verbunden gefühlt.

»Lass mich ein Foto von dir machen«, habe ich ihr zugeflüstert.

Sie wollte protestieren, doch dann verstand sie: Ich wollte eine Erinnerung an diese Zeit behalten, an diesen Moment, in dem ich sie so liebte wie nie zuvor.

»Sir«, sagt Carolyn Brock und klopft leise an die Tür.

»Ja, ich weiß.« Ich lege die Finger an die Lippen und berühre dann damit Rachels Foto. Ich schließe die Schublade und blicke auf.

»Gehen wir«, fordere ich sie auf. Ich trage Freizeitkleidung und habe eine Schultertasche dabei.

Alex Trimble senkt den Kopf, spannt missbilligend die Kinnmuskeln an. Das hier ist der schlimmste Albtraum eines Personenschützers. Natürlich kann er sich immer damit trösten, er sei nur meiner Anweisung gefolgt, ihm seien die Hände gebunden gewesen.

»Lassen Sie uns wenigstens in einigem Abstand folgen«, fleht er mich an. »Sie werden uns nie zu sehen bekommen.«

Mit einem Lächeln lehne ich ab.

Alex ist bei mir, seit ich, noch Gouverneur, während der Vorwahlen zur Präsidentschaftskandidatur Personenschutz bekam. Ich war ein Außenseiter, dem kaum jemand Chancen für die Nominierung einräumte. Doch nach meiner ersten Debatte schnellten meine Umfragewerte nach oben, und plötzlich stand ich hinter der Favoritin Kathy Brandt an zweiter Stelle. Ich hatte keine Ahnung, nach welchen Kriterien der Secret Service seine Personenschützer verteilt, und war einfach davon ausgegangen, dass ich als Neuling nicht gerade die Besten und die hellsten Leuchten bekam. Doch Alex hat immer zu mir gesagt: »Governor, für mich *sind* Sie der Präsident«, und war von Anfang an so diszipliniert und umsichtig, wie man es sich nur wünschen kann. Seine Leute fürchteten ihn wie Kadetten ihren Sergeant. Und als ich ihm dann die Führung des Sicherheitsteams im Weißen Haus übertrug, erklärte ich ihm, da mich noch niemand umgebracht habe, müsse er seine Sache wohl ganz gut gemacht haben.

Mit den Personenschützern sollte man keine allzu enge Beziehung eingehen und umgekehrt. Beide Seiten verstehen die Notwendigkeit emotionaler Distanz. Dabei habe ich an Alex immer die liebenswürdigen Seiten geschätzt. Er hat seine College-Liebe, Gwen, geheiratet und schickt jeden Monat Geld an seine Mutter. Er ist der Erste, der freimütig zugeben würde, nicht gerade ein Intellektueller zu sein. Dafür brachte ihm sein linker Tackle ein Football-Stipendium an der Iowa State University ein. Davon abgesehen, hatte er immer davon geträumt, einmal beim Secret Service zu landen und im wahren Leben das zu tun, was er auf dem Spielfeld am besten konnte – die »blinde Seite« seines Schützlings zu decken.

Als ich ihm den Posten im Weißen Haus anbot, verzog er keine Miene und bewahrte seine kerzengerade Haltung, doch der Glanz in seinen Augen war nicht zu übersehen. »Das wäre für mich die größte Ehre meines Lebens, Sir«, hatte er leise geantwortet.

»Wir werden Sie mit GPS im Auge behalten«, sagt er jetzt zu mir. »Nur damit wir wissen, wo Sie sind.«

»Tut mir leid«, entgegne ich.

»Checkpoints«, unternimmt er einen letzten verzweifelten Versuch. »Sagen Sie uns einfach nur, wohin Sie gehen –«

»Nein, Alex«, antworte ich.

Er versteht nicht, wieso. Er bleibt dabei, dass er mich unsichtbar überwachen könne. Und ich glaube ihm. Wieso also lasse ich ihn nicht machen?

Er weiß nicht, was auf dem Spiel steht, und ich kann es ihm nicht sagen.

»Dann tragen Sie wenigstens eine kugelsichere Weste«, schlägt er vor.

»Nein«, antworte ich. »Sieht man auf den ersten Blick.« Selbst die neuesten tragen zu sehr auf.

Alex gibt sich immer noch nicht geschlagen. Am liebsten würde er mir ins Gesicht sagen, dass ich mich wie ein Vollidiot benehme, doch so etwas nähme er sich nie heraus. Er geht im Kopf noch einmal sein ganzes Arsenal an Argumenten durch, vermutlich nicht viel mehr als das, was er mir schon vorgeschlagen hat, bevor er schließlich die Schultern hängen lässt und sich fügt.

»Passen Sie gut auf sich auf«, sagt er, eine Alltagsfloskel, in diesem Fall jedoch hochemotional und aus echter Sorge.

»Aber klar.«

Ich sehe Danny und Carolyn an, die einzigen anderen Personen im Raum. Es ist Zeit für mich zu gehen, allein und inkognito. Seit Jahren komme und gehe ich, doch noch nie allein und unauffindbar. Der Secret Service begleitet mich auf Schritt und Tritt, und so gut wie immer, selbst im Urlaub, habe ich mindestens einen Begleiter an meiner Seite. Über meinen Aufenthalt wird ein Stundenprotokoll geführt.

Ich weiß, dass diese Vorkehrungen unentbehrlich sind; sie ersparen uns viel Ungemach und versetzen mich in die Lage, mein Land zu bewahren, zu schützen und zu verteidigen. Natürlich sind die meisten meiner Landsleute die ganze Zeit allein und auf sich gestellt unterwegs, auch wenn Überwachungskameras, Handy-Ortung, das systematische Abschöpfen persönlicher Daten in den sozialen Medien die Privatsphäre eines jeden durchbrechen. Wie auch immer, das hier ist ungewohnt, ich fühle mich ein wenig desorientiert und entblößt.

Auf dem letzten Wegstück durch die Flure des Weißen Hauses, bevor ich auf meinem Gang ins Ungewisse das ganze Drum und Dran des Amtes hinter mir lasse, begleiten mich Danny und Carolyn. Wir schweigen. Sie haben beide alles darangesetzt, mir dieses Vorhaben auszureden. Jetzt haben sie die Segel gestrichen und sind entschlossen, mit dafür zu sorgen, dass alles gut geht.

Es ist schwerer, unbemerkt aus dem Weißen Haus zu kommen, als man meinen sollte. Wir verlassen die Wohnung und nehmen die Treppe nach unten. Wir gehen langsam und bedächtig, sind uns jeden Moment darüber im Klaren, dass ich mich an diesem Abend schutzlos einem ungewissen Schicksal ausliefere.

»Wissen Sie noch, wie wir das erste Mal hier langgegangen sind?«, frage ich Carolyn, als mir die Erinnerung an die Minuten vor dem Amtseid aufsteigt.

»Als wär's gestern gewesen«, sagt Carolyn.

»Werde ich nie vergessen«, murmelt Danny.

»Wir waren so … zuversichtlich, das beschreibt es wohl am besten, überzeugt, wir könnten etwas in der Welt verändern.«

»Sie vielleicht. Ich hatte einfach nur Angst.«

Ich auch, wenn ich ehrlich war. Wir wussten ja, was für eine Welt wir übernahmen. Und wir machten uns keine Illusionen, unsererseits alles einmal in bester Ordnung zu hinterlassen. Wenn ich in jenen aufregenden Wochen vor meinem Amtsantritt abends ins Bett sank, war ich hin- und hergerissen: zwischen dem Traum, in Fragen wie der nationalen Sicherheit, auswärtigen Beziehungen, dem allgemeinen Wohlstand wie auch in der Gesundheitspolitik bahnbrechende Fortschritte zu machen, und dem Albtraum, es auf der ganzen Linie zu vergeigen und das Land in die Krise zu stürzen.

»Sicherer, stärker, fairer, menschlicher«, ruft mir Danny unser Motto ins Gedächtnis, an dem sich unser Programm, das allmählich Gestalt annahm, und das Team, das wir für die bevorstehenden vier Jahre zusammenstellten, messen lassen mussten.

Endlich sind wir im Kellergeschoss angelangt, in dem sich eine kleine Kegelbahn, eine bunkerartige, doch gut möblierte

Einsatzzentrale, von der aus Dick Cheney nach dem elften September operiert hat, sowie ein paar andere Räume für Meetings an einfachen Tischen beziehungsweise mit Pritschen zum Schlafen befinden.

Wir begeben uns an diesen Türen vorbei zu einem schmalen Tunnel, der ostwärts zum Finanzministerium führt, 15th Street, Ecke Pennsylvania Avenue. Was genau sich unter dem Weißen Haus befindet, darüber haben schon immer Mythen und Gerüchte kursiert, bis zurück zum Bürgerkrieg, als die Unionsarmee einen Angriff auf den Regierungssitz befürchtete und Pläne geschmiedet wurden, Präsident Lincoln notfalls in einem Tresorraum des Finanzministeriums in Sicherheit zu bringen. Tatsächlich aber wurde mit dem Tunnelbau erst unter F. D. Roosevelt im Zweiten Weltkrieg begonnen, als die Gefahr eines Luftangriffs auf das Weiße Haus in greifbare Nähe rückte. Der Tunnel wurde zickzackförmig angelegt, um einen gezielten Bombeneinschlag zu erschweren.

Der Eingang ist mit einer Alarmanlage gesichert, doch darum hat sich Carolyn vorab gekümmert. Im Innern ist der unterirdische Gang gerade einmal drei Meter breit und zwei Meter zehn hoch. Nicht allzu viel Kopfraum für einen Mann wie mich mit einer Größe von eins vierundachtzig. Auf manchen könnte er eine klaustrophobische Wirkung ausüben, doch nicht auf mich. Für jemanden, der es schon lange nicht mehr gewohnt ist, ohne Personenschutz und andere Mitarbeiter irgendwo hinzugehen, hat die Leere dieses offenen Tunnels etwas Befreiendes.

Zu dritt durchqueren wir ihn fast in voller Länge, bevor wir zur Rechten an eine Abzweigung gelangen, die in eine den ranghohen Beamten des Finanzministeriums und wichtigen Besuchern vorbehaltene Tiefgarage führt. An diesem Abend steht hier auch mein Fluchtauto bereit.

Carolyn händigt mir die Wagenschlüssel aus, dann ein Handy. Ich stecke beides in die linke Jackentasche zu dem Brief, den mir vor einer halben Stunde das Mädchen dagelassen hat.

»Die Nummern sind eingespeichert«, sagt sie mit einem Nicken Richtung Handy. »Die Auswahl wie besprochen. Einschließlich Lilly.«

Lilly. Meine Achillesferse.

»Sie haben den Code im Kopf?«, fragt sie.

»Ja, keine Sorge.«

Ich hole meinerseits einen Brief heraus, mit einem Präsidentensiegel verschlossen und einem einzigen Blatt darin. Als Danny ihn sieht, ringt er um Fassung.

»Nein«, protestiert er. »Den mache ich nicht auf.«

Carolyn streckt die Hand aus und nimmt ihn mir ab.

»Machen Sie ihn auf«, weise ich sie an, »wenn es nötig ist.«

Danny fährt sich mit der Hand durchs Haar.

»Mein Gott, Jon«, flüstert er und redet mich zum ersten Mal seit meiner Amtsübernahme mit Vornamen an, »musst du das wirklich durchziehen?«

»Danny«, antworte ich leise, »falls mir etwas zustoßen sollte ...«

»Hey, jetzt hör schon auf.« Er legt mir die Hände auf die Schultern. Mit wackliger Stimme bringt er heraus: »Sie ist für mich wie mein eigen Fleisch und Blut. Das weißt du doch. Ich liebe das Mädchen über alles in der Welt.«

Danny ist geschieden, sein Sohn studiert inzwischen. Als Lilly zur Welt kam, wartete er im Flur; bei ihrer Taufe stand er mit am Altar; bei jedem ihrer Abschlüsse bekam er feuchte Augen; bei Rachels Beerdigung hielt er Lillys andere Hand. Anfänglich war er für sie »Uncle Danny«; irgendwann im Lauf der Jahre fiel »Uncle« unter den Tisch. Er wäre das, was einem Vater am nächsten käme.

»Hast du deine Ranger-Münze dabei?«, fragt er.

»Wie, ausgerechnet jetzt kommst du mir mit der Münze? Soll das ein Erpressungsversuch sein?« Ich klopfe meine Taschen ab. »Geh nie ohne die Münze irgendwohin«, sage ich. »Wie steht's mit dir?«

»Müsste lügen, wenn ich behaupten würde, ich hätte sie dabei. Ich schulde dir wohl einen Drink. Demnach musst du …« Er stockt. »Jetzt *musst* du wiederkommen.«

Ich sehe Danny lange in die Augen. Wenn auch nicht blutsverwandt, so gehört er für mich zur allerengsten Familie. »Verstanden, Bruder.«

Dann wende ich mich Carolyn zu. Normalerweise ist unsere Beziehung zu professionell, als dass wir uns umarmen; nur zwei Mal haben wir das bisher getan, bei meiner Nominierung und dann bei meiner Wahl.

Dies ist das dritte Mal. »Ich setze auf Sie, Sir. Die haben keine Ahnung, mit wem sie sich anlegen«, flüstert sie mir ins Ohr.

»Falls Sie damit richtigliegen«, erwidere ich, »dann, weil ich Sie an meiner Seite habe.«

Ich blicke den beiden hinterher. So wie ich sind sie aufgewühlt und doch fest entschlossen. Die nächsten vierundzwanzig bis achtundvierzig Stunden, in denen sie als meine Kontaktperson im Weißen Haus fungieren wird, werden für Carolyn kein Zuckerschlecken. Eine solche Situation hat es noch nie gegeben. Das hier ist ganz und gar neu, wir können hier nur improvisieren und sehen, was passiert.

15

Mit gebeugtem Kopf, die Hände in den Taschen meiner Jeans, betrete ich möglichst unauffällig die Tiefgarage des Justizministeriums. Ich bin um diese Zeit beileibe nicht der Einzige hier unten, sodass meine Anwesenheit kaum Aufsehen erregt, wenn man einmal davon absieht, dass ich legerer gekleidet bin als die Mitarbeiter des Finanzministeriums, die in Anzug und Krawatte, mit Aktenkoffern und Namensschildern zu ihren Fahrzeugen eilen. Bei der Geräuschkulisse, die jetzt, zu Büroschluss hier unten herrscht, dem Piepen der Fernbedienungsschlüssel, den anspringenden Motoren, dem Klacken der Absätze auf dem Beton, ist es nicht weiter schwer, inkognito zu bleiben, zumal diese Leute mit ihren Gedanken mehr bei ihren Plänen fürs Wochenende sind als bei dem Kerl im Button-down-Hemd und in Jeans.

Auch wenn ich zu einer geheimen Mission unterwegs bin und wahrlich nicht zu meinem Vergnügen, muss ich zugeben, dass es mir einen heimlichen Kick gibt, mich unerkannt in der Öffentlichkeit zu bewegen. Zum ersten Mal seit über zehn Jahren befinde ich mich an einem öffentlich zugänglichen Ort, ohne im Mittelpunkt der Aufmerksamkeit zu stehen, ohne daran denken zu müssen, dass jeden Moment Fotos von mir gemacht werden könnten; ohne dass gleich Dutzende von Menschen herandrängen, um mir die Hand zu schütteln oder wenigstens Hallo zu sagen, ein Selfie mit mir zu machen, mich um eine Gefälligkeit zu bitten oder sogar ein politisches Anliegen vorzutragen.

Der Wagen wartet wie versprochen in der vierten Parklücke von links, eine unauffällige Limousine, ein älteres Modell, silberfarben, mit Kennzeichen aus Virginia. Ich richte den elektronischen Schlüssel auf das Auto, drücke die Entriegelungstaste zu lange, sodass sich sämtliche Türen wieder verschließen und mehrfaches Piepen ertönt. Ich bin aus der Übung. Ich habe zehn Jahre lang nicht mehr meine eigene Autotür geöffnet.

Als ich hinterm Lenkrad sitze, fühle ich mich wie jemand, der gerade mit einer Zeitmaschine, dieser mysteriösen technischen Errungenschaft, in die Zukunft katapultiert wurde. Ich rücke den Sitz zurecht, bediene den Anlasser, lasse einmal den Motor aufheulen, lege den Rückwärtsgang ein, blicke, den Arm über den Beifahrersitz gelegt, nach hinten. Als ich langsam aus der Parklücke setze, gibt der Wagen einen Piepton von sich, der immer alarmierender wird. Ich trete auf die Bremse und sehe, wie eine Frau an meinem Heck vorbeiläuft, vermutlich auf dem Weg zu ihrem eigenen Fahrzeug. Kaum ist sie vorüber, hört das Piepen auf.

Eine Art Radarsystem, eine Kollisionsschutzvorrichtung. Ein Blick auf das Armaturenbrett bestätigt meine Vermutung – eine Heckkamera. Demnach könnte ich, ohne mich umzusehen, im Rückwärtsgang fahren und nur die Kamera im Blick behalten? Vor zehn Jahren gab es so etwas noch nicht. Oder falls ja, mit Sicherheit nicht in *meinem* Wagen.

Ich manövriere mich die erstaunlich schmalen Bahnen mit den scharfen Kurven entlang durch die Garage. Ich brauche ein paar Minuten, bis ich wieder damit umgehen kann, mache den einen oder anderen Satz nach vorne, bremse zu heftig, doch nach und nach fühlt es sich fast wieder so an wie damals, als ich mit sechzehn einen schrottreifen Chevy für tausendzweihundert Dollar von Crazy Sam Kalseys Hof, dem Händler für Neu- und Gebrauchtwagen, fuhr.

Ich beobachte die Autoschlange, die vor mir die Garage verlässt. Die Schranke öffnet sich automatisch, sobald das vorderste Fahrzeug nahe genug heran ist. Der Fahrer braucht also nicht aus dem Fenster zu greifen und einen Parkschein einzuschieben oder an ein Lesegerät zu halten oder sonst irgendwas. Mir wird bewusst, dass ich nicht einmal danach gefragt habe.

Als ich so weit bin, hebt sich die Schranke und lässt mich durch. Ich fahre langsam die Rampe hinauf ins Tageslicht oder das, was um diese Zeit davon noch übrig ist, und achte auf Fußgänger, bevor ich auf die Straße abbiege.

Der Stau an jeder Kreuzung hindert mich daran, Vollgas zu geben und für einen Augenblick die kurze Freiheit und Unabhängigkeit zu genießen. Durch die Windschutzscheibe blicke ich zu den dunklen Flecken am Himmel auf und hoffe, dass es keinen Regen gibt.

Das Radio. Ich bediene den Drehschalter am Lenkrad, um es anzustellen, doch es tut sich nichts. Ich drücke auf einen Knopf am Armaturenbrett, doch es tut sich nichts. Ich drücke auf einen dritten Knopf und zucke heftig zusammen, als bei voller Lautstärke zwei Gesprächspartner gleichzeitig reden und darüber streiten, ob Präsident Jonathan Duncan eine Straftat begangen und eine Amtsenthebung verdient hat. Hastig drücke ich auf denselben Knopf und bringe die beiden abrupt zum Schweigen, wonach ich mich wieder auf die Straße konzentriere.

Ich denke daran, wohin ich fahre, an den Menschen, mit dem ich mich gleich treffen werde, und unwillkürlich finde ich mich in der Vergangenheit wieder …

16

Professor Waite schritt, die Hände im Rücken verschränkt, durch die Reihen des Hörsaals. »Und worum ging es Richter Stevens bei seinem Sondervotum?« Er kehrte zu seinem Pult zurück und ging seine Teilnehmerliste durch. »Mr … Duncan?« Er blickte zu mir auf.

Mist. Ich hatte mir einen Klumpen Kautabak in die Backe geklemmt, um wach zu bleiben, nachdem ich bis zum frühen Morgen meinen Essay fertig geschrieben hatte. Den Fall für die heutige Stunde hatte ich bestenfalls überflogen. In diesem Seminar war ich schließlich einer von hundert, die Wahrscheinlichkeit, aufgerufen zu werden, demnach gering. Doch dies schien nicht mein Glückstag zu sein. Ich war anwesend und unvorbereitet.

»Richter Stevens … hat sich gegen die Mehrheitsentscheidung gestellt, und zwar in … bei …« Ich blätterte verzweifelt die entsprechenden Seiten durch, während mir die Wangen glühten.

»Nun ja, Mr Duncan, das haben Minderheitsvoten so an sich, dass sie der Mehrheit widersprechen, nicht wahr? Ich nehme an, deshalb spricht man von abweichender Meinung.«

Leises nervöses Gelächter im Hörsaal.

»Ja, Sir, er widersprach der mehrheitlichen Auslegung des vierten Zusatzartikels –«

»Verwechseln Sie jetzt nicht Richter Stevens' Sondervotum mit dem von Richter Brennan, Mr Duncan? Bei Richter Stevens' Votum findet der vierte Zusatzartikel nicht einmal Erwähnung.«

»Ach so, ja, ich bin durcheinander – ich bringe die beiden durcheinander …«

»Ich glaube, Ihre erste Version trifft es, Mr Duncan. Ms Carson, wären Sie wohl so freundlich, etwas Ordnung in Mr Duncans Durcheinander zu bringen?«

»Richter Stevens hat darin seine Auffassung dargelegt, das Verfassungsgericht solle nicht in die Entscheidungen bundesstaatlicher Gerichte eingreifen, was schlimmstenfalls dazu führen könnte, dass die Untergrenze angehoben wird …«

Nachdem ich, gerade mal in der vierten Woche meines ersten Studienjahrs an der UNC, von dem berühmt-berüchtigten Professor Waite zur Schnecke gemacht worden war, spähte ich durch den Hörsaal zu der Frau in der dritten Reihe hinüber, die mich abgelöst hatte. Das ist das letzte Mal, dass du unvorbereitet in ein Seminar kommst, du Penner!, *schwor ich mir.*

Und dann konnte ich meine Augen nicht mehr von der Kommilitonin lassen, die dort vorne selbstbewusst, beinahe lässig ihre Antwort gab. »Sie setzt ein Mindestmaß, keine Obergrenze fest, und solange eine angemessene, unabhängige Begründung des bundesstaatlichen Gerichts für den Entscheid vorliegt, ist es daher nicht erforderlich …«

Mir blieb die Luft weg.

»Wer … ist das?«, flüsterte ich Danny zu, der neben mir saß. Danny war mir zwei Jahre voraus, im dritten Studienjahr, und kannte hier fast jeden.

»Das ist Rachel«, flüsterte er zurück. »Das ist Rachel Carson, im dritten Jahr. Diejenige, die mich als Chefredakteurin der Law Review *aus dem Rennen geschlagen hat.«*

»Was weißt du sonst noch über sie?«

»Du meinst, ob sie noch zu haben ist? Keine Ahnung, aber du hast natürlich gerade mächtig Eindruck gemacht.«

Als die Vorlesung zu Ende war, schlug mir immer noch das Herz wie wild. Ich sprang von meinem Sitz auf und hastete in der Hoffnung zur Tür, sie im Gedränge der Studenten im Flur einzuholen.

Kurz geschnittenes kastanienbraunes Haar, Jeansjacke …

… Rachel Carson … Rachel Carson …

Da. Ich hatte sie entdeckt. Ich schlängelte mich durch die Menge und holte sie in dem Moment ein, als sie aus dem Strom zur Seite trat.

»Hey«, sagte ich mit zittriger Stimme. Wieso zitterte mir die Stimme?

Sie drehte sich um und sah mich erstaunt mit ihren leuchtenden grünen Augen an. Das zarteste, ebenmäßigste Gesicht, das ich je gesehen hatte. »Hi …?«, sagte sie zögerlich, während sie versuchte, mich einzuordnen.

»Ähm. Hi.« Ich schulterte meine Tasche. »Ich, äh, wollte mich nur bei dir bedanken, du weißt schon, dafür, dass du mir da drinnen aus der Patsche geholfen hast.«

»Ach so. Gern geschehen. Du bist im ersten Jahr?«

»Schuldig im Sinne der Anklage.«

»Das kann jedem mal passieren«, sagte sie.

Ich holte tief Luft. »Und, ähm, was … ich meine … was hast du gerade so vor?«

Was zur Hölle war mit mir los? Ich hatte jede Schikane überlebt, die Sergeant Melton für mich im Köcher gehabt hatte. Die Republikanische Garde des Irak hatte mich mit Waterboarding gefoltert, mich verprügelt, an der Decke aufgehängt, mich scheinexekutiert, das alles hatte ich überlebt. Und jetzt auf einmal brachte ich keinen Ton heraus?

»Jetzt im Moment? Na ja, ich …« Sie deutete mit dem Kopf zur Wand. Zum ersten Mal nahm ich mit Bewusstsein die Tür wahr, auf die sie zugehalten hatte – die Damentoilette.

»Ach so, du wolltest gerade …«

»Ja …«

»Dann solltest du wohl besser.«

»Sollte ich?«, fragte sie amüsiert.

»Ja, ich meine, es ist nicht gut, es – anzuhalten – ich meine –, wenn du musst, dann musst du, oder?«

Was zum Teufel stimmte nicht mit mir?

»Na denn«, sagte sie. »War … nett, dich kennenzulernen.«

Als die Tür hinter ihr zuging, hörte ich sie in der Toilette lachen.

Die ganze Woche danach konnte ich an nichts anderes denken. Ich haderte mit mir; das erste Jahr im Jurastudium war eine schweißtreibende Angelegenheit, man legte sich ins Zeug, um zu zeigen, was man draufhatte. Doch sosehr ich auch versuchte, mich auf so faszinierende Themen wie den Grundsatz zwischenstaatlicher Mindestkontakte in der personenbezogenen Gerichtsbarkeit zu konzentrieren oder auf die Voraussetzungen für die Geltendmachung von Fahrlässigkeit oder auf die Regeln zur Entsprechung von Angebot und Annahme im Vertragsrecht, dieses Mädchen in der dritten Reihe in meiner Vorlesung zum Thema Bundesgerichtsbarkeit bei Verstößen gegen das Wahlrecht *spukte mir andauernd im Kopf herum.*

Danny lieferte mir ein Dossier: Sie stammte aus einer Kleinstadt im westlichen Minnesota, hatte das erste Jura-Examen in Harvard absolviert und war mit einem staatlichen Stipendium an die Fakultät der UNC gelangt. Als Erste ihres Jahrgangs hatte sie es zur Chefredakteurin der Harvard Law Review, *der renommierten unabhängigen Studentenzeitung, gebracht und obendrein eine Stelle bei einer gemeinnützigen Organisation in Aussicht, die einkommensschwachen Bürgern Rechtsbeistand gewährte. Sie war liebenswürdig, wenn auch still; im Sozialleben an der Uni hielt sie sich zurück und pflegte mehr Umgang mit älteren Semestern als mit Leuten, die ihren ersten Abschluss gerade erst in der Tasche hatten.*

Mist, *ärgerte ich mich*, ich komme nun auch nicht gerade frisch von der Schule. *Irgendwann nahm ich allen Mut zusammen und stöberte sie in der Bibliothek auf, wo sie mit mehreren*

Freundinnen an einem langen Tisch saß. Noch einmal meldete sich die Stimme der Vernunft und sagte mir, das sei keine so gute Idee. Doch meine Beine machten, was sie wollten, und plötzlich stand ich an ihrem Tisch.

Als sie mich kommen sah, legte sie den Kugelschreiber hin und blickte mich an.

Ohne Zeugen wäre es mir entschieden lieber gewesen, doch ich fürchtete, wenn nicht jetzt, würde ich es nie wieder versuchen.

Also, worauf wartest du noch, du Trottel, leg los, bevor jemand den Wachdienst ruft.

Und so zog ich den Zettel aus der Tasche, faltete ihn auf und räusperte mich. Spätestens jetzt hatte ich die Aufmerksamkeit des ganzen Tischs. Ich las vor:

»Zwei Mal hab ich nur Blödsinn gebrabbelt
Und es bei dir gründlich vermaddelt.
Beim dritten Mal geht's, so hoffe ich, nicht wieder schief,
So sag ich's diesmal besser mit einem Brief.«

Über mein Blatt hinweg sah ich sie mit einem Augenzwinkern an. »Noch ist sie nicht aufgestanden und gegangen«, meinte ich und erntete ein Kichern von ihren Freundinnen, ein hoffnungsvoller Anfang.

»Ich bin Jon und stamme von hier, aus einem kleinen Kaff.
Ich hab Manieren, hör gut zu und mach Witze,
da bist du baff.
Ich hab kein Geld, kein Auto, kein Talent zum Verseschmied,
Doch meine grauen Zellen tun's,
auch wenn's bis jetzt nicht so aussieht.«

Für diese Zeile erntete ich ein weiteres Glucksen vom Tisch.

»Im Ernst«, beteuerte ich gegenüber Rachel, »ich kann lesen und schreiben und so …«

»Bestimmt, bestimmt!«

»Kann ich fortfahren?«

»Ich bestehe darauf«, antwortete sie mit einer übertrieben huldvollen Geste.

»›Denk an Professor Waite‹, sagt mein Freund,
›du bist hier, um zu studieren!‹
Aber irgendwie kann ich mich einfach nicht konzentrieren.
Ich lese über Gleichheit, ungeachtet von Rasse und Geschlecht,
Doch ich bin nicht bei der Sache, es gelingt mir nicht recht.
Ich weiß, was es ist, bis aufs Tüttel und aufs Jota …
Ich denke nämlich nur noch
an ein Mädchen aus Minnesota.«

Sie konnte ein Lächeln nicht unterdrücken und wurde ein wenig rot. Die anderen Mädchen am Tisch applaudierten.

Ich machte eine tiefe Verbeugung. »Vielen Dank«, sagte ich in bester Elvis-Manier. »Ich bin noch die ganze Woche da.«

Vor Verlegenheit sah Rachel mir nicht ins Gesicht.

»Ich meine, finde erst mal einen Reim auf Minnesota …«

»Nein, wirklich, das war beeindruckend«, versicherte sie mir grinsend und mit geschlossenen Augen.

»Also gut. Die Damen, wenn Sie erlauben, nehme ich einfach mal an, dass die Sache gut gelaufen ist, und empfehle mich, solange ich Punktvorsprung habe.«

Ich ging so langsam, dass sie mich hätte einholen können, hätte sie gewollt.

17

Ich reiße mich aus meinen Erinnerungen und biege auf den Parkplatz ab, der sich, wie in meiner Wegbeschreibung ausgewiesen, an der Rückseite des Wohnblocks befindet, keine zwei Meilen vom Weißen Haus entfernt. Ich parke ein und schalte den Motor aus. Es ist weit und breit niemand zu sehen.

Ich schnappe mir meine Schultertasche und steige aus. Der Hintereingang sieht nach einer Art Laderampe aus, mit einer Treppe zu einer großen Tür ohne Klinke oder Knauf an der Außenseite. Durch die Sprechanlage krächzt eine Stimme: *»Wer ist da, bitte?«*

»Charles Kane«, sage ich.

Im nächsten Moment öffnet sich die dicke Tür einen Spaltbreit. Ich ziehe sie auf.

Ich trete in eine Frachthalle, menschenleer, vollgestopft mit UPS- und FedEx-Kartons, sperrigen Kisten, dazwischen Lastenhebern. Rechts von mir erblicke ich einen mit Staupolstern ausgestatteten Lastenaufzug, dessen Tür offen steht. Ich drücke auf den oberen Knopf, die Tür geht zu. Als der Fahrstuhl schwerfällig in Gang kommt und sich erst einmal senkt, bevor er unter lautem Ächzen nach oben fährt, schnappe ich nach Luft. Wieder fühle ich mich für einen Moment benommen. Ich stütze mich mit der Hand an der gepolsterten Wand ab und warte, bis es vorüber ist, während mir Dr. Lanes warnende Worte im Kopf widerhallen.

Als ich oben ankomme, gleitet die Tür auf, ich trete zögernd in einen gepflegten, zartgelb gestrichenen Flur und folge den Monet-Drucken an den Wänden zur einzigen Tür auf dem obersten Stockwerk, zum Penthouse.

Als ich die Tür erreiche, geht sie auf, ohne dass ich etwas tue.

»Charles Kane, zu Ihren Diensten«, sage ich.

Im Eingang zum Penthouse steht Amanda Braidwood und hält mit ausgestrecktem Arm die Tür auf, während sie mich von oben bis unten mustert. Über der taillierten Bluse trägt sie einen dünnen Pullover und dazu eine schwarze Stretchhose; ihre Füße sind nackt. Das Haar hat sie, wegen des eben erst abgeschlossenen Filmdrehs, lang wachsen lassen, an diesem Abend jedoch ist es zum Pferdeschwanz gebunden, ein paar lose Strähnen fallen ihr ins Gesicht.

»Also, schön, dass Sie da sind, Mr ›Charles Kane‹«, begrüßt sie mich. »Entschuldige das kleine Theater, aber der Portier am Haupteingang spielt sich manchmal ziemlich auf.«

Letztes Jahr hat eine Unterhaltungszeitschrift Mandy zu einer der zwanzig schönsten Frauen des Planeten gekürt. Ein anderes Magazin hat sie knapp ein Jahr, nachdem sie ihren zweiten Oscar einheimste, unter die zwanzig bestbezahlten Schauspielerinnen Hollywoods eingereiht.

Mandy und Rachel wohnten während der gesamten vier Jahre in Harvard zusammen und blieben auch danach in regelmäßigem Kontakt, so eng, wie es zwischen einer Anwältin in North Carolina und einem internationalen Filmstar nur möglich ist. Der Deckname »Charles Kane« war Mandys Idee; vor acht Jahren einigten sich Rachel, Mandy und ich bei einer Flasche Wein im Garten des Gouverneurssitzes darauf, dass Orson Welles' Meisterwerk *Citizen Kane* der beste Film aller Zeiten sei.

Während sich langsam ein Lächeln über ihr Gesicht legt, schüttelt sie zugleich den Kopf. »Oje«, sagt sie und lässt mich herein. »Schnäuzer, Stoppelbart«, und küsst mich auf die Wange. »Zünftig. Na los, Naturbursche, komm rein.«

Ihr Duft hüllt mich ein, der Duft einer Frau. Rachel machte sich nicht viel aus Parfüm, doch ihr Duschgel und ihre Bodylotion – oder wie auch immer man diese Cremes und Lotions und Seifen nennt – rochen nach Vanille. Solange ich lebe, werde ich nie wieder diesen Duft riechen, ohne Rachels nackte Schultern und ihren weichen, geschmeidigen Hals vor mir zu sehen.

Es heißt immer, kein Ratgeber könne einem dabei helfen, den Tod eines Lebenspartners zu überwinden. Wenn der Überlebende zufällig Präsident und um ihn her die Hölle los ist, trifft das die Sache umso mehr, weil einem gar keine Zeit zum Trauern bleibt. Es sind einfach zu viele Entscheidungen zu treffen, die nicht warten können, und ein einziger Moment der Unaufmerksamkeit kann in einer bedrohlichen Lage katastrophale Folgen haben. Im Endstadium von Rachels Krankheit behielten wir Nordkorea, Russland und China umso wachsamer im Visier, denn wir wussten, dass deren Staatslenker nur auf das leiseste Anzeichen von Schwäche oder Nachlässigkeit seitens des Weißen Hauses warteten. Ich trug mich sogar mit dem Gedanken, die Amtsgeschäfte vorübergehend abzugeben, und ließ Danny entsprechende Papiere aufsetzen – doch Rachel wollte nichts davon hören. Ihre Krankheit sollte auf keinen Fall meine Präsidentschaft beeinträchtigen. Es war ihr ein leidenschaftliches Anliegen, das sie mir nie ganz erklärte und das ich nie ganz verstand.

Drei Tage bevor Rachel für immer ging – wir waren in unser altes Haus in Raleigh zurückgekehrt, damit sie zu Hause sterben konnte –, testete Nordkorea eine Interkontinentalrakete an seiner Küste, und ich verlegte einen Flugzeugträger ins Gelbe Meer. Am Tag, an dem wir sie zu Grabe trugen, wurde, als ich gerade mit meiner Tochter am Grab stand, unsere Botschaft in Venezuela von einem Selbstmordattentäter angegriffen, und ehe ich michs versah, fand ich mich mit Generälen und unserem nationalen Sicherheitsstab in unserer Küche wieder, um über die Optionen eines angemessenen Gegenschlags zu beraten.

Auf kurze Sicht ist es vermutlich leichter, mit einem persönlichen Verlust fertigzuwerden, wenn einen die Welt pausenlos in Atem hält. Zuerst ist man viel zu beschäftigt, um die Trauer und Einsamkeit zu spüren. Doch allmählich holt einen die Wirklichkeit ein, und der Gedanke, dass man die Liebe seines Lebens und die Tochter ihre Mutter verloren hat, eine wundervolle Frau, der kein langes, erfülltes Leben vergönnt war, ist umso schwerer zu ertragen. Dann ist man beinahe dankbar für die Herausforderungen des Berufs. Doch auch für einen Präsidenten gibt es Augenblicke abgrundtiefer Einsamkeit. Das hatte ich noch nie zuvor erlebt. In meinen ersten beiden Amtsjahren wurde ich vor schwierige Entscheidungen gestellt und konnte oftmals einfach nur beten, dass ich die richtige getroffen hatte, denn egal, wie viele Berater und Mitarbeiter ich um mich habe, der Schwarze Peter bleibt am Ende immer bei mir. Doch dabei habe ich mich nie allein *gefühlt*. Ich hatte immer Rachel an meiner Seite, die mir ehrlich sagte, was sie von meinen Überlegungen hielt, die mich stets ermunterte, mein Bestes zu tun, und mich, wenn es dann vorbei war, in die Arme nahm.

Rachel fehlt mir immer noch in jedem Moment und auf jede erdenkliche Weise, in der einem Mann seine Frau fehlen kann. Heute Abend fehlt mir ihr geradezu unheimliches Gespür dafür, wann sie mir die Leviten zu lesen und wann sie mich aufzumuntern hatte, um mir das Gefühl zu geben, am Ende werde alles gut.

Es wird nie wieder eine Rachel geben. Das weiß ich, und ich wünsche mir nur, nicht für den Rest meines Lebens allein zu sein. Rachel hat darauf bestanden, mit mir darüber zu sprechen, wie es nach ihrem Tod mit mir weitergehen soll. Sie machte Witze darüber, ich sei dann der begehrenswerteste heiratsfähige Mann auf dem Planeten. Im Moment komme ich mir eher vor wie ein hilfloser Trottel, der alle Welt enttäuscht.

»Willst du was trinken?«, fragt mich Mandy über die Schulter.

»Keine Zeit«, antworte ich. »Leider kann ich nicht lange bleiben.«

»Mal ehrlich, ich kann nicht begreifen, wieso du dich auf so etwas einlässt«, sagt sie. »Aber ich wär so weit. Legen wir los.«

Sie geht voraus, ich folge ihr.

18

»Das fühlt sich komisch an«, sage ich.

»Du machst dich ganz gut«, sagt Mandy leise. »Hast du das noch nie über dich ergehen lassen?«

»Nein, und ich hoffe, es bleibt bei diesem einen Mal.«

»Es wäre für uns beide wesentlich angenehmer, wenn du aufhören würdest zu nörgeln. Du liebe Güte, Jon, im Gefängnis in Bagdad haben sie dich gefoltert, und du kommst damit nicht klar?«

»Machst du so was jeden Tag?«

»An den meisten Tagen. Und jetzt halte … still. Dann geht's leichter.«

Leichter für sie vielleicht. Ich versuche, auf dem rosa Stuhl in Mandys Schlafzimmer so still wie möglich zu halten, während sie meine Augenbrauen mit einem Stift traktiert. Rechts von mir ist der Schminktisch von Make-up-Utensilien übersät. Fläschchen und Pinsel und Puderdosen und Cremes in jeder Form und Größe. Ich komme mir vor wie am Set eines B-Movies über Zombies und Vampire.

»Lass mich nicht als Groucho Marx hier rausspazieren«, bitte ich.

»Nein, nein«, beruhigt sie mich. »Aber da du's erwähnst.« Sie bückt sich, zieht etwas aus einer Tasche und zeigt es mir – eine Groucho-Marx-Brille, zusammen mit den buschigen Augenbrauen und dem Schnauzbart.

Ich nehme sie ihr ab. »Rachels«, sage ich.

Als Rachels Krankheit richtig schlimm wurde, machte es ihr zu schaffen, dass alle solches Mitleid mit ihr empfanden. Sie wollte keine »Spaßbremse« sein, wie sie es nannte. Und so zogen wir, wenn wir Besuch erwarteten, eine kleine Nummer ab, um die Stimmung etwas aufzuhellen. Ich warnte jeden, bevor er den Raum betrat: »Rachel ist heute nicht ganz sie selbst.« Und wenn derjenige sie dann im Bett vor sich sah, trug sie diese

Brille. Oder eine Clownsnase. Sie hatte auch eine Maske von Richard Nixon, ein echter Lacherfolg.

Das war meine Frau, wie sie leibte und lebte. Immer um andere besorgt, nie um sich selbst.

»Jedenfalls«, sagt Mandy, bevor es zwischen uns zu trübselig wird, »keine Sorge wegen deiner Brauen. Ich mache sie nur ein klitzekleines bisschen dichter. Du glaubst nicht, wie sehr das die Erscheinung verändern kann. Augen und Brauen.«

Sie rollt mit ihrem Stuhl zurück und sieht mich an. »Dieser Bart, mit dem du da auftauchst, ist schon die halbe Miete. Noch dazu so rot! Sieht beinahe falsch aus. Soll ich dir die Haare passend dazu färben?«

»Untersteh dich.«

Sie schüttelt den Kopf und mustert immer noch mein Gesicht wie eine Laborprobe. »Dein Haar ist nicht lang genug, um damit viel anzufangen«, murmelt sie, mehr zu sich selbst als zu mir. »Es links statt rechts zu scheiteln, würde nicht viel bringen. Natürlich können wir den Scheitel auch ganz vergessen und es nach vorne bürsten.« Sie fährt mir mit den Fingern ins Haar und verstrubbelt es. »Dann hättest du wenigstens eine Frisur, die halbwegs in diese Dekade passt.«

»Wie wär's einfach mit einer Baseballkappe?«, frage ich.

»Ach so.« Sie lässt von mir ab. »Klar, das wäre am einfachsten. Geht das da, wo du hinwillst? Und hast du eine dabei?«

»Ja.« Ich greife in meine Tasche auf dem Boden, ziehe eine Baseballkappe der Nationals heraus und setze sie auf.

»Kleiner Nostalgietrip zurück in deine glorreichen alten Zeiten, was? Also gut, zwischen dem Bart und der roten Baseballkappe und den Augenbrauen und … hmm.«

Ihr Kopf wippt vor und zurück. »Die Augen sind das Entscheidende«, erklärt sie und deutet auf ihr eigenes Gesicht. Sie stößt einen Seufzer aus. »Deine Augen sind nicht mehr so wie früher, Jon.«

»Wie meinst du das?«

»Seit Rachel«, sagt sie. »Seit ihrem Tod haben sich deine

Augen verändert.« Sie reißt sich zusammen. »Tut mir leid, greifen wir am besten zu einer Brille. Du trägst keine Brille, nicht wahr?«

»Eine Lesebrille, wenn ich müde bin«, antworte ich.

»Warte.« Sie verschwindet in ihrem Ankleidezimmer und kehrt mit einem samtbezogenen Kasten zurück. Sie klappt ihn auf und enthüllt rund fünfzig Brillen, jede in eine Kuhle geklemmt.

»Himmel, Mandy!«

»Die hab ich mir von Jamie geborgt«, erklärt sie. »Als wir die Fortsetzung von *London* gedreht haben. Kommt zu Weihnachten raus.«

»Hab davon gehört. Glückwunsch.«

»Na ja, ich hab Steven gesagt, das ist die letzte, die ich drehe. Rodney konnte die ganze Zeit die Pfoten nicht von mir lassen. Aber ich weiß, wie ich mit solchen Leuten umgehen muss.«

Sie reicht mir eine Brille mit dickem braunem Gestell. Ich setze sie auf.

»Hmm«, meint sie. »Nein. Versuch's mal mit der.«

Ich probiere es mit einer anderen.

»Nein, die da.«

»Es geht mir nicht um einen Preis für gutes Aussehen«, maule ich.

Sie sieht mich ungerührt an. »Keine Gefahr, mein Lieber, glaub mir. Hier.« Sie holt eine weitere heraus. »Die. Ja, die.« Sie reicht mir wieder eine mit dickem Gestell, diesmal jedoch in einem rötlichen Braun. Als ich sie aufsetze, hellt sich ihre Miene auf.

»Passt gut zu deinem Bart«, stellt sie fest. »Nein, ich meine, es verändert deine Farbe radikal. Du bist dunkelblond und hast einen hellen Teint. Die Brille und der Bart bilden einen dunklen, rotbraunen Kontrast.«

Ich stehe auf und stelle mich vor den Spiegel auf ihrem Frisiertisch.

»Du hast abgenommen«, sagt sie. »Auch wenn du in deinem

ganzen Leben noch nie ein Gramm zu viel auf die Waage gebracht hast, aber jetzt bist du zu dünn.«

»Ich höre kein Kompliment heraus.«

Ich überprüfe mich im Spiegel. Ich bin immer noch ich selbst, doch ich kann nachvollziehen, was sie mit der veränderten Farbe meint. Die Kappe, die Brille, der Bart. Und ich hätte nie gedacht, wie sehr ein wenig dichtere Augenbrauen das Äußere eines Menschen verändern können. Das und das Fehlen meines Secret-Service-Gefolges. Niemand wird mich wiedererkennen.

»Du weißt schon, Jon, es ist in Ordnung, in die Zukunft zu blicken. Du bist gerade mal fünfzig. Sie wollte es so. Ich musste ihr sogar versprechen –«

Sie bricht mitten im Satz ab, ihr steigt die Röte ins Gesicht, ihre Augen schimmern.

»Rachel hat mit dir darüber gesprochen?«

Sie nickt, legt sich die Hand auf die Brust, braucht einen Moment, um sich zu fassen. »›Lass nicht zu, dass Jon aus einem falschen Treueverständnis heraus den Rest seines Lebens allein verbringt.‹«

Ich schnappe nach Luft. Genau das – *aus einem falschen Treueverständnis heraus* – hat sie wortwörtlich mehrfach zu mir gesagt. Und mit diesen Worten ist Rachel auf einmal mitten im Zimmer, mit schräg geneigtem Kopf, wie immer, wenn sie etwas Wichtiges zu sagen hatte. Ihr Vanilleduft, das Grübchen in ihrer rechten Wange, die Lachfältchen um die Augen –

Wie sie mich an jenem letzten Tag, von den Schmerzmitteln so schwach, dass sie nur noch leise sprechen konnte, aber stark genug, um ein letztes Mal meine Hand fest zu drücken, beschwor:

Versprich mir, jemand anders kennenzulernen, Jonathan. Versprich es mir.

»Ich bringe das nur zur Sprache«, sagt sie mit aufgewühlter, heiserer Stimme, »weil jeder versteht, dass du irgendwann wieder an dich denken und dich umsehen musst. Du bräuchtest dich nicht zu verkleiden, nur um auf ein Date zu gehen.«

Jetzt brauche ich selbst einen Moment, um mich zu fassen und mir in Erinnerung zu rufen, was ich niemals hätte vergessen sollen – dass Mandy keine Ahnung hat, was los ist. Sicher, wenn ich darüber nachdenke, erscheint ihre Annahme, ich sei mit einer Frau zu einem Date – zum Essen oder einem Kinobesuch – verabredet und wolle unsere erste Begegnung aus der internationalen Presse fernhalten, nur logisch.

»Du hast doch ein Date, oder?«

Als ihr zum ersten Mal Zweifel an ihrer Annahme kommen und sie überlegt, was ich, wenn kein Date, sonst vorhaben könnte, zieht sie die perfekt geformten Augenbrauen zusammen. Was könnte sonst der Grund dafür sein, dass sich ein Präsident heimlich von seinen Personenschützern davonschleicht und inkognito unterwegs ist?

Bevor ihre lebhafte Vorstellungskraft dieser Frage weiter nachgeht, werfe ich ein: »Ich treffe mich mit jemandem, ja.«

Sie wartet auf mehr und ist verletzt, als ich passe. Doch seit Rachels Tod fasst sie mich mit Samthandschuhen an und bedrängt mich nicht.

Ich räuspere mich und sehe auf die Uhr. Ich muss absolut pünktlich sein. Das bin ich nicht gewohnt. Auch wenn ich immer einen dichten Terminkalender habe, kommt der Präsident nie zu spät. Alle warten auf ihn. In diesem Fall nicht.

»Ich muss los«, sage ich zu ihr.

19

Mit dem Lastenaufzug fahre ich wieder nach unten und komme in der Tiefgarage heraus. Meine Schrottkiste ist noch an Ort und Stelle. Ich fahre Richtung Capitol Hill und finde auf einem Parkplatz in der Nähe der Seventh Street und der North Carolina eine Lücke. Als ich dem Parkplatzwärter meine Autoschlüssel aushändige, wirft der nur einen flüchtigen Blick auf mein Gesicht. Mühelos tauche ich in den Fußgängerscharen unter, die am frühlingshaften Freitagabend in diesem lebhaften Viertel die Bürgersteige bevölkern, komme an Bars und Restaurants vorbei, aus deren weit geöffneten Fenstern mir eine Mischung aus unbeschwertem Gelächter und dröhnender Popmusik entgegenschlägt.

Vor einem Coffeeshop sitzt ein zerschlissen gekleideter Mann mit dem Rücken an der Wand. Neben ihm liegt ein Deutscher Schäferhund und hechelt wegen der Hitze vor einem leeren Napf. Wie viele Obdachlose trägt der Mann mehr Kleiderschichten als nötig. Er hat eine dunkle, verkratzte Sonnenbrille auf. Das Pappschild, mit dem er betteln geht und das jetzt an der Wand lehnt, verkündet BLINDER OBDACHLOSER KRIEGSVETERAN. Er legt wohl gerade eine Pause ein. Links von ihm steht ein kleiner Karton mit ein paar Dollarscheinen. Aus einem Gettoblaster kommt leise Musik.

Ich löse mich aus dem Fußgängerstrom und beuge mich zu ihm hinunter. Ich erkenne den Song wieder, der gerade läuft, Van Morrisons »Into the Mystic«. Mit einem Schlag fühle ich mich in die Zeit meiner Grundausbildung in Savannah zurückversetzt, ich erinnere mich an einen langsamen Tanz, kurz bevor die Bars in der River Street Feierabend machten, als ich vom gnadenlosen Drill der Wehrübungen sämtliche Knochen spürte und kaum noch ein Bein vors andere setzen konnte.

»Sind Sie ein Golfkriegsveteran, Sir?«, frage ich ihn. Seinem Äußeren nach würde ich eher auf Vietnam tippen, doch die mageren Jahre haben ihn wahrscheinlich schneller altern lassen, als er sollte.

»Allerdings«, antwortet er. »Nur nicht als ›Sir‹. Ich hab mir meinen Sold hart verdient, mein Freund. Platoon Sergeant in der *Big Red One*. Ich war dabei, als wir Saddams Stellungen durchbrochen haben.«

Der Stolz in seiner Stimme ist nicht zu überhören. Es gibt mir ein gutes Gefühl. Ich würde gern noch eine Schippe drauflegen, dem Mann ein Sandwich besorgen, ihn einfach noch ein wenig erzählen lassen. Doch mir sitzt der Zeitdruck im Nacken.

»Erste Infanteriedivision, stimmt's? Eure Jungs waren beim Einmarsch in den Irak an vorderster Front.«

»Die Speerspitze, Mann. Wir habe diese Schlappschwänze von der Republikanischen Garde überrannt, als hätten wir sie beim Nickerchen erwischt.«

»Nicht schlecht für einen Fußknecht«, stelle ich fest.

»Einen Fußknecht –« Er klingt überrascht. »Sie haben auch gedient? Was waren Sie? Airborne?«

»Ich war wie Sie ein ›Hooah‹, ein einfacher Soldat«, sage ich. »Und ja, ich hab ein paar Jahre beim 75. Ranger Regiment gedient.«

Er richtet sich ein wenig auf und zieht die zusammengewachsenen Augenbrauen hoch. »Airborne-Ranger, wie? Da hast du wahrscheinlich 'ne Menge Mist zu sehen gekriegt, mein Junge. Bombenangriffe und Aufklärungseinsätze, hab ich recht?«

»Nicht so viel wie ihr Jungs in den größeren Einheiten«, sage ich, um das Gespräch wieder auf ihn zu lenken. »Wie lange habt ihr bis ins Landesinnere gebraucht? Eine Woche?«

»Und dann blasen sie die Sache einfach auf halbem Wege ab«, sagt er mit zusammengebissenen Zähnen. »Hab ich immer für einen Fehler gehalten.«

»Hören Sie«, sage ich, »ich könnte ein Sandwich von da drinnen gebrauchen. Sie auch?«

»Das wäre sehr nett«, sagt er. Ich bin schon halb an der Tür, als er hinzufügt: »Die machen hier übrigens umwerfende Truthahn-Sandwiches.«

»Gut zu wissen, Truthahn.«

Als ich zurückkomme, bin ich entschlossen, so schnell wie möglich weiterzuziehen, aber nicht, ohne vorher noch ein paar Dinge herauszufinden. »Wie heißen Sie, Kamerad?«, frage ich.

»Sergeant First Class Christopher Knight«, sagt er.

»Hier, Sergeant.« Ich drücke ihm die Papiertüte mit seinem Sandwich in die Hand. Dann stelle ich dem Hund einen Napf Wasser hin, den er gierig aussäuft.

»Es war mir eine Ehre, Sergeant Knight. Wo legen Sie nachts Ihr müdes Haupt hin?«

»Das Obdachlosenheim ist nur ein paar Straßen von hier. Meistens komme ich morgens hierher. Die Leute sind in dieser Gegend ein bisschen netter.«

»Ich muss leider weiter, Chris, aber nehmen Sie das hier.« Ich ziehe das Wechselgeld für die Sandwiches aus der Tasche und gebe es ihm.

»Gott segne Sie«, sagt er und drückt mir die Hand mit dem immer noch festen Griff eines Soldaten.

Aus irgendeinem Grund bekomme ich bei diesem Handschlag einen Kloß im Hals. Ich habe Kliniken und Krankenhäuser besucht und mich für eine Reform des Kriegsveteranen-Ministeriums ins Zeug gelegt, aber ein Schicksal wie dieses – einen obdachlosen Veteranen, der keine Arbeit mehr findet –, einen solchen Fall hatte ich nicht auf dem Schirm.

Auf meinem weiteren Weg den Bürgersteig entlang hole ich mein Handy heraus und speichere seinen Namen und den Standort des Coffeeshops ein, um dafür zu sorgen, dass dieser Mann Hilfe bekommt, bevor es für ihn zu spät ist.

Aber natürlich gibt es zigtausend wie ihn. Mich beschleicht das allzu vertraute Gefühl, dass meine Möglichkeiten, Menschen zu helfen, so groß und doch so begrenzt sind. Man lernt, mit diesem Paradox zu leben. Wenn man zu sehr mit den begrenzten Möglichkeiten hadert, nimmt es einem die Kraft, den verfügbaren Spielraum auszuschöpfen. Während man tut, was man kann, versucht man gleichzeitig, die Grenzen zu verschieben. Selbst an den schlechten Tagen kann man etwas Sinnvolles erreichen.

Nach meinem Abschied von Sergeant Knight lege ich im Schatten der untergehenden Sonne zwei Blocks zurück, bis sich plötzlich der Fußgängerstrom vor mir nicht weiterbewegt.

Ich dränge mich an einigen Passanten vorbei auf die Straße, um zu sehen, was da vorne los ist.

Nur ein kurzes Stück von mir entfernt versuchen zwei Polizisten der Washingtoner Polizei, einen Mann, einen afroamerikanischen Jugendlichen in weißem T-Shirt und Jeans, zu Boden zu bringen. Er leistet Widerstand und fuchtelt wie wild mit den Armen, während einer der Beamten versucht, ihm Handschellen anzulegen. Sie haben Schusswaffen und Teaser, machen jedoch keinen Gebrauch davon – noch nicht. In der Menge auf dem Bürgersteig halten zwei, drei Leute ihr Handy hoch und filmen die Szene.

»Runter auf den Boden! Auf den Boden!«, brüllen die Beamten.

Der junge Mann, den sie festnehmen wollen, strauchelt nach rechts und reißt die Beamten mit auf die Straße, auf der ihr Streifenwagen den Verkehr blockiert.

Instinktiv mache ich einen Schritt nach vorne, halte mich jedoch zurück. Was könnte ich hier schon tun? Den Polizisten sagen, ich sei der Präsident und regele den Fall für sie? Ich kann hier nichts weiter machen, als entweder zu gaffen oder zu gehen.

Ich habe keine Ahnung, was dieser Zuspitzung vorausgegangen ist. Dieser Mann könnte ein Gewaltverbrechen oder einen Handtaschenraub begangen oder auch nur diesen beiden Burschen irgendwie ans Bein gepinkelt haben. Ich kann nur hoffen, dass die Polizisten gerufen wurden und sich korrekt verhalten. Die meisten Polizisten tun ihr Bestes, aber natürlich gibt es wie in jedem anderen Beruf auch schwarze Schafe, und mir ist sehr wohl bewusst, dass sich manche von ihnen für gute Cops halten, obwohl sie in einem Afroamerikaner in T-Shirt und Jeans eine größere Bedrohung sehen als in einem ähnlich gekleideten Weißen.

Ich schaue mich unter den Zuschauern um, Menschen aller Hautfarben und Rassen. Zehn von diesen Zeugen können dasselbe Szenario sehen und aus dem Vorfall vollkommen andere

Schlüsse ziehen. Einige von ihnen werden gute Polizisten sehen, die nur ihre Pflicht tun. Manche werden einen Schwarzen vor Augen haben, der wegen seiner Hautfarbe anders behandelt wird. Manchmal stimmt das eine, manchmal das andere, manchmal liegt die Wahrheit in der Mitte. So oder so hat jeder, der Zeuge eines solchen Vorfalls wird, dieselbe Frage im Hinterkopf: Steht dieser unbewaffnete Mann wieder auf, oder wird er erschossen?

Als die zwei Beamten den Mann überwältigt haben und ihn in Handschellen wieder auf die Beine zerren, kommt eine weitere Streife herangefahren.

Ich überquere die Straße und setze meinen Weg zu meiner nächsten Verabredung fort. Für Probleme wie diese gibt es keine Patentrezepte, und so versuche ich, mir im Rahmen meiner begrenzten Möglichkeiten meine eigene Meinung zu bilden und mich zu bemühen, Missstände zu beseitigen. Eine Präsidialverfügung, eine Gesetzesvorlage, die ich auf den Schreibtisch bekomme, Reden, Worte aufgrund meiner Stellung – dies alles dient dazu, die Richtung zu weisen und uns voranzubringen.

Doch dieser Kampf ist so alt wie die Menschheit – wir gegen die anderen. Zu allen Zeiten haben Menschen, Familien, Sippen, Stämme und Nationen mit der Frage gekämpft, wie man die »anderen« behandeln soll. In Amerika ist Rassismus unser ältester Fluch. Doch es gibt auch andere Grabenkämpfe – Religion, Einwanderung, sexuelle Orientierung. Manchmal halten »die anderen« nur als Betäubungsmittel her oder dienen dazu, dem Biest in uns Nahrung zu geben. Allzu oft setzen sich diejenigen, die gegen »die anderen« wettern, über jene von uns hinweg, die uns ernsthaft daran erinnern, was »wir« gemeinsam erreichen können. Dieses Denkmuster hat sich schon sehr lange in unseren neuronalen Bahnen verfestigt. Vielleicht wird es immer so bleiben. Doch wir dürfen uns nicht damit zufriedengeben. Der Auftrag unserer Gründerväter, nach einer »vollkommeneren Einheit« zu streben, hat nichts an Aktualität verloren.

Als ich um die nächste Ecke biege, schlägt mir eine Böe entgegen. Ich blicke in den aufgewühlten, aschgrauen Wolkenhimmel.

Auf den letzten Metern, bevor ich die Bar an der Ecke erreiche, stelle ich beklommen fest, dass dies für mich vielleicht die schwierigste Etappe meiner heiklen Mission an diesem Abend ist.

20

Ich hole tief Luft und betrete die Bar.

Drinnen wimmelt es von Bannern der Georgetown Hoyas, der Redskins und der Nationals; in den Ecken des unverputzten Mauerwerks hängen Flachbildschirme; laute Musik wetteifert mit dem lebhaften Geschnatter der Happy-Hour-Gäste. Viele sind leger gekleidet, die Mehrzahl von ihnen Studenten, dazwischen jedoch auch junge Berufstätige in Anzug und gelockerter Krawatte oder in Bluse und Hose. An den Tischen im Lichthof unter freiem Himmel sitzen die Leute dicht gedrängt. Der Boden ist klebrig, es riecht nach abgestandenem Bier. Zum zweiten Mal an diesem Abend fühle ich mich in die Zeit meiner Grundausbildung in Savannah zurückversetzt, wenn wir an den Wochenenden in der River Street einen draufgemacht haben.

Ich nicke den beiden Agents vom Secret Service zu, die im Anzug unauffällig Wache stehen. Sie wissen von meinem bevorstehenden Besuch und wie ich gekleidet bin. Sie haben die Anweisung, mich nicht förmlich zu begrüßen, und sie halten sich daran, nicken nur kurz und nehmen eine etwas straffere Haltung an.

In einer hinteren Ecke sitzt – im Kreise von Freunden, aber auch Bekannten, die sich einfach in der Gegenwart der First

Daughter sonnen wollen – meine Tochter an einem Tisch und trinkt etwas Buntes, Fruchtiges aus einem Glas, als ihr eine andere junge Frau etwas ins Ohr sagt. Es ist wohl eine witzige Bemerkung, denn sie fährt sich mit der Hand an den Mund, als wolle sie gleichzeitig lachen und etwas herunterschlucken, nur dass es ein wenig aufgesetzt wirkt. Sie will einfach höflich sein. Sie sucht den Raum nach mir ab. Zuerst übersieht sie mich, dann kneift sie die Augen zusammen und öffnet die Lippen. Ihr Gesicht entspannt sich. Sie hat einen Moment gebraucht, demnach ist meine Verkleidung nicht schlecht.

Ich gehe weiter, an den Toiletten vorbei in den Lagerraum an der Rückseite der Bar, dessen Tür absichtlich nicht verschlossen ist. Hier drinnen riecht es wie in einer Studentenverbindung, in den Regalen Unmengen an Alkoholflaschen, Bierfässer an den Wänden, offene Serviettenschachteln, Bargläser auf dem Betonboden.

Als sie hereinkommt, geht mir das Herz auf: Wie in einem Kaleidoskop sehe ich das Kleinkind mit dem runden Gesicht und den riesigen Augen vor mir, das die Hand nach meiner Nase ausstreckt, das Mädchen, das mir mit seinem von Erdnussbutter und Marmelade verschmierten Mund einen Schmatz auf die Wange drückt, den Teenager, der mir in der Endrunde des Debattierwettbewerbs mit einer energischen Handbewegung die Anreize für alternative Energien ans Herz legt.

Als sie sich aus meiner Umarmung löst und mir in die Augen sieht, vergeht ihr das Lächeln. »Es ist also kein Bluff.«

»Nein, kein Bluff.«

»Dann ist sie ins Weiße Haus gekommen?«

»Ja, sie war da. Mehr darf ich dir nicht sagen.«

»Und wo willst du jetzt hin?«, fragt sie. »Was hast du vor? Und wieso hast du keinen Personenschutz dabei? Wieso kommst du in Verkleidung –«

»Hey, hey.« Ich lege ihr die Hände auf die Schultern. »Mach dir keine Sorgen, Lil. Ich treffe mich nur mit ihnen.«

»Mit Nina und ihrem Partner?«

Ich bezweifle sehr, dass die junge Frau im Princeton-T-Shirt meiner Tochter ihren wahren Namen genannt hat. Doch je weniger ich sage, desto besser. »Ja«, bestätige ich.

»Seit sie mich angesprochen hat, habe ich sie nicht wieder gesehen«, sagt Lilly. »Nicht ein Mal. Sie ist einfach aus dem Programm verschwunden.«

»Ich bezweifle, dass sie sich je an der Sorbonne eingeschrieben hat«, erwidere ich. »Ich glaube, sie ist überhaupt nur nach Paris gekommen, um sich mit dir zu treffen. Um dir diese Nachricht zu überbringen.«

»Aber wieso ausgerechnet mit *mir?*«

Ich antworte nicht. Ich will nicht mehr offenlegen als nötig. Doch Lilly hat den wachen Verstand ihrer Mutter. Der Groschen fällt schnell.

»Sie wusste, dass ich dir die Nachricht persönlich weitergeben würde«, sagt sie. »Ohne Mittelsleute. Ungefiltert.«

Genau aus diesem Grund.

»Was meinte sie denn nun damit?«, bohrt Lilly nach. »Was soll dieses *Dark Ages?*«

»Lil …« Ich ziehe sie an mich und schweige.

»Du willst es mir nicht sagen. Du darfst es nicht«, fügt sie nachsichtig hinzu. »Auf jeden Fall muss es wichtig sein. So wichtig, dass ich mich in Paris in den Flieger setzen musste, um herzukommen, und du … tust … was auch immer.« Sie blickt über die Schulter.

»Also, wo hast du Alex und deinen übrigen Personenschutz gelassen? Abgesehen von Dick und Doof da vorne, den beiden Jungs, die du zu meiner Überwachung hergeschickt hast.«

Seit ihrem College-Abschluss hat es Lilly vorgezogen, auf Personenschutz zu verzichten, wie es ihr gutes Recht ist. Doch als ich letzten Montag ihren Anruf bekam, habe ich sofort Leute vom Secret Service für sie abgestellt. Da sie gerade eine Prüfung vor sich hatte, brauchte sie ein paar Tage, bevor sie heimfliegen konnte, und mir wurde zugesichert, ihr werde in Paris nichts passieren.

»Meine Leute sind in der Nähe«, sage ich. Sie braucht nicht zu erfahren, dass ich allein unterwegs bin. Sie macht sich auch so schon genug Sorgen. Der Tod ihrer Mutter ist gerade einmal ein Jahr her und ihre Trauerarbeit noch längst nicht abgeschlossen. Da sollte sie nicht auch noch um den anderen Elternteil bangen müssen. Sie ist kein Kind mehr und für ihr Alter schon sehr reif, doch mit ihren gerade mal dreiundzwanzig Jahren ahnt sie noch nicht, welche Lasten ihr das Leben noch aufbürden mag.

Der Gedanke, was das alles hier für Lilly bedeuten könnte, schnürt mir die Brust zu. Aber was soll ich tun? In diesem für unser ganzes Land kritischen Moment bleibt mir nichts anderes übrig, als solche persönlichen Erwägungen hintanzustellen.

»Hör zu«, sage ich und nehme ihre Hand. »Ich möchte, dass du die nächsten Tage im Weißen Haus verbringst. Dein Zimmer ist vorbereitet. Falls du irgendetwas aus deiner Wohnung brauchst, können es dir die Agents besorgen.«

»Ich … verstehe nicht.« Sie durchbohrt mich mit ihrem Blick, und ich sehe, wie ihre Unterlippe ein wenig zittert. »Schwebst du in *Gefahr,* Daddy?«

Nur mit Mühe kann ich die Fassung bewahren. Irgendwann als Teenager hat sie aufgehört, mich »Daddy« zu nennen, auch wenn sie, als Rachel im Sterben lag, die Anrede noch ein paar Mal hervorgekramt hat. Sie spart sie sich für Momente auf, in denen sie Angst hat, sich besonders verletzlich fühlt. Ich habe als Rekrut sadistischen Sergeants getrotzt, im Irak grausamen Vernehmungsoffizieren, im Weißen Haus parteiischen Abgeordneten und dem gesamten Pressekorps widerstanden, doch vor meiner Tochter strecke ich die Waffen.

Ich beuge mich vor und lege den Kopf an ihre Schläfe. »Ich? Komm schon. Ich bin einfach nur vorsichtig. Ich will nur, dass du in Sicherheit bist.« Sie geht mir nicht auf den Leim. Sie schlingt mir die Arme fest um den Hals. Auch ich drücke sie an mich. Ich höre, wie sie schluchzt, fühle, wie sie am ganzen Körper zittert.

»Ich bin unheimlich stolz auf dich, Lilly«, flüstere ich und versuche, den Kloß herunterzuschlucken. »Habe ich dir das schon mal gesagt?«

»Von morgens bis abends«, sagt sie mir ins Ohr.

Ich streichle meiner großartigen, starken, selbstständigen Tochter übers Haar. Sie ist jetzt eine erwachsene Frau mit der Schönheit, dem Verstand und der Tatkraft ihrer Mutter, doch für mich wird sie für immer das kleine Mädchen sein, das strahlte, sobald es mich sah, das vergnügt kreischte, wenn ich es mit Küsschen bedachte, und das nach einem Albtraum erst wieder einschlafen konnte, wenn Daddy ihr die Hand hielt.

»Und jetzt geh bitte mit den Agents mit«, flüstere ich. »Ja?«

Widerstrebend reißt sie sich von mir los, wischt sich die Tränen von den Wangen, holt tief Luft und nickt.

Dann stürzt sie noch einmal an meine Brust und schließt mich in die Arme.

Ich kneife die Augen zusammen, halte sie, am ganzen Körper zitternd, fest. Mit einem Mal ist sie fünfzehn Jahre jünger, ein Grundschulkind, das ihren Daddy braucht, einen Fels in der Brandung, der sie nie im Stich lassen wird.

Ich wünschte mir, ich könnte sie länger so halten, ihr die Tränen abwischen und all ihre Ängste vertreiben. Vor vielen Jahren war es eine harte Lektion für mich, mir begreiflich zu machen, dass ich mein kleines Mädchen nicht in alle Ewigkeit beschützen und dafür sorgen konnte, dass es die Welt gut mit ihr meint. Und nun muss ich mich losreißen und mich um die Dinge kümmern, die anstehen.

Ich nehme Lillys Gesicht mit den verheulten, geschwollenen Augen in beide Hände.

»Ich liebe dich mehr als alles in der Welt«, sage ich. »Und ich verspreche, zu dir zurückzukommen.«

21

Nachdem Lilly mit den Agents vom Secret Service gegangen ist, bitte ich den Barkeeper um ein Glas Wasser. Ich greife in meine Hosentasche und hole die zwei Tabletten heraus, die ich eingesteckt habe, die Steroide, die meine Thrombozytenzahl erhöhen sollen. Ich hasse diese Pillen. Wenn ich sie nehme, kann ich nicht mehr so klar denken, doch ein vernebeltes Gehirn ist immer noch besser als ein versagendes. Es gibt nichts dazwischen. Und Letzteres ist keine Option.

Ich kehre zu meinem Wagen zurück. Am Himmel braut sich etwas zusammen. Noch ist kein Regen gefallen, doch er liegt schon in der Luft.

Ich hole mein Handy aus der Tasche und rufe im Gehen Dr. Lane an. Obwohl sie diese Nummer nicht kennt, meldet sie sich sofort.

»Dr. Lane, Jon Duncan.«

»Mr President? Ich versuche schon den ganzen Nachmittag, Sie zu erreichen.«

»Ich weiß. Ich war sehr beschäftigt.«

»Ihre Thrombozytenzahl geht weiter runter. Sie sind jetzt schon unter sechzehntausend.«

»Okay, ich verdopple meine Steroide wie versprochen.«

»Das genügt nicht. Sie müssen unverzüglich behandelt werden.«

Ich achte nicht auf den Verkehr und laufe an einem Fußgängerübergang fast in ein Auto. Nur für den Fall, dass ich es nicht gemerkt habe, drückt der SUV-Fahrer auf die Hupe.

»Noch bin ich nicht bei zehntausend«, antworte ich Dr. Lane beschwichtigend.

»Das ist nur ein Richtwert. Es gibt individuelle Unterschiede. Sie könnten jede Sekunde innere Blutungen erleiden.«

»Was jedoch eher unwahrscheinlich ist«, halte ich dagegen. »Das MRT gestern war negativ.«

»Gestern, ja. Aber heute? Wer weiß?«

Ich gelange zu dem Parkplatz mit meinem Wagen. Gegen meinen Parkschein und Bargeld händigt mir der Wärter meine Autoschlüssel aus.

»Mr President, Sie haben einen Haufen fähiger Leute um sich. Bestimmt können die für ein paar Stunden einspringen, während Sie sich behandeln lassen. Ich dachte immer, Präsidenten wären gut im Delegieren.«

Sind sie auch. Meistens jedenfalls. Nur, dass ich das hier nicht delegieren kann und ihr oder irgendjemandem sonst nicht einmal sagen darf, warum.

»Ich habe Sie verstanden, Deborah. Ich muss jetzt los. Bitte bleiben Sie telefonisch erreichbar.«

Ich trenne die Verbindung, verlasse den Parkplatz und fädele mich in den Verkehr ein. Unterdessen denke ich an das Mädchen mit dem Princeton-T-Shirt – für meine Tochter »Nina«.

An *Dark Ages*.

An meine nächste Verabredung heute Abend, an Drohungen, die ich aussprechen, an Angebote, die ich machen kann.

Ein Mann hält ein weißes Schild mit der Aufschrift »Parken« hoch und winkt mich mit der freien Hand auf den Platz. Ich bezahle und fahre nach den Anweisungen eines weiteren Mannes in eine Lücke. Ich behalte meine Schlüssel und lege die nächsten zwei Blocks zu Fuß zurück, bis ich vor einem größeren Wohngebäude mit den Lettern CAMDEN SOUTH CAPITOL über dem Eingang stehe. Von der anderen Straßenseite hallt schon das Gebrüll der Menschenmenge herüber.

Ich überquere die breite Straße, nicht leicht bei dem Verkehr. Ein Mann kommt an mir vorbei und ruft: »Wer braucht zwei? Wer braucht zwei?«

Ich hole den Briefumschlag heraus, den mir »Nina« dagelassen hat, und entnehme ihm das farbenfrohe Ticket für das heutige Spiel – die Nationals gegen die Mets.

Am Eingang zum linken Außenfeld des Nationals-Park-Stadions werden die Besucher durch eine Sicherheitsschranke geschleust, manche werden bei Auffälligkeiten noch einmal mit einem Handdetektor abgescannt und ihre Taschen auf Waffen überprüft. Ich reihe mich in die Schlange ein, muss jedoch nicht lange warten. Das Spiel ist bereits im Gange.

Mein Sitz befindet sich in Abschnitt einhundertvier, bei den billigsten Plätzen. Ich bin die besten Plätze gewohnt, eine Stadionloge hinter dem Schlagmal oder rechts neben der Spielerbank an der dritten Base. Doch so ist es mir lieber, hier, auf der Tribüne am linken Außenfeld. Auch wenn die Sicht nicht berauschend ist, fühlt es sich realer an.

Ich sehe mich um, aber was bringt das schon. Wenn es so weit ist, dann ist es so weit. Ich brauche nichts weiter zu tun, als dazusitzen und zu warten.

Normalerweise würde ich mich hier wie ein Kind im Bonbonladen fühlen. Ich würde mir ein Budweiser und einen Hotdog gönnen. Bei einem Baseballspiel können mir all diese exotischen Biere aus Mikrobrauereien gestohlen bleiben, hier geht nichts über ein eiskaltes Bud. Und ein »Dog« mit Senf schmeckt mir sogar noch besser als Mamas Rippenspitze mit Essigmarinade.

Wie gern würde ich mich jetzt zurücklehnen und in Erinnerungen an jene Tage schwelgen, als ich selbst an der UNC *Fastballs* geworfen habe und von einer Profikarriere träumte, als mich die Royals in der vierten Spielrunde einwechselten. Mein Jahr in der Doppel-A-Klasse bei den Memphis Chicks, die langen Fahrten im heißen Mannschaftsbus, die Nächte in billigen Motels, mit Kühlkompressen auf dem Ellbogen, die Spiele vor Hunderten Zuschauern, die Big Macs, die wir verschlangen, und das Kopenhagen-Bier, mit dem wir sie herunterspülten. Heute Abend ist Bier für mich tabu. Während ich auf meinen Besucher, den Partner des Princeton-Mädchens, warte, ist mein Magen auch so schon in Aufruhr.

In meiner Jeanstasche vibriert das Handy. Auf dem Display steht C. Brock. Carolyn simst mir nur eine Ziffer: 3. Ich gebe »Wellman« ein und tippe auf Senden.

Das ist unser Code für das Status-Update, so weit, so gut. Auch wenn ich mir nicht sicher bin, ob es so weit gut ist. Ich habe mich zum Spiel verspätet. Ist er womöglich schon gekommen und gegangen? Habe ich ihn verpasst?

Hoffentlich nicht. Doch im Moment bleibt mir nichts anderes übrig, als hier zu sitzen, zu warten und mir das Spiel anzusehen. Der Pitcher der Mets hat einen starken Arm, doch sein Fastball ist mit gespreizten Fingern ausgeführt, weshalb er nicht richtig fällt. Der erste Schlagmann der Nationals, ein Linkshänder, hat je einen Spieler am ersten und zweiten Mal, während der dritte ein Stück zurückbleibt, die klassische Situation für einen Bunt. Der Pitcher sollte hoch und auf der Innenseite werfen, tut er jedoch nicht. Aber er hat Glück, denn der Schlagmann schafft es auch beim zweiten Versuch nicht, den Ball abtropfen zu lassen. Schließlich bekommt der Bursche mit zwei Schlägen einen hohen Flugball ins tiefe linke Außenfeld, in meine Richtung. Instinktiv springt das Publikum von den Sitzen, doch er hat ihn zu sehr von unten erwischt, und der linke Außenfeldspieler der Mets fängt den Flugball mit gestrecktem Arm kurz vor dem Warnstreifen ab.

Als wir uns alle wieder setzen, sehe ich aus dem Augenwinkel heraus einen Mann, der stehen bleibt und die Sitzreihe entlang zu mir herüberspäht. Er trägt eine Nationals-Kappe, die brandneu aussieht, und wirkt auf Anhieb in einem Baseballstadion fehl am Platze. Ich begreife sofort, dass er den Platz neben mir einnehmen wird.

Dieser Mann ist Ninas Partner. Es ist so weit.

22

Die als Bach bekannte Auftragsmörderin zieht die Tür zu und schließt sich in der kleinen Toilette ein. Sie holt zittrig Luft, kniet sich hin und erbricht sich ins Klo.

Als es vorbei ist, brennen ihr die Augen, und ihr Magen ist verkrampft, doch sie kann durchatmen und sinkt auf ihr Gesäß zurück. Das ist nicht gut. Inakzeptabel.

Sobald sie kann, rappelt sie sich hoch, spült die Toilette und wischt Sitz und Schüssel gründlich mit Desinfektionstüchern ab, die sie anschließend ebenfalls herunterspült. Keine Spuren hinterlassen, keine DNA.

Das hier ist das letzte Mal, sie wird sich heute Abend nicht noch einmal übergeben. Basta.

Sie sieht in den trüben Spiegel über dem Waschbecken. Ihre Perücke ist blond, zu einem Knoten hochgesteckt. Ihr Arbeitshemd ist himmelblau. Nicht optimal, aber sie ist nicht mehr dazu gekommen, sich eine von den Uniformen zu besorgen, wie sie der Reinigungsdienst im Wohnkomplex des CAMDEN SOUTH CAPITOL trägt.

Als sie aus der Toilette in den Wartungsraum zurückkehrt, stehen die drei Männer immer noch dort, wie sie in hellblauen Hemden zu dunklen Hosen. Einer der Männer ist so muskulös, dass seine gewölbte Brust und der geschwellte Bizeps das Hemd zu zerreißen drohen.

Als sie sich heute das erste Mal trafen, war er ihr auf Anhieb unsympathisch. Erstens, weil er auffällt. In ihrem Metier sollte niemand durch seine Erscheinung auffallen. Zweitens, weil er sich vermutlich zu oft auf rohe Gewalt verlässt statt auf Verstand, Geistesgegenwart und Können, gepaart mit Killerinstinkt.

Die beiden anderen sind akzeptabel. Sportlich und drahtig, doch physisch wenig beeindruckend. Unscheinbare Gesichter, die man schnell vergisst.

»Fühlen Sie sich besser?«, fragt der Muskelprotz. Die beiden anderen grinsen, bis sie Bachs grimmige Miene sehen.

»Besser, als Sie sich fühlen werden«, antwortet sie, »wenn Sie mich das noch einmal fragen.«

Kommen Sie niemals einer Frau in den ersten drei Schwangerschaftsmonaten dumm, die unter morgendlicher Übelkeit leidet, die sich offensichtlich nicht auf den Morgen beschränkt. Schon gar nicht einer Spezialistin für hochriskante Attentate.

Sie dreht sich zu dem Anführer des Trios um, einem Kahlkopf mit Glasauge.

Er hebt beschwichtigend die Hände. »War nicht respektlos gemeint«, sagt er. Sein Englisch ist gut, wenn auch mit starkem Akzent – Tschechien, wenn sie raten soll.

Sie streckt die Hand aus. Der Anführer reicht ihr den Ohrhörer. Sie steckt ihn sich ins Ohr, der Mann tut es ihr gleich.

»Status?«, fragt sie.

Durch den Ohrhörer bekommt sie die Antwort. *»Er ist eingetroffen. Unser Team hält sich bereit.«*

»Dann nehmen wir alle unsere Positionen ein«, sagt sie.

Mit ihrem Waffenkasten und dem Matchbeutel steigt Bach in den Lastenaufzug. Sobald sich die Türen schließen, holt sie einen schwarzen Mantel aus dem Beutel und zieht ihn an. Dann tauscht sie ihre Perücke gegen eine schwarze Skimütze. Jetzt ist sie von Kopf bis Fuß in Schwarz gekleidet.

Im obersten Stockwerk steigt sie aus und nimmt von dort die Treppe zur Tür, die aufs Dach hinausführt. Wie versprochen, ist sie nicht abgeschlossen. Hier oben weht ein kräftiger Wind, kein Problem, mit dem sie nicht zurechtkommen würde. Sie rechnet fast sicher damit, dass es früher oder später regnen wird. Doch wenigstens jetzt ist es trocken. Wäre dieses dämliche Sportereignis wegen schlechten Wetters ausgefallen, hätten sie auch die Operation absagen müssen. Nun muss sie sich also darauf gefasst machen, dass es, sobald der Regen niedergeht, eine Unterbrechung gibt und Tausende Menschen unter einem Meer von Schirmen gleichzeitig zu den Ausgängen streben.

Einmal hat sie einen türkischen Botschafter getötet, indem sie ihm durch einen Regenschirm eine Kugel ins Gehirn jagte, doch der befand sich mit nur einer einzigen weiteren Person auf einer ruhigen Straße. Ihr Problem heute Abend ist es, im Fall eines Massenexodus ihre Zielperson auf Anhieb zu erfassen.

So etwas ist Aufgabe der Bodentruppen.

Sie öffnet ihren Waffenkasten mit der Daumenerkennung, setzt Anna Magdalena, ihr halb automatisches Gewehr, zusammen, schraubt das Zielfernrohr auf, lädt das Magazin.

Sie nimmt ihre Position ein und geht in die Hocke. In knapp zwanzig Minuten ist Sonnenuntergang, im Schutz der vollkommenen Dunkelheit wird sie auf dem Dach erst recht niemand erkennen. Sie stellt das Zielfernrohr scharf und sucht damit die Zuschauerreihen im Stadion ab. Sie entdeckt den Eingang am linken Außenfeld.

Sie wird warten. Vielleicht fünf Minuten. Möglicherweise bis zu drei Stunden. Irgendwann wird sie die entsprechende Meldung bekommen und sofort mit tödlicher Präzision in Aktion treten. Sie ist in ihrem Metier und hat ihr Ziel noch nie verfehlt.

Wie gern würde sie jetzt über Ohrhörer einem Klavierkonzert lauschen. Doch jeder Auftrag ist anders, und bei diesem hier ist sie auf ein Vorauskommando angewiesen, das ihr über Kopfhörer Meldung macht. Es kann jederzeit eine Durchsage kommen, und so lauscht sie nicht Andrea Bacchetti mit dem ersten Cembalo-Konzert im Teatro Olimpico di Vicenza, sondern horcht auf den Autoverkehr, das Jubelgeschrei aus dem vollen Stadion, die dröhnenden Orgelfanfaren, die das Publikum auf Touren bringen, und auf die gelegentlichen Meldungen vom Vorauskommando.

Sie atmet ein, sie atmet aus. Bringt ihren Puls herunter. Hält den Finger dicht am Abzug, ohne ihn zu berühren. Ungeduld zahlt sich nicht aus. Wie immer wird sich ihr die Zielperson von selbst zeigen, wenn es so weit ist.

Und wie immer wird sie treffen.

23

Ohne ein Wort und mit gesenktem Kopf geht der Mann an mir vorbei und nimmt links von mir Platz, als wären wir uns vollkommen fremd und hätten nichts miteinander zu tun, als hätten wir nur zufällig an diesem Abend Karten für benachbarte Plätze bekommen.

Wir sind uns tatsächlich fremd. Ich weiß nichts über ihn. In meinem Job ist das Unerwartete eher die Regel, doch normalerweise steht mir ein Team von Beratern zur Seite und hilft mir dabei, die jeweilige Situation zu analysieren, Erkenntnisse zu sammeln und zu interpretieren, um uns in einer chaotischen Situation einen Überblick zu verschaffen. In diesem Fall bin ich allein und ohne Anhaltspunkte.

Er könnte einfach nur ein Kurier sein und mir eine Information weitergeben, deren Sinn er selber nicht versteht, immun gegen jede Befragung, weil er nichts auszuplaudern hat. In diesem Fall wäre ich einer bewussten Irreleitung aufgesessen – schließlich verlasse ich mich auf eine Quelle, der nicht wirklich zu trauen ist, nämlich Nina.

Er könnte auch ein Auftragsmörder sein. Das ganze Unternehmen könnte eine Finte sein, um mich allein und ungeschützt hierherzulocken. In diesem Fall wäre meine Tochter von nun an ohne lebende Eltern. Und ich hätte dem Präsidentenamt Schande zugefügt, indem ich mich durch eine billige Masche zu einem geheimen Treffen habe verleiten lassen.

Doch wegen dieser beiden Worte, *Dark Ages,* blieb mir nichts anderes übrig, als das Risiko einzugehen.

Zum ersten Mal dreht er sich ein wenig zu mir um und sieht mich von Nahem an, den Mann, von dem er weiß, dass er Präsident Duncan ist, der jedoch mit dem roten Bart, der Brille und der Baseballkappe nicht viel Ähnlichkeit mit dem glatt rasierten Oberbefehlshaber in Anzug und Krawatte hat, den er aus dem Fernsehen und der Presse kennt. Er nickt mir unauffällig zu, was ich nicht so sehr als Billigung meiner Wahl der Verkleidung verstehe, sondern der Tatsache, dass ich überhaupt in Verkleidung hier bin. Er muss daraus schließen, dass ich, zumindest fürs Erste, nach seinen Regeln spiele. Ich habe mich auf ein geheimes Treffen eingelassen und somit schon jetzt anerkannt, wie wichtig er ist.

Es ist so ziemlich das Letzte, was ich ihm zugestehen möchte, doch es geht nicht anders. Nach meiner bisherigen Einschätzung ist dieser Mann möglicherweise in diesem Moment der gefährlichste Mensch auf der Welt.

Ich lasse den Blick über unsere Umgebung schweifen. Links und rechts von uns beiden wie auch unmittelbar hinter uns sind die Plätze frei. »Nennen Sie die Codeworte«, fordere ich den Mann auf.

Er ist jung, wie seine Partnerin Nina nicht älter als Anfang zwanzig. Wie sie ist er schlank. Wie bei ihr lässt der Knochenbau auf einen Osteuropäer schließen. Seine Hautfarbe ist einen Hauch dunkler als bei seiner blassen Partnerin. Vielleicht ein mediterraner Einschlag, möglicherweise Vorfahren aus dem Mittleren Osten oder aus Afrika. Sein Gesicht wird größtenteils von einem langen, struppigen Bart und kräftigem, strähnigem Haar verdeckt, das unter seiner Baseballkappe hervorsprießt. Er hat tief liegende Augen und dunkle Schatten darunter. Der Höcker seiner Nase ist möglicherweise genetisch bedingt oder stammt von einem Bruch.

Er trägt ein unifarbenes schwarzes T-Shirt, eine dunkle Cargo-Hose, Joggingschuhe. Er hat weder eine Tasche noch einen Rucksack dabei. Er hat keine Waffe. Sonst hätte er es nicht durch die Sicherheitskontrolle geschafft. Doch natürlich kann man alle möglichen Gegenstände zu Waffen umfunktionieren. Man kann einen Menschen mit einem Hausschlüssel töten, mit einem Stück Holz, selbst mit einem Kugelschreiber kann man sein Opfer durch einen präzisen Einstich liquidieren. Bei meiner Ranger-Ausbildung hat man uns vor dem Irak-Einsatz solche Dinge vorgeführt – Selbstverteidigungsmaßnahmen mit improvisierten Waffen, auf die ich im Leben nicht gekommen wäre. Ein einziger schneller Schnitt mit einem scharfen Gegenstand in meine Halsschlagader, und ich würde verbluten, bevor ärztliche Hilfe eintrifft.

Ich packe ihn am Arm, umfasse mit der ganzen Hand seinen dünnen Bizeps. »Sagen Sie die Worte. *Sofort.*«

Das kam unerwartet, er zuckt zusammen. Er blickt von meiner Hand zu mir auf. Erstaunt, stelle ich fest, doch keineswegs verstört.

»Junge«, sage ich leise und mit gleichmütiger Miene. »Das ist kein Spiel. Sie haben keine Ahnung, mit wem Sie sich da anlegen. Sie haben nicht die leiseste Ahnung, in was Sie sich da reingeritten haben.«

Ich wünschte, meine Position wäre auch nur annähernd so stark, wie ich ihm weiszumachen versuche.

Er kneift die Augen zusammen, bevor er den Mund aufmacht. »Was für Worte möchten Sie denn von mir hören?«, fragt er. »Weltuntergang? Nuklearer Holocaust?«

Derselbe Akzent wie bei seiner Partnerin. Nur dass er offenbar besser Englisch spricht.

»Zum letzten Mal«, sage ich. »Ihnen wird nicht gefallen, was als Nächstes passiert.«

Er blickt zur Seite. »Sie reden, als wollte ich etwas von Ihnen. Aber in Wirklichkeit ist es umgekehrt.«

Wie könnte ich das leugnen. Allein schon die Tatsache, dass ich hier bin, bestätigt es ihm. Doch auch andersherum wird ein Schuh draus. Ich habe keine Ahnung, was er mir zu sagen hat. Doch wenn es einfach nur um Informationen geht, gibt es sie gewiss nicht umsonst. Will er mir dagegen drohen, verlangt er Lösegeld. Er hat das alles hier nicht ohne Grund inszeniert. Auch ich habe etwas, das er will. Ich weiß nur nicht, was es ist.

Ich lasse seinen Arm los. »Sie schaffen es nicht aus diesem Stadion«, sage ich und stehe auf.

»Dark Ages«, zischt er verächtlich wie einen Fluch.

Unterdessen schlägt Rendon auf dem Feld einen hoch abprallenden Ball, den der Shortstop im Laufen fangen muss, um den Gegner am ersten Mal auszuschalten.

Ich setze mich wieder. Hole Luft. »Wie soll ich Sie nennen?«, frage ich.

»Sie können ... Augie zu mir sagen.«

Der Trotz, der Sarkasmus ist verflogen. Ein kleiner Sieg für mich. Er hat zwar wahrscheinlich das bessere Blatt, dafür ist er jung und unerfahren, während ich schon mein Leben lang Poker spiele.

»Und wie ... soll ich Sie nennen?«, fragt er fast im Flüsterton.

»Sie reden mich mit Mr President an.«

Ich lege den Arm über seine Stuhllehne, als seien wir alte Freunde oder verwandt.

»Die Sache läuft folgendermaßen«, sage ich. »Sie erzählen mir, wie Sie an diese Worte gekommen sind. Und Sie verraten mir, warum Sie hierhergekommen sind, was Sie mir sonst noch zu sagen haben. Und dann entscheide *ich*, was ich mache. Falls Sie und ich zusammenarbeiten können – falls mich unsere kleine Unterhaltung hier zufriedenstellt –, könnte die Angelegenheit für Sie, Augie, ein gutes Ende nehmen.«

Ich lasse ihm einen Moment Zeit, um meine Worte zu verdauen und das Licht am Ende des Tunnels zu sehen. Das muss es bei jeder Verhandlung geben.

»Sollten Sie mich jedoch *nicht* überzeugen«, fahre ich fort, »werde ich mit Ihnen, mit Ihrer Freundin und jedem anderen Menschen auf der Welt, der Ihnen etwas bedeutet, tun, was ich für nötig halte, um mein Land zu beschützen. Es gibt nichts, was ich nicht tun könnte. *Und ich schrecke vor nichts zurück.*«

Er verzieht den Mund zu einer angewiderten Grimasse. Ich sehe den Hass in seinem Gesicht, auf mich und das System, für das ich stehe. Aber mir entgeht auch nicht seine Angst. Bisher hat er sich nur aus sicherer Entfernung mit mir angelegt, über seine Partnerin und meine Tochter in Übersee Verbindung aufgenommen, mit Computertechnologie, doch jetzt ist er hier und hat es mit dem Präsidenten der Vereinigten Staaten in Person zu tun. An diesem Punkt gibt es für ihn kein Zurück mehr.

Er beugt sich vor, stützt die Ellbogen auf die Knie, ein Versuch, mich auf Abstand zu halten. Gut. Er ist verunsichert.

»Sie wollen wissen, wie ich auf *Dark Ages* gekommen bin«, sagt er in unsicherem Ton, mit fast zittriger Stimme. »Und wollen Sie auch wissen, wieso der Strom im Weißen Haus immer wieder ... schwankt?«

Äußerlich gebe ich keine Reaktion auf seine Frage zu erkennen. Er behauptet also, er sei für das Flackern der Lampen im Weißen Haus verantwortlich. Ein Bluff? Ich versuche, mich zu entsinnen, ob Nina sie flackern gesehen hat, als sie im Oval Office war.

»Ist ärgerlich, sollte man meinen«, sagt er. »Sich in Ihrem Oval Office mit Angelegenheiten der nationalen Sicherheit und mit Wirtschaftsstrategien und politischen ... Machenschaften zu befassen, während ständig die Lichter flackern, an und aus gehen wie in einer Bruchbude irgendwo in der Dritten Welt.«

Er holt tief Luft. »Ihre Techniker haben keine Ahnung, wieso, habe ich recht? Woher auch.« Er hat sich gefangen, seine Stimme klingt wieder fest.

»Ich gebe Ihnen zwei Minuten, mein Junge. Ab jetzt. Wenn Sie nicht mit mir reden, dann werden Sie Leute, die für mich arbeiten, zum Reden bringen, und die werden nicht so freundlich sein.«

Er schüttelt den Kopf, auch wenn schwer zu sagen ist, ob er mich oder sich selbst überzeugen will. »Nein, Sie sind allein gekommen«, sagt er eher in hoffnungsvollem als überzeugtem Ton.

»Ach ja?«

Die Menge brüllt beim Klang eines Schlägers gegen den Ball, auf unseren Rängen springen die Leute jubelnd von den Bänken und verstummen wieder, als der weit geschlagene Flugball außerhalb des Spielfelds landet. Augie rührt sich nicht, sondern starrt, immer noch nach vorn gebeugt, mit unversöhnlicher Miene auf die Rücklehne des Sitzes in der Reihe vor ihm.

»Eine Minute, dreißig Sekunden«, sage ich.

Im Spiel steckt der Schlagmann einen dritten Strike ein, einen Slider, der gerade so ins Wurffenster passt. Zum lautstarken Unmut der Menge.

Ich sehe auf die Uhr. »Eine Minute«, sage ich, »und Ihr Leben ist vorbei.« Augie lehnt sich zurück und wendet mir wieder das Gesicht zu. Ich blicke weiter aufs Spielfeld, erweise ihm nicht die Höflichkeit, ihn anzusehen.

Nach einer Weile drehe ich mich zu ihm um, als sei ich jetzt bereit, mir anzuhören, was er zu sagen hat. Der Ausdruck in seinem Gesicht hat sich schlagartig verändert, er ist eindringlich und kalt.

Er hält eine Pistole auf dem Schoß, die auf mich gerichtet ist.

»*Mein* Leben ist vorbei?«, fragt er.

24

Ich konzentriere mich auf Augie, nicht die Waffe.

Er hält sie tief, auf dem Schoß, wo sie von den benachbarten Stadionbesuchern nicht zu sehen ist. Jetzt verstehe ich, wieso die Plätze links und rechts von uns frei geblieben sind, wie auch die vier Sitze vor und hinter uns. Zweifellos hat Augie Karten für sie alle, damit wir in unserem unmittelbaren Umfeld ungestört sind.

An der klobigen Form erkenne ich, dass es eine Glock ist, eine Waffe, die ich nie abgefeuert habe, in jedem Fall eine Neun-Millimeter, spielend in der Lage, mich aus nächster Nähe zu erschießen.

Vor vielen Jahren hätte ich ihn vielleicht mit ein bisschen Glück entwaffnen können, ohne einen tödlichen Schuss abzubekommen. Doch meine Zeit bei den Rangers ist lange her. Ich bin fünfzig Jahre alt und ein wenig eingerostet.

Dabei ist es keineswegs das erste Mal, dass jemand eine Waffe auf mich richtet. In der Kriegsgefangenschaft hat mir ein irakischer Gefängniswärter jeden Tag eine Pistole an den Kopf gehalten und abgedrückt.

Doch seit vielen Jahren ist dies das erste Mal, erst recht als Präsident. Auch wenn mir das Herz bis zum Hals schlägt, versuche ich, meine Lage einzuschätzen: Hätte er vorgehabt, mich zu töten, hätte er längst abgedrückt. Er hätte nicht zu warten brauchen, bis ich ihm ins Gesicht blicke. Er wollte also nur, dass ich die Waffe sehe. Er wollte den Spieß herumdrehen.

Ich kann nur hoffen, dass ich mit meiner Vermutung richtigliege. Er macht nicht den Eindruck eines erfahrenen Schützen. Ein nervöses Zucken, und ich habe eine Kugel zwischen den Rippen.

»Sie sind aus einem triftigen Grund hergekommen«, sage ich. »Also stecken Sie diese Waffe weg, und sagen Sie mir, worum es geht.«

Er schürzt die Lippen. »Vielleicht fühle ich mich sicherer so.«

Ich beuge mich vor und senke die Stimme. »Mit dieser Waffe setzen Sie Ihre Sicherheit aufs Spiel. Das macht meine Leute nervös. Es wird ihnen in den Fingern jucken, Ihnen augenblicklich eine Kugel in den Kopf zu jagen.«

Er blinzelt heftig, späht wie wild hin und her, versucht, die Kontrolle zu bewahren. Die Vorstellung, dass sich ein Hochleistungsgewehr auf einen richtet, kann durchaus die Nerven strapazieren.

»Sie können sie nicht sehen, Augie. Aber glauben Sie mir, die sehen Sie.«

Ich treibe ein riskantes Spiel. Es mag nicht der klügste Schachzug sein, einem Mann Angst einzujagen, der eine Waffe auf dich gerichtet hält und den Finger am Abzug hat. Aber ich muss ihn dazu bringen, das Ding wieder wegzustecken. Und damit er mir diesen Gefallen tut, muss ich ihn davon überzeugen, dass er es nicht nur mit einem Mann, sondern mit einem Land, mit einer überwältigenden Übermacht zu tun hat. Mit einer Verteidigungskraft und mit einem Arsenal, das seine Vorstellung sprengt.

»Niemand will Ihnen etwas tun, Augie«, sage ich. »Aber wenn Sie abdrücken, dann sind Sie in zwei Sekunden tot.«

»Nein«, erwidert er, »Sie sind …« Er bringt den Satz nicht zu Ende.

»Was? Sie meinen, ich bin allein gekommen? Das glauben Sie doch selber nicht. Dafür sind Sie zu clever. Also stecken Sie die Waffe weg, und sagen Sie mir endlich, weshalb ich hier bin. Sonst gehe ich.«

Die Waffe bewegt sich auf seinem Schoß. Wieder kneift er die Augen zusammen. »Wenn Sie gehen«, sagt er, »können Sie nicht mehr aufhalten, was passieren wird.«

»Und Sie werden nicht von mir bekommen, was immer Sie von mir wollen.«

Darüber denkt er nach. Unterm Strich ist es für ihn das Klügste, doch er will, dass es seine Idee ist, nicht meine. Endlich nickt er, zieht sein Hosenbein hoch und steckt die Waffe ins Holster.

Leise atme ich die Luft aus, die ich angehalten habe.

»Wie zum Teufel haben Sie diese Waffe durch die Metalldetektoren geschleust?«

Er lässt sein Hosenbein herunter. Er wirkt genauso erleichtert, wie ich es bin.

»Ziemlich primitive Apparatur«, sagt er, »erkennt nur, worauf sie programmiert ist. Kann nicht selbstständig denken. Wenn man ihr sagt, sie soll nichts sehen, dann ist sie blind. Wenn man ihr sagt, sie soll die Augen schließen, dann macht sie es. Maschinen fragen nicht, warum.«

Ich rufe mir den Metalldetektor in Erinnerung, durch den ich gekommen bin. Anders als am Sicherheits-Check-in auf einem Flughafen hat er keine Röntgenfunktion. Es ist einfach nur ein Durchgang, der beim Passieren entweder piept oder nicht, während der Wachmann einfach nur danebensteht und auf das Signal wartet.

Irgendwie hat es der Junge blockiert. Während er hindurchging, hat er die Technik lahmgelegt.

Schließlich hat er sich auch ins Stromnetz der 1600 Pennsylvania Avenue eingehackt.

Er hat in Dubai einen Hubschrauber zerstört.

Er kennt das Codewort *Dark Ages*.

»Also dann, Augie«, sage ich. »Sie haben Ihr Treffen. Und nun erzählen Sie mir, woher Sie von *Dark Ages* wissen.«

Er zieht die Augenbrauen hoch, lächelt beinahe. Dieses Codewort zu knacken, ist eine beachtliche Leistung, und er weiß es.

»Haben Sie es irgendwie gehackt?«, frage ich. »Oder …«

Jetzt grinst er wirklich. »Das ›Oder‹ macht Ihnen zu schaffen, nicht wahr? So sehr, dass Sie es nicht einmal auszusprechen wagen.«

In diesem Punkt gebe ich ihm recht.

»Denn wenn ich nicht aus der Ferne, elektronisch drangekommen bin«, sagt er, »dann gibt es nur eine einzige andere Möglichkeit. Und Sie wissen, was das bedeutet.«

Wenn Augie nicht durch einen Hack an *Dark Ages* gelangt ist – und es ist schwer vorstellbar, wie er das angestellt haben sollte –, dann hat er es von einem Menschen aus Fleisch und Blut, und die Liste der Personen mit Zugang zu *Dark Ages* ist sehr, sehr kurz.

»Nur aus dem Grund haben Sie sich auf dieses Treffen mit mir eingelassen«, sagt er. »Ihnen ist bewusst, … was das bedeutet.«

Ich nicke. »Es bedeutet, dass es einen Maulwurf im Weißen Haus gibt.«

25

Die Menge rings um uns bricht in Jubelschreie aus. Die Orgel dröhnt. Die Nationals laufen vom Feld. Jemand in unserer Reihe drängt sich an uns vorbei zum Gang. Ich beneide denjenigen darum, in diesem Moment keine andere Sorge zu haben, als pinkeln zu gehen oder sich am Imbissstand eine Tüte Nachos zu holen.

Mein Handy vibriert. Ich greife instinktiv in die Tasche, dann wird mir bewusst, dass ihn meine plötzliche Bewegung erschrecken könnte. »Mein Handy«, erkläre ich. »Es ist nur mein Handy. Nur eine Nachfrage, wie es mir geht.«

Augies Miene verdüstert sich. »Wer ist das?«

»Meine Stabschefin. Sie checkt nur, ob bei mir alles in Ordnung ist. Nichts weiter.« Augie weicht misstrauisch zurück. Doch ich frage ihn nicht um Erlaubnis. Wenn ich Carolyn nicht antworte, wird sie mit dem Schlimmsten rechnen. Und das hat Konsequenzen. Sie wird diesen Brief öffnen, den ich ihr gegeben habe.

Die erneute SMS kommt wie erwartet von **C. Brock**. Auch diesmal nur eine Ziffer: 4. Zur Antwort tippe ich **Stewart** und sende. Ich stecke mein Handy weg und sage: »Also, raus damit. Woher wissen Sie von *Dark Ages?*«

Er schüttelt den Kopf. So leicht macht er es mir nicht. Schon seine Partnerin wollte mir diese Information nicht geben, ebenso wenig er. Jedenfalls noch nicht. Es ist ein Druckmittel, das gibt er nicht aus der Hand. Nicht auszuschließen, dass es sein *einziges* Druckmittel ist.

»Ich muss es wissen«, sage ich.

»Nein, müssen Sie nicht. Sie *wollen* es wissen. Viel wichtiger ist, was Sie wirklich wissen *müssen*.«

Ich kann mir kaum etwas Wichtigeres vorstellen, als zu erfahren, ob jemand in meinem inneren Kreis unser Land verraten hat.

»Dann sagen Sie mir, was ich wissen muss.«

»Ihr Land wird nicht überleben.«

»Was soll das heißen?«, frage ich. »Wie das?«

Er zuckt mit den Achseln. »Ehrlich gesagt, ist es, wenn man darüber nachdenkt, eine schlichte Zwangsläufigkeit. Oder glauben Sie im Ernst, Sie könnten bis in alle Ewigkeit einen Nuklearschlag gegen die Vereinigten Staaten verhindern? Haben Sie *Lobgesang auf Leibowitz* gelesen?«

Ich schüttle den Kopf, suche in meinem Gedächtnis. Klingt irgendwie bekannt. Englisch an der Highschool.

»Oder *Die vier Generationen?*«, fährt er fort. »Eine faszinierende Auseinandersetzung mit der ... zyklischen Natur der Geschichte. Die Menschheit ist vorhersehbar. Regierungen misshandeln Menschen – ihr eigenes Volk und andere. Das war schon immer so und wird immer so sein. Das Volk reagiert. Ursache und Wirkung, wissen Sie? Das hat schon immer den Lauf der Geschichte ausgemacht, und daran wird sich nichts ändern.«

Er wedelt mit dem Zeigefinger. »Aber jetzt kommt's – der technologische Fortschritt hat es möglich gemacht, dass heute eine Einzelperson einen Vernichtungsschlag führen kann. Das verändert die Gleichung, nicht wahr? Die gegenseitige Androhung eines Vernichtungsschlags verliert ihre abschreckende Wirkung. Es ist nicht mehr nötig, Tausende oder gar Millionen anzuwerben. Für eine solche Bewegung braucht man keine Armee. Dazu genügt ein einziger Mensch, der entschlossen ist, das ganze System zu vernichten, willens, dafür zu sterben, immun gegen Nötigung und Verhandlung.«

Über uns kracht es zum ersten Mal am aufgewühlten Himmel. Donner, aber keine Blitze. Und noch kein Regen. Das Stadion ist bereits hell erleuchtet, der düstere Himmel bleibt fast unbemerkt.

Ich beuge mich dicht zu ihm vor, sehe ihm eindringlich in die Augen. »Soll das eine Geschichtsstunde werden? Oder reden wir hier von einer unmittelbaren Bedrohung?«

Er blinzelt. Schluckt so schwer, dass sein Adamsapfel auf und ab hüpft. »Einer unmittelbaren Bedrohung«, sagt er in verändertem Ton.

»Wie unmittelbar?«

»Es ist eine Sache von Stunden.«

Mir gefriert das Blut in den Adern.

»Womit genau haben wir es zu tun?«, frage ich.

»Das wissen Sie bereits.«

Natürlich weiß ich es, doch ich will es von ihm hören. Er bekommt nichts umsonst von mir.

»Spucken Sie's aus«, fordere ich.

»Das Virus«, sagt er, »das für einen Moment aufgetaucht ist« – er schnippt mit den Fingern –, »bevor es wieder verschwand. Der Grund für Ihren Anruf bei Suliman Cindoruk. Das Virus, das Sie nicht lokalisieren konnten. Das Virus, das Ihre Experten ratlos macht. Das Virus, das Ihnen eine Heidenangst bereitet. Das Virus, das Sie ohne uns niemals stoppen können.«

Ich blicke mich um, vergewissere mich, dass uns niemand zuhört. Niemand. »Stecken die Söhne des Dschihad dahinter?«, flüstere ich. »Suliman Cindoruk?«

»Ja, damit lagen Sie richtig.«

Ich schlucke schwer, kämpfe gegen den Kloß im Hals an. »Was will er?«

Augie blinzelt, scheint verwirrt. »Was *er* will?«

»Ja«, sage ich. »Suliman Cindoruk. Was will *er?*«

»Das weiß ich nicht.«

»Sie wissen –« Ich sacke auf meinen Sitz zurück. Welchen Sinn hat eine Lösegeldforderung, wenn man nicht weiß, was man fordert? Geld, einen Gefangenenaustausch, eine Begnadigung, einen Wechsel in der Außenpolitik – irgendetwas. Er ist hergekommen, um mir zu drohen und etwas von mir zu bekommen, weiß aber nicht, was er eigentlich will?

Vielleicht beschränkt sich seine Aufgabe darauf, mir zu drohen. Und später kommt jemand anders mit der Forderung. Kann sein, aber so kommt es mir nicht vor.

Und dann fällt bei mir der Groschen. Die Möglichkeit hatte ich immer im Hinterkopf, doch als ich die Szenarien für heute Abend durchgegangen bin, stand sie auf meiner Liste nicht besonders weit oben. »Sie kommen nicht im Auftrag von Suliman Cindoruk«, sage ich.

Er zuckt mit den Achseln. »Meine Interessen … decken sich nicht mehr mit Sulis, stimmt.«

»Früher schon. Sie waren selbst einmal bei den Söhnen des Dschihad.«

Er zieht die Oberlippe hoch, hat plötzlich Farbe im Gesicht, Feuer in den Augen. »Stimmt«, sagt er. »Aber nicht mehr.«

Seine Wut, diese emotionale Reaktion – seine Abneigung gegen die SdD oder ihren Anführer, ein Machtkampf vielleicht –, hebe ich mir für später auf, sie könnte mir noch nützlich sein.

Der Knall eines Schlägers gegen einen Ball. Die Leute springen auf und jubeln. Aus den Lautsprechern plärrt Musik. Jemand hat einen Homerun geschlagen. Ich habe das Gefühl, in diesem Moment Lichtjahre von einem Baseballspiel entfernt zu sein.

Ich breite die Hände aus. »Dann sagen Sie mir, was *Sie* wollen.«

Er schüttelt den Kopf. »Noch nicht.«

Ich spüre die ersten Tropfen auf den Händen. Ein leichter Schauer, nicht stark, ein Stöhnen geht durch die Reihen der Tribüne, doch keine Unruhe, noch versucht niemand, ins Trockene zu kommen.

»Wir gehen jetzt«, bestimmt Augie.

»Wir?«

»Ja, wir.«

Mir läuft ein Schauder den Rücken herunter. Dabei hatte ich mit der Möglichkeit gerechnet, dass bei diesem Treffen ein Ortswechsel vorgesehen ist. Es ist nicht sicher, doch das traf auch schon auf diese Verabredung im Stadion zu. Nichts an der ganzen Sache ist sicher.

»Also gut«, erwidere ich und stehe auf.

»Ihr Handy«, sagt er. »Halten Sie es in der Hand.«

Ich sehe ihn fragend an.

Auch er erhebt sich von seinem Platz und nickt. »Sie werden es gleich verstehen«, sagt er nur.

26

Atmen. Entspannen. Zielen. Abdrücken.

Bach liegt auf dem Dach, ihr Atem ist regelmäßig, ihre Nerven ruhig, ihr Blick durch das Zielfernrohr auf den Eingang zum linken Außenfeld gerichtet. Sie ruft sich die Worte von Ranko, ihrem ersten Lehrer, in Erinnerung, muss an den Zahnstocher denken, der ihm immer aus dem Mundwinkel ragte, an sein feuerrotes, strunkartig abstehendes Haar – *eine Vogelscheuche, deren Haare in Flammen stehen,* wie er sich selbst einmal beschrieben hat.

Füße nach außen gedreht, die Fersen flach auf dem Boden. Bring deinen Körper in eine Linie mit der Waffe. Stell dir das Gewehr als Verlängerung deines Körpers vor. Ziele mit deinem Körper, nicht mit der Waffe.

Nicht rühren.

Wähle deinen Zielpunkt, nicht deine Zielperson.

Zieh den Abzug gerade zurück. Dein Zeigefinger ist von der übrigen Hand losgelöst.

Nein, nein – du hast an der Waffe geruckelt. Halte die übrige Hand still. Du atmest nicht. Atme normal.

Atmen. Entspannen. Zielen. Abdrücken.

Ihr fällt der erste Regentropfen in den Nacken. Der Regen könnte das Geschehen stark beschleunigen. Sie hebt den Kopf und überprüft ihre Teams durchs Fernglas.

Team eins nördlich des Ausgangs, drei Männer, die die Köpfe zusammenstecken, miteinander reden und lachen, allem Anschein nach nichts weiter als drei Freunde, die sich auf der Straße treffen und schwatzen.

Team zwei südlich des Ausgangs, die sich genauso verhalten wie die drei anderen.

Direkt vor und unter ihr, auf der dem Stadion gegenüberliegenden Straßenseite, außerhalb ihres Blickfelds, müsste Team drei, ebenfalls in harmloser Pose, bereitstehen, um gegebenenfalls eine Flucht in ihre Richtung zu vereiteln.

Der Ausgang ist somit umstellt, die Trupps rings um das Ziel postiert, um es wie eine Boa constrictor von allen Seiten einzukreisen.

»Er verlässt seinen Platz.«

Als sie diese Worte im Ohr hört, setzt ihr Herz für eine Sekunde aus, dann pumpt es Adrenalin durch ihren ganzen Körper.

Atmen.

Entspannen.

Alles geschieht im Zeitlupentempo. Langsam. Sachte.

Es wird nicht so reibungslos ablaufen wie geplant. Tut es nie. Ein Teil von ihr, die Kämpferin in ihr, begrüßt die Herausforderung, sich ohne Vorwarnung auf eine neue Situation einzustellen.

»Bewegt sich Richtung Ausgang«, meldet die Stimme in ihrem Ohr.

»Team eins und Team zwei los«, befiehlt sie. »Team drei bereithalten.«

»Team eins unterwegs«, kommt die Bestätigung.

»Team zwei unterwegs.«

»Team drei bereit.«

Sie legt das Auge wieder an das Zielfernrohr ihres Gewehrs.

Sie atmet.

Sie entspannt.

Sie zielt.

Sie krümmt den Finger um den Abzug, bereit, abzudrücken.

27

Augie und ich begeben uns zum Ausgang am linken Außenfeld, zu dem ich auch hereingekommen bin, und wie angewiesen, halte ich mein Smartphone in der Hand. Eine Handvoll Zuschauer hat das Spiel bereits bei den ersten Regentropfen verloren gegeben, doch die meisten der über dreißigtausend Besucher harren vorerst treu aus, sodass wir nicht in einer Menschenmenge untergehen, was mir lieber gewesen wäre. Doch das liegt nicht in meiner Hand.

Von Augies Selbstsicherheit und Nonchalance ist nichts mehr zu spüren. Je näher wir dem Ausgang kommen und dem, was uns dort vielleicht erwartet, desto nervöser wird er; hektisch blickt er sich in alle Richtungen um, scheinbar grundlos zucken seine Finger. Er schaut ständig auf sein Telefon, vielleicht nur, um zu sehen, wie spät es ist, vielleicht auch, weil er eine SMS erwartet, doch er hält die Hände schützend um das Display, ich kann also nur raten.

Wir erreichen den Eingang. Noch innerhalb der Mauernische bleibt er stehen, dann, außerhalb des Stadions, mit freiem Blick auf die Capitol Street, doch immer noch im Schutz der Mauer, ein zweites Mal. Das Stadion zu verlassen, ist offenbar ein gewichtiger Schritt für ihn. Er scheint sich in der Menge sicher zu fühlen.

Ich blicke zum Himmel, inzwischen pechschwarz, und bekomme einen Tropfen auf die Wange.

Augie holt Luft und nickt. »Jetzt«, sagt er.

Er verlässt den ummauerten Bereich und tritt auf den Bürgersteig. Hier sind einige Leute unterwegs, doch in überschaubarer Zahl. Rechts von uns, in nördlicher Richtung, parkt ein großer Transporter an der Bordsteinkante. Daneben legen ein paar verschwitzte Müllmänner unter einer Straßenlaterne eine Zigarettenpause ein. Links von uns, im Süden, steht ein leerer Streifenwagen der Washingtoner Polizei am Straßenrand.

In diesem Moment fährt direkt hinter der Streife ein Kleinlaster heran und hält etwa zehn Meter von uns entfernt.

Augie späht, so scheint es, hinüber und versucht, den Fahrer zu erkennen. Ich folge seinem Blick. Schwer, Einzelheiten auszumachen, dennoch ist die Gestalt, mit den Umrissen der mageren Schultern, den scharfen Konturen ihres Gesichts, unverwechselbar. Augies Partnerin, die Princeton-Frau, »Nina«.

Scheinbar zur Antwort auf seinen suchenden Blick blinkt der Lieferwagen zweimal mit dem Fernlicht. Dann wird das Licht ganz ausgeschaltet.

Augie senkt den Kopf über sein Smartphone, das unter dem Tippen seiner Finger aufleuchtet. Dann hört er auf, hebt den Kopf und wartet.

Für einen Moment steht er still. Alles steht still.

Irgendeine Art Signal, überlege ich. *Gleich passiert etwas.*

Mein letzter Gedanke, bevor es ringsum schwarz wird.

28

»Ich, Katherine Emerson Brandt, ... schwöre feierlich ... dass ich das Amt der Präsidentin der Vereinigten Staaten ... und die Verfassung der Vereinigten Staaten ... nach besten Kräften ... bewahren, schützen und verteidigen werde.«

Kathy Brandt streicht sich in der Privatresidenz der Vizepräsidentin im Badezimmerspiegel die Jacke glatt.

Es ist nicht leicht gewesen, Vizepräsidentin zu sein, auch wenn sie natürlich weiß, dass jede Menge Menschen auf der Stelle mit ihr tauschen würden. Doch wie viele von diesen Menschen hatten die Nominierung schon fast in der Tasche und mussten dann zusehen, wie sie ihnen ein auf seine raubeinige Weise gut aussehender Kriegsheld mit Schlagfertigkeit und Humor vor der Nase wegschnappt?

In der Nacht zum Super-Dienstag, in der Texas und Georgia als letzte Staaten zu Duncan umschwenkten, schwor sie sich, nicht einzuknicken, ihn nicht zu unterstützen, sich nicht hinter ihn zu stellen.

Um am Ende genau das zu tun.

Jetzt lebt sie wie ein Parasit von ihrem Wirt. Macht er einen Fehler, muss auch *sie* dafür geradestehen. Und als wäre das nicht genug, ihn auch noch rechtfertigen.

Tut sie das nicht, geht sie auf Distanz und kritisiert den Präsidenten, verhält sie sich illoyal. Die Kritiker werden sie sowieso in einen Topf mit Duncan werfen, und ihre Anhänger wird sie damit verprellen, nicht zu ihrem Präsidenten gestanden zu haben.

Es ist ein Balanceakt.

»Ich, Katherine Emerson Brandt, ... schwöre feierlich –«

Ihr Handy klingelt. Reflexartig greift sie nach ihrem Arbeitshandy auf dem Toilettentisch, obwohl sie am Klingelton erkennt, dass es ihr anderes Smartphone ist.

Ihr persönliches.

Sie geht ins Schlafzimmer und nimmt das Telefon vom Nachttisch. Sie sieht die Anruferkennung. Nervös zuckt sie zusammen.

Es ist so weit, denkt sie und nimmt den Anruf entgegen.

29

Schwarz, alles schwarz. Hinter mir im Stadion erhebt sich ein vielstimmiges Geschrei, als bei dem plötzlichen Stromausfall alles ins Dunkel stürzt, so weit das Auge reicht, erlischt das Licht der Straßenlampen, der Verkehrsampeln und in sämtlichen Gebäuden. Die Scheinwerfer der vorüberfahrenden Autos auf der Capitol Street werfen Lichthöfe wie Spotlights, die über eine Bühne schwenken, während Handys wie Leuchtkäfer in der Dunkelheit tanzen.

»Benutzen Sie Ihr Telefon«, sagt Augie in fieberhaftem Ton und schlägt mir dabei auf den Arm. »Schnell, kommen Sie!«

In schwarze Nacht gehüllt, hasten wir beim schwachen Schein unserer vor uns ausgestreckten Handys zu Ninas Lieferwagen.

Sowie sich die hydraulische Schiebetür für uns öffnet, geht im Wageninnern eine Lampe an. Jetzt zeichnen sich die Züge der Princeton-Frau, das fein geschnittene, fast abgemagerte Gesicht, die ängstlich gefurchten Augenbrauen und die ums Lenkrad gekrallten Hände scharf von der schwarzen Umgebung ab. Sie scheint uns etwas zu sagen, mahnt uns wahrscheinlich zur Eile –

– als plötzlich die Scheibe auf der Fahrerseite zerspringt, die linke Hälfte ihres Gesichts explodiert und Blut, Gewebe und Hirnmasse an die Windschutzscheibe spritzen.

Sie ist angeschnallt, nur ihr Kopf baumelt nach rechts. Ihr Mund ist noch leicht geöffnet, dicht neben einem blutigen Krater in ihrer linken Schädelhälfte starren ihre Rehaugen ins Leere. Ein verängstigtes, unschuldiges Kind, mit einem brutalen Schlag zum Schweigen gebracht und nun plötzlich nicht mehr verängstigt, sondern in Frieden –

Unter feindlichem Feuer flach auf den Boden oder in die Hocke, bis es vorüber ist.

»N – nein – nein!«, schreit Augie.

Augie.

Ich bin schlagartig hellwach, packe ihn an den Schultern und reiße ihn weg, sodass wir gegen die Polizeistreife nördlich des Lieferwagens prallen und übereinander auf dem Bürgersteig landen. Von allen Seiten geht pfeifend ein Kugelhagel nieder und reißt in winzigen Explosionen den Straßenbelag auf. Die Fenster des Streifenwagens bersten, Glassplitter prasseln auf uns herab. Von der Stadionwand sprüht es Gesteinsbröckchen und Staub.

Das Getöse der Schreie, der quietschenden Reifen, des wilden Hupkonzerts ringsum, das alles wird vom Hämmern in meinem Kopf übertönt, meinem rasenden Puls. Der Streifenwagen sackt unter dem ungebremsten Trommelfeuer ein.

Ich drücke Augie flach auf den Bürgersteig und taste nach seinem Hosenbein, nach der Waffe im Holster an seinem Knöchel. Durch den Adrenalinstoß dringt das dumpfe Pochen zwischen meinen Ohren, im Gefecht immer gegenwärtig. Das verlässt einen Veteranen nie.

Die Glock ist um einiges leichter als die Beretta, an der ich ausgebildet wurde, griffiger und, wie ich mir habe sagen lassen, zielsicherer, doch mit Waffen ist es wie mit Autos – man weiß, dass auch ein unbekanntes Fabrikat über Scheinwerfer, Anlasser und Scheibenwischer verfügt, dennoch braucht man einen Moment, um alles zu finden. Und so vertue ich wertvolle Sekunden damit, mich mit der Waffe vertraut zu machen, bevor ich bereit bin zu zielen und abzufeuern –

Südlich von uns reicht der Lichtschein von der Seitentür des Lieferwagens bis über den Bürgersteig. Aus der Dunkelheit rennen drei Männer in mein Blickfeld, die auf uns zuhalten. Einer von ihnen, breit und muskulös, führt die anderen beiden an und stürzt im Licht des Transporters, eine nach unten gerichtete Waffe mit beiden Händen gepackt, auf mich zu.

Ich ziele auf die Brust und gebe zwei Schüsse ab. Er stolpert und fällt nach vorn. Die anderen beiden, die ich nicht sehen kann, ziehen sich ins Dunkel zurück. Wo sind sie? Wie viele Kugeln habe ich noch? Kommen womöglich noch andere aus weiteren Richtungen hinzu? Ist das hier ein Zehn-Schuss-Magazin? Wo sind die beiden Männer der Südseite geblieben?

Ich drehe mich nach links, als das Dach des Streifenwagens, mit wiederholtem, dumpfem Knall, zwei Schüsse abbekommt – *fump-fump* –, und bedecke Augie mit meinem ganzen Körper. Ich fahre mit dem Kopf blitzschnell herum und suche die Dunkelheit ab, während im Bürgersteig weitere Schüsse einschlagen. Der Scharfschütze probiert jeden Winkel aus, um uns zu erwischen, doch vergeblich. Solange wir im Schutz des Wagens am Boden bleiben, kann uns der Scharfschütze, wo immer er sein mag, nicht treffen. Andererseits sind wir ihm hier auf Dauer wehrlos ausgeliefert.

Augie versucht, aufzustehen. »Wir müssen hier weg, wir müssen weg –«

»Bleiben Sie unten!«, brülle ich und drücke ihn flach auf den Boden. »Wenn wir wegrennen, sind wir tot.«

Augie hält still; ich ebenfalls in unserem schützenden toten Winkel. Der Lärm aus dem Stadion, das totale Chaos nach dem Stromausfall, die quietschenden Reifen, das wütende Hupen, all das hält unvermindert an, doch auf den Streifenwagen prasseln keine Kugeln mehr nieder.

Ebenso wenig auf das Pflaster.

Und die Stadionwand uns gegenüber.

Der Scharfschütze hat sein Feuer eingestellt. Er schießt nicht mehr, weil – ich wirble nach rechts herum und sehe im Lichtkegel der Deckenleuchte im Wagen, wie ein Mann, in Schulterhöhe eine Waffe im Anschlag, um die Fahrerseite herumkommt. Ich drücke einmal, zweimal, dreimal ab, als auch aus seiner Waffe Licht explodiert und im Schusswechsel Kugeln von der Kühlerhaube des Streifenwagens abprallen, doch ich genieße in meiner Position den Schutz der Dunkelheit, er dagegen steht im Licht. Während mir mein Herzschlag wie eine Schockwelle durch den Körper pulsiert, riskiere ich einen weiteren Blick über die Motorhaube: von dem Schützen keine Spur, ebenso wenig vom dritten Mitglied der südlichen Gruppe.

Dann sind plötzlich quietschende Bremsen zu hören, kurz darauf die Rufe von Männern, Stimmen, die ich wiedererkenne, vertraute Worte –

»Secret Service! Secret Service!« Ich lasse meine Waffe sinken, und schon sind sie da und umstellen mich; während sie mit ihren automatischen Waffen in alle Richtungen zielen, packt mich einer unter den Armen und hebt mich hoch. Ich versuche noch, »Scharfschütze« zu sagen, doch ich bin nicht sicher, ob sie es hören können oder ob ich es nur denke, statt es auszusprechen. Unter lauten Rufen: »Weg! Weg! Weg!« zerren sie mich zu einem wartenden Fahrzeug, von allen Seiten durch Leute abgeschirmt, darauf trainiert, mich mit ihrem Leben zu beschützen –

Und dann auf einmal grelles Licht, ein lautes Brummen, und überall ist es blendend hell, wie der Strahl einer Taschenlampe in meinem Gesicht. Der Strom ist wieder da.

Ich höre, wie ich »Augie« sage, und »Bringen Sie ihn her«, dann knallt die Tür zu, ich liege im Wagen und – »Weg! Weg! Weg!« – rasen wir über den holprigen Boden des grasbewachsenen Mittelstreifens der Capitol Street davon.

»Sind Sie getroffen?« Hektisch tastet mich Alex Trimble von oben bis unten nach Verwundungen ab.

»Nein«, antworte ich, doch er will sich selbst davon überzeugen, streicht mir mit den Händen über Brust und Bauch, dreht mich unsanft auf die Seite und untersucht mich an Rücken, Hals und Kopf, zuletzt an den Beinen.

»Er ist nicht getroffen«, ruft Alex.

»Augie«, sage ich. »Der Junge.«

»Wir haben ihn, Mr President. Er ist in dem Wagen hinter uns.«

»Die erschossene Frau … holen Sie die auch.«

Er stöhnt leise und blickt aus der Heckscheibe, während sein Adrenalinspiegel langsam niedriger wird. »Das kann die städtische Polizei – «

»Nein, Alex«, erwidere ich. »Nein. Das Mädchen … ist tot. Kriegen Sie die Tote in Ihren Gewahrsam … egal … egal, was Sie der Polizei erzählen müssen …«

»Ja, Sir.« Alex ruft dem Fahrer etwas zu. Ich versuche zu verarbeiten, was gerade geschehen ist. Die Punkte sind da, wie Sterne über die Galaxie verstreut, doch ich kann sie nicht verbinden, im Moment jedenfalls noch nicht.

Mein Telefon klingelt. Ich finde es im Fußraum im Fond. Carolyn. Es kann nur Carolyn sein.

»Ich brauche … das Handy«, sage ich zu Alex.

Er hebt es auf und drückt es mir in die immer noch zitternde Hand. Die Zahl, die mir Carolyn simst, ist 1. Ich bin im Moment noch zu durcheinander, um mich an den Namen meiner Lehrerin im ersten Schuljahr zu erinnern. Ich sehe sie vor mir. Sie war groß, mit einer Höckernase …

Ich muss mich erinnern. Ich muss ihr antworten. Wenn nicht – Richards. Nein, Richardson, Mrs Richardson.

Das Handy gleitet mir aus der Hand. So, wie ich bebe, kann ich es nicht halten, geschweige denn, etwas eintippen. Ich sage Alex, was er schreiben soll, und er tut es für mich.

»Ich will … mit Augie im selben Wagen fahren«, verlange ich. »Mit dem … Mann, mit dem ich zusammen war.«

»Wir bringen Sie im Weißen Haus zusammen, Mr President, und wir können –«

»Nein«, widerspreche ich. »Nein.«

»Nein was, Sir?«

»Wir fahren nicht zurück … wir fahren nicht zum Weißen Haus«, sage ich.

30

Wir halten nicht an, bis wir auf dem Highway sind, dann erst weise ich Alex an, die nächstbeste Ausfahrt zu nehmen. Inzwischen hat der Himmel seine Schleusen geöffnet, und der Regen peitscht gnadenlos auf die Windschutzscheibe, während die Scheibenwischer in hektischem Takt hin- und herfliegen, synchron mit meinem immer noch rasenden Puls.

Alex Trimble blafft am Smartphone jemanden an, während er mich nicht aus den Augen lässt, um sich zu vergewissern, dass ich keinen Schock erlitten habe. Schock ist das falsche Wort. Jedes Mal, wenn ich die Ereignisse der letzten Minuten

Revue passieren lasse, überschwemmt mich eine Woge Adrenalin und verebbt, sobald ich mir klarmache, dass ich in einem gepanzerten SUV in Sicherheit bin, um im nächsten Moment mit doppelter Kraft zurückzukehren und meinen Körper zu überrollen.

Solange ich nicht tot bin, bin ich noch am Leben. Das war mein Refrain in der Kriegsgefangenschaft, wenn in meiner fensterlosen Zelle die Tage mit den Nächten verschwammen, wenn sie mir das Handtuch ums Gesicht legten und Wasser darübergossen, wenn sie die Hunde zum Einsatz brachten, wenn sie mir die Augen verbanden, ein Gebet sprachen und mir die Waffe an die Schläfe drückten.

Ich bin nicht nur noch so gerade eben am Leben. Ich bin am Leben, basta, und werde plötzlich von einer Euphorie erfüllt, so elektrisierend, dass sich alle meine Sinne schärfen, dass ich den Duft der Ledersitze rieche, den Geschmack der Galle im Mund schmecke und spüre, wie mir der Schweiß das Gesicht hinunterläuft. »Mehr darf ich Ihnen nicht preisgeben«, sagt Alex in sein Handy zu jemandem von der Polizei, indem er seine höhere Führungsebene ausspielt oder es zumindest versucht. Es wird nicht leicht sein. Da wird es viel Erklärungsbedarf geben. Mit den Kratern im Bürgersteig, der von Einschüssen übersäten Ostwand des Nationals-Park-Stadions, dem vom Kugelhagel durchsiebten Streifenwagen, den Glassplittern auf dem Asphalt wird die Capitol Street wie ein Kriegsschauplatz aussehen. Und mit den Leichen. Mindestens drei sind es – der Kraftprotz, der auf mich zugerannt kam, der zweite Mann aus seinem Team, der versucht hat, sich um den Transporter herumzuschleichen, und »Nina«.

Ich packe Alex an seinem stämmigen Arm. Er dreht sich zu mir um und sagt ins Telefon: »Ich rufe Sie zurück«, bevor er die Verbindung trennt.

»Wie viele Tote?«, frage ich und befürchte das Schlimmste – dass im Kugelhagel des Scharfschützen oder seiner Komplizen Unschuldige getroffen wurden.

»Nur das Mädchen im Transporter, Sir.«

»Was ist mit den Männern? Es waren zwei von ihnen.«

Er schüttelt den Kopf. »Die sind verschwunden, Sir. Die anderen, die zu ihnen gehörten, müssen sie mitgenommen haben. Das war ein gut abgestimmter Einsatz.«

Keine Frage. Ein Scharfschütze und mindestens drei Mann am Boden.

Und doch bin ich noch am Leben.

»Wir haben gerade das Mädchen am Tatort geborgen, Sir. Wir haben der Polizei erklärt, es handle sich um geheimdienstliche Ermittlungen wegen organisierten Betrugs.«

Das war clever. Und nicht leicht zu verkaufen – Ermittlungen wegen Wirtschaftsbetrugs, die vor einem Baseballstadion in einem blutigen Schusswechsel enden –, doch Alex hatte nicht viele Optionen.

»Ich denke mal, das war eine glaubhaftere Erklärung, als denen zu sagen, der Präsident habe sich heimlich zu einem Baseballspiel geschlichen und sei nur knapp einem Attentat entronnen.«

»Der Gedanke war mir auch gekommen, Sir«, sagt Alex mit ungerührter Miene.

Ich sehe ihm forschend in die Augen. Er straft mich mit seinem Blick. Ohne es auszusprechen, sagt er mir, so etwas käme dabei heraus, wenn ein Präsident seinen Sicherheitsdienst abschüttelt.

»Der Stromausfall hat geholfen«, wechselt er das Thema und lässt mich vom Haken. »Und der Lärm im Stadion. Da war die Hölle los. Und jetzt schüttet es auch noch wie aus Eimern, das heißt, dreißig-, vierzigtausend Menschen drängen aus dem Stadion, während die Polizei versucht, herauszufinden, was zum Teufel da passiert ist, und tatenlos zusehen muss, wie ihnen im Regen sämtliche forensischen Spuren den Bach runtergehen.«

Er hat recht. In diesem Fall erweist sich das Chaos als ein Segen. Natürlich werden sich die Medien darauf stürzen, doch das meiste ist im Stockdunklen passiert, und das Übrige wird das Finanzministerium als eine offizielle Ermittlung unter den Teppich kehren. Ob es funktionieren wird? Wäre zu hoffen.

»Sie sind mir gefolgt«, sage ich ihm auf den Kopf zu.

Er zuckt mit den Achseln. »Das trifft es nicht genau, Sir. Als die Frau ins Weiße Haus kam, haben wir sie gefilzt.«

»Und den Umschlag durchleuchtet.«

»Versteht sich.«

Richtig. Darin war eine Eintrittskarte für das heutige Spiel im Nationals Park zu sehen. Ich war so durcheinander, dass ich nicht darauf gekommen bin.

Alex sieht mich an und gibt mir Gelegenheit, ihm einen Rüffel zu erteilen. Aber es ist schwer, den Mann zusammenzustauchen, der einem gerade das Leben gerettet hat.

»Danke, Alex«, sage ich. »Und missachten Sie nie wieder meine Anweisungen.«

Wir haben inzwischen den Highway verlassen und fahren langsam auf einen offenen Platz, einen riesigen Parkplatz, um diese nächtliche Zeit einsam und verlassen. Durch die Regenwand kann ich kaum unseren zweiten Wagen erkennen. Ich kann so gut wie nichts erkennen.

»Bringen Sie Augie her«, sage ich.

»Er ist eine Bedrohung, Sir.«

»Nein, ist er nicht.« Zumindest nicht in Alex' Sinne.

»Das können Sie nicht wissen, Sir. Es könnte seine Aufgabe gewesen sein, Sie aus dem Stadion zu bringen –«

»Hätte der Anschlag mir gegolten Alex, wäre ich jetzt tot. Augie selbst hätte mich töten können. Und der Scharfschütze hat zuerst Nina erschossen. Ich vermute, Augie war das zweite Zielobjekt, nicht ich.«

»Mr President, es gehört zu meinem Job, davon auszugehen, dass der Anschlag Ihnen galt.«

»Na schön. Legen Sie ihm Handschellen an, wenn Sie unbedingt müssen. Stecken Sie ihn in eine Zwangsjacke, jedenfalls fährt er mit mir.«

»Er ist bereits in Handschellen, Sir. Er ist sehr … aufgebracht.« Alex überlegt einen Moment. »Sir, vielleicht ist es das Beste, wenn ich im zweiten Wagen folge, ich muss mich darüber auf dem Laufenden halten, was im Stadion los ist. Die städtische Polizei verlangt Erklärungen.«

Und nur er kann die Gemüter beruhigen. Nur er weiß, was er sagen soll und was nicht.

»Jacobson fährt bei Ihnen mit, Sir.«

»Einverstanden«, sage ich. »Und jetzt schaffen Sie Augie her.«

Er spricht ins Funkgerät an seiner Jacke. Kurz darauf öffnet er mit einiger Mühe die seitliche Tür des SUV, sodass der Wind hereinpeitscht und mit dem Wind der Regen und keinen von uns verschont.

Die Agenten tauschen ihre Plätze. Kurz darauf springt Jacobson, Alex' zweiter Mann, in den Wagen. Jacobson ist kleiner als Alex, schlank und durchtrainiert und von nie ermüdender Wachsamkeit. Als er sich neben mich setzt, bekomme ich von seinem Windbreaker einen Sprühregen ins Gesicht.

»Mr President«, sagt er in seiner kurz angebundenen, nüchternen Art, dann späht er, während er die Tür zuzieht, mit Argusaugen in die Dunkelheit, jederzeit sprungbereit.

Und ist im nächsten Moment wieder draußen, um mit einem anderen Agenten die Übernahme abzuwickeln. Augies Kopf erscheint in der Tür, dann landet, mit einem unsanften Schubs von Jacobson, sein übriger Körper auf einem der Sitze im Fond mir gegenüber. Augie sind die Hände vorne gefesselt. Sein dicksträhniges Haar hängt ihm nass ins Gesicht.

»Sie sitzen hier und rühren sich nicht, verstanden?«, herrscht Jacobson ihn an. »Verstanden?«

Augie versucht, um sich zu schlagen, und bäumt sich gegen den Sitzgurt auf, mit dem Jacobson ihn festgeschnallt hat.

»Er hat verstanden«, sage ich. Jacobson nimmt neben mir Platz – auf der Sitzkante, auf den Zehenballen.

Erst jetzt sieht mir Augie, soweit ich sie unter seinem bis zu den Wangen hängenden Haar ausmachen kann, in die Augen.

Wahrscheinlich hat er geweint, wenngleich sein Gesicht auch vom Regen durchnässt ist. Zitternd vor Wut, funkelt er mich an.

»Ihr habt sie umgebracht!«, faucht er. »Ihr habt sie umgebracht!«

»Augie«, sage ich bedächtig, um ihn mit meinem Tonfall zu beruhigen, »das ergibt doch keinen Sinn. Das Ganze war Ihr Plan, nicht meiner.«

Er verzieht das Gesicht zu einer Grimasse, dann flennt er Rotz und Wasser. So wie er sich aufbäumt und sich gegen Gurt und Handschellen wehrt, wie er stöhnt und flucht und heult, könnte er ein Schauspieler sein, der einen Irren mimt, nur dass seine Qualen echt sind und nicht Ausdruck eines verwirrten Geisteszustands.

Es würde nichts bringen, ihm in diesem Zustand gut zuzureden. Er muss es erst herauslassen.

Der Wagen setzt sich wieder in Bewegung, zum Highway zurück, zu unserem Reiseziel. Bis wir da sind, ist es noch eine lange Fahrt.

Eine ganze Zeit lang fahren wir schweigend, nur Augie, gefesselt, abwechselnd auf Englisch und in seiner Muttersprache vor sich hin murmelnd, gibt Schmerzenslaute von sich, schluchzt und ringt nach Atem. Unterdessen nutze ich die nächsten Minuten, um über alles nachzudenken und mir einen Reim darauf zu machen, was gerade passiert ist. Ich frage mich: Warum bin ich noch am Leben? Weshalb wurde das Mädchen als Erste getötet? Und wer hat diese Leute geschickt?

In diese Gedanken vertieft, merke ich plötzlich, dass im Wagen Stille eingetreten ist. Augie sieht mich an und geduldet sich, bis ich es bemerke.

»Sie erwarten von mir«, sagt er mit stockender Stimme, »nach dem, was passiert ist, erwarten Sie, dass ich Ihnen helfe, ja?«

31

Den Trenchcoat bis unters Kinn zugeknöpft, den Matchbeutel geschultert, verschwindet Bach leise durch den Hintereingang des Gebäudes und hält sich unter dem prasselnden Regen den Schirm dicht über den Kopf. Als sie auf die Straße tritt, heulen die Sirenen von den Polizeifahrzeugen, die, eine Straße weiter, auf der Capitol Street, zum Stadion rasen.

Ranko, ihr erster Mentor, die rothaarige Vogelscheuche, der serbische Soldat, der nach dem brutalen Mord seiner Männer an ihrem Vater Mitleid mit ihr hatte und sie unter seine Fittiche (und unter seinen Körper) nahm – Ranko hat ihr zwar das Schießen beigebracht, aber nichts über einen gelungenen Rückzug. Ein serbischer Scharfschütze hatte das nicht nötig, er brauchte nie vom Trebević herunterzusteigen, von dem aus er während des Krieges nach Belieben auf Zivilisten und Ziele des gegnerischen Militärs schoss, während seine Armee Sarajevo wie eine Python in den Würgegriff nahm.

Nein, über Rückzüge hat sie sich alles selbst beigebracht; sie hat ihre Fluchtwege und heimlichen Beutezüge geplant, wenn sie in den Gassen zwischen den Häusern oder in den Müllcontainern auf dem Markt nach Essen suchte. Sie hat gelernt, Landminen auszuweichen, das Gelände nach Heckenschützen abzusuchen, bei Nacht auf die stets präsente Bedrohung von Mörserbeschuss zu hören, wie auch auf das feierabendliche Geplauder der Soldaten, die sich an keine Dienstvorschriften hielten, wenn sie auf der Straße ein junges bosnisches Mädchen entdeckten.

Manchmal war Bach bei ihren Streifzügen nach Brot, Reis oder Brennholz schnell genug, um den Soldaten zu entkommen. Manchmal nicht.

»*Wir haben zwei Eintrittskarten übrig*«, meldet eine Männerstimme durch ihren Ohrhörer.

Zwei Eintrittskarten – zwei Männer verwundet.

»Können Sie sie mit nach Hause bringen?«, fragt sie.

»Wir haben keine Zeit. Sie brauchen dringend medizinische Hilfe«, meint er.

»Am besten zu Hause« antwortet sie. »Dann bis gleich daheim.«

Eigentlich sollten sie selbst wissen, dass es zu ihrem Rückzugspunkt keine Alternative gibt. Sie sind in Panik, können nicht mehr klar denken. Wahrscheinlich, weil der Secret Service aufgetaucht ist. Vielleicht auch wegen des Blackout – ein beeindruckendes taktisches Manöver, wie sie zugeben muss. Natürlich war sie darauf eingestellt, ihr Zielfernrohr auf Nachtsicht umzuschalten, doch die Teams vor Ort hat es offensichtlich stärker beeinträchtigt.

Sie nimmt den Ohrhörer heraus und verstaut ihn in der rechten Tasche ihres Trenchcoats.

Sie greift in die linke Tasche und steckt sich einen anderen Hörer ins Ohr.

»Das Spiel ist noch nicht vorbei«, sagt Bach. »Sie fahren nach Norden.«

32

»Das waren … Ihre Leute«, sagt Augie mit immer noch bebender Brust. Seine Augen sind vom Weinen so rot und verquollen, dass er kaum wiederzuerkennen ist. Er sieht aus wie der Junge, der er auch ist.

»Nicht meine Leute haben Ihre Freundin erschossen, Augie«, sage ich und versuche, ihm Mitgefühl zu zeigen, vor allem aber, ihn zu beruhigen, damit er wieder klar denken kann. »Wer auch immer sie erschossen hat, der hat auch auf *uns* geschossen. Meinen Leuten verdanken wir, dass wir jetzt sicher und wohlbehalten in diesem SUV sitzen.«

Seine Tränen fließen ungehindert weiter. Auch wenn ich nichts Genaueres über seine Beziehung zu Nina weiß, ist sein Schmerz offensichtlich nicht nur der Angst geschuldet. Wer auch immer dieses Mädchen war, sie hat ihm nahegestanden.

Sosehr ich seine Trauer auch nachempfinden kann: Ich habe keine Zeit für solche Gefühle. Ich muss im Auge behalten, was auf dem Spiel steht. Ich habe dreihundert Millionen Menschen zu beschützen. Folglich muss es mir einzig und allein darum gehen, seine Emotionen zu meinem Vorteil zu nutzen.

Denn die Situation könnte schnell aus dem Ruder laufen. Wenn ich glaube, was Nina mir im Oval Office gesagt hat, dann haben sie und Augie ihr Wissen zwischen sich aufgeteilt, in verschiedene Teile des Puzzles. Und jetzt ist sie tot. Falls ich jetzt auch noch Augie verliere – falls er mir gegenüber dichtmacht –, habe ich gar nichts in der Hand.

Der Fahrer, Agent Davis, konzentriert sich bei diesem tückischen Wetter schweigend auf die Straße. Auf dem Beifahrersitz zieht Agent Ontiveros das Funkgerät aus dem Armaturenbrett und spricht leise hinein.

Jacobson neben mir im Fond hat einen Finger am Ohrhörer und nimmt angespannt die neuesten Meldungen von Alex Trimble im anderen Wagen entgegen.

»Mr President«, sagt Jacobson. »Wir haben den Transporter, den sie gefahren hat, beschlagnahmt. Das heißt, sie und der Wagen wurden vom Tatort entfernt. Bleibt also nur noch ein zerschmetterter Bürgersteig und ein zerlöcherter Streifenwagen der städtischen Polizei. Und eine Menge Cops, die stinksauer sind«, fügt er hinzu.

Ich lehne mich zu Jacobson hinüber, sodass nur er mich hören kann. »Halten Sie die Leiche der Frau und den Wagen unter Bewachung. Wissen wir, wie wir eine Leiche aufbewahren können?«

Er nickt nur kurz. »Wir finden eine Möglichkeit, Sir.«

»Das bleibt beim Secret Service, streng vertraulich.«

»Verstanden, Sir.«

»Und jetzt geben Sie mir den Schlüssel zu Augies Handschellen.«

Jacobson fährt zurück. »Sir?«

Ich wiederhole mich nicht. Das hat ein Präsident nicht nötig. Ein Blick in seine Augen genügt.

Jacobson war, so wie ich vor langer Zeit, bei einer Spezialeinheit, doch da enden unsere Gemeinsamkeiten. Seine Intensität ist nicht so sehr Ausdruck von Disziplin oder Ergebenheit als vielmehr eine Lebensweise. Er scheint es nicht anders zu kennen. Er ist der Typ, der morgens aus dem Bett springt, hundert Liegestütze und Crunches macht und auch noch Spaß daran hat. Er ist ein Soldat auf der Suche nach einem Krieg, ein Held mit der Sehnsucht nach einem heroischen Moment.

Er händigt mir den Schlüssel aus. »Mr President, vielleicht sollte ich das besser übernehmen.«

»Nein.«

Ich zeige Augie den Schlüssel, so wie man einem verwundeten Tier behutsam erst einmal eine Hand hinhält, bevor man es berührt. Auch wenn wir miteinander eine traumatische Erfahrung hinter uns haben, ist mir Augie immer noch ein Rätsel. Ich weiß nicht mehr über ihn, als dass er einmal zu den Söhnen des Dschihad gehört hat und jetzt nicht mehr. Ich weiß auch nicht, warum nicht mehr. Ich weiß nicht, was er sich von dieser Sache verspricht. Ich weiß lediglich, dass er nicht ohne Grund hier ist.

Niemand tut etwas zum Nulltarif.

Ich setze mich im Fond des SUV neben ihn, wobei mir der Geruch nach nasser Kleidung und Schweiß und Körperausdünstungen in die Nase steigt. Ich beuge mich zu ihm und stecke den Schlüssel in seine Handschellen.

»Augie«, sage ich ihm ins Ohr, »ich weiß, sie hat Ihnen viel bedeutet.«

»Ich habe sie geliebt.«

»Okay. Ich weiß, wie es ist, einen geliebten Menschen zu verlieren. Als meine Frau gestorben ist, musste ich, ohne zu zögern, weitermachen. Und genauso ist es jetzt mit uns. Mit Ihnen und mir. Es bleibt noch jede Menge Zeit zum Trauern. Aber nicht jetzt. Sie hatten einen Grund, zu mir zu kommen. Ich kenne den Grund zwar noch nicht, aber er muss Ihnen wichtig genug gewesen sein, all diese Mühen auf sich zu nehmen und sich einem so hohen Risiko auszusetzen. Sie haben mir vorhin vertraut. Vertrauen Sie mir auch jetzt.«

»Ich habe Ihnen vertraut, und jetzt ist sie tot«, flüstert er.

»Und wenn Sie mir jetzt nicht helfen, wem helfen Sie wohl *dann?* Den Leuten, die sie gerade umgebracht haben«, erwidere ich. Als ich mich, die Handschellen am Finger, zurückziehe und zu meinem Sitz zurückkehre, höre ich seinen beschleunigten Atem.

Jacobson zieht den Gurt für mich heraus. Ich nehme ihn ihm ab und schnalle mich an. Diese Jungs bieten wirklich einen Rundumservice.

Augie massiert sich die Handgelenke, und in dem Blick, mit dem er mich ansieht, liegt etwas anderes als Hass. Neugier. Verwunderung. Was ich sage, macht Sinn, so viel ist ihm klar. Er weiß auch, wie knapp er und ich dem Tod entronnen sind, dass ich ihn hätte hinter Gitter bringen und verhören, ja sogar töten lassen können – doch stattdessen habe ich von Anfang an getan, was er wollte.

»Wohin fahren wir?«, fragt er tonlos.

»An einen geschützten Ort«, sage ich, als wir gerade die Brücke über den Potomac und damit die Bundesstaatengrenze nach Virginia überqueren. »Wo wir sicher sind.«

»Sicher«, wiederholt Augie und wendet das Gesicht ab.

»Was ist *das?*«, ruft Davis, der Fahrer. »Auf dem Radweg, auf zwei Uhr –«

»Was zum –«

Bevor Agent Ontiveros seinen Satz zu Ende bringen kann, trifft etwas mit einem lauten Platschen auf die Windschutzscheibe und hüllt sie in Dunkelheit. Der SUV gerät ins Schleudern, während von rechts mit einem dumpfen Trommeln Schusssalven in die Seite unseres gepanzerten Fahrzeugs einschlagen – *fump-fump-fump*.

»Holt uns hier raus!«, brüllt Jacobson, während ich gegen ihn geschleudert werde, während er nach seiner Waffe tastet, während unser Fahrzeug auf der regenglatten 14th Street Bridge unter feindlichem Beschuss außer Kontrolle gerät.

33

Bach hält den Schirm schräg gegen den Regen, den ein unerbittlicher Wind vor sich hertreibt, sodass sie langsamer vorankommt, als ihr lieb ist.

So hat es geregnet, als die Soldaten das erste Mal kamen.

Sie erinnert sich an das Prasseln auf dem Dach. Die Dunkelheit in ihrem Haus, nachdem in ihrem Viertel schon seit Wochen der Strom gekappt war. Die Wärme des Feuers im Wohnzimmer. Der Schwall kalter Luft, als die Haustür aufflog und sie im ersten Moment dachte, es sei der böige Wind. Dann die Rufe der Soldaten, die Feuergarbe, das Klirren von zersplitterndem Geschirr in der Küche, die wütenden Proteste ihres Vaters, als sie ihn aus dem Haus zerrten. Es war das letzte Mal, dass sie seine Stimme hörte.

Endlich ist sie am Lagerhaus, betritt es durch den Hintereingang, zieht den Schirm hinter sich durch die Tür und lässt ihn mit dem Griff nach oben auf dem Betonboden abtropfen. Sie hört die Männer weiter vorn in der offenen Halle, wo sie die Verwundeten versorgen und sich laut und aufgeregt in einer Sprache, die sie nicht versteht, anschreien und vermutlich gegenseitig die Schuld zuschieben.

Panik versteht sie in jeder Sprache.

Sie klackt so laut mit den Absätzen, dass die Männer sie hören können. Für den Fall eines Hinterhalts wollte sie ihr Kommen nicht ankündigen – eingefleischte Gewohnheiten wird man nicht so leicht los, andererseits wäre es auch nicht ratsam, eine Gruppe schwer bewaffneter, gewaltbereiter Männer zu erschrecken.

Als die Männer das Echo ihrer Schritte von der Decke der Halle widerhallen hören, greifen zwei der neun instinktiv zu ihren Waffen, bevor sie sich entspannen.

»Er ist entwischt«, sagt der Anführer des Teams, der Glatzkopf, immer noch im taubenblauen Hemd und dunkler Hose, als sie näher kommt.

Die Männer treten zur Seite, sodass sie die Verwundeten sehen kann, zwei Männer, an Kisten gelehnt. Bei dem einen handelt es sich um den Bodybuilder, der sie von Anfang an gereizt hat und der jetzt mit zusammengekniffenen Augen stöhnend das Gesicht verzieht. Die anderen haben ihm das Hemd ausgezogen und nahe der rechten Schulter eine provisorische Mullpresse angelegt. Ein glatter Durchschuss, schätzt sie, viel Muskel- und andere Gewebemasse, doch kein Knochen.

Auch der zweite Mann ist ohne Hemd. Er atmet schwer, starrt apathisch vor sich hin und wird zunehmend blasser, während ihm ein anderer Mann einen blutigen Lumpen an die linke Seite der Brust drückt.

»Wo bleibt die medizinische Hilfe?«, fragt einer in der Runde.

Sie hat dieses Team nicht zusammengestellt. Ihr wurde versichert, es seien einige der besten Agenten der Welt darunter. Nachdem ihre Auftraggeber Bach angeheuert hatten, und das zu einem fürstlichen Lohn, durfte sie ja wohl davon ausgehen, dass sie auch bei der Wahl der neun Spezialkräfte für diesen Teil der Mission keine Kosten scheuen würden.

Aus der Tasche ihres Trenchcoats zieht sie eine Handfeuerwaffe – der Schalldämpfer ist bereits aufgeschraubt – und jagt dem Bodybuilder eine Kugel durch die Schläfe, dem zweiten eine in die Stirn.

Jetzt *sieben* der besten Spezialkräfte auf dem Markt, korrigiert sie sich.

Sprachlos vor Entsetzen über die beiden schnellen, leisen Schüsse, die mit einem *Pfft-pfft* dem Leben ihrer Partner ein Ende bereitet haben, weichen die anderen Männer zurück. Keiner von ihnen, registriert sie, erhebt die Waffe.

Sie stellt mit jedem von ihnen Blickkontakt her und klärt die Werden-wir-ein-Problem-miteinander-haben-Frage zu ihrer Zufriedenheit. Eigentlich sollten sie nicht überrascht sein. Der mit der Brustverwundung wäre ohnehin gestorben. Der Bodybuilder hätte es, vorausgesetzt, die Wunde hätte sich nicht infiziert, vielleicht geschafft, doch er ist von einem Aktivposten zu einer Verbindlichkeit geworden. Das hier sind Nullsummenspiele, und das Spiel ist noch nicht vorbei.

Der letzte Mann, dem sie forschend in die Augen blickt, ist der Anführer des Teams. »Sie kümmern sich um die Entsorgung der Leichen«, sagt sie.

Er nickt.

»Sie wissen, wo es jetzt hingeht?«

Wieder nickt er. Sie tritt dicht an ihn heran. »Noch irgendwelche Fragen an mich?«

Er schüttelt heftig den Kopf.

34

»Wir werden angegriffen, wiederhole, wir werden angegriffen – «

Unser SUV schlingert wie wild hin und her, von einer Seite der Brücke werden in schneller Abfolge Feuersalven abgegeben, während Agent Davis trotz Aquaplaning verzweifelt versucht, das Fahrzeug wieder unter Kontrolle zu bekommen. Unterdessen werden wir drei im Fond in unseren straff gespannten Sitzgurten wie menschliche Flipperkugeln hin und her geworfen, und mehr als einmal stoßen Jacobson und ich hilflos gegeneinander. Von hinten fährt krachend ein Fahrzeug auf und dreht unseren SUV quer zur Straße, Sekunden später dann eine weitere Kollision, diesmal von rechts, die Scheinwerfer nur Zentimeter von Jacobsons Gesicht entfernt, so heftig, dass ich mit den Zähnen aufeinanderschlage und mir den Hals verrenke, während ich nach links geschleudert werde.

Alles dreht sich, alle brüllen, auf die Panzerung unseres Fahrzeugs geht von allen Seiten ein Kugelhagel nieder –

Mit dem Heck prallt unser SUV gegen eine Absperrung aus Beton, und plötzlich stehen wir falsch herum – die Windschutzscheibe zeigt nach Norden – auf der Spur in Richtung Süden auf der 14th Street Bridge. Nunmehr kommt das Feuer von links aus automatischen Waffen und so unerbittlich, dass nicht alle Projektile abprallen, sondern einige im Panzer und im schusssicheren Glas stecken bleiben.

»Verschaffen Sie uns freie Bahn!«, brüllt Jacobson. Erster Punkt auf der Tagesordnung: einen Fluchtweg für den Präsidenten finden und ihn aus der Schusslinie bringen.

»Augie«, flüstere ich. Er wird auf seinem Sitz gegen den Gurt gepresst, ist zwar bei Bewusstsein und unverletzt, hat jedoch, unter Schock, Mühe, sich zu orientieren und Luft zu holen.

In meinem Kopf flackert der Gedanke auf: Von dieser Brücke aus, in diese Richtung, kann man fast das Weiße Haus sehen. Zwanzig Secret-Service-Agents, ein SWAT-Team gerade mal sechs Häuserblocks entfernt und doch so nutzlos, als seien sie auf der anderen Seite der Welt.

Agent Davis versucht fluchend, den Gang zu wechseln, sowie er durch die Windschutzscheibe wieder einigermaßen Sicht hat, nach Süden. Jetzt kommt das Feuer nicht mehr nur vom Fußgängerstreifen, sondern auch von unserem zweiten Wagen, aus dem Alex Trimble und seine Leute das Gegenfeuer auf die Angreifer eröffnen.

Wie kommen wir hier raus? Wir sitzen in der Falle. Bleibt nur, zu Fuß loszulaufen –

»Los! Los! Los!«, brüllt Jacobson in geübtem Tonfall, immer noch im Sitzgurt, doch die Automatik im Anschlag.

Endlich bekommt Davis den Wagen in den Rückwärtsgang, und mithilfe der rückwärtigen Kamera fährt er, sobald die Reifen auf dem nassen Asphalt wieder greifen, so schnell es eben geht, raus aus dem Kugelhagel, bis wir es ganz hinter uns gelassen haben. Im selben Moment schwenkt ein anderes Fahrzeug auf unsere Fahrbahn, größer als unsere Suburbans.

Ein Lkw kommt, mit unfassbarer Geschwindigkeit, auf uns zu.

In rasendem Tempo schlittern wir zurück. Davis holt alles aus dem Wagen heraus, aber das ist nichts im Vergleich zu dem Laster, der sich uns frontal im Vorwärtsgang nähert. Als in unserer Windschutzscheibe nur noch der Kühlergrill zu sehen ist, stähle ich mich für den Aufprall.

Davis, die Hände mittig rechts und links am Lenkrad, nimmt die Hände jetzt über Kreuz und reißt unseren Wagen um hundertachtzig Grad herum. Als das Heck wieder nach rechts ausbricht, werde ich mit aller Wucht gegen Jacobson geschleudert, und unmittelbar vor dem Zusammenstoß stehen wir quer zum Laster.

Es kracht, und vom Aufprall bleibt mir die Luft weg, ich sehe Sternchen, und die Stoßwelle geht mir durch den ganzen Körper. Der Kühlergrill bohrt sich in die Beifahrerseite, sodass Ontiveros wie eine Stoffpuppe gegen Davis am Lenkrad geschleudert wird, das Heck des SUV sich um sechzig Grad verbiegt, während sich Panzermetall und Kühlergrill knirschend und kreischend verkeilen. In den Fond des SUV dringt plötzlich heiße, nasse Luft, während sich das Fahrzeug verzweifelt dagegen wehrt, auseinanderzureißen.

Irgendwie gelingt es Jacobson, die Scheibe herunterzukurbeln und mit seiner MP5-Maschinenpistole auf das Führerhaus des Lkw zu schießen, im Heck schlagen uns heißer Wind und prasselnder Regen entgegen. Ineinander verkeilt, kommen die Fahrzeuge zum Stehen. Jacobson feuert unermüdlich, als endlich unser Verstärkungsfahrzeug eintrifft und nun auch Alex und sein Team den Lkw in voller Fahrt ebenfalls durch die Seitenfenster ihres SUV unter Beschuss nehmen.

Sieh zu, dass du Augie hier rauskriegst!

»Augie«, sage ich und schnalle mich ab.

»Nicht bewegen, Mr President!«, brüllt Jacobson, als der Kühler unseres SUV in einem orangefarbenen Feuerball explodiert. Augie befreit sich mit schreckensbleichem Gesicht ebenfalls aus seinem Gurt. Ich öffne die linke Tür und packe Augie am Handgelenk. »Halten Sie sich geduckt!«, schreie ich, als wir am Heck des SUV entlangrennen, der uns von der Fahrerkabine des Lkw abschirmt, und dann im strömenden Regen zu Alex' Wagen hinübersprinten, für den Fall, dass irgendjemand Jacobsons Dauerbeschuss überlebt hat, immer im blinden Winkel zum Führerhaus.

»Mr President, schnell, in den Wagen!«, brüllt Alex von der Mitte der Brücke, als er uns kommen sieht. Inzwischen sind er und die anderen Agenten aus dem zweiten SUV ausgestiegen und perforieren den Laster mit ihrem Maschinengewehrfeuer.

Augie und ich preschen zum zweiten Panzerwagen. Hinter dem anderen SUV sind weitere Fahrzeuge auf der Brücke aufgefahren und kreuz und quer stehen geblieben.

»Hinten rein!«, schreie ich Augie an, während mir der Regen ins Gesicht klatscht. Ich springe hinters Lenkrad, lege den Gang ein und trete das Gaspedal durch. Zwar hat das Heck etwas abbekommen, doch der Wagen ist noch fahrtüchtig genug, um uns hier rauszubringen. Es geht mir gegen den Strich, meine Männer zurückzulassen. Es widerspricht allem, was ich beim Militär gelernt habe. Doch ohne Waffe bin ich keine Hilfe. Und ich beschütze den wichtigsten Aktivposten, den wir haben – Augie.

Die zweite, absehbare Explosion folgt, als wir die Brücke nach Virginia überqueren – mit mehr Fragen als je zuvor und keiner einzigen Antwort.

Doch solange wir nicht tot sind, sind wir noch am Leben.

35

Mit zitternden Fingern umkralle ich das Lenkrad, mit rasendem Herzschlag spähe ich durch die von Einschüssen pockennarbige Windschutzscheibe, auf der die Wischer wütend gegen die Regenflut ankämpfen.

Von dem Feuer, das mir in der Brust zu lodern scheint, tropft mir der Schweiß das Gesicht herunter, doch so gerne ich die Heizung herunterschalten würde, habe ich Angst, die Augen auch nur für den Bruchteil einer Sekunde von der Straße abzuwenden, den SUV anzuhalten oder auch nur den Fuß vom Gas zu nehmen; ich schaue nur regelmäßig in den Rückspiegel, um zu sehen, ob mir ein anderes Fahrzeug folgt. Keine Frage, der Wagen hat am Heck einen Schaden abbekommen, das Ratschen von Metall an Reifen und ein leichtes Ruckeln beim Fahren lassen daran keinen Zweifel. Allzu weit komme ich damit nicht.

»Augie«, sage ich. »Augie!« Über die Wut und Frustration in meiner Stimme bin ich selbst erschrocken.

Mein geheimnisvoller Weggefährte sitzt kerzengerade auf dem Rücksitz und sagt kein Wort. Er wirkt völlig verstört, starrt mit leicht geöffnetem Mund und angespannten Lippen ins Leere, zuckt bei jedem Blitz am Himmel und jeder Erhebung auf der Straße zusammen.

»Hier sterben Menschen, Augie, reden Sie, verdammt noch mal, sagen Sie mir, was Sie wissen, und zwar jetzt!«

Dabei weiß ich nicht einmal, ob ich ihm trauen kann. Seit unserem Treffen und seinen kryptischen Hinweisen auf ein Armageddon im Baseballstadion waren wir jeden Moment damit beschäftigt, unsere Haut zu retten. Ich weiß nicht, ob er Freund oder Feind ist, ein Held oder ein Geheimagent.

Nur eins steht fest – er ist wichtig. Jemand sieht in ihm eine Bedrohung. Sonst ergäbe all das hier keinen Sinn. Je mehr sie versuchen, uns aufzuhalten, desto wichtiger erscheint er.

»Augie!«, brülle ich. »Verdammt, Junge, reiß dich zusammen. Eine Schockstarre können wir uns im Moment nicht leisten –«

In meiner Tasche klingelt das Handy. Mit der freien rechten Hand versuche ich, es herauszuziehen, bevor sich die Mailbox einschaltet.

»Mr President, Gott sei Dank«, sagt Carolyn Brock mit hörbarer Erleichterung in der Stimme. *»Waren Sie das auf der 14th Street Bridge?«* Nicht weiter verwunderlich, dass sie es schon weiß. Wenn etwas so Dramatisches, noch dazu keine Meile entfernt, passiert, vergeht keine Minute, bevor die Nachricht das Weiße Haus erreicht. Und sofort steht die Frage im Raum, ob es sich um einen terroristischen Anschlag handelt, einen Anschlag auf die Hauptstadt.

»Verriegeln Sie das Weiße Haus, Carrie«, sage ich, ohne den Blick eine Sekunde von der Windschutzscheibe zu nehmen, auf deren nasser Fläche sich verschwommen die Straßenbeleuchtung spiegelt.

»Nur eine –«

»Es ist bereits abgeriegelt, Sir.«

»Und bringen Sie –«

»Wir haben die Vizepräsidentin in der Operationszentrale in Sicherheit gebracht, Sir.«

Ich hole tief Luft. Gott, wie sehr bin ich jetzt auf einen solchen Fels in der Brandung wie Carolyn angewiesen, die nicht nur meinen Anweisungen zuvorkommt, sondern sie noch umsichtig ergänzt.

So knapp wie möglich, ohne abzuschweifen und in möglichst ruhigem Ton erkläre ich ihr, dass ich in den Vorfall auf der Brücke und in das, was am Nationals Park geschehen ist, involviert war.

»Haben Sie in diesem Moment Personenschutz, Sir?«

»Nein, ich habe nur Augie bei mir.«

»Er heißt Augie? Und das Mädchen –«

»Das Mädchen ist tot.«

»Tot? Was ist passiert?«

»Am Baseballstadion. Jemand hat sie erschossen. Augie und ich konnten uns in Sicherheit bringen. Hören Sie, ich muss abbiegen, Carrie. Ich will zum Blue House. Es tut mir leid, aber ich sehe keine andere Möglichkeit.«

»Selbstverständlich, Sir, verstehe.«

»Und geben Sie mir Greenfield an den Apparat.«

»Die Nummer ist auf Ihrem Handy gespeichert, Sir, aber wenn Sie möchten, kann ich Sie verbinden.«

Richtig. Stimmt. Carolyn hat die Nummer von Liz Greenfield in mein Smartphone eingespeist.

»Ach ja, nicht nötig. Bis bald«, sage ich.

»Mr President! Sind Sie da?« Die Worte kommen krächzend aus dem Armaturenbrett. Es ist Alex' Stimme. Ich lasse mein Handy auf den Beifahrersitz fallen, ziehe das Funkgerät zu mir heran und drücke mit dem rechten Daumen auf die Sprechtaste.

»Alex, mir fehlt nichts, ich fahre nur auf dem Highway. Reden Sie mit mir.« Ich lasse die Sprechtaste los.

»Sie sind unschädlich gemacht, Sir. Vier Tote auf dem Fußgängerstreifen. Der Lkw ist explodiert. Wie viele Opfer es im Lkw gibt, wissen wir noch nicht, aber definitiv keine Überlebenden.«

»Eine Lkw-Bombe?«

»Nein, Sir. Das waren keine Selbstmordattentäter. Sonst wäre keiner von uns mehr am Leben. Wir haben den Tank getroffen, und das Benzin ist hochgegangen. Ansonsten kein Sprengstoff an Bord. Keine zivilen Opfer.«

Immerhin etwas. Demnach waren es keine Fundamentalisten, keine Radikalen. Das hier war nicht IS oder al-Qaida oder eines ihrer Krebsgeschwüre. Es waren Söldner.

Ich atme einmal tief ein und ringe mich zu der bangen Frage durch: »Was ist mit unseren Leuten, Alex?« Während ich auf die Antwort warte, schicke ich ein Stoßgebet gen Himmel.

»Wir haben Davis und Ontiveros verloren, Sir.«

Ich schlage mit der Faust aufs Lenkrad. Das Fahrzeug schlingert, und ich lenke sofort gegen, eine Mahnung, dass ich es mir nicht leisten kann, auch nur für eine Sekunde unachtsam zu sein, damit meine Männer ihr Leben nicht umsonst gegeben haben.

»Es tut mir leid, Alex«, sage ich ins Funkgerät. »Es tut mir so leid.«

»Ja, Sir«, sagt er in sachlichem Ton. *»Mr President, hier ist im Moment einiges los. Feuerwehr, städtische Polizei aus Washington und Arlington. Jeder versucht, rauszufinden, was in aller Welt da passiert ist und in wessen Zuständigkeit es fällt.«*

Klar. Kein Wunder. Eine Explosion auf einer Brücke zwischen Washington und Virginia, ein Albtraum für die Behörden. Massenkonfusion.

»Geben Sie denen unmissverständlich zu verstehen, dass es in Ihre Zuständigkeit fällt«, wende ich mich an ihn. »Sagen Sie vorerst einfach nur, ›Ermittlungen auf Bundesebene‹. Hilfe sei unterwegs.«

»Ja, Sir. Und Sir, bitte bleiben Sie auf dem Highway. Wir verfolgen Sie über GPS. Wir schicken Ihnen Begleitfahrzeuge, die werden bald da sein. Bleiben Sie in diesem Wagen, Sir. Bis wir Sie wieder im Weißen Haus haben, ist es für Sie am sichersten so.«

»Ich kehre nicht ins Weiße Haus zurück, Alex. Und ich will keinen Konvoi. Ein Fahrzeug, nicht mehr.«

»Sir, egal, womit wir es hier zu tun haben oder hatten, die Umstände haben sich geändert. Die verfügen über streng geheime Informationen, über Technologie, Personal und Waffen. Die wussten, wo Sie zu finden sein würden.«

»Das können wir vorerst nicht sagen«, entgegne ich. »Die könnten mehrere Hinterhalte vorbereitet haben. Wahrscheinlich hätten sie uns auch aufgelauert, wenn wir wieder zum Weißen Haus zurückgekehrt oder vom Stadion aus nach Süden gefahren wären. Wahrscheinlich haben sie einfach nur gehofft, dass wir die Brücke über den Potomac nehmen.«

»Wir können es vorerst nicht sagen, Mr President, das ist es ja –«

»*Ein* Fahrzeug, Alex. Das ist ein Befehl.«

Ich schalte aus und nehme mein Handy vom Beifahrersitz. Ich finde die Nummer für **FBI Liz** und wähle sie.

»Hallo, Mr President«, sagt die geschäftsführende Direktorin des FBI, Liz Greenfield. *»Sie wissen von der Explosion auf der Brücke?«*

»Liz, wie lange sind Sie schon geschäftsführende Direktorin?«

»Seit zehn Tagen, Sir.«

»Nun, Madam Director«, befinde ich, »dann wird es Zeit, die Stützräder abzunehmen.«

36

»Ein Haus weiter, Sir«, krächzt Jacobsons Stimme aus dem Armaturenbrett, als ob ich das Haus nicht längst wiedererkannt hätte.

Ich fahre an den Bordstein und bin erst einmal erleichtert, dass ich es bis hierher geschafft habe. Diese Fahrzeuge des Secret Service sind eigentlich Schlachtschiffe, aber ich war mir nicht sicher, wie weit ich mit dem Heckschaden komme.

Jacobson hält hinter mir. Auf dem Highway hat er mich eingeholt und mir über GPS Anweisungen für den Weg gegeben. Auch wenn ich schon oft in diesem Haus gewesen bin, habe ich nie auf die Routen geachtet, die vom Highway aus hierherführen.

Ich gehe in Parkstellung und schalte den Motor aus. Wie befürchtet, rauscht in diesem Moment die große Flutwelle heran, die physische Reaktion auf den Adrenalinabfall nach dem Trauma, und ich bekomme das große Zittern. Bis zu diesem

Moment musste ich die Kontrolle bewahren, um Augie und mich in Sicherheit zu bringen. Natürlich ist es noch lange nicht ausgestanden, die Situation, die ich zu meistern habe, ist komplizierter denn je, doch ich gestatte mir diese winzige Verschnaufpause, um über die lebensbedrohlichen Vorfälle hinwegzukommen und all die aufgestaute Panik und Wut aus dem Körper herauszulassen.

»Du musst dich zusammenreißen«, flüstere ich mir dann zitternd zu. »Wenn du's nicht schaffst, tun's die anderen auch nicht.« Ich rede mir ein, dies sei die normalste Entscheidung der Welt, etwas, das ganz in meiner Macht liegt. Ich befehle mir, mit dem Zittern aufzuhören.

Jacobson kommt herübergerannt und öffnet mir die Wagentür. Ich brauche keine Hilfe, um auszusteigen, doch er reicht mir trotzdem die Hand. Von ein paar Schnittwunden und Dreck im Gesicht abgesehen, scheint er unversehrt.

Als ich aus dem Wagen steige, fühle ich mich für einen Moment benommen und bekomme weiche Knie. Dr. Lane hätte jetzt keine Freude an mir.

»Sind Sie okay?«, frage ich Jacobson.

»Ob *ich* okay bin? Mir geht's gut. Wie geht's Ihnen, Sir?«

»Gut. Sie haben mir das Leben gerettet.«

»Davis hat Ihnen das Leben gerettet, Sir.« Auch das ist richtig. Dieses Ausweichmanöver, die Wende um neunzig Grad, mit der er das Fahrzeug vor dem heranbrausenden Lkw quer gestellt hat, mit diesem Manöver hat Davis den Aufprall auf sich gelenkt, damit es mich im Fond nicht erwischt. Es war eine brillante Leistung von einem hervorragend ausgebildeten Agenten. Und dass Jacobson das Feuer auf das Führerhaus des Lkw eröffnet hat, bevor die ineinander verkeilten Fahrzeuge auch nur zum Stehen kamen, war ein weiteres Glanzstück. Ohne diese Deckung hätten Augie und ich uns nicht retten können.

Der Secret Service bekommt nie die Würdigung, die er verdient – dafür, dass die Personenschützer jeden Tag ihr Leben für mich aufs Spiel setzen und für meine Sicherheit etwas tun, wozu sonst kein Mensch, wenn er bei Sinnen ist, bereit wäre – in die Schussrichtung zu springen, statt sich wegzuducken. Ab und zu tut ein Agent auf Kosten des Steuerzahlers etwas Dummes, und das bleibt in der Öffentlichkeit haften. Die neunundneunzig von hundert Fällen, bei denen sie untadelig ihre Pflicht erfüllen, bleiben unerwähnt.

»Davis hatte eine Frau und einen kleinen Jungen, nicht wahr?«, frage ich.

Hätte ich gewusst, dass mir an diesem Abend der Secret Service folgen würde, hätte ich dieselbe Vorkehrung wie immer getroffen, wenn ich einen der Krisenherde rund um den Globus besuche, einen der Orte, an denen sie meine Sicherheit am wenigsten garantieren können – Pakistan oder Bangladesch oder Afghanistan –, ich hätte darauf bestanden, dass mich kein Vater von kleinen Kindern begleitet.

»Berufsrisiko«, konstatiert Jacobson.

Sagen Sie das mal seiner Frau und seinem Sohn. »Und Ontiveros?«

»Sir«, er schüttelt nur kurz den Kopf.

Er hat recht. Das muss warten. Ich werde dafür sorgen, dass wir Davis' Familie und die Hinterbliebenen von Ontiveros nicht vergessen. Das schwöre ich. Doch im Moment, heute Nacht, kann ich mich nicht darum kümmern.

Um Ihre Verluste können Sie später trauern, wenn das Gefecht vorüber ist, pflegte Sergeant Melton immer zu sagen. *Im Gefecht haben Sie einfach nur zu kämpfen.*

Auf wackligen Beinen steigt auch Augie aus dem Suburban und tritt prompt in eine Pfütze auf der Straße. Der Regen hat aufgehört, und über der verschlafenen dunklen Wohnstraße liegt ein erdiger, würziger Geruch in der Luft, als wolle Mutter Natur uns sagen: *Ihr habt es auf die andere Seite geschafft, es ist ein Neuanfang.* Ich kann nur hoffen, es stimmt, es fühlt sich aber nicht so an.

Augie sieht mich an wie ein verirrter Welpe; er ist an einem fremden Ort ohne seine Partnerin, ohne irgendetwas, das er sein Eigen nennen kann, außer seinem Smartphone.

Bei dem Haus, vor dem wir gehalten haben, handelt es sich um einen viktorianischen Stuck- und Klinkerbau mit kurz geschorenem Rasen, einer Auffahrt zur Doppelgarage und einer Außenlampe, die auch den Fußweg zur Eingangsveranda erleuchtet, nach zehn Uhr nachts offenbar die einzige Beleuchtung weit und breit. Der Stuck ist zartblau gestrichen, daher unser Spitzname – das »Blaue Haus«.

Augie und Jacobson folgen mir die Einfahrt entlang.

Bevor wir an der Treppe sind, geht die Tür auf. Carolyn Brocks Mann hat uns schon erwartet.

37

Greg Morton, Carolyn Brocks Mann, trägt ein Oxford-Hemd zu Jeans und Sandalen und winkt uns herein.

»Tut mir leid, Morti, Ihnen zur Last zu fallen«, sage ich.

»Aber nein, aber nein.«

Morti und Carolyn haben dieses Jahr ihren fünfzehnten Hochzeitstag gefeiert, wenn auch – soweit ich mich erinnere – nur mit einem verlängerten Wochenende auf Martha's Vineyard aus Rücksicht auf ihre Rolle als Stabschefin des Präsidenten. Morti, zweiundfünfzig Jahre alt, ist nach einer lukrativen Karriere als Prozessanwalt in den Ruhestand getreten, weil er in einem Gerichtssaal im Cuyahoga County vor einer Jury einen Herzinfarkt erlitten hatte. Zu diesem Zeitpunkt war sein zweites Kind, James, kein Jahr alt. Er wollte seine Kinder noch heranwachsen sehen; er hatte bereits so viel Geld verdient, dass er es gar nicht ausgeben konnte, und hängte die Handschuhe an den Nagel. Seitdem dreht er kurze Dokumentarfilme und bleibt ansonsten bei den Kindern zu Hause.

Er mustert uns, mich und meine etwas in Mitleidenschaft gezogene Begleitung, mit einem prüfenden Blick. Ich habe ganz vergessen, dass ich mit großer Sorgfalt mein Äußeres verändert habe, nicht zuletzt mit dem Bart, den noch nie jemand an mir gesehen hat, und dann auch noch mit völlig durchtränkter Freizeitkleidung und klatschnassem Haar, aus dem mir das Wasser ins Gesicht läuft. Dazu Augie, der schon vor dem Regen zottelig ausgesehen hat. Wenigstens Jacobson gibt eine halbwegs ordentliche Figur ab, wie man es von einem Secret-Service-Agenten erwarten darf.

»Scheint, als hätten Sie eine irre Geschichte zu erzählen«, meint Morti in diesem sonoren Bariton, mit dem er über die Jahre so manchen Geschworenen umgestimmt hat, »aber ich werde natürlich kein Wort davon zu hören bekommen.«

Wir treten ein. Auf halber Höhe der gewundenen Treppe zum ersten Stock kauern zwei Kinder und starren zwischen den Geländerstäben zu uns herab – der sechsjährige James im Batman-Pyjama, mit zu Berge stehendem Haar, und die zehnjährige Jennifer, ihrer Mutter wie aus dem Gesicht geschnitten. Auch wenn ich ihnen nicht fremd bin, sehe ich normalerweise nicht so aus wie etwas, das die Katze aus dem Müll gezogen hat.

»Wenn ich das Fußvolk besser im Griff hätte«, sagt Morti, »wären die beiden jetzt längst im Bett.«

»Du hast einen roten Bart«, stellt Jennifer fest und zieht die Nase kraus. »Du siehst nicht wie ein Präsident aus.«

»Grant hatte einen Bart. Coolidge hatte rotes Haar«, verteidige ich mich.

»Wer?«, fragt James.

»Das waren Präsidenten, du Genie«, klärt ihn seine Schwester auf und schlägt in seine Richtung. »Vor langer, langer Zeit. Als Mum und Dad noch klein waren.«

»Nun mach mal halblang, für wie alt hältst du mich?«, frotzelt Morti.

»Du bist zweiundfünfzig«, erwidert Jennifer, »aber dank uns bist du vorzeitig gealtert.«

»Da hast du recht.« Morti wendet sich an mich. »Carrie sagt, das Büro im Untergeschoss, Mr President. Hatten Sie das im Sinn?«

»Das wäre toll.«

»Sie wissen ja, wo's langgeht. Ich hole Ihnen ein paar Handtücher. Und meine Kinder gehen ins Bett, nicht wahr, ihr beiden?«

»Ohh ...«

»Schluss mit den Geräuscheffekten, ab in die Koje.«

Carolyn hatte das Untergeschoss zu einem voll ausgestatteten Büro ausgebaut, einschließlich sicherer Telekommunikationsleitungen, um spätabends auch noch von zu Hause aus arbeiten zu können.

Jacobson geht voraus die Treppe hinunter und überzeugt sich, dass alles sicher ist, bevor er Entwarnung gibt.

Augie und ich folgen. Das Kellergeschoss ist gepflegt und gut möbliert, so wie man es in Carolyns Domizil nicht anders erwarten würde. Es verfügt über eine große, offene Spielecke mit Sitzsäcken, einen Schreibtisch samt Stuhl sowie ein Sofa und ein Fernseher. Es gibt einen Weinkeller, ein »Kinozimmer« mit einer Leinwand und tiefen, opulenten Sitzen; ein Badezimmer im Flur; ein Schlafzimmer; und dann Carolyns Büro an der Rückseite. Dort befindet sich ein hufeisenförmiger Schreibtisch mit einer Phalanx an Computern, einer großen Pinnwand aus Kork, mehreren Aktenschränken und einem großen Flachbildfernseher.

»Hier, für Sie.« Morti reicht jedem von uns ein Handtuch. »Sind Sie bereit für Carrie, Mr President? Dann drücken Sie einfach nur hier auf diese Taste.« Er zeigt auf eine Maus neben dem Computer.

»Eine Sekunde. Kann mein Freund hier unterdessen irgendwo warten?«, frage ich mit Blick auf Augie. Ich habe ihn Morti nicht vorgestellt, und Morti hat nicht darum gebeten. Er hütet sich.

»Im Freizeitraum«, antwortet Morti. »Dem großen offenen Bereich neben der Treppe.«

»Wunderbar. Gehen Sie mit«, sage ich zu Jacobson.

Zusammen verlassen sie das Büro. Morti nickt mir zu. »Carrie sagt, Sie bräuchten was Trockenes zum Anziehen?«

»Das wäre nett.« Die Tasche, die ich bei mir hatte, unter anderem mit frischen Kleidern für Samstag, ist noch in dem Wagen auf dem Parkplatz beim Stadion.

»Wird erledigt. Also, dann will ich nicht weiter stören. Ich werde für Sie beten, Mr President.«

Ich sehe ihn fragend an. Das sind starke Worte. Zweifellos ist mein plötzliches Auftauchen, noch dazu inkognito, ziemlich unorthodox, und er ist ein intelligenter Mann, doch ich weiß, dass Carolyn keine Geheiminformationen mit ihm teilt.

Er beugt sich ein wenig zu mir vor. »Ich kenne Carrie jetzt seit achtzehn Jahren. Ich war dabei, als sie eine Kongresswahl verloren hat. Ich war da, als sie eine Fehlgeburt hatte, ich habe sie gesehen, als ich fast am Herzinfarkt gestorben wäre, als wir in Alexandria Jenny für zwei Stunden in einem Einkaufscenter verloren haben. Ich habe sie mehr als einmal mit dem Rücken zur Wand gesehen, besorgt, geängstigt, doch bis heute Abend hat sie noch nie etwas derart in Angst und Schrecken versetzt.«

Dazu sage ich nichts.

Ich kann nicht, und er weiß es.

Er streckt die Hand aus. »Was auch immer es ist, ich setze auf Sie beide.«

Ich schüttle ihm die Hand. »Kann trotzdem nicht schaden«, antworte ich, »das mit dem Beten.«

38

Ich ziehe die Tür zu Carolyns Kellerbüro zu, schließe mich in dem schalldichten Raum ein und setze mich an den Schreibtisch. Ich greife zur Computermaus. Im selben Moment wechselt das Schwarz des Monitors zu grauem Flimmern und dann zu einem einigermaßen deutlichen, in zwei Hälften geteilten Bild.

»Hallo, Mr President«, begrüßt mich Carolyn Brock aus dem Weißen Haus.

»Hallo, Mr President«, grüßt Elizabeth Greenfield, die kommissarische FBI-Direktorin, auf der anderen Hälfte des geteilten Bildschirms. Liz hat die Leitung übernommen, nachdem ihr Vorgänger im Amt vor zehn Tagen an einem Aneurysma gestorben ist. Und ich habe sie dauerhaft für diese Position ernannt. Sie ist in jeder Hinsicht die beste Besetzung für das Amt – ehemalige Agentin, Bundesanwältin, Leiterin der Abteilung Verbrechensbekämpfung im Justizministerium, von allen als pfeilgerade und unparteiisch respektiert. Das Einzige, was gegen sie spricht, wenn auch nicht in meinen Augen, ist der Umstand, dass sie sich vor zehn Jahren den Protesten gegen den Einmarsch in den Irak angeschlossen hat, was ihr einige Falken im Senat als mangelnden Patriotismus ankreiden und dabei offensichtlich vergessen, dass friedlicher Protest zu den bewundernswertesten Formen des Patriotismus zählt.

Außerdem wurde mir unterstellt, mir ginge es nur darum, als erster Präsident eine afroamerikanische Frau zur Direktorin des FBI zu ernennen.

»Berichten Sie mir über die Brücke«, fordere ich sie auf, »und den Nationals Park.«

»Vom Stadion haben wir bislang erst äußerst spärliche Informationen. Natürlich ist es noch ein bisschen früh, aber wegen des Blackouts fehlt uns jedes Bildmaterial, und der Regen hat die forensischen Spuren weggespült. Falls vor dem Stadion

Männer getötet wurden, fehlt uns dafür jedes Indiz. Sollten sie dennoch irgendein verwertbares Beweismaterial für ihre Existenz hinterlassen haben, könnte es Tage dauern, bis wir es finden. Aber die Chancen sind gering.«

»Und der Scharfschütze?«

»Der Scharfschütze. Das getroffene Fahrzeug war vom Secret Service sichergestellt worden; immerhin haben wir die Projektile, die in den Bürgersteig und die Stadionwand eingeschlagen sind, das dürfte reichen, um den Schusswinkel ziemlich genau zu bestimmen. Nach unseren ersten Erkenntnissen sieht es so aus, als ob die Schüsse vom Dach des Gebäudes gegenüber dem Stadion kamen, einem Wohnblock auf der anderen Straßenseite, dem Camden South Capitol. Natürlich haben wir dort oben niemanden angetroffen, das Problem ist nur, dass wir rein gar nichts gefunden haben. Der Scharfschütze hat seine Spuren gründlich getilgt. Der Regen hat das Übrige getan.«

»Verstanden.«

»Mr President, falls sich der oder die Scharfschützen in dem Gebäude dort eingenistet haben, kriegen wir raus, wer sie sind. Ein solcher Anschlag erfordert genaue Planung. Zugang. Wahrscheinlich gestohlene Uniformen. Geheime Kameras. Gesichtserkennung. Wir haben da unsere Mittel. Aber Sie sagen, dazu hätten wir keine Zeit.«

»Nicht viel, nein.«

»Wir arbeiten so zügig, wie wir können, Sir. Ich kann Ihnen nur nicht versprechen, dass wir schon binnen Stunden Antworten haben.«

»Versuchen Sie es. Und die Frau?«, frage ich und meine damit Augies Partnerin.

»›Nina‹, ja. Der Secret Service hat gerade das Fahrzeug und die Leiche freigegeben. Wir werden in den nächsten Minuten Fingerabdrücke und DNA-Proben nehmen und entsprechende Abgleiche machen. Wir werden das Fahrzeug zurückverfolgen, alles, was wir haben.«

»Gut.«

»Wie sieht's mit der Brücke aus?«, wirft Carolyn ein.

»Die Arbeiten sind noch in vollem Gange«, erwidert Liz. *»Das Feuer wurde gelöscht. Wir haben die vier Toten vom Fußgängerweg geborgen und gleichen alles Verfügbare mit der Datenbasis ab. Bei denen im Lkw ist es ein bisschen schwieriger, aber wir arbeiten dran. Nur, Mr President, selbst wenn wir ihre Identität herausbekommen, haben deren Auftraggeber höchstwahrscheinlich keine Spur hinterlassen. Es ist mit Mittelsmännern zu rechnen. Zwischenträgern. Früher oder später kommen wir ihnen wahrscheinlich auf die Spur, aber ich glaube nicht, binnen –«*

»Nicht binnen Stunden. Das verstehe ich. Ist trotzdem den Versuch wert. Und bitte streng geheim.«

»Soll ich Minister Haber darüber im Dunkeln lassen?«

Liz ist noch neu im Job und sieht sich daher nicht befugt, die anderen Mitglieder meines nationalen Sicherheitsteams, darunter auch Sam Haber vom Heimatschutz, beim Vornamen zu nennen.

»Sam darf erfahren, dass Sie diese Leute zurückverfolgen. Er würde sowieso davon ausgehen. Aber Ihre Resultate gehen bitte an niemanden außer mir oder Carolyn. Falls er danach fragt – falls irgendjemand sonst danach fragt –, lautet Ihre Antwort: ›Wir haben noch nichts.‹ Okay?«

»Mr President, darf ich offen sprechen?«

»Nur zu, Liz. Ich wäre Ihnen böse, wenn Sie es nicht täten.« Es gibt nichts, was ich an Untergebenen so sehr schätze wie die Bereitschaft, mir zu sagen, dass ich einen Fehler mache oder mich irre, mir also, wenn nötig, zu widersprechen und auf diese Weise zum Entscheidungsprozess beizutragen. Wer sich mit Duckmäusern und Speichelleckern umgibt, wird früher oder später scheitern.

»Wieso, Sir? Wieso koordinieren wir nicht unsere Arbeit und stimmen uns in einem offenen Austausch ab? Wir sind effizienter, wenn die rechte Hand weiß, was die linke tut. Wenn uns der elfte September eines gelehrt hat, dann das.«

Ich sehe Carolyn auf dem geteilten Bildschirm ins Gesicht. Zur Antwort zuckt sie mit den Achseln, stimmt mir also zu, dass wir es der geschäftsführenden Direktorin ruhig sagen sollten.

»Das Codewort *Dark Ages,* Liz. Außer mir kennen es nur noch acht Menschen auf der Welt. Auf meine Anweisung hin wurde es nie niedergeschrieben. Auf meine Anweisung hin wurde es außerhalb unseres Kreises niemals ausgesprochen. Verstehen Sie?«

»Ja, natürlich, Sir.«

»Selbst das Einsatzkommando der Techniker, die versuchen, das Virus zu lokalisieren und unschädlich zu machen, das Threat-Response-Team, nicht mal die haben je von *Dark Ages* gehört, okay?«

»Verstehe, Sir. Nur wir acht und Sie.«

»Und einer dieser acht Menschen hat es den Söhnen des Dschihad zugespielt«, sage ich.

Während die Direktorin diese Nachricht verdaut, tritt für einen Moment Schweigen ein.

»Das heißt«, füge ich hinzu, »es geht dabei um mehr als einen Leak.«

»Ja, Sir.«

»Vor vier Tagen«, fahre ich fort, »am Montag, hat eine Frau meiner Tochter in Paris diese Worte zugeflüstert, damit sie die Botschaft an mich übermittelt. Bei dieser Frau handelt es sich um Nina – um die Frau, die der Scharfschütze vor dem Stadion erschossen hat.«

»Mein Gott.«

»Sie hat sich an meine Tochter herangemacht und ihr aufgetragen, mir die Worte *Dark Ages* weiterzusagen, verbunden mit der Warnung, mir laufe die Zeit davon, und sie werde sich am Freitagabend mit mir treffen.«

Als sie das hört, hebt die geschäftsführende Direktorin das Kinn.

»Mr President … ich bin eine dieser acht Personen. Woher wollen Sie wissen, dass ich nicht die Zuträgerin bin?«

Zu ihrem Glück kann ich das. »Bevor ich Sie vor zehn Tagen als FBI-Direktorin ausgewählt habe, gehörten Sie noch nicht zum inneren Kreis derer, die davon wussten. Welcher äußere Akteur uns das auch antut und wer auch immer von den acht Leuten denen dabei hilft – die Sache muss sich seit eine Weile angebahnt haben. So etwas passiert nicht über Nacht.«

»Dann bin ich also nicht der Verräter, weil ich nicht die Zeit gehabt hätte.«

»Der Zeitfaktor spricht dagegen, ja. Bleiben außer Ihnen, Carolyn und mir sechs weitere Leute, Liz. Sechs Leute und einer davon ein Abtrünniger. Unser Benedict Arnold.«

»Haben Sie schon an die Möglichkeit gedacht, dass einer von diesen sechs einen Ehepartner oder Freund eingeweiht haben könnte, der die Information verkauft hat? In dem Fall wäre es immer noch ein Verstoß gegen die Schweigepflicht, aber …«

»Daran habe ich gedacht, ja. Aber derjenige, der uns verrät, hat mehr getan, als nur ein Codewort durchsickern zu lassen. Derjenige ist mit von der Partie. Kein Ehepartner oder Freund hat Zugang zu entsprechenden geheimen Informationen oder verfügt über die nötigen Ressourcen dafür. Nur ein Regierungsvertreter ist dazu in der Lage.«

»Demnach kann es nur einer unserer sechs sein.«

»Es *ist* einer unserer sechs«, bestätige ich. »Jetzt verstehen Sie wohl auch, Liz, dass Sie die Einzige sind, der wir voll und ganz vertrauen.«

39

Als ich das Gespräch mit der geschäftsführenden Direktorin Greenfield beendet habe, sagt mir Carolyn, mein nächster Gesprächspartner sei bereit.

Einen Moment später, nach Geflimmer und Verzerrungen auf dem Bildschirm, habe ich vor mir einen Glatzkopf mit kräftigem Hals, todernstem Gesicht und gepflegtem Bart. Die dunklen Augenringe zeugen nicht von seinem Alter, sondern von der Woche, die er hinter sich hat.

»Mr … President«, spricht mich der Mann an. Sein Englisch ist perfekt, sein fremdländischer Akzent kaum herauszuhören.

»David, schön, Sie zu sehen.«

»Ganz meinerseits, Mr President. Angesichts der Ereignisse der letzten Stunden ist das mehr als reine Höflichkeit.«

Stimmt. »Die Frau ist tot, David. Wussten Sie das?«

»Wir sind davon ausgegangen.«

»Aber der Mann ist hier bei mir«, sage ich. »Er nennt sich ›Augie‹.«

»Er hat Ihnen gesagt, dass er Augie heißt?«

»Ja. Ist das sein echter Name? Haben Sie im Stadion sein Gesicht vor die Linse bekommen?«

Nachdem ich die Eintrittskarte zum Baseballspiel von Nina erhalten hatte, habe ich David angerufen und ihm mitgeteilt, wo ich auf der Tribüne am linken Außenfeld sitzen würde. Er musste ein paar Strippen ziehen, doch seine Leute bekamen noch Karten und platzierten sich so, dass sie Augies Gesicht fotografieren und anschließend ihre Gesichtserkennungs-Software zum Einsatz bringen konnten.

»Wir konnten ein brauchbares Foto von ihm machen, ja, trotz der Baseball-Kappe, die er trug. Wir glauben, dass es sich bei der Person, die beim Baseballspiel neben Ihnen saß, um Augustas Koslenko handelt. 1996 in Slowjansk geboren, in der Donezk-Region in der Ost-Ukraine.«

»Donezk? Interessant.«

»Fanden wir auch. Seine Mutter ist Litauerin. Sein Vater ist Ukrainer, Arbeiter in einer Maschinenfabrik. Nach unserem Kenntnisstand keine politische Zugehörigkeit oder Aktivitäten.«

»Und Augie selbst?«

»Er hat die Ukraine als Schüler während der Mittelstufe verlassen. Er ist ein mathematisches Ausnahmetalent. Ein Genie. Er bekam ein Stipendium und ging in der östlichen Türkei an ein Internat. Wir glauben – wir vermuten, dass er dort Suliman Cindoruk kennengelernt hat. Bis dahin sind von ihm keinerlei politische Aktivitäten irgendwelcher Art bekannt.«

»Aber wie Sie sagen, ist er unser Mann. Er war bei den Söhnen des Dschihad.«

»Ja, Mr President. Nur dass ich mir nicht so sicher wäre, ob die Vergangenheitsform angebracht ist.«

Ich ebenfalls nicht. Was Augie betrifft, so bin ich mir in gar keiner Hinsicht sicher. Ich weiß nicht, was er will und wieso er das tut. Jetzt weiß ich zumindest, dass er mir seinen richtigen Namen genannt hat, aber wenn er wirklich so klug ist, wie wir glauben, hat er sich vermutlich gedacht, dass wir das so oder so rausbekommen. Und falls er seine Aktionen ausschließlich damit rechtfertigt, einmal den Söhnen des Dschihad angehört zu haben, dann würde er sogar Wert darauf legen, dass ich nicht nur seinen Namen weiß, sondern ihn auch mit den Dschihadisten in Verbindung bringe. Folglich bin ich in Bezug auf Augie so klug wie zuvor.

»Er sagt, er habe sich mit den SdD überworfen.«

»Behauptet er. Sie haben natürlich selbst die Möglichkeit erwogen, dass er nach wie vor für sie arbeitet? Dass er auf deren Kommando hört?«

Ich zucke mit den Achseln. »Sicher, aber mit welchem Ziel? Im Stadion oder davor hätte er mich umbringen können.«

»Stimmt.«

»Und jemand will ihn tot sehen.«

»Scheint so. Oder jemand will, dass Sie das glauben, Mr President.«

»Nun ja, David – falls das ein Täuschungsmanöver war, dann hat es verdammt echt gewirkt. Ich weiß ja nicht, wie viel Ihre Leute draußen vor dem Stadion zu sehen bekommen haben, und ich nehme an, das auf der Brücke haben Sie auch noch nicht zu Gesicht gekriegt. Die haben uns nicht einfach nur was vorgemacht. Beide Male hätten wir locker dabei draufgehen können.«

»Das bezweifle ich nicht, Mr President. Ich schlage nur vor, sich anderen Möglichkeiten nicht zu verschließen. Nach meiner Erfahrung sind diese Leute brillante Taktiker. Wir sehen uns ständig gezwungen, unsere Annahmen zu überdenken.«

Eine kluge Mahnung.

»Erzählen Sie mir, was Sie da draußen so hören«, sage ich.

David schweigt einen Moment, um seine Worte abzuwägen. *»Wir hören Gerede darüber, dass Amerika in die Knie gezwungen wird. Wir hören Weltuntergangs-Prophezeiungen. Endzeit-Spekulationen. Dieses Gerede sind wir von den Dschihadisten natürlich gewohnt – dass der Tag des Großen Satans kommt, und zwar schon bald –, aber …«*

»Aber was?«

»Aber bis jetzt gab es dafür nie ein festes Datum. Doch nach allem zu urteilen, was wir gegenwärtig hören, soll es morgen passieren. Samstag, sagen sie.«

Ich schnappe nach Luft. Samstag ist in weniger als zwei Stunden.

»Wer steckt dahinter, David?«, frage ich.

»Sicher können wir das nicht sagen, Mr President. Suliman Cindoruk handelt, wie Sie wissen, nicht im Auftrag offizieller staatlicher Akteure. Nach unseren Informationen kommen eine ganze Reihe Verdächtiger infrage. Die üblichen Verdächtigen, würden Sie vermutlich sagen. IS. Nordkorea. China. Mein Land. Sogar Ihr Land, in dem Fall werden diejenigen sagen, das sei nur Propaganda, eine selbst inszenierte Krise, um einen

militärischen Vergeltungsschlag zu rechtfertigen, dieser typische Verschwörungsunfug.«

»Wenn Sie raten sollten?«, hake ich nach, auch wenn ich mir relativ sicher bin, die Antwort zu kennen. Die strategische Verbreitung von Gerüchten, der Austausch geheimer Informationen, die von den Geheimdiensten abgefangen werden und in Wahrheit von Anfang an nur zu diesem Zweck in Umlauf gebracht wurden. Spionageabwehr der durchtriebensten Art, das Werk von Könnern. Das trägt das Markenzeichen *eines* Landes vor allen anderen.

David Guralnick, der Direktor des Allgemeinen Nachrichten- und Sicherheitsdiensts von Israel – des Mossad –, holt einmal tief Luft. Wie um die dramatische Wirkung zu steigern, tritt eine Bildstörung ein, bevor sein Gesicht wieder deutlich wird.

»Wenn wir raten sollen, dann deutet für uns alles auf Russland hin«, sagt er.

40

Ich trenne die Verbindung zum Direktor des Mossad und sammle mich, bevor ich mit Augie rede. Es gibt viele Möglichkeiten, die Sache anzugehen, doch für Raffinessen bleibt mir keine Zeit.

Samstag, hat David gesagt. Noch neunzig Minuten.

Ich rapple mich vom Stuhl auf, als mich plötzlich ein Drehschwindel erfasst, so als drehe jemand meinen inneren Kompass herum. Ich halte mich an der Schreibtischkante fest und atme langsam und regelmäßig durch. Meine Pillen. Ich brauche meine Pillen.

Aber meine Pillen sind weg. In der Schultertasche zurückgeblieben, in dem Wagen auf dem Parkplatz beim Stadion.

»Verdammt.« Auf dem Handy rufe ich Carolyn an. »Carrie, ich brauche Nachschub an Steroiden. Ich habe keine mehr im

Weißen Haus, und das Fläschchen, das ich dabeihatte, ist nicht mehr da. Rufen Sie Dr. Lane an. Vielleicht hat sie –«

»*Wird gemacht, Mr President.*«

»Gut.« Ich beende das Gespräch, verlasse das schalldichte Büro und gehe, noch etwas unsicher auf den Beinen, durch den Flur zu dem offenen Kellerbereich in der Nähe der Treppe. Augie sitzt auf dem Sofa, auf den ersten Blick ein ganz gewöhnlicher, etwas verlotterter Teenager, der sich vor einem Fernseher lümmelt.

Doch er ist weder ein Teenager noch gewöhnlich.

Im Fernseher an der Wand laufen gerade die Nachrichten, die Meldung von dem versuchten Mordanschlag auf König Saad ibn Saud von Saudi-Arabien und danach eine zu den Unruhen in Honduras.

»Augie«, sage ich. »Stehen Sie auf.«

Er gehorcht und sieht mich an.

»Wer hat uns angegriffen?«, frage ich.

Er streicht sich das Haar aus dem Gesicht und zuckt mit den Achseln. »Ich weiß es nicht.«

»Strengen Sie sich an. Fangen wir mal damit an, wer Sie geschickt hat. Sie haben gesagt, es hätte Differenzen zwischen Ihnen und Suliman Cindoruk sowie den Söhnen des Dschihad gegeben.«

»Ja, das stimmt. Wir sind nicht mehr auf einer Linie.«

»Wer hat Sie dann geschickt?«

»Niemand. Wir sind aus eigenem Antrieb gekommen.«

»Wieso?«

»Ist das nicht offensichtlich?«

Ich packe ihn unsanft am Hemd. »Augie, heute Nacht sind viele Menschen gestorben, darunter einer, der Ihnen nahegestanden hat, und zwei Agents vom Secret Service, die *mir* nahegestanden haben und die Familien mit kleinen Kindern hinterlassen. Also beantworten Sie endlich meine –«

»Wir sind gekommen, um es aufzuhalten«, sagt er und reißt sich los.

»*Dark Ages* zu stoppen? Aber – wieso?«

Er schüttelt den Kopf, stößt ein leises, bitteres Lachen aus. »Sie meinen, was dabei für mich … rausspringt?«

»Genau das meine ich«, antworte ich. »Vorhin wollten Sie es mir nicht sagen. Also, sagen Sie es mir jetzt. Was will ein Junge aus der Donezk-Region in der Ukraine von den Vereinigten Staaten?«

Augie macht einen Schritt zurück, wirkt nur für einen Augenblick überrascht. Eigentlich hält sich sein Erstaunen in Grenzen. »Das ging ja schnell.«

»Gehören Sie dem prorussischen oder dem proukrainischen Lager an? Soweit ich unterrichtet bin, laufen in Donezk von beiden Seiten eine Menge Leute herum.«

»Ach ja? Und wann haben Sie sich das letzte Mal darüber unterrichten lassen, Mr President?« Er hat plötzlich Farbe im Gesicht, er schäumt vor Wut. »Als es Ihnen gerade in den Kram passte, nicht wahr?« Er erhebt den Finger gegen mich. »Genau das unterscheidet uns, Sie und mich. Ich will gar nichts von Ihnen, so sieht's nämlich aus. Ich will … nicht, dass eine Nation mit Millionen von Menschen vernichtet wird. Reicht das?«

Ist es so einfach? Haben Augie und seine Partnerin nur versucht, das Richtige zu tun? An so etwas muss man heutzutage erst mal glauben.

Und ich weiß nicht, ob ich ihm glaube. Ich weiß nicht, was ich glauben soll.

»Aber Sie haben *Dark Ages* erst geschaffen«, sage ich.

Er schüttelt den Kopf. »Das waren Suli, Nina und ich. Aber die entscheidenden Ideen kamen von Nina, sie war die treibende Kraft. Ohne sie wären wir nicht weit gekommen. Ich habe beim Codieren und besonders bei der Implementierung geholfen.«

»Nina? Sie heißt wirklich so?«

»Ja.«

»Die beiden haben es entwickelt, Sie haben unsere Systeme infiltriert.«

»Mehr oder weniger, ja.«

»Und Sie können es aufhalten?«

Er zuckt mit den Achseln. »Das weiß ich nicht.«

»Was?« Ich packe ihn an der Schulter, als könne ich eine andere Antwort aus ihm herausholen, wenn ich ihn schüttle. »Sie haben gesagt, Sie könnten es, Augie. Das haben Sie vorhin gesagt.«

»Ja, schon.« Er nickt, sieht mich mit schimmernden Augen an. »Da war Nina noch am Leben.«

Ich lasse ihn los, gehe zur Wand und schlage mit der Faust dagegen.

Es ist immer ein Schritt vor, zwei zurück.

Ich hole tief Luft. Was Augie sagt, leuchtet ein. Nina war der Superstar. Deshalb war sie das erste Opfer des Scharfschützen. Aus rein praktischen Erwägungen heraus wäre es für diese Leute logischer gewesen, Augie, ein bewegliches Ziel, zuerst zu erschießen und erst danach Nina, die in einem parkenden Fahrzeug saß. Ganz offensichtlich aber hatte Nina die höhere Priorität.

»Ich werde mein Bestes tun, um zu helfen«, sagt er.

»In Ordnung. Also, wer hat uns angegriffen?«, frage ich zum zweiten Mal. »Können Sie mir wenigstens da weiterhelfen?«

»Mr President, die Söhne des Dschihad sind nicht … demokratisch aufgebaut. Solche Informationen hat Suli nicht mit mir geteilt. Ich kann Ihnen dazu nur zwei Dinge sagen: Zum einen weiß Suliman offensichtlich, dass Nina und ich uns von ihm abgespalten haben, und er hat uns eindeutig bis in die Staaten verfolgt.«

»Das steht außer Zweifel«, bestätige ich.

»Zum anderen«, fährt er fort, »beschränken sich Sulimans Fähigkeiten auf Computer. Er ist ein sehr ernst zu nehmender Gegner. Er kann erheblichen Schaden anrichten, das brauche ich Ihnen nicht zu sagen. Aber er verfügt nicht über ausgebildete Söldner.«

Ich stütze mich mit der Hand an der Wand ab. »Heißt …«

»Heißt, er arbeitet mit jemand anderem zusammen«, sagt Augie. »Einem Staat, der Amerika in die Knie zwingen will.«

»Und der jemanden in meinem inneren Kreis kompromittiert hat«, füge ich hinzu.

41

»Na schön, Augie, nächste Frage«, fahre ich fort. »Was will Suliman? Er muss etwas wollen. Oder meinetwegen auch diejenigen, die mit ihm zusammenarbeiten. Was wollen die?«

Augie legt den Kopf schief. »Wieso?«

»Wieso? Ganz einfach: Wieso hätten sie uns sonst das Virus im Voraus vorgeführt?« Ich strecke die Hand aus. »Augie, vor zwei Wochen, da taucht plötzlich dieses Virus in unserem internen Netzwerk im Pentagon auf. Es ist aufgetaucht und wieder verschwunden. Aber das wissen Sie ja. Im Baseballstadion haben Sie es mir selbst gesagt. ›Es ist plötzlich aufgetaucht, bevor es wieder verschwand‹« – ich schnippe mit den Fingern –, »›einfach so‹.«

»Ein *Peekaboo.*«

»Ein Peekaboo, ja, so haben es auch meine Experten genannt, ein ›Guck-guck‹-Spiel. Ohne Vorwarnung, ohne bei einem einzigen unserer modernsten Warnsysteme Alarm auszulösen, erschien das Virus kurzzeitig überall im internen Netzwerk des Verteidigungsministeriums und war gleich wieder spurlos verschwunden. So kam die ganze Sache ins Rollen. Wir haben es *›Dark Ages‹* getauft und ein Threat-Response-Team zusammengetrommelt. Seitdem arbeiten unsere besten Cybersicherheitsexperten rund um die Uhr daran, es zu finden und, wenn möglich, auszuschalten, aber bislang ohne Erfolg.«

Augie nickt. »Und das jagt Ihnen Angst ein.«

»Das können Sie laut sagen.«

»Weil es ohne Vorwarnung Ihr System infiltriert und sich sofort in Luft aufgelöst hat. Ihnen ist klar, dass es zurückkehren könnte oder vielleicht überhaupt nicht verschwunden ist. Und Sie haben keine Ahnung, was es in Ihren Systemen anrichten kann.«

»Sie sagen es, ja«, bestätige ich. »Aber es muss einen Grund für die heimliche Vorschau, für dieses Peekaboo, geben. Wenn der- oder diejenigen, die dahinterstecken, unsere Netzwerke lahmlegen wollten, hätten sie es einfach getan. Sie hätten uns nicht *vorgewarnt*. Das tut man nur, wenn man etwas will, wenn man zum Beispiel eine Lösegeldforderung stellen will.«

»Erpresser-Software«, sagt er. »Ja, ich kann Ihnen folgen. Als Sie die Warnung sahen, rechneten Sie damit, dass bald eine Forderung folgen würde.«

»Genau.«

»Ah, deshalb also – deshalb haben Sie Suli angerufen.« Augie nickt. »Um ihn zu fragen, was er fordert.«

»Ja. Er wollte mich auf sich aufmerksam machen. Also habe ich ihn wissen lassen, ich sei ganz Ohr. Ich wollte seine Forderung hören, ohne ihn direkt danach zu fragen, ohne durchblicken zu lassen, dass die Vereinigten Staaten auf Erpressung eingehen würden.«

»Aber er hat keine Forderung gestellt.«

»Nein, hat er nicht«, sage ich. »Er zierte sich. Er schien … nicht zu wissen, was er sagen soll. Als habe er nicht mit meinem Anruf gerechnet. Natürlich hat er abfällige Bemerkungen über mein Land vom Stapel gelassen, das Übliche – aber es kam keine Forderung. Keine Bestätigung des Peekaboo. Also blieb mir nichts anderes übrig, als ihm zu drohen. Ich habe ihm gesagt, falls dieses Virus unserem Land Schaden zufügte, würde ich ihn mit allen mir verfügbaren Mitteln zur Rechenschaft ziehen.«

»Das muss eine … eine seltsame Unterhaltung gewesen sein.«

»Oh ja«, bestätige ich. »Meine IT-Leute waren davon überzeugt, in dem Virus die Handschrift der Söhne des Dschihad zu erkennen. Und sie sagten, das Peekaboo sei kein Versehen, sondern volle Absicht. Also, wo bleibt die Lösegeldforderung? Wieso sollte er sich die Mühe mit dem Peekaboo machen, ohne etwas zu verlangen?«

Augie nickt. »Und dann tauchte Nina auf. Sie dachten, sie käme mit der Lösegeldforderung.«

»Ja. Sie oder Nina. Also?« Ich werfe die Hände hoch, ich bin mit meiner Geduld am Ende. »Wo zum Teufel bleibt die Lösegeldforderung?«

Augie holt tief Luft. »Es wird keine Lösegeldforderung geben«, sagt er.

»Es – wieso nicht? Wieso schicken die uns dann die Warnung?«

»Mr President, das Peekaboo haben nicht die Söhne des Dschihad geschickt«, sagt er. »Es kommt auch nicht von den Geldgebern im Hintergrund, wer auch immer das ist.«

Ich starre ihn an. Ich brauche einen Moment. Dann dämmert es mir.

»Das haben Sie geschickt«, stelle ich fest.

»Nina und ich, ja. Um Sie zu warnen«, bestätigt er. »Damit Sie anfangen können, Strategien zur Schadensminderung zu entwickeln. Und auch, damit Sie uns ernst nehmen, wenn Nina und ich uns mit Ihnen in Verbindung setzen. Suliman wusste nichts davon. Es würde ihm im Traum nicht einfallen, Sie im Voraus vor diesem Virus zu warnen.«

Ich lasse mir seine Worte durch den Kopf gehen. Augie und Nina haben uns die Warnung vor zwei Wochen geschickt. Und dann hat Nina, über eine Woche später, Lilly in Paris aufgespürt und ihr die Zauberworte zugeflüstert.

Sie sind gekommen, um mich zu warnen. Um mir zu helfen. Das ist die gute Nachricht.

Und die schlechte? Suliman Cindoruk und die fremde Staatsmacht, die hinter ihm steht, hat nie beabsichtigt, die USA vor dem Angriff zu warnen.

Sie werden auch keine Forderungen stellen. Sie sind nicht

darauf aus, dass wir unsere Außenpolitik ändern. Sie wollen keinen Gefangenenaustausch. Sie wollen kein Geld.

Sie werden überhaupt keine Gegenleistung fordern.

Sie werden einfach nur das Virus verbreiten.

Sie wollen uns vernichten.

42

»Wie viel Zeit bleibt uns?«, frage ich Augie. »Wann wird das Virus aktiviert?«

»Am Samstag in Amerika. Mehr weiß ich nicht.«

Das deckt sich mit dem, was der Direktor des Mossad gesagt hat.

»Dann müssen wir sofort los«, ich eile an Augie vorbei und packe ihn im Gehen am Arm.

»Wohin?«

»Das erkläre ich Ihnen im –«

Ich wende mich zu schnell zu ihm um und habe das Gefühl, als würde sich der Raum drehen; es folgt ein stechender Schmerz wie von einem Stoß mit etwas Spitzem zwischen die Rippen – schnell zum Sofa – die Zimmerdecke blitzt vor meinen Augen auf und kippt –

Ich will einen Schritt nach vorn machen, doch ich kann nicht, mein Bein knickt ein, der Boden ist nicht da, wo er hingehört – alles stürzt zur Seite –

»Mr President!« Jacobson fängt mich, kurz bevor mein Gesicht den Teppichboden berührt, mit beiden Armen auf.

»Dr. Lane«, flüstere ich und greife in meine Tasche.

Das Zimmer fährt Karussell.

»Rufen Sie … Carolyn an«, bringe ich heraus. Ich halte mein Smartphone hoch und schwenke es in der Luft, bis Jacobson es mir aus der Hand nimmt. »Sie weiß … was zu tun …«

»Mrs Brock!«, brüllt Jacobson ins Handy. Instruktionen werden erteilt, Anweisungen entgegengenommen. Alles wie aus weiter Ferne, Jacobson nicht im normalen Tonfall, sondern im Gefechtsmodus.

Nicht jetzt. Das geht jetzt nicht.

»Er kommt doch durch, ja?«

»Wie schnell?«

Samstag in Amerika. Samstag in Amerika ist jeden Moment.

Ein Atompilz. Sengende Hitze, die sich über die Landschaft breitet. Wo ist unser Oberbefehlshaber? Wo ist der Präsident?

»Nicht … jetzt …«

»Sagen Sie ihr, sie soll sich beeilen!«

Wir haben keine Möglichkeit zu reagieren, Mr President.

Sie haben unsere Systeme lahmgelegt, Mr President.

Was sollen wir machen, Mr President?

Was werden Sie *machen, Mr President?*

»Bleiben Sie liegen, Sir. Hilfe ist unterwegs.«

Ich bin nicht bereit. Noch nicht.

Nein, Rachel, ich bin noch nicht bereit, zu dir zu kommen.

Samstag in Amerika.

Stille. In weitem Umkreis tote, ungeformte Leere.

»Wo zum Teufel bleibt Alex mit der Ärztin?«

Ein helles Licht.

SAMSTAG IN AMERIKA

43

Vizepräsidentin Katherine Brandt schlägt, unsanft aus dem Nebel eines Traums gerissen, die Augen auf. Wieder hört sie das Geräusch, energisches Klopfen an ihrer Schlafzimmertür.

Die Tür geht einen Spaltbreit auf, das Klopfen ist lauter. Peter Evian, ihr Stabschef, steckt den Kopf herein. »Es tut mir leid, Sie zu wecken, Madam Vice President«, sagt er.

Zuerst erkennt sie ihre Umgebung nicht, braucht eine Sekunde, um sich zurechtzufinden. Sie ist im Untergeschoss und schläft allein, wobei *allein* ein relativer Begriff ist, wenn man bedenkt, dass draußen vor der Tür dieses kleinen Schlafzimmers Agents stehen.

Sie greift nach ihrem Smartphone auf dem Nachttisch, um zu sehen, wie spät es ist. 1:03 Uhr.

»Ja, Peter, kommen Sie rein.« Sie spricht ruhig. Sei immer auf den Eventualfall gefasst. Das schärft sie sich jeden Tag ein. Weil es jederzeit, bei Tag oder Nacht, ohne Vorwarnung, so weit sein könnte. Ein Schuss. Ein Aneurysma. Ein Herzinfarkt. So ist nun mal das Leben einer Vizepräsidentin.

Sie richtet sich im Bett auf. Peter, wie immer in Hemd und Krawatte, tritt ein und reicht ihr sein Handy, auf dem eine Webpage mit einem Zeitungsartikel geöffnet ist.

Die Überschrift: THE PRESIDENT IS MISSING.

Wie Regierungsquellen bestätigen, so heißt es in dem Artikel, befindet sich der Präsident gegenwärtig nicht im Weißen Haus. Und mehr noch: Man weiß nicht, *wo* er stattdessen ist.

Danach ergeht sich die Meldung in Spekulationen – die ganze Bandbreite von plausiblen über unglaubwürdige bis hin zu absurden Erklärungen: ein Wiederaufflammen seiner Blutkrankheit, er ist schwer krank. Er hat die Stadt verlassen, um sich auf die Anhörungen vor dem Sonderausschuss vorzubereiten. Er steckt mit seinen engsten Beratern die Köpfe zusammen, um eine Rücktrittserklärung vorzubereiten. Er macht sich mit Bestechungsgeld von Suliman Cindoruk aus dem Staub und flüchtet außer Landes, um sich der Strafverfolgung zu entziehen.

Der Präsident und die Vizepräsidentin sind in Sicherheit, so hieß es in der offiziellen Verlautbarung gestern Abend, nach der Explosion auf der Brücke und der Schießerei am Baseballstadion. Mehr nicht. Wahrscheinlich die richtige Strategie. Sag allen, ihre Regierungschefs seien wohlbehalten, ohne Genaueres über ihren Aufenthaltsort preiszugeben. Niemand würde etwas anderes erwarten.

Aber in diesem Artikel steht, seine eigenen Leute wüssten nicht, wo er steckt.

Sie weiß es auch nicht.

»Ich brauche Carolyn Brock«, sagt sie.

44

Carolyn Brock, registriert die Vizepräsidentin, trägt dasselbe Kostüm wie gestern. Und ihre geröteten Augen verraten, dass sie kaum geschlafen hat.

Allem Anschein nach ist die unermüdliche Stabschefin in der Nacht nicht heimgegangen.

Sie sitzen in der Einsatzzentrale unter dem Weißen Haus, an den entgegengesetzten Enden eines langen Tischs. Die Vizepräsidentin hätte es vorgezogen, dieses Meeting in ihrem eigenen Büro im West Wing abzuhalten, doch letzte Nacht wurde sie, so wie es der Plan zur Sicherstellung der Regierungsfähigkeit vorsieht, in die unterirdischen Räumlichkeiten geleitet, und vorerst sieht sie keinen Grund, daran zu rütteln.

»Wo ist Alex Trimble?«, fragt sie.

»Er ist nicht verfügbar, Madam Vice President.«

Sie kneift die Augen zusammen. Dieser Blick, haben ihre Mitarbeiter ihr schon früher gestanden, war allseits gefürchtet, ihre stumme, aber eiskalte Art, ihren Missmut über eine Antwort deutlich zu machen.

»Das ist alles? Er ist ›nicht verfügbar‹?«

»Ja, Ma'am.«

Sie kocht innerlich. Rein theoretisch ist sie als Vizepräsidentin die zweitmächtigste Person im Land. Und so wird sie auch von allen behandelt. Zumindest offiziell. Sosehr sie ihm auch dafür gegrollt hat, sie zu überholen und ihr die Nominierung vor der Nase wegzuschnappen, die sie praktisch schon in der Tasche hatte, und sosehr sie sich auch auf die Zunge beißen und sich damit abfinden musste, nur die zweite Geige zu spielen, muss sie zugeben, dass der Präsident sein Versprechen gehalten und ihre Position aufgewertet hat, indem er ihre Meinung einholt und ihr bei allen wichtigen Entscheidungen einen Platz am Tisch einräumt. Duncan hat seinen Teil der Abmachung erfüllt.

Dennoch wissen sie beide, dass in diesem Raum in Wahrheit Carolyn die Fäden in der Hand hält.

»Wo ist der Präsident, Carolyn?«

Perfekte Diplomatin, die sie ist, breitet Carolyn die Hände aus. Wenn auch widerstrebend, hat Katherine vor der Stabschefin Respekt, davor, wie sie dem Kongress schon so manches Zugeständnis abgerungen hat, wie sie im Weißen Haus für reibungslose Abläufe sorgt, die Berater und Mitarbeiter im West Wing auf Linie hält, alles im Dienste der präsidialen Agenda. Als Carolyn noch selbst im Kongress war, vor diesem unseligen Missgeschick mit dem eingeschalteten Mikrofon, galt sie vielen schon als künftige Sprecherin, vielleicht sogar als Präsidentschaftskandidatin. Eloquent, stets gut vorbereitet, wendig, eine gestandene Wahlkämpferin, attraktiv, aber keine Beauty-Queen – die ständige Gratwanderung der Frauen in der Politik –, mit diesen Qualitäten hätte Carolyn eine der Besten sein können.

»Ich habe Sie gefragt, wo der Präsident ist, Carolyn.«

»Das kann ich nicht beantworten, Madam Vice President.«

»Können oder wollen Sie nicht?«, fragt Katherine Brandt mit einer fordernden Geste. »Wissen *Sie*, wo er ist? Können Sie mir *das* wenigstens sagen?«

»Ja, ich weiß, wo er ist, Ma'am.«

»Ist er …« Sie schüttelt den Kopf. »Ist er wohlauf? Ist er in Sicherheit?«

Carolyn legt den Kopf schief. »Er ist in Begleitung des Secret Service, wenn Sie das –«

»Himmel, Carolyn, können Sie mir keine klare Antwort geben?«

Für einen Moment sehen sie sich schweigend an. Carolyn Brock ist ein harter Brocken, und die Loyalität zum Präsidenten hat bei ihr erste Priorität. Wenn sie für den Mann den Kopf hinhalten muss, dann tut sie es.

»Ich bin nicht befugt, Ihnen seinen Aufenthaltsort mitzuteilen«, befindet sie.

»Das hat der Präsident gesagt? Er hat Sie angewiesen, mir zu verschweigen, wo er ist?«

»Die Anordnung galt natürlich nicht Ihnen persönlich, Ma'am.«

»Aber sie schließt mich ein.«

»Ich kann Ihnen die gewünschte Auskunft nicht erteilen, Madam Vice President.«

Katherine schlägt mit der flachen Hand auf den Tisch, springt auf.

»Seit wann«, sagt sie nach kurzer Überlegung, »versteckt sich der Präsident vor *uns?*«

Auch Carolyn steht auf, und wieder starren sie einander an. Katherine rechnet mit keiner Antwort, und Carolyn enttäuscht sie nicht. Die meisten Menschen würden unter ihrem Blick, dem unbehaglichen Schweigen, klein beigeben, doch Katherine zweifelt nicht daran, dass Carolyn, wenn nötig, ihrem Blick die ganze Nacht standhalten würde.

»Kann ich Ihnen noch anderweitig dienen, Madam Vice President?« Dieselbe kühle Effizienz in ihrem Ton, womit sie die Vizepräsidentin nur noch mehr entnervt.

»Wieso sind wir im *Lockdown?*«, fragt sie.

»Wegen der Gewaltakte gestern Abend«, antwortet Carolyn. »Reine Vorsichts-«

»Nein«, fällt sie ihr ins Wort. »Bei den Gewalttätigkeiten gestern Abend hat es sich um eine Ermittlung des FBI und des Geheimdienstes gehandelt, nicht wahr? Wegen des Verdachts auf betrügerische Aktivitäten. Das war zumindest die offizielle Erklärung.«

Die Stabschefin bleibt stumm, rührt sich nicht. Katherine hat der Geschichte von Anfang an nicht recht getraut.

»Diese Ausschreitungen ... mögen vielleicht einen vorübergehenden Lockdown rechtfertigen«, fährt sie fort. »Für Minuten, eine Stunde, bis wir uns ein Bild gemacht haben. Aber ich bin jetzt schon die ganze Nacht hier unten. Soll es dabei bleiben?«

»Vorerst ja, Ma'am.«

Sie geht auf Carolyn zu und bleibt dicht vor ihr stehen. »Dann versuchen Sie nicht, mir weiszumachen, das hätte immer noch mit den Vorkommnissen in der Hauptstadt gestern Nacht zu tun. Ich will wissen, warum wir wirklich im Lockdown sind. Ich will wissen, wieso der Plan zur Sicherstellung der Regierungsfähigkeit in Kraft ist. Ich will wissen, wieso der Präsident in diesem Moment um sein Leben fürchtet.«

Carolyn blinzelt ein paar Mal, bleibt aber ansonsten stoisch. »Ma'am, ich habe vom Präsidenten persönlich die Anweisung zum Lockdown und zur Sicherstellung der Regierungsfähigkeit erhalten. Es steht mir nicht zu, diesen Befehl infrage zu stellen. Es steht mir nicht zu, ihn nach den Gründen zu fragen. Und genauso wenig –« Sie wendet den Blick ab, presst die Lippen zusammen.

»Genauso wenig wie mir, das wollten Sie doch sagen, nicht wahr, Carolyn?«

Carolyn hebt den Kopf und sieht ihr in die Augen. »Ja, Ma'am. Das wollte ich sagen.«

Die Vizepräsidentin nickt bedächtig. Sie kann sich nur mühsam beherrschen.

»Sollte es hier etwa um die Amtsenthebung gehen?«, fragt sie, obgleich sie nicht wüsste, wie.

»Nein, Ma'am.«

»Ist es eine Angelegenheit der nationalen Sicherheit?«

Carolyn schweigt beharrlich.

»Geht es um *Dark Ages?*«

Es zuckt in Carolyns Gesicht, doch sie verweigert die Antwort.

»Nun, Mrs Brock«, sagt Katherine, »auch wenn ich nicht Präsidentin bin –«

Noch nicht.

»– bin ich immerhin Vizepräsidentin. Ich nehme von Ihnen keine Befehle entgegen. Und vom Präsidenten habe ich keinen Lockdown-Befehl gehört. Er weiß, wie er mich erreicht. Ich stehe im Telefonbuch. Er kann mich jederzeit anrufen und mir sagen, was zur *Hölle* da vor sich geht.«

Sie macht auf dem Absatz kehrt und geht zur Tür.

»Wo wollen Sie hin?«, fragt Carolyn in nachdrücklicherem, weniger respektvollem Ton.

»Was glauben Sie? Ich habe einen vollen Terminkalender. Einschließlich einem Interview mit *Meet the Press,* bei dem die erste Frage lauten wird: ›Wo ist der Präsident?‹«

Wichtiger und noch davor: das Treffen, das sie gestern Abend abgemacht hat, nachdem sie zu Hause angerufen hatte. Es könnte eine der interessantesten Verabredungen ihres Lebens werden.

»Sie werden die Einsatzzentrale nicht verlassen.«

An der Tür bleibt die Vizepräsidentin stehen. Sie dreht sich zur Stabschefin des Weißen Hauses um, die soeben in einer Art und Weise mit ihr gesprochen hat, wie sie sich seit ihrer Ernennung niemand sonst herausgenommen hat – die sich schon lange vorher niemand herausgenommen hat. »*Wie* bitte?«

»Sie haben mich verstanden.« Offensichtlich findet es die Stabschefin nicht mehr der Mühe wert, den Anschein von Respekt aufrechtzuerhalten. »Der Präsident will, dass Sie in der Einsatzzentrale bleiben.«

»Und jetzt hören *Sie mir* mal gut zu, Sie Vollzugsgehilfin. Ich nehme nur vom Präsidenten Anweisungen entgegen. Solange ich nicht von ihm persönlich höre, bin ich in meinem Büro im West Wing.«

Sie tritt in den Flur, wo ihr Stabschef, Peter Evian, von seinem Handy aufblickt.

»Was passiert da gerade?«, fragt er und hält mit ihr Schritt.

»Ich will Ihnen sagen, was *nicht* passieren wird«, antwortet sie. »Ich werde *nicht* mit diesem Schiff untergehen.«

45

Die Ruhe vor dem Sturm. Das heißt, nicht für ihn, nur für seine Leute, seine kleine Crew von Computergenies, die in den letzten zwölf Stunden das Leben in vollen Zügen genossen und Frauen betatscht haben, die sie normalerweise keines Blickes gewürdigt hätten, die sie in dieser Nacht auf jede erdenkliche Weise gevögelt und ihnen ungeahnte Wonnen bereitet haben. Sie haben Champagner aus der Flasche getrunken, der sonst nur den Reichsten dieser Welt auf der Zunge perlt. Haben sich ein Smörgåsbord mit Kaviar und Pastete, Hummer und Filet mignon munden lassen.

Jetzt schlafen sie alle, der Letzte von ihnen hat sich erst vor einer Stunde hingelegt. Keiner von ihnen steht heute vor Mittag auf. Heute wird keiner von ihnen von Nutzen sein.

Kein Problem. Sie haben ihre Schuldigkeit getan.

Suliman Cindoruk sitzt, eine brennende Zigarette zwischen den Fingern, Handys, Laptops und Kaffee auf dem Tisch neben ihm, auf der Penthouse-Terrasse und teilt ein Croissant, während er das Gesicht in die Morgensonne hält.

Genieße diesen friedlichen Morgen, sagt er sich. *Denn wenn morgen um diese Zeit über der Spree die Sonne aufgeht, ist es mit dem Frieden vorbei.*

Er schiebt sein Frühstück weg. Er kann selbst keinen Frieden finden. Mit dem übersäuerten Magen bringt er keinen Bissen herunter.

Er zieht seinen Laptop heran, aktiviert den Bildschirm, scrollt die wichtigsten Nachrichten herunter.

Der Aufmacher: das gescheiterte Komplott zum Mordanschlag auf König Saad ibn Saud von Saudi-Arabien und die darauf folgende Verhaftungswelle. Die möglichen Motive, so die Nachrichtenagenturen und ach so »informierten« Expertenkreise, die sich auf den Portalen in Mutmaßungen ergehen, könnten mit den prodemokratischen Reformen des neuen Königs zusammenhängen. Mit seiner Stärkung der Frauenrechte. Seiner harten Linie gegenüber dem Iran. Mit der Verwicklung der Saudis in den Bürgerkrieg im Jemen.

Die zweite Nachricht des Tages: die Ereignisse in Washington gestern Abend, das Feuergefecht und die Explosion auf der Brücke, die Schießerei am Stadion, der zeitweilige Lockdown des Weißen Hauses. Kein Terrorismus, sagen die Bundesbehörden. Nein. Die Vorfälle stehen angeblich im Zusammenhang mit Ermittlungen des FBI und des Finanzministeriums gegen Wirtschaftsbetrug. Bis jetzt, nur wenige Stunden nach dem Geschehen, scheinen die Medien und die Presse diese Version zu schlucken.

Und dann noch der Blackout im Stadion unmittelbar vor der Schießerei – Zufall? Ja, behaupten die Bundesbehörden. Reiner Zufall, dass ein massiver Stromausfall im Stadion und in einem Radius von einer Viertelmeile darüber hinaus ausgerechnet passiert, als das Stadion brechend voll ist, und nur Sekunden, bevor sich Bundesagenten und Betrüger in der Capitol Street eine wilde Schießerei liefern.

Präsident Duncan muss klar sein, dass er mit dieser lächerlichen Geschichte nicht ewig durchkommen wird. Aber wahrscheinlich ist es ihm egal. Der Präsident spielt auf Zeit.

Dabei weiß er nicht, wie wenig Zeit er noch hat.

Eins von Sulis Smartphones klingelt. Das Wegwerfhandy. Die SMS ist um den Globus gegangen, bevor sie ihn erreicht, über anonyme Erfüllungsgehilfen und indem sie mehrere Remote-Server in einem Dutzend verschiedener Länder durchlaufen hat. Wer versuchen würde, diese SMS zurückzuverfolgen, würde irgendwo zwischen Sydney, Australien, Nairobi, Kenia, und Montevideo, Uruguay stranden.

Bestätige, wir liegen im Zeitplan, lautet die Nachricht.

Er grinst. Als ob sie die leiseste Ahnung hätten, was der Zeitplan ist.

Bestätige, ob Alpha tot, schreibt er zurück.

»Alpha« steht für Nina.

In keiner einzigen der zahlreichen Online-Meldungen über die gewalttätigen Vorfälle am Baseballstadion und dem Schusswechsel mit der anschließenden Explosion auf der Brücke zwischen der Hauptstadt und Virginia wird eine tote Frau erwähnt.

Er klickt auf Senden und wartet, während die SMS auf ihren verschlungenen Wegen um die Welt geht.

Es gibt ihm einen Stich, dieser Verrat, Ninas Verrat. Und auch der Verlust. Vielleicht war er sich selbst nicht über die Gefühle im Klaren, die er für sie hegte. Für ihren revolutionären Geist. Ihren harten, wendigen Körper. Ihre unersättliche Experimentierlust, in der Welt des Cyberwar ebenso wie im Bett. Die vielen Stunden, Tage und Wochen ihrer Zusammenarbeit, in denen sie einander herausgefordert, Ideen ausgetauscht, Hypothesen aufgestellt und in einem endlosen Trial-and-Error-Prozess bewiesen oder verworfen haben, aneinandergeschmiegt vor einem Laptop gehockt, bei einem Glas Wein theoretisiert haben oder auch nackt im Bett.

Bis sie in romantischer Hinsicht das Interesse an ihm verlor. Damit konnte er leben. Er hat nie die Absicht gehabt, mit einer Frau zusammenzubleiben. Doch dass sie sich ausgerechnet mit Augie zusammentat, mit diesem unscheinbaren Troll, hat er nie verstanden.

Hör auf. Er fasst sich an die Augen. *Das bringt nichts.*

Die Antwort trifft ein:

Nach unserer Information ist Alpha tot.

Das ist nicht ganz dasselbe wie eine Bestätigung. Doch die Professionalität und Kompetenz des Teams, das sie nach Amerika entsandt haben, stehe außer Zweifel, das wurde ihm versichert, und ihm bleibt nichts anderes übrig, als ihnen zu glauben.

Er schreibt zurück: **Wenn Alpha tot ist, liegen wir im Zeitplan.**

Die Antwort kommt so schnell, dass sie sich mit Sulis Nachricht gekreuzt haben muss:

Bestätigt, dass Beta lebt und in Gewahrsam ist.

»Beta«, das heißt Augie. Er ist also davongekommen. Er ist bei den Amerikanern.

Suli muss unwillkürlich schmunzeln.

Eine zweite Nachricht, so dicht nach der letzten. Sie sind nervös.

Bitte um Bestätigung dass wir angesichts dieser Entwicklung noch im Zeitplan liegen.

Er antwortet schnell: **Bestätigt. Im Zeitplan.**

Die bilden sich ein, ihnen sei der Zeitplan für die Aktivierung des Virus bekannt. Ist er nicht.

Zum gegenwärtigen Zeitpunkt auch Suli nicht. Im Moment liegt es ganz in Augies Hand.

Ob er es weiß oder nicht.

46

»… muss ihn wecken.«

»Er wacht von selber auf, wenn er so weit ist.«

»Meine Frau sagt, wir sollen ihn aufwecken.«

Hoch über mir die Wasseroberfläche. Die Sonne auf den Wellenkräuseln.

Ich schwimme darauf zu, zapple mit den Armen, trete mit den Beinen.

Plötzlich wieder Luft in den Lungen und das Licht so hell, dass es mich blendet –

Ich blinzle in das Licht, bis ich nach und nach wieder scharf sehen kann.

Ich sehe Augie, der, mit Hand- und Fußschellen gefesselt, auf dem Sofa sitzt und düster vor sich hin starrt.

Die Zeit ist aufgehoben, ich schwebe, während ich beobachte, wie er angespannt die Augen zusammenkneift und dabei die Lippen ein wenig bewegt.

Wer bist du, Augustas Koslenko? Kann ich dir trauen?

Was bleibt mir anderes übrig? Ich habe ihn oder nichts.

Er dreht, fast unmerklich, das Handgelenk. Er sieht nicht auf die Fesseln. Er sieht auf die Uhr.

Seine Uhr.

»Wie spät … welcher Tag …«, fange ich an und verstumme, weil ich Schmerzen in Nacken und Rücken habe. In meinem Arm steckt eine intravenöse Kanüle, der Schlauch verschwindet irgendwo hinter mir.

»Er ist wach, er ist wach!« Die Stimme von Morty, Carolyns Mann.

»Mr President, ich bin's, Dr. Lane.« Ihre Hand auf meiner Schulter. Ihr Gesicht zwischen mir und dem Licht. »Wir haben Ihnen eine Thrombozytentransfusion gelegt. Sie sind dabei, sich zu erholen. Es ist 3:45 Uhr, Samstagmorgen. Sie waren etwas über vier Stunden lang bewusstlos.«

»Wir müssen ...«, fange ich an und versuche, mich aufzurichten.

Dr. Lane drückt mir sanft auf die Schulter. »Sachte, sachte. Wissen Sie, wo Sie sind?«

Ich versuche, die Spinnweben zu durchdringen. Ich fühle mich noch etwas benommen, weiß jedoch genau, wo ich bin und weshalb.

»Ich muss los, Doctor, ich habe keine Zeit. Ziehen Sie diese Kanüle aus meinem Arm!«

»Langsam, warten Sie.«

»Holen Sie sie raus, oder ich tu's selbst. Morty«, fordere ich, als ich ihn mit dem Handy am Ohr sehe. »Ist das Carrie?«

»Halt!«, gebietet Dr. Lane, und ihr Lächeln ist verflogen. »Vergessen Sie Morty nur für eine Minute. Geben Sie mir sechzig Sekunden, und hören Sie mir ausnahmsweise einmal zu.«

Ich hole Luft. »Sechzig Sekunden. Legen Sie los.«

»Ihre Stabschefin hat erklärt, dass Sie nicht hierbleiben können, dass Sie woandershin müssen. Ich kann Sie nicht aufhalten. *Mitkommen* kann ich schon.«

»Nein. Auf keinen Fall.«

Sie beißt die Zähne zusammen. »Dasselbe hat Ihre Stabschefin gesagt. Diese Infusion«, sagt sie, »nehmen Sie sie mit auf die Fahrt. Lassen Sie sie dran, bis der Beutel leer ist. Ihr Agent, Agent ...«

»Jacobson«, meldet er sich.

»Ja. Er sagt, er kenne sich aus seiner Zeit bei den Navy SEAL ein wenig mit Wundbehandlung aus. Er kann die Kanüle entfernen, wenn die Infusion durchgelaufen ist.«

»Gut«, sage ich, und als ich mich aufrichte, fühle ich mich, als hätte ich sechs bis acht Tritte gegen den Kopf eingesteckt.

Sie drückt mich wieder herunter. »Meine sechzig Sekunden sind noch nicht um.« Sie beugt sich dicht zu mir herab. »Sie müssten eigentlich die nächsten vierundzwanzig Stunden flach liegen. Ich weiß, das werden Sie nicht tun. Aber Sie müssen wenigstens Ihre körperlichen Anstrengungen auf ein Minimum beschränken. Sitzen Sie, statt zu stehen. Gehen Sie, statt zu laufen oder zu rennen.«

»Verstanden.« Ich winke Morty heran. »Morty, geben Sie mir Carolyn.«

»Ja, Sir.«

Morty drückt mir das Smartphone in die Hand. Ich halte es ans Ohr. »Carrie, es geht heute los. Geben Sie unserem ganzen Team Bescheid. Das ist meine amtliche Bestätigung, dass wir Stufe zwei einleiten.«

Mehr brauche ich nicht zu sagen, um uns auf das, was uns jetzt bevorsteht, einzustimmen. Unter »normalen« Katastrophenbedingungen, zumindest denen seit 1959, würde ich die Stufen des Verteidigungszustands – »DEFCON« – aufrufen, entweder für alle Militärsysteme weltweit oder für ausgewählte Kommandos. Das hier ist etwas anderes – wir sind mit einer Krise konfrontiert, wie sie in den Fünfzigerjahren nicht einmal vorstellbar war, und unsere unmittelbar anstehenden Schritte unterscheiden sich fundamental von einem konventionellen nuklearen Angriff. Carrie weiß genau, was Stufe zwei bedeutet, nicht zuletzt, weil wir zwei Wochen lang bei Stufe eins gestanden haben.

Nichts am anderen Ende außer dem Geräusch von Carries Atem.

»Mr President«, sagt sie schließlich, *»möglicherweise hat es schon angefangen.«*

Ich höre ihr zwei Minuten lang zu, vielleicht die kürzesten – und längsten – Minuten meines Lebens.

»Alex«, rufe ich. »Vergessen Sie den Wagen. Wir brauchen die *Marine One*.«

47

Jacobson fährt. Alex sitzt neben mir im Fond des SUV, der Infusionsbeutel hängt zwischen uns. Augie hockt mir gegenüber. Auf dem Schoß habe ich einen geöffneten Laptop, auf dem ich ein Video sehe, eine Satellitenaufnahme von einem Gebäudekomplex in einem Industrieviertel von Los Angeles. Fast einen ganzen Block nimmt ein großer, weitläufiger Bau ein, augenscheinlich eine große Fabrik, inklusive Schornsteinen.

Alles ist in Dunkel gehüllt. Der Zeitstempel in der Bildschirmecke zeigt 02:07 Uhr – kurz nach zwei Uhr morgens, vor ungefähr zwei Stunden.

Im nächsten Moment brechen Feuerbälle durchs Dach, orangerote Flammen schießen aus den Fenstern; das Fabrikgebäude bebt, kurz darauf bricht eine Gebäudeseite ein, bis schließlich der gesamte Block in einer Wolke aus schwarzem und orangefarbenem Rauch verschwindet.

Ich halte das Video an und klicke auf das Fenster in der Bildschirmecke.

Das Fenster, dreifach geteilt, öffnet sich und nimmt den ganzen Bildschirm ein. Im mittleren Teil ist Carolyn im Weißen Haus zu sehen, links von ihr die geschäftsführende FBI-Direktorin Elizabeth Greenfield. Rechts von Carolyn ist Sam Haber, der Minister für Heimatschutz.

Ich habe einen mit dem Laptop verbundenen Kopfhörer auf, sodass nur ich hören kann, was die drei mir zu sagen haben. Ich will mich zunächst einmal über den Vorfall unterrichten lassen, ohne dass Augie mithört.

»Okay, ich hab's gesehen«, sage ich, »und jetzt erzählen Sie, von Anfang an.« Ich bin heiser, habe Mühe, die Nebenwirkungen der Behandlung zu überwinden und mich zu konzentrieren.

»Mr President«, sagt Sam Haber. *»Die Explosion hat sich vor etwa zwei Stunden ereignet. Es ist ein gewaltiges Feuer, wie Sie*

sich vorstellen können. Man versucht immer noch, es unter Kontrolle zu bringen.«

»Was wissen wir über diese Fabrik?«, frage ich.

»Sir, es ist ein Rüstungskonzern. Er gehört zu den größten Waffenlieferanten des Verteidigungsministeriums. Die haben im Los Angeles County eine Reihe weiterer Standorte.«

»Was ist so Besonderes an dieser Firma?«

»In dieser Fabrik werden Aufklärungsflugzeuge hergestellt.«

Ich kann immer noch keine Verbindung sehen. Ein Lieferant fürs Verteidigungsministerium? Aufklärungsflugzeuge?

»Todesopfer?«, frage ich.

»Wir glauben, unter hundert. Es war mitten in der Nacht, also im Prinzip nur Wachpersonal. Aber für gesicherte Zahlen ist es noch zu früh.«

»Brandursache?«, frage ich, darauf bedacht, mich bei der Unterhaltung kurzzufassen.

»Sir, sicher ist bis jetzt nur, dass es sich um eine Gasexplosion handelt. Was nicht automatisch einen feindlichen Angriff nahelegt. Gasexplosionen passieren nun mal.«

Ich spähe zu Augie hinüber, der mich im Visier hat. Unter meinem Blick blinzelt er und sieht weg.

»Es gibt einen Grund, warum Sie mir davon berichten«, vermute ich.

»Stimmt, Sir. Die Firma hat sich ans Verteidigungsministerium gewandt. Deren Techniker sind sicher, dass irgendetwas irgendwie die Pumpengeschwindigkeit und Ventileinstellungen zurückgesetzt hat. Mit anderen Worten, Sabotage. Es wurde erhöhter Druck erzeugt, dem die Verbindungsstücke und Schweißnähte nicht standhielten. Aber das geschah nicht manuell, vor Ort. Solche Fabriken haben höhere Sicherheitsstandards als Regierungsstellen.«

»Also ferngesteuert«, sage ich.

»Richtig, Sir. Sie glauben, dass es digital ausgelöst wurde. Aber wir haben noch keine gesicherten Erkenntnisse.«

Einer schon, wette ich.

Ich schiele unauffällig zu Augie hinüber, der auf seine Uhr starrt und nicht merkt, dass ich ihn beobachte.

»Verdächtige?«, frage ich.

»Derzeit springt noch nichts ins Auge«, sagt Sam. *»Wir haben ein Team von IT-Sicherheitsexperten für industrielle Steuerungssysteme drangesetzt.«*

Er meint Spezialisten, die dem Heimatschutzministerium unterstehen.

»Bisher wissen wir nur so viel, Sir: 2011 und 2012 haben die Chinesen versucht, sich in die Steuerungssysteme unserer Gas-Pipelines zu hacken«, sagt er. *»Vielleicht müssen wir jetzt davon ausgehen, dass es ihnen gelungen ist. Falls sie die Anmeldedaten eines Systembenutzers exfiltriert haben, können sie im System beliebig schalten und walten.«*

Die Chinesen. Mag sein.

»Die entscheidende Frage ist vermutlich, glauben wir …«

Ein kurzer Blick auf Augie, der aus dem Fenster sieht.

»Könnte das Dark Ages sein?«, führt Carolyn meinen Gedanken zu Ende. Sie versteht mein Zögern, vor Augie zu viel zu sagen. Einmal wieder liest sie meine Gedanken und führt meine Überlegung ihrerseits zu Ende.

Ich stelle die Frage, weil ich es wissen will. Aber auch, weil ich die Reaktion des Heimatschutzministers sehen will. Sam gehört zu dem Kreis der acht, die in *Dark Ages* eingeweiht sind. Carolyn hat es nicht geleakt. Liz Greenfield hat es nicht geleakt. Zwei von acht sind damit ausgeschlossen.

Sam Haber gehört zu den sechs, die noch infrage kommen.

Sam atmet langsam aus und schüttelt den Kopf, als habe er das Gefühl, an der Sache sei etwas faul. *»Also, Mr President, wie ich soeben von Mrs Brock erfuhr, haben wir Grund zu der Annahme, dass es heute losgeht.«*

»Korrekt«, sage ich.

»Sie hat mir nicht ihre Quelle für diese Information genannt.«

»Korrekt«, wiederhole ich. Meine Art, ihm zu sagen: *Und wir werden dir die Quelle auch nicht verraten, Sam.*

Er wartet einen Moment, bis er merkt, dass er nicht mehr aus mir herausbekommt. Er legt den Kopf schief, seine einzige Reaktion. *»Also, nun ja, Sir«*, sagt er schließlich, *»wenn das der Fall ist, bestätige ich, dass das Timing verdächtig ist. Andererseits sieht das hier irgendwie anders aus. Bei* Dark Ages *handelt es sich um eine Schadsoftware, dieses Virus, das wir entdeckt haben.«*

Das heißt, streng genommen haben wir es nicht entdeckt. Wir wurden – von Augie und Nina – mit der Nase drauf gestoßen. Doch davon weiß Sam nichts. Er weiß nichts von Augies Existenz.

Oder doch?

»Das hier dagegen – das sieht eher nach einer herkömmlicheren Methode aus, Spear-Phishing zum Beispiel«, fährt er fort, *»wo versucht wird, jemanden in einer Führungsposition in der betreffenden Firma dazu zu bringen, einen E-Mail-Anhang zu öffnen oder einen Link anzuklicken, sodass der Schadcode installiert wird und die Hacker Zugang zu Personendaten und allen möglichen sensiblen Informationen bekommen. Hat man erst einmal Personendaten exfiltriert und sich diese Art von Zugang verschafft, ist man zu allem Möglichen in der Lage – auch zu dem, was da heute passiert ist.«*

»Aber woher sollen wir wissen, dass dieser Vorfall nichts mit *Dark Ages* zu tun hat?«, hakt Carolyn nach. »Wir können nicht ausschließen, dass *Dark Ages* durch Spear-Phishing eingeschleust wurde. Wir haben keine Ahnung, wie das Virus ins System gelangt ist.«

»Da haben Sie recht. Das kann ich nicht ausschließen. Es ist ja erst ein paar Stunden her. Wir machen uns sofort dran. Wir beantworten Ihnen diese Frage so bald wie möglich.«

So bald wie möglich hat an diesem Tag eine ganz neue Brisanz.

»Mr President«, sagt Sam, *»wir haben uns mit sämtlichen Gasanbietern hinsichtlich der Pipeline-Sicherheit in Verbindung gesetzt. Unser Expertenteam erarbeitet mit den Fachleuten die-*

ser Firmen einen Maßnahmenplan zur Schadenseindämmung. Auf diese Weise hoffen wir, einen weiteren solchen Störfall für die Zukunft auszuschließen.«

»Mr President.« Alex stupst mich. Unser SUV hat den Hubschrauberlandeplatz in Ost-Virginia erreicht, der stattliche grün-weiße *Marine*-Helikopter wird nur von den Lichtern rings um das Helipad erleuchtet.

»Sam, ich lass Sie mal weiter Ihre Arbeit machen«, sage ich. »Halten Sie Carolyn und Liz stets auf dem Laufenden. Und nur die beiden. Klar?«

»Ja, Sir. Ich leg dann auf.«

Sams Drittel auf dem Monitor verschwindet. Der Bildschirm passt sich an, Carolyn und Liz erscheinen im größeren Format.

Ich wende mich an Alex. »Bringen Sie Augie in die *Marine One*. Ich komme sofort nach.«

Ich warte, bis Alex und Augie ausgestiegen sind. Dann setze ich die Unterredung mit Carolyn und Liz fort.

»Was versprechen die sich davon, die Flugzeugfabrik eines Vertragspartners des Verteidigungsministeriums in die Luft zu jagen?«, frage ich.

48

»Keine Ahnung«, sagt Augie, als ich ihm dieselbe Frage stelle.

Wir sitzen uns in der *Marine One* in den üppigen, cremefarbenen Ledersitzen gegenüber, während der Hubschrauber leise abhebt.

»Darüber ist mir nichts bekannt«, sagt er. »An so etwas habe ich nicht mitgewirkt.«

»Sich in das Netzwerk einer Pipeline hacken. Oder die Server eines Flugzeuglieferanten des Pentagons. Sie haben so etwas nie gemacht?«

»Mr President, wenn Sie mich ganz allgemein danach fragen, dann ja, solche Dinge haben wir getan. Hier geht es um Spear-Phishing, sagen Sie?«

»Ja.«

»Dann ja, so etwas haben wir gemacht. Ursprünglich haben die Chinesen diese Masche perfektioniert. Die haben versucht, sich in Ihre Gasleitungs-Netzwerke zu hacken, nicht wahr?«

Die gleiche Anmerkung, die auch Sam Haber gemacht hat.

»Was die Chinesen getan haben«, fährt Augie fort, »ist allgemein bekannt. Aber so sind wir hier nicht vorgegangen. Das heißt, ich sollte wohl besser sagen, so bin ich nicht vorgegangen.«

»Ist Suliman Cindoruk ohne Sie in der Lage, sich in unsere Gasleitungen einzuhacken?«

»Selbstverständlich. Er hat ein Team von Hackern. Ich war vermutlich der Erfahrenste, aber Spear-Phishing ist nicht allzu schwierig. Jeder kann ein Virus in einer E-Mail verstecken und hoffen, dass die Zielperson es anklickt.«

Der neue Wilde Westen, dieser Cyberterrorismus. Diese neue, furchterregende Grenze der Zivilisation. Jede x-beliebige Person, die in der Unterhose zu Hause auf dem Sofa sitzt, kann die Sicherheit einer Nation unterminieren.

»Dann haben Sie etwas von Los Angeles gehört.«

»Nein.«

Ich lehne mich in meinem Sitz zurück. »Sie wissen also nichts davon.«

»Nein«, bekräftigt er. »Und ich kann auch nicht sehen, was es bringen soll, eine Fabrik in die Luft zu jagen, die Flugzeuge für Sie baut.«

Da kann ich ihm nur zustimmen. Was haben die davon, eine solche Fabrik zu zerstören?

Es muss mehr dahinterstecken.

»Okay, Augie.« Ich reibe mir die Augen, kämpfe gegen die Erschöpfung von der Blutplättchen-Transfusion an, gegen die Frustration darüber, nicht zu wissen, was als Nächstes kommt.

»Also, erzählen Sie. Erzählen Sie mir, wie Sie unsere Netzwerke infiltriert haben, und erzählen Sie mir, mit welchem Schaden zu rechnen ist.«

Endlich haben wir Gelegenheit, uns darüber zu unterhalten. Seit unserer Begegnung im Stadion waren wir vollauf damit beschäftigt, einem Kugelhagel auszuweichen, uns gegen Mitternacht aus dem Hinterhalt auf nächtlicher Straße zu retten, und hatten keine Minute Zeit, Klartext zu reden.

»Ich kann Ihnen versichern, dass wir uns nicht mit solchen primitiven Methoden wie Viren in E-Mails abgegeben haben, in der Hoffnung, dass jemand sie öffnet«, sagt er. »Genauso, wie ich Ihnen versichern kann, dass Ihr Codewort *Dark Ages* den Nagel auf den Kopf trifft.«

49

In der *Marine One* zwinge ich mir einen Kaffee hinein, in der Hoffnung, die Benommenheit von der Infusion loszuwerden. Ich muss hundert Prozent in Form sein. Dieser nächste Schritt könnte der wichtigste von allen sein.

Es wird schon Morgen, die Wolken leuchten in einem prächtigen, feurigen Orange. Normalerweise wäre ich von diesem Anblick tief bewegt – eine Erinnerung an die Allmacht der Natur und daran, wie klein wir im Vergleich zu der Welt sind, die wir zu bewahren haben. Doch stattdessen wecken die Wolken bei mir nur Assoziationen an den Feuerball, den ich gerade auf den Satellitenbildern aus Los Angeles gesehen habe, und die aufgehende Sonne ruft mir die tickende Uhr ins Gedächtnis, mit einem tiefen, nachhaltigen Gong zu jedem Stundenschlag.

»Sie haben alles für uns vorbereitet«, informiert mich Alex Trimble, der von seinen Gesprächen über sein Headset aufblickt. »Der Kommunikationsraum ist gesichert. Die Einsatzzentrale ist gesichert. Das Gelände ist durchsucht und gesichert. Barrikaden und Kameras sind an Ort und Stelle.«

Wir landen mühelos auf einer dafür vorgesehenen quadratischen Lichtung mitten in einem weitläufigen Waldgebiet im südwestlichen Virginia. Wir befinden uns auf dem Landsitz eines Freundes von mir, eines Risiko-Kapitalanlegers, der, wie er bekennt, nicht die leiseste Ahnung von »diesem computertechnischen Kram«, dafür aber einen untrüglichen Riecher für einen Gewinner hat, sodass ihm einige Millionen, die er in ein Software-Start-up-Unternehmen gesteckt hat, einen Gewinn in Milliardenhöhe einbrachten.

Das hier ist sein Zufluchtsort, an den er sich zum Angeln im See oder zur Hochwildjagd zurückzieht, wenn er nicht in Manhattan oder im Silicon Valley ist. Über vierzig Hektar Virginia-Kiefern und Wildblumen, ein Paradies für Jagdausflüge, Bootstouren, lange Wanderungen und Lagerfeuer. Nach Rachels Tod sind Lilly und ich ein paar Mal für ein Wochenende hierhergekommen, haben auf dem Bootssteg gesessen, lange Spaziergänge gemacht und herauszufinden versucht, wie man mit Trauer fertigwird.

»Wir sind als Erste hier, ja?«, frage ich Alex.

»Ja, Sir.«

Gut. Ich brauche wenigstens ein paar Minuten, um mich zu sortieren und ein wenig frisch zu machen. Wir sind an einem Punkt angelangt, an dem wir uns keine Irrtümer mehr leisten können.

In den nächsten Stunden könnten wir für Generationen den Gang der Geschichte ändern.

Südlich von unserem Landeplatz führen mehrere Pfade zu einer Bootsanlegestelle, quer durch den dichten Wald. Im Norden befindet sich eine Blockhütte, vor über zehn Jahren aus Weymouth-Kiefernholz gebaut, dessen Farbe im Lauf der Jahre von einem gelblichen Braun in ein dunkles Orange übergegangen ist, fast so leuchtend wie der Himmel in der Abenddämmerung.

Zu den entscheidenden Vorzügen dieses Anwesens gehört, besonders nach Alex' Kriterien, seine Unzugänglichkeit. Von Süden oder Westen findet man keinen Durchschlupf, weil es dort von einem neun Meter hohen Elektrozaun mit Sensoren und Überwachungskameras gesichert ist. Im Osten grenzt das Gelände an einen riesigen See, der vom Dock aus durch Secret-Service-Agents gesichert wird. Und um mit dem Auto auf das Grundstück zu gelangen, muss man eine unbezeichnete Schotterstraße finden, die vom Highway abzweigt, und von dort aus einen mit Secret-Service-Fahrzeugen barrikadierten Feldweg.

Ich habe darauf bestanden, es mit den Schutzmaßnahmen nicht zu übertreiben, da unser Aufenthaltsort vor allem geheim bleiben muss. Was hier geschehen wird, ist streng vertraulich. Und in voller Truppenstärke fällt der Secret Service nun einmal auf, soll er ja auch. Aber ich glaube, wir haben eine gute Balance zwischen Sicherheit und Unauffälligkeit erzielt.

Während ich, immer noch auf wackeligen Beinen, die leichte Anhöhe hinaufgehe, trage ich den Transfusionsständer in der Hand, da sich die Räder schlecht durchs dichte Gras rollen lassen. Die Luft hier draußen ist so ganz anders, so sauber und frisch, mit dem Duft von Wildblumen, und ich könnte fast für einen Moment vergessen, dass die Welt vielleicht am Rande einer Katastrophe steht.

Auf einer Seite der offenen Rasenfläche wurde ein Zelt errichtet, ganz in Schwarz. Abgesehen von der Farbe und der Tatsache, dass es von allen Seiten mit einer Plane bedeckt ist, sieht es wie ein ganz normales Zelt für eine Gartenparty aus. In Wahrheit ist es für vertrauliche Gespräche, persönlich oder auf elektronischem Wege, gedacht und soll, vollkommen abgeschottet, vor jeglichen Störsignalen und Lauschangriffen schützen.

Heute stehen eine Reihe wichtiger, streng vertraulicher Gespräche an.

Unterdessen lassen die Agents das Holzhaus öffnen. Die Innenausstattung ist weitestgehend rustikal gehalten, mit ein paar

Jagdtrophäen, in Kiefernholz gerahmten Bildern an den Wänden und einem geschnitzten Kanu als Bücherregal.

Als ich eintrete, nehmen ein Mann und eine Frau Haltung an. Sie bemerken die Infusion in meinem Arm, sagen aber nichts. Bei dem Mann handelt es sich um Devin Wittman, dreiundvierzig Jahre alt, der in Sportjacke und -hose sowie offenem Hemdkragen, mit seinem langen, zurückgekämmten Haar, dem schmalen Gesicht und grau gesprenkelten Bart an einen College-Professor erinnert, jedoch trotz der Augenringe, die vom Stress der letzten beiden Wochen künden, von jugendlichem Aussehen ist.

Die Frau heißt Casey Alvarez. Sie ist siebenunddreißig Jahre alt, ein wenig größer als Devin und entspricht mit dem zurückgesteckten, pechschwarzen Haar, der rot gerahmten Brille, der Bluse zur schwarzen Hose dem Bild der amerikanischen Geschäftsfrau. Devin und Casey leiten zusammen das Threat-Response-Team, einen Teil der Einsatzgruppe, die ich nach dem Kurzauftritt des Peekaboo – des *Dark-Ages*-Virus – auf den Servern des Pentagons vor zwei Wochen zusammengestellt habe. Meine Anweisung lautete, nur die Allerbesten, egal, wie sie die Genies zusammenbekämen oder was es uns koste.

Und so haben wir hier nun dreißig Leute beisammen, unsere hellsten Köpfe in Sachen Internetsicherheit. Einige davon haben wir uns, unter strengsten Geheimhaltungsauflagen, aus dem Privatsektor ausgeliehen – von Software-Unternehmen, Telekommunikationsgiganten, Firmen für Cybersicherheit, Vertragspartnern des Militärs. Zwei von ihnen sind ehemalige Hacker, von denen einer derzeit eine dreizehnjährige Haftstrafe in einer Bundesstrafanstalt verbüßt. Die meisten kommen aus unterschiedlichen Behörden der Bundesregierung – vom Heimatschutz, der CIA, dem FBI, der NSA.

Die Hälfte unseres Teams widmet sich der Schadensbegrenzung für den Fall, dass das Virus auf unseren Datensystemen und unserer Infrastruktur bereits zugeschlagen hat.

Doch vorerst konzentriere ich mich auf die andere Hälfte,

das Threat-Response-Team unter Devins und Caseys Leitung. Sie haben sich der Herausforderung verschrieben, das Virus aufzuspüren, was ihnen in den letzten zwei Wochen nicht gelungen ist.

»Guten Morgen, Mr President«, grüßt Devin Wittman. Er kommt von der NSA. Nach seinem Abschluss an der Berkeley University hat er für Firmen wie Apple als Entwickler von Software für die Abwehr von Cyberattacken angefangen, bevor die NSA ihn abwarb. Er hat Internetsicherheits-Analysemethoden entwickelt, mit deren Hilfe die Wirtschaft und staatliche Einrichtungen Cyberangriffe verstehen und sich dagegen wappnen können. Als die wichtigsten Netzwerke des Gesundheitswesens in Frankreich vor drei Jahren mit einer Erpressersoftware angegriffen wurden, haben wir ihnen Devin ausgeliehen, der die Software lokalisieren und unschädlich machen konnte. In ganz Amerika, wurde mir versichert, ist niemand besser darin, Sicherheitslücken ausfindig zu machen und zu stopfen.

»Mr President«, spricht Casey Alvarez mich an. Casey ist die Tochter von mexikanischen Einwanderern, die sich in Arizona niedergelassen haben, um eine Familie sowie eine Ladenkette im Südwesten zu gründen. Casey zeigte kein Interesse am Geschäft, umso mehr an Computern und träumte davon, bei einer Strafverfolgungsbehörde anzuheuern. Nach ihrem ersten Abschluss an der Penn University bemühte sie sich um eine Stelle im Justizministerium, aber vergeblich. Deshalb setzte sich Casey an ihren Computer und schaffte, was seit Jahren noch keiner nationalen oder bundesstaatlichen Behörde gelungen war – sie hackte sich im Dark Net in eine Webpage für Kinderpornografie und deckte die Identität sämtlicher Kunden auf, womit sie dem Justizministerium den vermutlich größten Anbieter von *»Kiddie Porn«* im Land auf dem Silbertablett servierte und seinen Aktivitäten ein Ende setzte. Das Justizministerium stellte sie auf der Stelle ein, und sie blieb dort, bis sie zur CIA wechselte. Erst vor Kurzem wurde sie zum Zentralkommando der Vereinigten Staaten im Nahen Osten versetzt, wo sie die Cyberkommunikation zwischen Terrorgruppen abfängt, entschlüsselt und stört. Mir wurde versichert, diese beiden seien mit großem Abstand die Besten, die wir haben. Und gleich werden sie der Person begegnen, die sie, bis jetzt, noch überflügelt.

Als ich ihnen Augie vorstelle, lese ich in ihren Gesichtern einen Anflug von Bewunderung. Die Söhne des Dschihad sind die absoluten Stars unter den Cyberterroristen, in dieser Welt geradezu mythisch verklärt. Doch auch ein gewisser Konkurrenzeifer ist zu spüren, was mir nur recht sein kann.

»Devin und Casey werden Sie in ihre Einsatzzentrale mitnehmen«, sage ich. »Und sie stehen mit dem übrigen Threat-Response-Team im Pentagon in Verbindung.«

»Folgen Sie mir«, fordert Casey Augie auf.

Ich fühle mich ein wenig erleichtert. Zumindest habe ich sie zusammengebracht. Nach allem, was wir hinter uns haben, ist das ein kleiner Sieg.

Jetzt kann ich mich auf die nächsten Schritte konzentrieren.

»Jacobson«, sage ich, sobald sie gegangen sind. »Ziehen Sie bitte diese Kanüle heraus.«

»Bevor der Beutel ganz leer ist, Sir?«

Ich durchbohre ihn mit meinem Blick. »Sie wissen, was jeden Moment passieren wird, nicht wahr?«

»Ja, Sir, selbstverständlich.«

»Gut. Und ich werde dann keinen verdammten Schlauch im Arm haben. Nehmen Sie ihn raus.«

»Sir, ja, Sir.« Er macht sich an die Arbeit, streift sich Gummihandschuhe aus seiner Bereitschaftstasche über und legt die anderen Utensilien zurecht. Er murmelt etwas vor sich hin, wie ein Kind, das versucht, sich die einzelnen Schritte in einer Bedienungsanleitung zu merken – *Klemme schließen, Katheter stabilisieren, Mull und Pflaster neben Einstichstelle befestigen und …*

»Autsch.«

»Tut mir leid, Sir … keine Anzeichen einer Infektion … hier.« Er drückt einen Gazetupfer auf die Einstichstelle. »Fest drücken.«

Wenig später bin ich verpflastert und kann gehen. Ich begebe mich schnurstracks in mein Schlafzimmer und von dort in das dazugehörige kleine Badezimmer. Ich greife zu einem Rasierapparat und bearbeite damit meinen roten Bart, wechsle anschließend für die Feinrasur zu Creme und Klinge. Danach nehme ich eine Dusche und genieße für ein Weilchen das prasselnde, dampfende Wasser im Gesicht, auch wenn ich den linken Arm mit dem Tupfer und dem Pflaster ins Trockene halten und alles mit einer Hand erledigen muss. Egal. Ich hatte dringend eine Dusche nötig. Und eine Rasur. Ich fühle mich besser, noch zählt die äußere Erscheinung, zumindest für diesen einen Tag.

Ich schlüpfe in die saubere Kleidung, die mir Carolyns Mann geliehen hat. Ich trage zwar nach wie vor dieselben Jeans und Schuhe, doch dazu ein frisches Button-down-Hemd von ihm, das einigermaßen passt, plus saubere Unterwäsche und Socken. Ich habe mich gerade gekämmt, als ich eine SMS von Liz aus dem FBI bekomme, mit der Bitte um ein Gespräch.

»Alex!«, rufe ich. Prompt erscheint er im Schlafzimmer. »Wo zum Teufel bleiben die?«

»Nach meiner Information sind sie nicht mehr weit, Sir.«

»Aber es ist alles in Ordnung? Ich meine, nach allem, was wir gestern Nacht durchgemacht haben …«

»Nach meiner Information sind sie sicher und wohlbehalten auf dem Weg, Sir.«

»Vergewissern Sie sich noch einmal, Alex.«

Ich rufe meine FBI-Direktorin zurück.

»Ja, Liz. Was gibt's?«

»Mr President, Neuigkeiten zu Los Angeles«, sagt sie. »Die hatten es nicht auf den Waffenhersteller abgesehen.«

50

Ich gehe in den Keller hinunter, in einen Raum am östlichen Ende, in dem der Eigentümer dieser Hütte mithilfe der CIA freundlicherweise eine schalldichte Tür angebracht und eigens für meine Besuche und zu meiner Verwendung sichere Fernmeldeleitungen eingerichtet hat. Dieser Kommunikationsraum liegt ein paar Türen von der Einsatzzentrale auf der westlichen Seite des Untergeschosses entfernt, in der Augie, Devin und Casey arbeiten.

Ich schließe die Tür, logge mich mit meinem Laptop in das sichere Netz ein und rufe das Triumvirat aus Carolyn Brock, Liz Greenfield und Sam Haber vom Heimatschutz auf dreifach geteiltem Bildschirm auf.

»Ich höre«, sage ich. »Die Kurzversion.«

»Sir, im selben Block, in dem sich der Flugzeughersteller befand, war auch ein privatwirtschaftliches medizinisches Labor, das für den Bundesstaat Kalifornien und unsere CDC arbeitete.«

»Die Zentren für Krankheitskontrolle und Prävention«, konstatiere ich.

»Richtig, Sir. Innerhalb der CDC haben wir ein epidemiologisches Reaktionsnetz von Laboratorien. Es – im Wesentlichen haben wir rund zweihundert Laboratorien übers Land verteilt, die als Erstversorger auf biologischen und chemischen Terrorismus reagieren.«

Es läuft mir kalt den Rücken runter.

»Das größte Mitglied dieses Response-Netzwerks im Einzugsgebiet von Los Angeles befand sich unmittelbar neben dem Zulieferer des Pentagons. Es ist niedergebrannt, Sir.«

Ich schließe die Augen. »Soll das heißen, das wichtigste Labor für die Bekämpfung bioterroristischer Angriffe in L. A. wurde dem Erdboden gleichgemacht?«

»Ja, Sir.«

»Du liebe Güte.« Ich massiere mir die Schläfen.

»Ja, Sir, das bringt es auf den Punkt.«

»Und worin genau bestanden die Aufgaben dieses Labors? Was haben die gemacht?«

»Zunächst einmal stellte es die erste Diagnose«, antwortet Liz. *»Und war für entsprechende Gegenmaßnahmen zuständig. Wobei die Diagnose das Entscheidende ist. Erst mal müssen wir verstehen, welchen Erregern unsere Bürger ausgesetzt sind, um adäquate Gegenmaßnahmen einzuleiten. Ohne Diagnose keine Behandlung.«*

Für einen Moment herrscht Schweigen.

»Erwarten wir für Los Angeles einen biologischen Anschlag?«, frage ich.

»Nun, Sir, im Moment gehen wir davon aus. Wir stehen in engem Kontakt zu den örtlichen Behörden.«

»Okay, Sam – verfügen wir über Notfallpläne, um gegebenenfalls CDC-Einsätze auf nationaler Ebene auszuweiten?«

»Wir sind gerade dabei, Sir. Wir mobilisieren Kapazitäten in anderen Städten an der Westküste.«

Eine vorhersehbare Reaktion. Mit der die Terroristen gerechnet haben müssen. Ist dies also eine Finte? Wollten sie mit diesem Manöver unsere ganze Aufmerksamkeit auf L.A. lenken, damit wir unsere sämtlichen Ressourcen an der Westküste in und um L.A. konzentrieren und sie dann als Nächstes in Seattle oder San Francisco zuschlagen können, wo wir ihnen nichts entgegenzusetzen haben?

Ich schlage die Hände über dem Kopf zusammen. »Wieso habe ich das Gefühl, dass wir wie eine Katze unseren eigenen Schwanz jagen, Leute?«

»Weil es sich immer so anfühlt, Sir«, antwortet Sam. *»Das ist unser Geschäft. Wir verteidigen uns gegen unsichtbare Gegner. Wir versuchen, sie auszuräuchern. Wir spekulieren darüber, was sie als Nächstes vorhaben. Wir hoffen, dass es nie dazu kommt, während wir uns alle Mühe geben, für den Eventualfall so gut wie möglich vorbereitet zu sein.«*

»Soll mich das etwa trösten? Das tut es nicht.«

»Sir, wir bleiben am Ball. Wir tun alles, was in unserer Macht steht.«

Ich streiche mir mit den Fingern durchs Haar. »Dann mal los, Sam. Halten Sie mich auf dem Laufenden.«

»Ja, Sir.«

Sobald Sam die Verbindung beendet hat, sind auf dem Bildschirm nur noch Carolyn und Liz zu sehen.

»Noch mehr so tolle Neuigkeiten?«, frage ich. »Ein Hurrikan an der Ostküste? Tornados? Ein Ölteppich? Irgendwo ein gottverdammter Vulkanausbruch?«

»Nur eins noch, Sir«, sagt Liz. *»Wegen der Gasexplosion.«*

»Was Neues?«

Sie neigt den Kopf. *»Eher etwas Altbekanntes«*, antwortet sie. Liz setzt mich ins Bild, und meine Stimmung ist auf dem absoluten Tiefpunkt.

Zehn Minuten später öffne ich die dicke Tür und trete aus dem Kommunikationsraum, als Alex auf mich zukommt. Er nickt.

»Sie haben gerade den Außenposten an der Straßengabelung erreicht«, sagt Alex. »Die israelische Premierministerin ist eingetroffen.«

51

Die Delegation der israelischen Premierministerin, Noya Baram, trifft pünktlich ein; nachdem ein Auto ihres Sicherheitsdienstes schon im Voraus angekommen ist, fahren jetzt zwei kugelsichere SUVs vor, in einem befinden sich Personenschützer, die uns wieder verlassen werden, sobald die Premierministerin in dem anderen Fahrzeug bei uns in Sicherheit ist.

Noya steigt aus ihrem SUV; sie trägt einen Hosenanzug und

eine Sonnenbrille. Sie wirft einen Blick in den Himmel, als wolle sie sichergehen, dass er noch da ist. An einem solchen Tag weiß man nie.

Noya ist vierundsechzig, mit ergrautem, schulterlangem Haar und dunklen Augen, die sowohl grimmig als auch einnehmend sein können. Sie gehört zu den furchtlosesten Menschen, die mir je begegnet sind.

An dem Abend nach meiner Wahl zum Präsidenten rief sie mich an und fragte mich unverblümt, ob sie mich Jonny nennen dürfe, was in meinem ganzen Leben noch nie jemand getan hat. Verblüfft und noch ein wenig im Siegestaumel antwortete ich: »Aber natürlich!« Seitdem ist sie bei der Anrede geblieben.

»Jonny«, begrüßt sie mich jetzt, nimmt die Sonnenbrille ab und küsst mich auf die Wangen. Sie hält meine beiden Hände und sagt mit einem angespannten Lächeln: »Sie sehen aus, als könnten Sie einen Freund brauchen.«

»Das können Sie laut sagen.«

»Sie wissen, dass Israel Sie nie im Stich lassen wird.«

»Das weiß ich«, antworte ich. »Und meine Dankbarkeit kennt keine Grenzen, Noya.«

»War David von Hilfe?«

»Ungemein.«

Ich habe mich mit Noya in Verbindung gesetzt, nachdem mir klar wurde, dass es in meinem nationalen Sicherheitsteam eine undichte Stelle gibt. Da ich nicht wusste, wem ich trauen kann und wem nicht, sah ich mich gezwungen, einen Teil der Aufklärungsarbeit an den Mossad abzugeben und mich unmittelbar mit David Guralnick, dem Direktor, kurzzuschließen.

Noya und ich haben unsere Meinungsverschiedenheiten, was die Zweistaatenlösung und die Siedlungspolitik in der West Bank betrifft, doch wenn es in Fragen der Sicherheit hart auf hart kommt, so wie heute, passt kein Blatt zwischen uns. Sichere und stabile Vereinigte Staaten bedeuten ein sicheres und stabiles Israel. Sie haben jeden Grund, uns zu helfen, und nicht den geringsten, der dagegen spricht.

Außerdem verfügt Israel in Sachen Cybersicherheit über die besten Experten der Welt. Bei der Abwehr von Hackerangriffen kann ihnen niemand das Wasser reichen. Zwei von ihnen sind mit Noya eingetroffen und werden Augie und meine Leute verstärken.

»Bin ich als Erste da?«

»Ja, Noya. Und ich würde mich gerne kurz mit Ihnen unterhalten, bevor die anderen eintreffen. Wenn ich die Zeit hätte, Sie herumzuführen –«

»Wie, eine Führung?« Sie winkt ab. »Das ist eine Hütte. Es ist nicht die erste Hütte, die ich sehe.«

Wir gehen an dem Holzhaus vorbei in den Garten. Sie bemerkt das schwarze Zelt.

Wir folgen dem gepflasterten Pfad durch den Wald zwischen neun bis zehn Meter hohen Bäumen und gelb und violett blühenden Wildblumen zum See. Alex Trimble, der sich in einigem Abstand hinter uns hält, spricht in sein Funkgerät.

Ich unterrichte Noya über alles, was sie noch nicht weiß, was nicht allzu viel ist.

»Was wir bisher gehört haben«, sagt sie, »klingt nicht nach einem Angriff mit biologischen Kampfmitteln auf eine Großstadt.«

»Sehe ich auch so. Aber vielleicht geht es darum, zuerst unsere Verteidigungsfähigkeit lahmzulegen und in einem zweiten Schlag Krankheitserreger hinterherzuschicken. Das würde die Zerstörung von Gebäuden und unserer technologischen Infrastruktur plausibel machen.«

»Stimmt, stimmt«, sagt sie.

»Darauf könnte die Explosion der Gasleitung hindeuten«, sage ich.

»Inwiefern?«

»Irgendein Computervirus – eine Schadsoftware – hat eine Störung verursacht«, erwidere ich. »Wir haben vor wenigen Minuten davon erfahren. Das Virus hat zu einem Überdruck und der wiederum zur Explosion geführt.«

»Ja? Und?«

Mit einem Seufzer atme ich aus, bleibe stehen und drehe mich zu ihr um. »Noya, 1982 haben wir dasselbe mit den Sowjets gemacht.«

»Ah. Sie haben eine von deren Pipelines sabotiert?«

»Wie mir soeben meine FBI-Direktorin mitgeteilt hat, ja. Als Reagan erfuhr, dass die Sowjets versuchten, sich bei uns irgendwelche Industriesoftware unter den Nagel zu reißen«, erzähle ich ihr, »beschloss er, sie gewähren zu lassen. Allerdings erst, nachdem wir die Software manipuliert und mit einer versteckten Sprengladung verbunden hatten. Und so gab es, als die Sowjets sie stahlen und zum Einsatz brachten, eine gewaltige Explosion an einer sibirischen Pipeline. Unsere Leute sagten, auf den Satellitenaufnahmen wäre eine der größten Explosionen zu sehen gewesen, die ihnen je unter die Augen gekommen seien.«

Trotz der Umstände muss sie lachen. »Reagan«, sagt sie und schüttelt den Kopf. »Die Geschichte ist mir neu. Sähe ihm aber ähnlich.« Sie legt den Kopf schief, sieht zu mir auf. »Aber das ist Schnee von gestern.«

»Ja und nein«, wende ich ein. »Wir haben auch erfahren, dass damals eine ganze Reihe von Leuten für den Fehler zur Rechenschaft gezogen wurden. Es war eine herbe Demütigung für den Kreml. Viele wurden bestraft. Einige bekamen lebenslänglich. Wir haben nicht sämtliche Einzelheiten erfahren. Doch einer der KGB-Agenten, der damals von der Bildfläche verschwand, hieß Tschernokow.«

Ihr vergeht das Lächeln. »Der Vater des russischen Präsidenten.«

»Ja. Der Vater des heutigen Präsidenten.«

Sie nickt mit ernster Miene. »Ich wusste, dass sein Vater beim KGB war. Ich wusste nur nicht, wie er gestorben ist. Oder warum.«

Sie beißt sich auf die Unterlippe, was sie immer tut, wenn sie sich konzentriert.

»Und was fangen Sie jetzt mit dieser Information an, Jonny?«

»Mr President – entschuldigen Sie, Sir. Entschuldigen Sie bitte – Madam Premierministerin.«

Ich drehe mich zu Alex um. »Was gibt's, Alex?«

»Sir«, sagt er, »der deutsche Kanzler ist eingetroffen.«

52

Jürgen Richter, der deutsche Bundeskanzler, steigt aus seinem gepanzerten Wagen; in seinem Nadelstreifen-Dreiteiler könnte man ihn für einen britischen Royal halten. Er hat ein kleines Bäuchlein, doch bei seiner Größe von eins fünfundneunzig und seiner kerzengeraden Körperhaltung fällt es nicht ins Auge.

Als er Noya Baram sieht, hellt sich sein schmales, aristokratisches Gesicht auf. Er macht eine übertrieben tiefe Verbeugung, die Noya lachend abwehrt. Dann umarmen sie sich – da sie gut dreißig Zentimeter kleiner ist, geht sie auf die Zehenspitzen, und er beugt sich herunter, bevor sie Luftküsse tauschen.

Ich reiche ihm die Hand, und er legt mir, während er sie schüttelt, die andere Hand – die mächtige Hand eines ehemaligen Basketballprofis, der bei der Olympiade 1992 für Deutschland gespielt hat – auf die Schulter. »Mr President«, sagt er. »Immer treffen wir uns zu so ernsten Anlässen.«

Das letzte Mal habe ich Jürgen bei Rachels Beerdigung gesehen.

»Wie geht es Ihrer Frau, Herr Kanzler?«, frage ich. Auch seine Frau hat Krebs und lässt sich derzeit in den Vereinigten Staaten behandeln.

»Sie ist eine starke Frau, Mr President, vielen Dank für Ihre Anteilnahme. Sie hat noch keinen Kampf verloren, schon gar nicht mit mir.« Er wirft Noya einen Seitenblick zu und erntet von ihr das erhoffte Lachen. Jürgen gehört zu diesen überlebensgroßen Persönlichkeiten und glänzt gerne mit seinem Witz. Sein Bedürfnis, zu brillieren, hat ihn bei Interviews und Pressekonferenzen mit einer flapsigen Bemerkung schon manches Mal in Schwierigkeiten gebracht, doch seine Wähler scheinen seinen unbekümmerten Stil zu lieben.

»Ich weiß es zu schätzen, dass Sie hergekommen sind«, sage ich.

»Freunde helfen sich, wenn einer von ihnen Probleme hat«, sagt er.

Wie wahr. Doch ich habe ihn vor allem eingeladen, um ihn davon zu überzeugen, dass unser Problem nicht nur mein Land betrifft, sondern auch seins – und die gesamte NATO.

Ich führe ihn über das Gelände, doch schon bald klingelt mein Handy. Ich entschuldige mich kurz bei Noya und Jürgen und nehme den Anruf entgegen. Drei Minuten später bin ich wieder unten im Keller und kommuniziere per Laptop über die sichere Leitung.

Auch diesmal ist es eine Videokonferenz mit denselben drei Personen. Carolyn und Liz, denen ich vertraue, und Sam Haber, der in Fragen der inneren Sicherheit hinzugezogen werden muss und dem ich gerne trauen möchte.

Sam Haber war vor dreißig Jahren einmal Case Officer bei der CIA, bevor er nach Minnesota zurückkehrte und in den Kongress gewählt wurde. Er stellte sich als Gouverneur zur Wahl, verlor und wurde stattdessen einer der stellvertretenden CIA-Direktoren. Mein Vorgänger ernannte ihn zum Heimatschutzminister, und er bekam gute Noten. Er ließ mir gegenüber durchblicken, er interessiere sich für den frei gewordenen Posten des CIA-Direktors, doch ich entschied mich für Erica Beatty und bat ihn, im Heimatschutzministerium zu bleiben. Als er zustimmte, war ich angenehm überrascht. Die meisten von uns hatten vermutet, er betrachte seinen Posten nur als Zwischenstation, um nach Höherem zu streben, doch inzwischen macht er seinen Job schon zwei Jahre, und falls er damit unglücklich ist, lässt er es sich nicht anmerken.

Sam kneift fast immer die Augen zusammen, und seine Stirn ist unter dem Bürstenschnitt stets gerunzelt. Alles an ihm ist angespannt – für einen Heimatschutzminister keine schlechte Eigenschaft.

»Wo genau ist es passiert?«, will ich wissen.

»In einer Kleinstadt unweit Los Angeles«, sagt Sam. *»Es ist die größte Wasseraufbereitungsanlage in Kalifornien. Da werden annähernd zwei Milliarden Liter Wasser täglich abgepumpt, vornehmlich ins Los Angeles County und ins Orange County.«*

»Und was ist passiert?«

»Sir, nach der Explosion in dem privaten biologischen Labor haben wir uns mit den örtlichen Behörden in Verbindung gesetzt, vor allem mit den Stellen, die für gefährdete öffentliche Infrastruktur wie Gas, Strom und Nahverkehr zuständig sind, ganz besonders für die Wasserleitungen.«

Das ergibt Sinn: das offensichtlichste Angriffsziel unter den öffentlichen Versorgungsbetrieben für einen Angriff mit biologischen Waffen. Ein ins Trinkwasser eingeschleuster Krankheitserreger würde sich in null Komma nichts verbreiten.

»Das Wasserwirtschaftsamt von Südkalifornien sowie Leute vom Heimatschutzministerium und von der Umweltbehörde haben umgehend eine Inspektion vorgenommen und die Schwachstelle entdeckt.«

»Erklären Sie mir, was Sie unter Schwachstelle verstehen«, sage ich, »und wenn's geht, bitte kein Fachchinesisch.«

»Diese Hacker sind in die Computersoftware eingedrungen, Sir. Es ist ihnen gelungen, die Einstellungen der chemischen Verfahren zu ändern. Zugleich haben sie die Störungsmeldeanlage außer Kraft gesetzt, die normalerweise Anomalien beim Reinigungsprozess melden würden.«

»Also, Schmutzwasser, das normalerweise diesen chemischen Reinigungsprozess durchläuft, blieb ungefiltert, und die

Alarmvorrichtungen, die auf einen solchen Störfall aufmerksam machen sollten …«

»… haben den Fehler nicht aufgedeckt, ja, genau. Die gute Nachricht ist, dass wir schnell dahintergekommen sind, binnen einer Stunde nach dem Cyberangriff, da befand sich das unbehandelte Wasser noch in den Reservoirs für aufbereitetes Wasser.«

»Demnach hat kein verunreinigtes Wasser die Anlage verlassen?«

»Nein, Sir. Bis jetzt wurde noch kein Wasser ins Leitungssystem gespeist.«

»Und enthielt das Wasser irgendwelche Krankheitserreger? Irgendetwas dieser Art?«

»Zum gegenwärtigen Zeitpunkt wissen wir das noch nicht. Unsere schnelle Eingreiftruppe in der Gegend –«

»Das Labor, das normalerweise dafür zuständig ist, dieses Labor ist vor vier Stunden abgebrannt.«

»Richtig, Sir.«

»Sam, bitte denken Sie ganz genau nach.« Ich beuge mich zum Bildschirm vor. »Sie können mir mit hundertprozentiger Sicherheit bescheinigen, dass kein verunreinigtes Wasser in die Haushalte von L. A. oder ins Orange County gelangt ist.«

»Ja, Sir, das ist korrekt. Das ist die einzige Anlage, in die sie sich gehackt haben, und wir können den Zeitpunkt genau bestimmen, zu dem sich der Cybereinbruch ereignet hat, wir können genau sagen, wann die Software für die chemische Aufbereitung sowie die Fehlererkennungssysteme beeinträchtigt wurden. Dass unaufbereitetes Wasser auf irgendeinem Wege die Anlage verlassen hat, ist auszuschließen.«

Ich atme auf. »Gut. Immerhin etwas. Gut gemacht, Sam.«

»Ja, Sir, das Team hat hervorragende Arbeit geleistet. Trotzdem ist die Nachricht bedenklich, Sir.«

»Da haben Sie recht, aber womit hätten wir auch gute Nachrichten verdient?« Ich überwinde meinen kurzen Wutanfall. »Raus damit, Sam, was ist die schlechte Nachricht?«

»Die schlechte Nachricht ist, dass keiner unserer Techniker jemals einen solchen Cyberangriff gesehen hat. Zur Stunde sind sie noch nicht in der Lage, die chemischen Reinigungsprozesse wieder in Gang zu setzen.«

»Sie können es nicht reparieren?«

»Eben. Die größte und wichtigste Wasseraufbereitungsanlage fürs Los Angeles County und fürs Orange County sind außer Betrieb.«

»Verstehe, aber – es wird doch wohl andere Anlagen geben.«

»Ja, Sir, selbstverständlich, aber lange können wir den Verlust nicht ausgleichen. Und, Sir, ich habe die Sorge, dass der Hackerangriff noch nicht vorbei ist. Was, wenn sie nun noch eine weitere Anlage im Versorgungsbereich Los Angeles lahmlegen? Natürlich sind wir jetzt sehr wachsam. Wir werden in der ganzen Region verhindern, dass unaufbereitetes Wasser ins Leitungsnetz gelangt.«

»Aber das können Sie nur, indem Sie die entsprechende Anlage ebenfalls außer Betrieb nehmen«, sage ich.

»Ja, Sir. Wir könnten in die Lage kommen, mehrere Aufbereitungsanlagen gleichzeitig schließen zu müssen.«

»Was soll das heißen, Sam? Wir könnten in Los Angeles mit einem Schlag einen massiven Wassermangel haben?«

»Genau das soll es heißen, Sir.«

»Von wie vielen Menschen reden wir hier? Los Angeles County und Orange County?«

»Vierzehn Millionen, Sir.«

»Oh, mein Gott.« Ich fahre mir mit der Hand an den Mund.

»Hier geht es nicht nur um heiße Duschen und Rasensprenger«, sagt er. *»Hier geht es um Trinkwasser, um Krankenhäuser, OPs, um die Feuerwehr.«*

»Das wäre also Flint, Michigan, wieder einmal?«

»Das wäre Flint, Michigan«, erwidert Sam, *»hoch einhundertvierzig.«*

53

»Aber nicht jetzt«, sagt Carolyn. *»Nicht heute.«*

»Nicht heute, aber bald. L. A. County allein ist bevölkerungsdichter als viele Bundesstaaten, und hier geht es immerhin um die größte Versorgungsanlage für sauberes Wasser. Wir sehen uns mit einer Krise konfrontiert, die heute anfängt. Nicht Flint, Michigan, noch nicht – aber eine echte, handfeste Krise.«

»Mobilisieren Sie die Katastrophenschutzbehörde«, sage ich.

»Bereits geschehen, Sir.«

»Wir können für den ganzen Bundesstaat den Katastrophenfall ausrufen.«

»Habe ich bereits für Sie aufgesetzt, Sir.«

»Aber Sie haben noch etwas anderes auf dem Herzen.«

»Ja, Sir. Die Behebung des Problems.«

Mit dieser Antwort habe ich gerechnet.

»Sir, Sie wissen so gut wie ich, dass wir, wenn es um Cyberabwehr geht, in unserem Hause überaus kompetente Mitarbeiter haben. Aber wie's aussieht, ist heute in Los Angeles ›überaus kompetent‹ nicht genug. Wie gesagt, haben unsere Leute, die daran arbeiten, ein Virus wie das hier noch nie gesehen. Sie haben keine Ahnung, was sie machen sollen.«

»Sie brauchen die Besten.«

»In der Tat. Wir brauchen das Threat-Response-Team, das Sie zusammengestellt haben.«

»Devin Wittmer und Casey Alvarez sind hier bei mir, Sam.«

Sam antwortet nicht sofort. Ich enthalte ihm Informationen vor. Das weiß er so gut wie ich. Ich verfüge über eine Quelle, die mir sagt, dass heute mit dem Angriff zu rechnen ist, doch ich habe ihm die Quelle nicht genannt. Und als sei das nicht genug, lasse ich jetzt auch noch durchblicken, dass ich, wie er vermutlich schon ahnt, die absolute Elite der Cybersicherheitsexperten unseres Landes an einem geheim gehaltenen Ort um mich versammelt habe. Das Ganze muss ihm ein Rätsel sein. Er ist der Heimatschutzminister – wieso sollte ich ausgerechnet ihm nicht reinen Wein einschenken?

»Sir, wenn wir Wittmer und Alvarez nicht haben können, schicken Sie uns wenigstens einen Teil Ihres Teams.«

Ich streiche mir mit den Fingern übers Gesicht und denke darüber nach.

»Das hier ist Dark Ages, *Sir. Das kann unmöglich ein Zufall sein. Das ist der Anfang. Wo das enden soll? Keine Ahnung. Unsere übrigen Wasseraufbereitungsanlagen? Das Stromnetz? Werden sie die Dämme öffnen? Wir brauchen diese Leute in Los Angeles. Einmal sind wir heute mit einem blauen Auge davongekommen. Aber ich möchte unser Glück nicht überstrapazieren.«*

Ich stehe auf, hier unten werde ich klaustrophobisch. Ich laufe hin und her, um die Körpersäfte auf Trab zu bringen, und hoffe, dass sie alle in die Richtung der bestmöglichen Entscheidung fließen.

Die Gas-Explosion ... das ruinierte biologische Labor ... der Eingriff in die Wasseraufbereitungsanlage.

Moment mal. Sekunde –

»*War* es Glück?«, frage ich.

»Dass wir die Störung in der Wasseraufbereitungsanlage entdeckt haben? Ich wüsste nicht, wie ich es sonst bezeichnen sollte. Es hätten Tage vergehen können, bis wir darauf stoßen. Wie gesagt, das war ein äußerst ausgeklügelter Hackerangriff.«

»Und nur durch die Zerstörung des Labors für Bioterrorismusabwehr sind wir darauf gekommen, die Funktionen in der Wasseranlage manuell zu überprüfen.«

»Ja, Sir. Das war eine naheliegende Vorsichtsmaßnahme.«

»Eben«, bekräftige ich. »Genau das meine ich.«

»Ich kann Ihnen nicht folgen, Sir.«

»Sam, wenn Sie sich in die Terroristen versetzen, in welcher Abfolge würden Sie handeln? Würden Sie zuerst die Aufbereitungsanlage kontaminieren oder zuerst das Labor in die Luft jagen?«

»Ich … also, wenn ich –«

»Ich sage Ihnen, was *ich* als Terrorist machen würde«, fahre ich fort. »Ich würde zuerst das Wasser kontaminieren. Es würde nicht sofort bemerkt. Vielleicht innerhalb von Stunden, vielleicht aber auch erst nach Tagen. Und *dann* würde ich das Labor in die Luft jagen. Denn wenn Sie das Labor zuerst hochjagen … wenn Sie ein Labor zerstören, das im Fall von Bioterrorismus Nothilfe leistet …«

»Dann decken Sie Ihre Karten auf«, wirft Carolyn ein. *»Sie wissen, dass die Bundesregierung als Allererstes die Wasserversorgung und ähnliche Infrastruktur überprüfen wird.«*

»Genau das, was wir getan haben«, sage ich.

»Sie haben ihre Karten aufgedeckt«, denkt Sam laut nach.

»Sie haben *absichtlich* die Karten auf den Tisch gelegt«, sage ich. »Die Warnung war geplant. Sie wollten, dass wir sämtliche Aufbereitungsanlagen inspizieren. Wir sollten den Cyberangriff bemerken.«

»Ich verstehe nur nicht ganz, wie uns das weiterhelfen –«, meldet sich Sam.

»Vielleicht wollen sie gar nicht das Wasser in Los Angeles kontaminieren. Vielleicht sollen wir nur *denken*, dass sie es tun. Sie wollen, dass wir die Besten, die absolute Elite unserer Cybersicherheitsexperten der Nation nach L. A. schicken, ans andere Ende des Landes, sodass wir hier nackt dastehen, wenn das Virus zuschlägt.«

Ich verschränke die Hände auf dem Kopf und gehe noch einmal alles durch.

»Wenn wir nach dieser Annahme handeln, gehen wir ein gewaltiges Risiko ein, Sir.«

Ich laufe wieder auf und ab. »Liz, was fällt Ihnen dazu ein?«

Sie wirkt überrascht, dass ich sie frage. *»Sie wollen wissen, was ich machen würde?«*

»Ja, Liz. Sie haben doch an einer dieser Eliteuniversitäten studiert, nicht wahr? Was würden Sie tun?«

»Ich – Los Angeles gehört zu unseren größten Ballungsräu-

men. Ich würde das Risiko nicht eingehen. Ich würde das Team nach L. A. schicken, um das System zu reparieren.«

Ich nicke. »Carolyn?«

»Sir, ich verstehe Ihre Logik, aber ich muss Sam und Liz recht geben. Stellen Sie sich vor, es käme irgendwann heraus, dass Sie entschieden haben, keine Experten dorthin zu schicken –«

»Nein!«, rufe ich und zeige mit dem Finger auf den Bildschirm. »Keine politischen Spielchen. Heute nicht. Was später rauskommt, darf uns nicht interessieren. Hier und jetzt spielt die Musik, Leute, jede Entscheidung, die ich heute treffe, ist ein Risiko. Das ist ein Drahtseilakt ohne Netz und doppelten Boden. Wenn ich die falsche Entscheidung treffe, sind wir erledigt. Hier gibt es kein Spiel auf Sicherheit. Wir können nur das Richtige oder das Falsche tun.«

»Dann schicken Sie eben nur einen Teil des Teams«, schlägt Carolyn vor. *»Nicht Devin und Casey, aber einen Teil des Threat-Response-Teams vom Pentagon.«*

»Das Team wurde als eine geschlossene Einheit konzipiert«, wende ich ein. »Man kann ein Fahrrad nicht in zwei Hälften teilen und erwarten, dass es fährt. Nein – hier geht es um alles oder nichts. Schicken wir sie nach L. A. oder nicht?«

Es herrscht Stille im Raum.

Sam sagt: *»Schicken Sie die Leute nach L. A.«*

»Ich stimme zu«, sagt Carolyn.

»Ich auch«, meldet sich Liz.

Drei hochintelligente Menschen, die einhellig für dieselbe Lösung stimmen. Wie weit entspringt ihre Entscheidung nüchterner Überlegung und wie weit der Angst?

Sie haben recht. Jeder Experte würde in dieser Lage sagen, schicke sie nach L. A.

Doch mein Bauchgefühl sagt etwas anderes.

Also, was nun, Mr President?

»Das Team bleibt vorerst hier«, entscheide ich. »Los Angeles ist ein Köder.«

54

Samstagmorgen, 6:52 Uhr. Die Limousine parkt in der 13th Street Northwest.

Vizepräsidentin Katherine Brandt sitzt im Fond. Ihr Magen rumort, aber nicht weil sie hungrig ist.

Ihre Tarnung ist wasserdicht: Sie und ihr Mann haben für jeden Samstagmorgen um 7:00 Uhr eine Dauerreservierung in Blake's Café in der G Street Northwest für ein Frühstück mit Omelettes. Ihr Tisch wartet auf sie, und in diesem Moment wird ihre Bestellung zubereitet – Eierschnee mit Feta und Tomaten, dazu extra knusprige Hash Browns.

Sie hat also jeden Grund, in diesem Moment hier zu sein. Im Zweifel könnte das jeder bestätigen.

Ihr Mann ist zum Glück nicht in der Stadt, sondern auf einem seiner Golfausflüge. Vielleicht ist er auch zum Angeln gefahren. Sie hat den Überblick verloren. Als sie noch in Massachusetts wohnten und sie als Senatorin unter der Woche weg war, lief es besser. Das Leben in Washington ist für sie beide schwierig. Sie liebt ihn, und sie haben immer noch gute Zeiten miteinander, doch er interessiert sich nicht für Politik, hasst Washington und hat seit dem Verkauf seiner Firma nichts zu tun. Das belastet ihre Beziehung und macht es ihr unnötig schwer, ihren normalen Zwölf-Stunden-Tag zu absolvieren. In so einem Fall sind wohldosierte Auszeiten Balsam für die Ehe.

Wie wird er sich wohl als First Husband fühlen?

Das findet sich vielleicht früher als gedacht. Schauen wir mal, wie die nächste halbe Stunde verläuft. Neben ihr ist, als Aushilfsbesetzung für ihren Mann als Frühstückspartner, ihr Stabschef Peter Evian. Er hält sein Handy hoch, um ihr zu zeigen, wie spät es ist: 6:56 Uhr.

Sie nickt.

»Madam Vice President«, sagt er so laut, dass es ihre Personenschützer, die in einigem Abstand stehen, hören können:

»Da wir noch ein paar Minuten bis zu unserer Reservierung haben, dürfte ich vielleicht kurz ein Privatgespräch führen?«

»Nur zu, Pete. Kein Problem.«

»Ich steig nur mal schnell aus.«

»Lassen Sie sich Zeit.«

Und sie weiß, dass Pete zum Schein genau das tun wird – er wird seine Mutter anrufen und einen netten langen, nachweisbaren Plausch mit ihr halten.

Peter steigt aus und schlendert, das Handy am Ohr, ein Stück die 13th Street entlang, als just im selben Moment von der G Street Northwest drei Jogger um die Ecke kommen und an ihm vorbei Richtung Limousine der Vizepräsidentin laufen. Sobald sie den Wagenkonvoi erreichen, werden sie langsamer. Der Mann, der die Gruppe anführt, obwohl deutlich älter und weniger fit als seine beiden Partner, betrachtet die Limousine und scheint den anderen etwas zu sagen. Sie gehen auf die Agenten des Secret Service zu, die sich neben ihrem Fahrzeug postiert haben.

»Madam Vice President«, sagt ihr Fahrer und tippt sich ans Ohr, »der Sprecher des Repräsentantenhauses steht da drüben. Einer von diesen Joggern.«

»Lester Rhodes? Sie machen Witze«, fragt sie nach und versucht, ihr Staunen nicht zu dick aufzutragen.

»Er möchte kurz Hallo sagen.«

»Das hat mir gerade noch gefehlt«, sagt sie.

Der Agent dreht sich um, wartet auf ihre Anweisung. »Soll ich ihm sagen –«

»Na ja, das kann ich ihm wohl schlecht abschlagen, oder? Sagen Sie ihm, ich warte hier drinnen auf ihn.«

»In Ordnung, Ma'am.« Er spricht in seine Hörmuschel.

»Dann lassen Sie uns mal einen Moment allein, Jay. Ich möchte nicht, dass Sie und Eric Verletzungen von dem Feuerwerk davontragen.«

Der Agent schmunzelt pflichtgemäß. »In Ordnung, Ma'am.«

Vorsicht ist die Mutter der Porzellankiste. Secret-Service-

Agents unterliegen wie jeder Mensch der Zeugenladung. Dasselbe gilt für die Beamten der städtischen Polizei, die den Sprecher beschützen. Sollte es je dazu kommen, werden sie unter Eid alle dieselbe Geschichte erzählen. Es war reiner Zufall. Der Sprecher kam beim Joggen zufällig vorbei, als die Vizepräsidentin im Auto darauf wartete, dass das Café aufmacht.

Die beiden Agents auf den Vordersitzen steigen aus. Als Lester Rhodes sich neben Katherine auf den Rücksitz fallen lässt, hüllt sie sein Schweißgeruch ein. »Madam Vice President, wollte nur kurz Hallo sagen!«

Die Tür fällt hinter ihm zu. Sie sind allein im Wagen. Laufbekleidung steht Lester nicht. In der Taillengegend könnte er gut zehn Zentimeter weniger vertragen, und jemand hätte ihm raten sollen, eine längere Jogginghose zu tragen. Wenigstens hat er eine Kappe auf – schieferblau, mit der Aufschrift US CAPITOL POLICE in Rot –, sodass es ihr erspart bleibt, diesen dämlichen, wie mit dem Messer geschnittenen Scheitel in seinem Silberhaar zu sehen.

Er schiebt die Kappe zurück und wischt sich mit dem Schweißband über die Stirn. Der Idiot trägt ein Schweißband.

Nun ja. Er ist kein Idiot. Er ist ein skrupelloser Taktiker, der die Übernahme des Repräsentantenhauses orchestriert hat, der seine Parteimitglieder besser kennt als sie sich selbst, der sein politisches Spiel durchzieht, ohne nach links und rechts zu schauen, der selbst die geringfügigste Beleidigung oder Respektlosigkeit nie vergisst und der sich jeden Schachzug gründlich überlegt.

Er dreht sich zu ihr um, kneift die eiskalt blauen Augen zu Schlitzen zusammen. »Kathy.«

»Lester. Machen Sie's kurz.«

»Ich habe die Stimmen im Kongress«, sagt er. »Das Haus ist auf Linie gebracht. Ist das kurz genug?«

Zu den Dingen, die sie im Lauf der Jahre gelernt hat, gehört die Kunst, nicht zu schnell mit Antworten herauszurücken. Es verschafft einem Zeit und wirkt wohlüberlegt.

»Tun Sie nicht so desinteressiert, Kathy. Wenn Sie nicht interessiert wären, säßen wir jetzt nicht hier.«

Die Feststellung bleibt unwidersprochen. »Wie steht's mit dem Senat?«, fragt sie.

Er zuckt mit den Achseln. »Sie sind Senatssprecherin, nicht ich.«

Sie grinst. »Aber Ihre Partei hat die Mehrheit.«

»Wenn Sie zwölf von Ihrer Seite bringen, garantiere ich Ihnen, dass meine fünfundfünfzig für die Absetzung stimmen.«

Die Vizepräsidentin wechselt die Stellung, um ihm gerade ins Gesicht zu sehen. »Und wieso erzählen Sie mir das, Mr Speaker?«

»Weil ich nicht den Abzug betätigen muss.« Er lehnt sich auf dem Sitz zurück, macht es sich bequem. »Ich muss ihn nicht des Amtes entheben. Ich könnte ihn einfach im Regen stehen lassen, machtlos und angeschlagen. Er hat keine Chance, Kathy. Er wird nicht wiedergewählt. In den kommenden zwei Jahren stecke ich ihn in die Tasche. Was sollte mir also daran liegen, ihn des Amtes zu entheben? Wieso sollte ich zusehen, wie ihn der Senat aus dem Weißen Haus jagt und den Wählern ein unverbrauchtes Gesicht wie Sie präsentiert, gegen das ich mich behaupten muss?«

An die Möglichkeit hat sie gedacht – dass der Präsident Lester Rhodes mehr nützt, wenn er schwer angeschlagen im Amt bleibt.

»Weil Sie als Sprecher Ihrer Partei Geschichte schreiben, wenn Sie einen Präsidenten stürzen, deshalb«, sagt sie.

»Mag sein.« Seinem Gesicht nach lässt er sich den Gedanken auf der Zunge zergehen. »Aber es gibt Wichtigeres.«

»Es gibt Wichtigeres für Sie, als der bekannteste Sprecher aller Zeiten zu sein?«

Lester nimmt sich eine Flasche Wasser aus dem Fach in der Seitentür, schraubt den Deckel ab, nimmt einen großen Schluck und leckt sich zufrieden die Lippen. »Da wäre eine Sache, die noch wichtiger ist, ja«, bekräftigt er.

Sie spreizt die Hände. »Raus damit.«

Ein breites Grinsen legt sich auf sein Gesicht und verschwindet wieder.

»Es ist etwas, das Präsident Duncan niemals tun würde«, konstatiert er, »Präsidentin Brandt in ihrer grenzenlosen Weisheit vielleicht schon.«

55

»Am Obersten Gerichtshof wird bald eine Stelle frei«, sagt Lester.

»Was Sie nicht sagen.« Davon war noch nichts bis zu ihr gedrungen. Bei diesen Richtern wusste man nie: Die meisten klebten an ihrem Sitz, bis sie weit über achtzig waren. »Wer?«

Er dreht sich mit zusammengekniffenen Augen zu ihr um, ganz Pokerface. *Er kämpft mit sich,* denkt sie. *Ob er es mir sagen soll.*

»Whitman hat letzte Woche von seinem Arzt eine schlimme Nachricht bekommen«, rückt er schließlich heraus.

»Richter Whitman ist …«

»Es sieht für ihn nicht gut aus«, sagt er. »Ob freiwillig oder nicht, wird er noch vor Ende der Amtszeit des Präsidenten ausscheiden. Er wird gedrängt, seinen Platz sofort zu räumen.«

»Tut mir leid, das zu hören«, antwortet sie.

»Wirklich?«, fragt er mit einem schiefen Grinsen zurück. »Wie auch immer, wissen Sie, was eine Ewigkeit nicht mehr vorgekommen ist? Seit Paul Stevens hat es keinen aus dem Mittleren Westen mehr am Obersten Gerichtshof gegeben. Niemanden von einem Bundesgericht wie … na ja, aus dem siebten Gerichtsbezirk. Aus dem Herzland Amerikas.«

Das Bundesberufungsgericht der Vereinigten Staaten für den siebten Gerichtsbezirk. Wenn sie sich recht entsinnt, ist dieses

Gericht auch für bundesstaatliche Fälle aus Illinois, Wisconsin … und Indiana zuständig, Lesters Heimatstaat.

Natürlich.

»Wer, Lester?«

»Die ehemalige Justizministerin von Indiana«, antwortet er. »Eine Frau, gemäßigt. Hochgeachtet. Wurde vor vier Jahren vom Senat fast einstimmig ans Berufungsgericht gewählt, auch mit Ihrer Stimme. Gut und jung – dreiundvierzig Jahre alt –, kurz gesagt, bester Leumund. Sie könnte die nächsten dreißig Jahre am Obersten Gerichtshof sitzen. Sie gehört zu meiner Partei, aber sie würde bei Entscheidungen, die Ihren Leuten besonders wichtig sind, für Ihre Seite stimmen.«

Der Vizepräsidentin fällt die Kinnlade herunter.

»Du liebe Güte, Lester«, sagt sie. »Ich soll Ihre Tochter an den Bundesgerichtshof berufen?«

Sie überlegt, was sie über Lesters Tochter weiß. Verheiratet, ein paar Kinder. Erster Abschluss in Harvard, dann Jurastudium in Harvard. Sie hat in Washington gearbeitet, ist nach Indiana zurückgekehrt und hat sich als gemäßigtes Gegengewicht zur Feuer- und Schwefel-Politik ihres Vaters um die Führung des Justizministeriums von Indiana beworben. Alle gingen davon aus, dass sie als Nächstes nach dem Gouverneursamt greifen würde, doch dann knirschte es im Getriebe, und sie ging ans bundesstaatliche Berufungsgericht.

Und in der Tat, auch mit Katherines Stimme, damals noch Senatorin. Allem Anschein nach schlug sie kein bisschen nach ihrem Vater, sondern, ungeachtet ihrer Parteizugehörigkeit, eher in die andere Richtung. Klug, vernünftig.

Lester malt mit den Fingern eine Schlagzeile in die Luft: »Überparteilich, überparteilich, überparteilich«, sagt er. »Ein Neuanfang nach dem Stillstand der Duncan-Administration. Sie würde spielend die nötigen Stimmen bekommen. Für unsere Senatoren kann ich garantieren, und Ihre Seite könnte sich glücklich schätzen. Sie ist Abtreibungsbefürworterin, Kathy, das scheint Ihren Leuten doch das Wichtigste zu sein.«

Vielleicht … wäre es gar nicht mal so verrückt.

»Sie fahren gleich zu Beginn Ihrer Präsidentschaft einen großen Sieg ein, was sag ich, Kathy, wenn Sie es richtig anstellen, könnten Sie fast zehn Jahre im Amt sein.«

Die Vizepräsidentin sieht aus dem Fenster. Sie erinnert sich an die Aufbruchstimmung damals, als sie ihre Kandidatur ankündigte, als sie vorne lag, als sie es schon vor sich sah, zum Greifen nah.

»Wenn nicht«, sagt Lester, »sind Sie keinen Tag im Amt. Ich lasse Duncan zappeln, bei der nächsten Wahl erleidet er eine krachende Niederlage, und Sie finden sich auf dem Abstellgleis wieder.«

Was die nächste Wahl betrifft, liegt er wahrscheinlich richtig. Zwar wäre es nicht das Aus für sie, doch wenn sie vier Jahre später als ehemalige Vizepräsidentin, die bei der Wahl für eine zweite Amtszeit baden gegangen ist, erneut antreten würde, wäre es ein schwerer Kampf.

»Und Sie könnten damit leben«, fragt sie, »wenn ich für zweieinhalb Amtsperioden Präsidentin wäre?«

Der Sprecher rutscht zur Tür, fasst nach dem Griff. »Was kümmert's mich, wer Präsident ist?«

Sie schüttelt den Kopf, verständnislos, wenn auch nicht sonderlich überrascht.

»Aber erst mal müssen Sie diese zwölf Stimmen im Senat zusammenbekommen«, sagt er und wackelt mit dem Zeigefinger.

»Und Sie haben bestimmt schon eine Idee, wie ich das anstellen soll.«

Sprecher Rhodes zieht die Hand wieder vom Türgriff zurück. »Die habe ich, Madam Vice President, in der Tat.«

56

In der Wohnküche mit Blick über den Garten und zum Wald dahinter nehmen die versammelten Regierungsvertreter ein leichtes Frühstück aus Bagels, Obst und Kaffee ein, während ich sie auf den neuesten Stand der Krisenlage bringe. Ich habe soeben aktuelle Neuigkeiten aus Los Angeles gehört, wo der Heimat- und der Katastrophenschutz unter der Ägide des nationalen Heimatschutzministeriums an der Versorgung der Stadt sowie von ganz Kalifornien mit sauberem Wasser arbeiten. Es hat immer Notstandspläne für den Fall gegeben, dass die Aufbereitungsanlagen versagen, und so wird es sich vorerst mit ein bisschen Glück nicht zu einem ernsten Wassermangel für die Bevölkerung auswachsen, während natürlich die Behörden unter enormem Druck stehen, den Schaden zu beheben. Ich werde zwar mein Threat-Response-Team nicht dorthin entsenden, doch davon abgesehen schicken wir ihnen, wen wir entbehren können.

Natürlich kann ich mich in Bezug auf L. A. täuschen. Vielleicht ist es doch kein Köder. Vielleicht ist es Ground Zero, Auftakt für weitere Hiobsbotschaften. Sollte das der Fall sein, habe ich einen Riesenfehler gemacht. Doch ohne weitere Anhaltspunkte verzichte ich nicht auf mein Team. Zurzeit arbeiten sie gemeinsam mit Augie sowie den Cybersicherheitsexperten aus Israel und Deutschland im Kellergeschoss zusammen, unterstützt von unseren übrigen Experten im Pentagon.

Neben Kanzler Jürgen Richter sitzt der einzige Beamte, den er mitgebracht hat, ein blonder junger Mann namens Dieter Kohl, Chef des deutschen BND. Premierministerin Noya Baram hat ihren Stabschef mitgebracht, einen untersetzten, etwas steifen älteren Herrn, der einmal als General in der israelischen Armee gedient hat. Wir versuchen, dieses Treffen geheim zu halten, weshalb wir es auf wenige Teilnehmer beschränken müssen. Ein Berater pro Regierungschef plus die Cybergurus.

Wir schreiben nicht mehr das Jahr 1942, als sich Franklin D. Roosevelt und Churchill heimlich an einer Stelle unweit der Küstenwasserstraße in Südflorida zu einer Reihe Kriegskonferenzen trafen. Sie aßen in einem großen Restaurant namens Cap's Place und schickten dem Betreiber Dankesschreiben – seither kostbare Schätze eines Speiselokals, das ansonsten für seine Meeresfrüchte, seinen Limettenkuchen und sein Vierzigerjahre-Ambiente geschätzt wird. Heutzutage richten sich dank einer oft dreisten und gefräßigen Presse und nicht zuletzt des Internets mit den sozialen Netzwerken Tag und Nacht aller Augen auf die Staatslenker der Welt, und es ist überaus schwierig geworden, irgendwo inkognito zu bleiben. Unser einziger Vorteil ist es, dass wir angesichts der permanenten terroristischen Bedrohung in der Lage sind, die Einzelheiten unserer Reisepläne unter dem Deckel zu halten.

Noya Baram wird morgen an einer Konferenz in Manhattan teilnehmen und hat verlautbart, sie wolle den Samstag für einen Familienbesuch in den Vereinigten Staaten nutzen. Da sie eine Tochter hat, die in Boston lebt, einen Bruder unweit Chicago und ein Enkelkind, das gerade das erste Jahr an der Columbia University absolviert, ist ihr Alibi wasserdicht. Wie lange das Täuschungsmanöver standhält, ist eine andere Geschichte.

Kanzler Richter hat als Grund den Krebs seiner Frau genannt und einen Besuch am Sloan Kettering Cancer Center auf gestern, Freitag, vorverlegt. Offiziell plant er, das Wochenende mit Freunden in New York zu verbringen.

»Entschuldigen Sie mich bitte«, sage ich zu der Gruppe im Wohnbereich der Hütte, als mein Handy klingelt. »Da muss ich rangehen – einer von diesen verflixten Tagen.«

Ich wünschte, ich hätte auch einen Mitarbeiter an meiner Seite, doch Carolyn brauche ich im Weißen Haus, und sonst habe ich niemanden, dem ich trauen kann.

Ich begebe mich auf die Veranda mit Blick auf den Wald. Der Secret Service geht voraus, im Garten und auf dem übrigen Gelände befindet sich außerdem noch ein kleines Kontingent deutscher und israelischer Agenten.

»Mr President«, berichtet Liz Greenfield. *»Das Mädchen, Nina. Wir haben ihre Fingerabdrücke zurückbekommen. Sie hieß Nina Schinkuba. Die Personendaten, die wir zu ihr haben, sind recht dürftig, doch wir gehen davon aus, dass sie vor knapp sechsundzwanzig Jahren in der Region Abchasien der Republik Georgien geboren ist.«*

»Auf Separatisten-Territorium«, sage ich. »Der umstrittenen Region.« Die Russen unterstützten seinerzeit den Anspruch Abchasiens auf Autonomie von Georgien. Zumindest dem Anschein nach ging es in dem Krieg zwischen Russland und Georgien 2008 um diese Region.

»Ja, Sir, Nina Schinkuba wurde 2008 von der Regierung Georgiens verdächtigt, auf der georgischen Seite der umkämpften Grenze an einer Bahnstation eine Bombe gezündet zu haben. Es gab damals, bevor der Krieg zwischen Abchasien und Georgien ausbrach, auf beiden Seiten eine Reihe terroristischer Anschläge.«

Die sich zum Krieg zwischen Russland und Georgien ausweiteten.

»Dann war sie Separatistin?«

»Sieht ganz so aus. Jedenfalls führt die Republik Georgien sie als Terroristin.«

»Somit wäre sie antiwestlich eingestellt gewesen«, sage ich. »Ist daraus automatisch zu schließen, dass sie prorussisch ist?«

»Die Russen waren auf ihrer Seite. Russen und Abchasen bilden eine Kriegspartei. Es wäre also eine logische Schlussfolgerung.« Logisch. Aber nicht zwingend.

»Sollen wir uns mit Georgien in Verbindung setzen, um zu sehen, was wir noch über sie in Erfahrung bringen können?«

»Warten Sie einen Moment«, sage ich. »Zuerst will ich jemand anderen konsultieren.«

57

»Ich kannte sie nur als Nina«, erzählt Augie. Von seiner Arbeit im Keller abgespannt, reibt er sich die Augen, während wir im Wohnzimmer der Hütte stehen.

»Nicht ihren Nachnamen? Kam Ihnen das nicht seltsam vor? Sie haben sich in eine Frau verliebt und wussten nicht, wie sie mit Nachnamen heißt?«

Er stößt einen Seufzer aus. »Ich weiß, dass sie eine Vergangenheit hatte, vor der sie auf der Flucht war. Ich kannte keine Einzelheiten. Ich wollte es gar nicht wissen.«

Ich mustere ihn aufmerksam, doch mehr ist bei ihm nicht zu holen, über das Gesagte hinaus hat er nicht das Bedürfnis, sich zu erklären.

»Sie war eine abchasische Separatistin«, stelle ich fest. »Die haben mit den Russen zusammengearbeitet.«

»Etwas in der Art sagten Sie schon. Falls sie … Sympathien gegenüber Russland hegte, hat sie sie mir gegenüber nie geäußert. Und dass die Söhne des Dschihad Institutionen des Westens angreifen, ist Ihnen ohnehin nicht neu, Mr President. Wir kämpfen gegen den Einfluss des Westens auf Südosteuropa. Natürlich deckt sich das mit der russischen Agenda. Aber das heißt noch lange nicht, dass die SdD für die Russen arbeiten. Meines Wissens hat Suliman in der Vergangenheit Geld von den Russen angenommen, ja, aber jetzt braucht er ihr Geld nicht mehr.«

»Sie meinen, er verkauft seine Dienste an den Höchstbietenden«, folgere ich.

»Er macht, was er will. Nicht immer für Geld. Er ist an keine Weisungen gebunden, von niemandem, sondern sein eigener Herr.«

So sehen das auch unsere Geheimdienste.

»Von damals rührt Ninas Verwundung her«, sage ich. »Dieses Schrapnell in ihrem Kopf. Sie sagte, eine Bombe sei dicht neben einer Kirche eingeschlagen. Das waren die Georgier. Müssen sie gewesen sein.«

Augies Blick schweift in die Ferne, ihm treten Tränen in die Augen. »Ist das wirklich wichtig?«, flüstert er.

»Falls sie mit den Russen zusammengearbeitet hat, schon, Augie. Wenn ich etwas über die Hintermänner dieses Angriffs erfahre, habe ich mehr Handlungsoptionen.«

Augie nickt, starrt immer noch ins Leere. »Bedrohung. Abschreckung. Mr President«, sagt er, »wenn wir dieses Virus nicht aufhalten können, gehen Ihre Drohungen ins Leere. Ihre Abschreckungsmanöver verpuffen.«

Doch im Moment hat das Virus noch nicht zugeschlagen. Wir sind immer noch das mächtigste Land der Welt.

Vielleicht ist es an der Zeit, dass ich Russland daran erinnere.

Augie kehrt in den Keller zurück. Ich hole mein Handy heraus und rufe Carolyn an.

»Carrie«, sage ich, »sind die Vereinigten Stabschefs im Situation Room?«

»Ja, Sir.«

»Ich melde mich in zwei Minuten«, sage ich.

58

»Mr President«, sagt Kanzler Richter in seiner gewohnten aristokratischen Förmlichkeit, während er die Umschlagmanschetten seines Hemdes hervorblitzen lässt, »dass die Russen bei diesem Angriff die Finger im Spiel haben, davon brauchen Sie mich nicht erst zu überzeugen. Wie Ihnen bekannt ist, hat es in jüngster Zeit in Deutschland eine Reihe solcher Vorfälle gegeben. Die Bundestagsaffäre, den Hackerangriff auf die CDU-Parteizentrale. Wir haben bis heute mit den Folgen zu kämpfen.«

Er meint den Angriff auf die Server des Deutschen Bundestags 2015, bei dem sich Hacker Zugriff auf E-Mails und jede Menge Geheiminformationen verschafft haben, bevor die Deutschen das Virus ausfindig machen und die Schwachstelle beseitigen konnten. Bis heute gelangen Leaks aus diesem Angriff in strategisch wohldosierten Mengen ins Internet und verbreiten sich dort.

Darüber hinaus wurde auch die Parteizentrale der CDU – Kanzler Richters Partei – gehackt, und die Täter brachten zahlreiche Dokumente mit vertraulichen und zum Teil unverblümten Schriftwechseln über Strategien, Wahlkampf-Koordination und zu politischen Kernthemen in ihren Besitz.

Diese beiden Angriffe wurden zu einer Gruppe von Cyberterroristen mit dem Namen ATP28 oder auch »Fancy Bear« zurückverfolgt, die mit dem GRU, Russlands militärischem Nachrichtendienst, zusammenarbeitet.

»Seit den Angriffen auf den Bundestag und die CDU sind uns ungefähr fünfundsiebzig weitere cyberterroristische Vorfälle bekannt«, sagt Richters Begleiter Dieter Kohl, der Chef des BND. »Damit meine ich Phishing-Expeditionen in die Server von Regierungsstellen auf Bundes- und Landesebene sowie von mehreren politischen Parteien, die alle dem Kreml kritisch gegenüberstehen. Und über staatliche Einrichtungen hinaus haben auch Industrie, Gewerkschaften, Thinktanks und andere Körperschaften Datendiebstahl zu beklagen. Dieser werden alle«, erklärt er, »›Fancy Bear‹ zugeschrieben.«

»Ein Großteil der Daten, die sie …« Kanzler Richter wendet sich, auf der Suche nach dem Fachbegriff, an seinen Mitarbeiter. »Ausgefiltert, ja. Ein Großteil der Daten, die sie ausgefiltert haben, wurde bis jetzt noch nicht geleakt. Doch je näher der Wahlkampf heranrückt, desto mehr rechnen wir damit, dass solche Informationen im Internet auftauchen. Damit will ich nur sagen, Mr President, dass Sie Deutschland in der Frage, ob Russland involviert ist, nicht erst zu überzeugen brauchen.«

»Aber das hier ist etwas anderes«, schaltet sich Premierministerin Noya Baram ein. »Wenn ich das Virus, das Sie auf dem Server des Pentagons entdeckt haben, richtig verstehe, gab es da keine … Brotkrümel.«

»Das stimmt«, sage ich. »In unserem Fall haben die Hacker keine Spuren hinterlassen. Keine Fingerabdrücke. Keine Krümel. Das Virus kam wie aus dem Nichts, verschwand und ward nicht mehr gesehen.«

»Und das ist nicht der einzige Unterschied«, fährt sie fort. »Sie, Jonny, müssen sich nicht nur um Datendiebstahl Sorgen machen, sondern auch um die Stabilität Ihrer Infrastruktur.«

»Um beides«, sage ich, »ja, Sie haben recht, Noya. Ich befürchte, dass sie unsere operativen Systeme angreifen werden. Die Stelle, an der sich das Virus für einen Moment zu erkennen gab, uns kurz zugewinkt hat, könnte man sagen, bevor es wieder verschwand, gehört zu unserer operativen Infrastruktur. Die stehlen keine E-Mails. Sie beschädigen unsere Systeme.«

»Und nach allem, was ich weiß«, sagt Kanzler Richter, »wenn irgendjemand dazu fähig ist, dann die Söhne des Dschihad. Unsere Leute« – er blickt zu seinem BND-Chef hinüber, der nickt –, »unsere Leute sagen, die SdD seien die Besten auf der Welt. Man sollte meinen, wir hätten ihnen Experten mit denselben Fähigkeiten entgegenzusetzen. Aber wir werden gerade eines Besseren belehrt. Tatsächlich gibt es nur ganz wenige Elite-Cyberterroristen und ebenso wenige, wenn nicht weniger, Elite-Abwehrexperten. Bei uns haben wir ein neues Cyberkommando eingerichtet, aber es ist nicht leicht, die Stellen zu besetzen. Wir verfügen vielleicht über zehn, zwölf Personen, die gut genug sind, uns gegen die fähigsten Cyberterroristen zu verteidigen.«

»Das ist wie überall«, sage ich. »Im Sport, in den Künsten, im akademischen Bereich. Es wird immer ein paar Leute an der Spitze der Pyramide geben, die allen anderen überlegen sind. Israel hat viele davon in der Abwehr. Israel verfügt über die besten Cyberabwehrsysteme der Welt.« Ich nicke Noya zu, die das Kompliment entgegennimmt, ohne zu widersprechen; die Israelis sind stolz darauf.

»Und wenn die Israelis die besten Abwehrspieler sind«, witzelt Richter, »dann sind die Russen die besten Stürmer.«

»Aber jetzt haben wir immerhin Augie.«

Richter nickt, während er die Augen zusammenkneift. Noya blickt von Richter zu mir. »Und Sie sind sicher, dass Sie diesem Mann vertrauen können, diesem Augustas Koslenko.«

»Noya«, antworte ich, »sicher bin ich mir nur darin, dass mir nichts anderes übrig bleibt, als ihm zu vertrauen. Unsere Leute können das Ding nicht knacken. Sie finden es ja nicht einmal.« Ich lehne mich zurück. »Er hat uns überhaupt erst darauf aufmerksam gemacht. Ohne ihn wüssten wir nicht einmal davon.«

»Behauptet er.«

»Behauptet er«, räume ich ein. »Stimmt. Hören Sie, wer auch immer letztlich dahintersteckt – die SdD oder Russland oder sonst wer –, ja, es ist nicht auszuschließen, dass sie mir Augie geschickt haben. Möglich, dass er Hintergedanken hat. Ich habe darauf gewartet, dass er damit herausrückt. Ich habe auf irgendeine Forderung, Lösegeld oder sonst was, gewartet. Aber da kommt nichts. Und vergessen Sie nicht, dass die versucht haben, ihn zu liquidieren. Zwei Mal. Nach meiner Einschätzung ist er daher eine Bedrohung für die. Und somit ein Aktivposten für uns. Im Übrigen sind meine besten Leute und *Ihre* besten Leute und Jürgens beste Leute da unten angehalten, ihn keinen Moment aus den Augen zu lassen, ihm zuzuhören, von ihm zu lernen und zu überprüfen, was er sagt. Seinetwegen haben wir sogar eine Kamera in dem Raum.« Ich hebe die Arme. »Falls jemand von Ihnen eine bessere Idee hat, lassen Sie hören. Ansonsten ist er mein bestes Ass im Ärmel, um zu verhindern, dass …« Ich führe den Satz nicht zu Ende. Ich bringe es nicht über mich, den Gedanken auszusprechen.

»Was zu verhindern?«, fragt Richter. »Haben wir schon eine ungefähre Vorstellung vom Ausmaß des möglichen Schadens?

Wir können alle spekulieren. Wir können alle einen Albtraum an die Wand malen. Aber was sagt der Bursche dazu?«

Das ist eine perfekte Überleitung zu den wesentlichen Gründen, die mich bewogen haben, den deutschen Kanzler heute hierherzubitten.

Ich wende mich an Alex, der am anderen Ende des Wohnzimmers steht. »Alex, bringen Sie Augie hier rauf«, sage ich. »Das sollten alle mit eigenen Ohren hören.«

59

Augie steht vor den internationalen Spitzenpolitikern. Er wirkt erschöpft und mit den Nerven am Ende; die frische Kleidung, die wir nach einer Dusche für ihn aufgetrieben haben, passt ihm nicht, und die Ereignisse der letzten zwölf Stunden haben ihn auf der ganzen Linie überfordert. Dagegen scheint diesen jungen Mann die Gesellschaft, in der er sich befindet, nicht im Mindesten einzuschüchtern. Er hat es hier mit herausragenden Leuten zu tun, die über unglaublich viel Macht verfügen, doch in dieser Arena ist er der Lehrer, wir sind die Schüler.

»Es gehört zur großen Ironie der modernen Zeit«, holt er weit aus, »dass der Fortschritt die Menschheit zugleich mächtiger und angreifbarer macht. Je größer die Macht, desto größer die Verwundbarkeit. Sie sehen sich, mit gewissem Recht, am Gipfel Ihrer Macht, mit einem größeren Handlungsspielraum als je zuvor. Ich hingegen sehe Sie am Gipfel Ihrer Ohnmacht. Der Grund dafür ist die Abhängigkeit. Unsere Gesellschaft hat sich auf Gedeih und Verderb von Technologie abhängig gemacht. Das Internet der Dinge – das Konzept ist Ihnen vertraut?«

»Mehr oder weniger, ja«, sage ich. »Die Steuerung technischer Geräte über das Internet.«

»Ja, im Wesentlichen. Nicht nur Laptops und Smartphones, sondern alles, was einen Netzschalter hat. Waschmaschinen, Kaffeeautomaten, Festplattenrekorder, digitale Kameras, Thermostaten, Maschinenteile, Düsentriebwerke – die Liste ist endlos, im Großen wie im Kleinen. Vor zwei Jahren waren gerade einmal fünfzehn Milliarden Geräte mit dem Internet verbunden. In zwei Jahren? Ich habe Schätzungen gelesen, wonach es fünfzig Milliarden sein werden. Auch die Zahl hundert Milliarden ist mir schon untergekommen. Der Laie kann kaum noch einen Fernseher einschalten, ohne mit Werbung für die neueste Smartphonegeneration bombardiert zu werden, die Dinge leisten kann, die man sich vor zwanzig Jahren nicht hätte träumen lassen. Sie können damit von Ihrem Büro aus jemanden sehen, der bei Ihnen zu Hause vor der Tür steht. Es informiert Sie über Baustellen und zeigt Ihnen eine schnellere Route zu Ihrem Ziel an.«

»Dieser hohe Vernetzungsgrad macht uns umso anfälliger für Schad- und Spionagesoftware«, werfe ich ein. »Das ist uns bekannt. Aber im Moment ist es mir ziemlich egal, ob Siri mir verrät, wie das Wetter in Buenos Aires ist, oder ob mich irgendeine ausländische Macht durch meinen Toaster ausspioniert.«

Augie schreitet im Raum auf und ab, als doziere er auf einer großen Bühne vor Tausenden Menschen. »Sicher, ich bin vom Thema abgekommen. Was ich damit sagen will: Heute ist fast jede hoch entwickelte Form von Automatisierung, fast jede Transaktion in der modernen Welt auf das Internet angewiesen. Anders gesagt: Um Strom zu bekommen, sind wir auf das Elektrizitätsnetz angewiesen, nicht wahr?«

»Versteht sich.«

»Und ohne Elektrizität? Herrschte das reine Chaos. Wieso?« Er sieht uns einzeln an und wartet auf eine Antwort.

»Weil es keinen Ersatz dafür gibt«, sage ich. »Nicht wirklich.«

Er zeigt mit dem Finger auf mich. »Richtig. Weil wir uns von etwas so abhängig gemacht haben, für das es keinen Ersatz gibt.«

»Und dasselbe gilt heute auch fürs Internet«, murmelt Noya, mehr zu sich selbst.

Augie deutet eine Verbeugung an. »Ganz sicher, Madam Prime Minister. Eine unendliche Vielzahl von Funktionen, die früher ohne das Internet auskamen, sind jetzt nur noch *mithilfe* des Internets durchführbar. Und zwar alternativlos. Wir können nicht zurück. Und Sie haben recht, natürlich geht die Welt nicht unter, wenn wir unser Smartphone nicht fragen können, wie die Hauptstadt von Indonesien heißt. Die Welt geht auch nicht unter, wenn wir plötzlich nicht mehr unsere Frühstücks-Burritos in der Mikrowelle aufwärmen können oder wenn unsere Festplattenrekorder nicht mehr funktionieren.«

Augie läuft mit gesenktem Blick, die Hände in den Hosentaschen, ein paar Schritte durch den Raum – der Inbegriff des Professors im Hörsaal.

»Aber wenn nun plötzlich *alles* zum Stillstand käme? Wenn nun gar nichts mehr funktionierte?«, sagt er.

In der Runde tritt vollkommene Stille ein. Kanzler Richter, der gerade eine Tasse an die Lippen hebt, erstarrt in der Bewegung. Noya sieht aus, als halte sie den Atem an.

Dark Ages, denke ich.

»Aber das Internet ist nicht ganz so anfällig, wie Sie es darstellen«, wirft Dieter Kohl ein, der zwar mit Augie nicht auf Augenhöhe sein mag, aber zweifellos mehr von der Materie versteht als die gewählten Staatsoberhäupter im Raum. »Wenn Sie einen Server schädigen, dann wird das den Datenverkehr zwar verlangsamen oder sogar ganz blockieren, doch er wird durch einen anderen ersetzt. Die Datenbahnen sind dynamisch.«

»Wenn aber nun sämtliche Datenbahnen geschädigt würden?«, fragt Augie.

Kohl spielt das Szenario im Kopf durch, hat den Mund halb geöffnet, als wolle er etwas sagen, zögert dann aber mit seiner Antwort. Nach einer Weile schließt er die Augen und schüttelt den Kopf. »Wie sollte ... so etwas funktionieren?«

»Das wäre möglich, mit der entsprechenden Zeit, mit Geduld und Können«, erwidert Augie. »Wenn das Virus, nachdem es in den Server eingeschleust wurde, unentdeckt bleibt. Und wenn es nach der Infiltration schlummert.«

»Wie haben Sie die Server infiltriert? Mit Phishing-Angriffen?«

Augie macht ein Gesicht, als sei er beleidigt. »Gelegentlich. Aber in der Mehrzahl der Fälle nicht. In der Mehrzahl der Fälle bedienen wir uns der Irreleitung. DdoS-Attacken, Beschädigung der BGP-Tabellen.«

»Augie«, protestiere ich.

»Ach so, ja, Entschuldigung. Klartext, haben Sie gesagt. Also gut. Eine DdoS-Attacke ist eine ›verteilte Dienstblockade‹. Also im Wesentlichen ein breit angelegter Angriff auf das Netz von Servern, der die URL-Adressen, die wir in unsere Browser tippen, in IP-Adressen konvertiert, welche dann wiederum die Internet-Router benutzen.«

»Augie«, sage ich erneut.

Zur Entschuldigung lächelt er nur. »Also: Sie geben beispielsweise www.cnn.com ein, aber dies wird in eine Zahlenkombination konvertiert, die anzeigt, wohin Sie wollen. Bei einer DdoS-Attacke wird der Server mit Anfragen überschwemmt und in einem Maße überlastet, dass er zum Stillstand oder ganz zum Erliegen kommt. Im Oktober 2016 hat eine solche DdoS-Attacke zahlreiche Server zum Absturz gebracht und im Zuge dessen viele der bekanntesten Webseiten in Amerika lahmgelegt, und zwar für einen ganzen Tag. Twitter, PlayStation, CNN, Spotify, Verizon, ComCast, ganz zu schweigen von Tausenden Online-Handelsportalen, waren alle dicht.

Kommen wir zu den Routing-Tabellen – den Datenbanken, die jeder Border-Gateway-Protokoll-Router aufbaut. Die Provider – zum Beispiel AT&T – verzeichnen im Prinzip in den Tabellen, wer ihre Kunden sind. Wenn zum Beispiel Firma ABC den Internetdienst von AT&T benutzt, dann wird AT&T auf diesen Tabellen Werbung schalten: ›Um zur Website der Firma ABC zu gelangen, klicken Sie auf …‹. Nehmen wir einmal an, Sie sind in China, benutzen VelaTel und wollen auf das Portal der Firma ABC gelangen. Dann müssen Sie von VelaTel zu NTT in Japan hüpfen und von dort zu AT&T in Amerika. Die Routing-Tabellen geben die Richtung vor. Wir tippen natürlich nur eine Website ein oder klicken einen Link an, doch in Wahrheit springen wir beinahe in Echtzeit von einem Provider zum anderen, und die Routing-Tabellen dienen als Landkarte, wenn man so will.

Das Problem liegt darin, dass diese Routing-Tabellen auf Vertrauen basieren. Vielleicht erinnern Sie sich, dass VelaTel, damals noch ChinaTel, eines Tages die Behauptung in die Welt setzte, es sei der letzte Hop, also die letzte Station, für den Datenverkehr mit dem Pentagon, und so kam es, dass eine Zeit lang ein beträchtlicher Anteil des Datenverkehrs mit dem Pentagon über China umgeleitet wurde.«

Davon weiß ich inzwischen, damals hatte ich keine Ahnung. Damals war ich nur Gouverneur von North Carolina. Einfachere Zeiten. Die Untertreibung des Jahrhunderts.

»Ein gewiefter Hacker«, sagt Augie, »wäre in der Lage, die Routing-Tabellen der top zwanzig Internetdienstleister rund um den Globus zu infiltrieren, die Tabellen zu verwürfeln und auf diese Weise den Datenverkehr umzuleiten. Das hätte dieselbe Wirkung wie eine DdoS-Attacke. Dies würde vorübergehend den Internetservice dieses Providers außer Kraft setzen.«

»Aber wie hängt das mit der Installation des Virus zusammen?«, fragt Noya. »Soviel ich weiß, zielt ein DdoS-Angriff darauf, den Internetservice eines Providers lahmzulegen.«

»Ja.«

»Und das hier klingt so, als hätte das Verwürfeln von Routing-Tabellen dieselbe Wirkung.«

»Ja. Und wie Sie sich vorstellen können, ist das ein schwerer Schlag. Ein Internetdienstleister kann es sich nicht leisten, auszufallen. Schließlich ist das seine einzige Daseinsberechtigung. Also muss er das Problem sofort beheben, sonst ist er schnell aus dem Geschäft.«

»Natürlich«, sagt Noya.

»Wie ich bereits sagte, funktioniert dies über Fehlleitungen.« Augie holt zu einer schwungvollen Geste aus. »Wir haben uns sowohl der Routing-Tabellen als auch der DdoS-Attacken bedient, um in die Server einzudringen.«

Noya hebt das Kinn, sie scheint es zu begreifen. Mir musste Augie dies alles mehr als einmal erklären. »Während die sich ganz auf den Notfall konzentrierten, haben Sie sich eingeschlichen und das Virus gepflanzt.«

»So kann man es zusammenfassen, ja.« Augie kann sich nicht helfen, er strahlt vor Stolz. »Und da das Virus schlief – weil es versteckt war und keine Schäden anrichtete –, haben Sie es nicht bemerkt.«

»Wenn Sie von Schlafen reden, wie lange?«, fragt Dieter Kohl.

»Über Jahre. Ich glaube, wir haben …« Er blickt zur Decke, kneift die Augen zu. »Vor drei Jahren angefangen.«

»Das Virus war drei Jahre lang im Ruhezustand da drin?«

»In einigen Fällen ja.«

»Und wie viele Server haben Sie infiziert?«

Augie holt tief Luft wie ein Kind, bevor es gegenüber seinen Eltern mit einer schlechten Nachricht herausrückt. »Das Virus ist so programmiert, dass es jeden Netzknoten infiziert – jedes Gerät, das den Internetservice eines solchen nutzt.«

»Und …« Kohl zögert, als kämpfe er mit sich, ob er es wirklich genauer wissen will, als habe er Angst, die Tür zur dunklen Kammer zu öffnen und herauszufinden, was sich darin verbirgt. »Wie viele Internetdienstleister haben Sie ungefähr infiziert?«

»Ungefähr?« Augie zuckt mit den Schultern. »Alle«, sagt er.

Bei dieser niederschmetternden Nachricht schreckt die Runde zusammen. Richter hält es nicht mehr auf seinem Stuhl, er springt auf und lehnt sich mit dem Rücken an die Wand, verschränkt die Arme vor der Brust. Noya flüstert ihrem Mitarbeiter etwas zu – Menschen mit einer großen Machtfülle, die sich ohnmächtig fühlen.

»Wenn Sie sämtliche Internetdienstleister im Land infizieren und diese das Virus wiederum an jeden Kunden, an jeden Netzknoten, an jedes Gerät weitergegeben haben, heißt das ...« Dieter Kohl sackt zurück.

»Wir haben praktisch jedes Gerät infiziert, das mit dem Internet in den Vereinigten Staaten verbunden ist.«

Die Premierministerin und der Kanzler sehen mich mit kreidebleichen Gesichtern an. Der Angriff, von dem wir hier reden, zielt auf Amerika, doch ihnen ist sehr wohl bewusst, dass es als Nächstes ihre Länder treffen könnte, genau einer der Gründe, weshalb ich wollte, dass Augie es ihnen selbst erklärt.

»Nur die Vereinigten Staaten?«, fragt Kanzler Richter. »Das Internet verbindet die gesamte Welt.«

»Ein berechtigter Einwand«, sagt Augie. »Aber wir haben uns auf die Anbieter in den Vereinigten Staaten beschränkt. Natürlich wird das Virus über die Daten von amerikanischen Geräten auch in andere Länder gelangen. Eine sichere Prognose lässt sich nicht stellen, aber wir rechnen mit keiner signifikanten Verbreitung. Wir haben uns ganz auf die Vereinigten Staaten konzentriert. Das Ziel war es, Amerika lahmzulegen.«

Dieses Ausmaß übersteigt unsere schlimmsten Befürchtungen. Als uns das Virus für einen Moment entgegenspinkste, befand es sich auf einem Pentagon-Server. Und wir alle dachten an eine militärische Operation. Zumindest unsere Regierung. Doch nun erfahren wir von Augie, dass der Angriff über die Regierungsnetzwerke weit hinausgeht. Es wird sich auf jeden Wirtschaftszweig, zahllose Aspekte des Alltags, jeden Haushalt, sämtliche Lebensbereiche auswirken.

»Anders gesagt«, bringt Kanzler Richter mit wackliger Stimme heraus, »Sie berauben Amerika des Internets.«

Augie blickt von Richter zu mir.

»Ja, aber das ist nur der Anfang«, sage ich. »Augie, erklären Sie ihnen, was das Virus noch anstellen wird.«

60

»Im Wesentlichen handelt es sich bei diesem Virus um einen sogenannten Wiper, eine Art Radiergummi«, führt Augie aus. »Wie der Name schon sagt, wird bei einem Wiper-Angriff sämtliche Software auf einem Gerät gelöscht.

Ihre Laptops können Sie dann nur noch als Türstopper benutzen, Ihre Router als Briefbeschwerer. Die Server geben ihren Geist auf. Sie stehen ohne Internet da, so viel ist schon mal sicher, aber auch Ihre Endgeräte funktionieren nicht mehr.«

Dark Ages.

Augie nimmt einen Apfel aus der Obstschale und wirft ihn mit einer Hand hoch. »Die meisten Viren und Schadcodes sind so konzipiert, dass sie heimlich Daten stehlen. Stellen Sie sich einen Einbrecher vor, der durch ein Fenster einsteigt und auf Zehenspitzen durchs Haus schleicht. Er *will* unerkannt herein- und wieder hinauskommen, und wenn der Diebstahl dann entdeckt wird, ist es zu spät.

Wiper-Attacken dagegen machen absichtlich Lärm. Das Opfer *soll* merken, was sie treiben. Wer dahintersteckt, hat keinen Grund, den Angriff zu verbergen, weil er etwas von Ihnen will. Gewissermaßen – nein, definitiv – nimmt er den Inhalt Ihrer elektronischen Geräte in Geiselhaft. Zahlen Sie entweder Lösegeld oder verabschieden Sie sich von Ihren Dateien. Natürlich haben die kein besonderes Interesse daran, Ihre sämtlichen Daten zu löschen. Sie wollen nur Ihr Geld.«

Er breitet die Arme aus. »Also, bei unserem Virus handelt es sich um eine heimliche Wiper-Attacke. Wir sind unbemerkt eingedrungen und haben Ihre Netzwerke im größtmöglichen Umfang infiltriert. Aber wir wollen kein Lösegeld. Wir *wollen* Ihre Daten löschen.«

»Und natürlich helfen uns auch Back-up-Dateien nicht weiter«, sinniert Dieter Kohl und schüttelt fassungslos den Kopf. »Weil Sie die auch infiziert haben.«

»Selbstverständlich. Das Virus findet sich auch in den Backups, und zwar seit dem ersten automatischen Back-up Ihrer Systeme.«

»Sie sind somit Zeitbomben«, werfe ich ein. »Sie verschanzen sich in den Geräten, bis sie geweckt und aktiviert werden.«

»Ja.«

»Und zwar heute.« Wir blicken alle in die Runde. Ich hatte bereits ein paar Stunden, um das alles zu verdauen, nach Augies ausführlicher Darlegung in der *Marine One*. Wahrscheinlich stand mir auf diesem Flug im Helikopter derselbe Ausdruck ins Gesicht geschrieben wie jetzt den Übrigen in unserem Kreis: *Lieber Gott, lass das nicht wahr sein!*

»Sie ahnen wohl, was für Konsequenzen das hat«, nimmt Augie seinen Vortrag wieder auf. »Vor fünfzig Jahren hatten Sie noch Schreibmaschinen und Durchschlagpapier. Heute haben Sie nur noch Computer. Vor fünfzig, nicht selten noch bis vor *zehn* oder *fünfzehn* Jahren, waren zahlreiche Arbeitsvorgänge noch nicht vom Netz abhängig. Heute dagegen schon. Heute läuft es nur noch digital. Ohne Internet sind Sie aufgeschmissen, Sie haben keinen Ersatz.«

Im Raum ist es still geworden. Augie starrt auf seine Schuhe, vielleicht aus Respekt vor der Erschütterung, die er bei seinen Zuhörern auslöst, vielleicht auch als stumme Entschuldigung für das, was er angerichtet hat. An dem Szenario, das er da beschreibt, hat er entscheidend mitgewirkt.

»Geben Sie uns eine Vorstellung davon …« Noya Baram massiert sich die Schläfen.

»Ah, okay.« Augie dreht wieder seine Runden. »Die Beispiele sind endlos. Kleinere Auswirkungen: Die Fahrstühle funktionieren nicht mehr. Die Scanner in den Lebensmittelläden. Zug- und Busfahrscheine. Fernseher. Telefone. Radios. Verkehrsampeln. Kreditkarten-Scanner. Alarmanlagen. Auf den Laptops wird zusammen mit sämtlichen Daten auch die Software gelöscht. Was zurückbleibt, ist ein Computer mit einer Tastatur und einem leeren Bildschirm.

Das Stromnetz würde zusammenbrechen, also zum Beispiel Kühlschränke, in vielen Fällen auch die Heizung. Wasser – die Wirkung auf Wasseraufbereitungsanlagen haben Sie ja schon gesehen. Sauberes Wasser wird in Amerika schnell zur Mangelware.

Was zu Gesundheitsproblemen in einem nie gekannten Ausmaß führt. Wer versorgt die Kranken? Krankenhäuser? Verfügen sie über die notwendigen Mittel, um Sie zu behandeln? Chirurgische Eingriffe sind heutzutage in hohem Maße computerisiert. Abgesehen davon, dass zu den Patienten keine Krankenakten zugänglich sind.

Und an diesem Punkt stellt sich die Frage, ob Sie überhaupt auf ärztliche Hilfe hoffen können. Sind Sie krankenversichert? Ja? Behauptet wer? Eine Chipkarte in Ihrer Tasche? Damit lässt sich Ihre Krankenakte nicht mehr aufrufen, um Ihre Aussagen zu verifizieren. Auch können die sich die Kosten nicht mehr von der Versicherung erstatten lassen. Und selbst wenn sie bei der Versicherung anfragen, wissen die nicht, ob Sie tatsächlich Kunde bei ihnen sind. Haben die Gesellschaften ausgedruckte Listen ihrer Versicherungsnehmer? Nein. Es ist alles nur auf ihren Computern, und auf denen wurden sämtliche Daten gelöscht. Werden die Krankenhäuser kostenlose Behandlungen anbieten?

Natürlich gibt es keine Websites. Keinen Internethandel. Keine Förderbänder. Keine automatisierte Produktion in den Werkshallen. Keine Lohnbuchhaltung.

Flugzeuge werden am Boden bleiben. In vielen Regionen werden nicht einmal die Züge fahren. Selbst Autos, zumindest ab, warten Sie, Baujahr 2010 oder so, sind betroffen.

Juristische Dokumente. Sozialhilfe-Unterlagen. Datenbanken der Strafverfolgungsbehörden. Die Fähigkeit der örtlichen Polizei, Kriminelle zu identifizieren, ihre Ermittlungen mit anderen Bundesstaaten sowie der Bundesregierung zu koordinieren – das war einmal.

Bankbelege. Sie glauben, Sie haben zehntausend Dollar auf

Ihrem Sparkonto? Fünfzigtausend Dollar auf einem Ruhestandskonto? Sie glauben, Ihnen steht jeden Monat ein fester Rentenbetrag zu?« Er schüttelt den Kopf. »Nicht, wenn sowohl die Computerdateien als auch ihre Back-ups gelöscht sind. Haben Banken große Bündel Geldscheine mit einem Gummiband drum und Ihrem Namen drauf irgendwo in einem Tresorraum liegen? Selbstverständlich nicht. Zu allem gibt es nur Daten.«

»Heilige Mutter Gottes«, murmelt Kanzler Richter und wischt sich mit einem Taschentuch übers Gesicht.

»Sicher«, fährt Augie fort, »Banken gehören zu den ersten Institutionen, denen klar wurde, wie gefährdet sie sind, aus diesem Grund haben sie einen Teil ihrer Daten auf separate Systeme ausgelagert. Aber da hatten wir sie bereits infiziert. Das war der erste Wirtschaftszweig, den wir uns vorgenommen haben. Folglich sind deren abgesonderte Netzwerke genauso hinüber.

Nehmen Sie die Finanzmärkte. Es wird keine Börsen mehr geben. Das läuft alles elektronisch. In allen amerikanischen Börsen kommt der gesamte Handel zum Erliegen.

Und natürlich die Regierungsfunktionen. Die Regierung ist auf Steuern angewiesen. Auf Personendaten für die Einkommenssteuer. Auf die Erhebung von Mehrwert-, Verbrauchssteuer und dergleichen. Das alles kann sie vergessen. Woher also nimmt die Regierung das Geld, um funktionstüchtig zu bleiben, das heißt, soweit sie an und für sich noch funktionstüchtig ist? Der Zahlungsverkehr ist plötzlich auf Scheine und Münzen zurückgeworfen. Und woher soll das Bargeld kommen? Sie werden nicht einfach zu Ihrer Bank um die Ecke oder zum nächstbesten Geldautomaten gehen und Bargeld abheben können, weil Sie bei der Bank nicht nachweislich Kontoinhaber sind.

In diesem Land wird das ganze Wirtschaftssystem zum Erliegen kommen. Branchen, die gänzlich vom Internet abhängen, haben keine Chance. Für alle anderen wird es ein Überlebenskampf. Was unvermeidlich zu massiver Arbeitslosigkeit führt, abgesehen davon, dass es kaum noch Kredite geben wird; es kommt zu einer so krachenden Rezession, dass Ihre *Große Depression* der 1930er-Jahre dagegen wie eine Randnotiz erscheint.«

Er legt eine wirkungsvolle Pause ein. »Panik«, sagt er. »Landesweite Panik. Ein Sturm auf die Banken. Plünderungen in Lebensmittelläden. Aufruhr. Massenkriminalität. Epidemien. Der letzte Rest von Gesetz und Ordnung geht den Bach herunter.

Dabei habe ich noch nicht einmal die Frage erwähnt, wie die nationale Sicherheit mit militärischen und anderen Mitteln gewährleistet werden soll. Wie Terroristen verfolgt werden können. Die Überwachungssysteme. Ihre hochmoderne Air Force wird am Boden bleiben. Ihre Raketen? Fehlanzeige. Radar und Sonar? Die Hightech-Telekommunikation Ihres Militärs? Alles weg.

Die Vereinigten Staaten sehen sich plötzlich wehrlos der Gefahr von potenziellen Angriffen ausgesetzt«, sagt er. »Ihre militärischen Verteidigungsmöglichkeiten fallen auf den Stand des neunzehnten Jahrhunderts zurück, gegen Feinde mit Waffensystemen des einundzwanzigsten Jahrhunderts.

Wie zum Beispiel Russland. Und China. Und Nordkorea.«

Dieter Kohl hebt die Hand. »Wenn das Internet auf Dauer ausgeschaltet wäre, hätten wir eine ... eine Katastrophe gigantischen Ausmaßes. Aber diese Probleme lassen sich prinzipiell beheben. Schließlich würde Amerika das Internet nicht *für immer* verlieren.«

Augie nickt, es sieht fast wie eine kleine Verbeugung aus. »Das ist richtig, Sir. Irgendwann würden die Datenbanken wiederhergestellt. Wahrscheinlich würde es Monate dauern, das gesamte Netz von Grund auf zu erneuern, von den Providern bis hinunter zu den Endgeräten, denn schließlich wäre die ganze Kette sämtlicher Systeme vollständig zerstört. Und abgesehen davon, dass Amerika, wie gesagt, für militärische und terroristische Anschläge verwundbar wäre, müsste es auch den Niedergang ganzer Wirtschaftszweige, die vollständig oder teilweise vom Internet abhängig sind, verkraften. Unterdessen können dann schwer kranke Menschen nicht behandelt werden. Jeder Betrieb, jede Bank, jedes Krankenhaus, jede Regierungsbehörde, jede Einzelperson wird sich neue digitale Geräte anschaffen müssen, weil ihre alten Schrott sind.

Und wie lange kann das ganze Land wohl ohne sauberes Trinkwasser auskommen? Ohne Strom? Ohne Kühltechnik? Ohne überlebenswichtige chirurgische Eingriffe? Natürlich würden sich die Behörden vorrangig um diese Erfordernisse und Dienstleistungen kümmern, fragt sich nur, wie schnell sie selbst das in einem Land mit einer Bevölkerung von dreihundert Millionen in den Griff bekommen wollen. Ganz gewiss nicht in einer Woche, nicht im ganzen Land. In zwei Wochen? Es wird wohl eher Monate dauern. Die Zahl der Todesopfer wäre aller Wahrscheinlichkeit nach schwindelerregend.

Und selbst wenn das Internet dann irgendwann wieder funktioniert – überlegen Sie mal, wie viel irreparabler Schaden bis dahin entstanden ist. Jeder Amerikaner wird seine Ersparnisse verloren haben, sämtliche Investitionen, denn die entsprechenden Belege sind unwiderruflich gelöscht. Bis auf das Bargeld, das Sie zufällig bei sich hatten, als das Virus zuschlug, sind Sie ohne einen Penny. Dasselbe gilt für die anderen Dinge, die ich aufgezählt habe, Renten, Krankenversicherungen, Sozialleistungen und dergleichen, bis hin zu den Krankenakten. Nichts davon ist wiederherstellbar. Jeder Versuch, dies alles zu rekonstruieren, wäre ohne die elektronischen Daten ein mängelbehafteter, nicht überprüfbarer Vorgang und würde Jahre in Anspruch nehmen. *Jahre*. Wie lange kommt ein Mensch ohne Geld aus?

Sind aber die Bürger mittellos, ist es fraglich, wie lange ein x-beliebiger Wirtschaftszweig überleben kann. Wie hält sich ein einziger Laden, egal wo, von der 5th Avenue und Ihren anderen Prachtmeilen und Ihren Rodeo Drives bis hin zu den kleinsten Läden in den letzten Kaffs, wenn die Kundschaft ausbleibt? Von der amerikanischen Wirtschaft bleibt nichts, aber auch gar nichts übrig.«

»Gütiger Gott«, flüstert Kanzler Richter. »Das übersteigt mein Vorstellungsvermögen.«

»Das übersteigt jedermanns Vorstellungsvermögen«, sagt Augie. »Die Vereinigten Staaten von Amerika werden zum größten Dritte-Welt-Land der Erde.«

61

Augie lässt meine beiden Gäste, Premierministerin Noya Baram und Kanzler Jürgen Richter, stumm und fassungslos zurück. Richter zieht sein Jackett aus, unter dem seine Weste zum Vorschein kommt, und wischt sich erneut mit einem Taschentuch die Stirn. Noya gießt sich ein großes Glas Wasser ein.

»Wieso …« Richter streicht sich immer wieder das Kinn. »Was verspricht sich Russland davon?«

Falls es Russland ist, denke ich im Stillen.

»Liegt das nicht auf der Hand?«, fragt Noya Baram, nachdem sie einen Schluck genommen und sich mit einer Serviette die Lippen abgetupft hat.

»Nicht für mich. Hat dieser Angriff auch eine militärische Komponente? Ist es wirklich so, dass die Vereinigten Staaten im Falle einer massiven militärischen Schwächung und einer ruinierten Infrastruktur angreifbarer sind? Kann eigentlich nicht sein, oder? Würde Russland es tatsächlich auf einen kriegerischen Angriff ankommen lassen? Ich denke doch …« Er macht eine wegwerfende Handbewegung. »Ich denke doch, dass die Vereinigten Staaten, auch wenn sie vielleicht vorübergehend eine offene Flanke böten, wieder zu alter Stärke gelangen würden. Und außerdem gibt es da noch Artikel fünf.«

Der Artikel fünf des Nordatlantikpakts besagt, dass ein Angriff auf einen Mitgliedsstaat der NATO ein Angriff auf alle ist. In letzter Konsequenz könnte ein Angriff auf die Vereinigten Staaten einen Weltkrieg auslösen.

Zumindest rein hypothetisch. Diese Doktrin wurde bisher noch nicht dem Ernstfall ausgesetzt. Wagte es Russland, zuerst unsere militärische Infrastruktur auszuschalten und einen Nuklearschlag folgen zu lassen, würden dann die Atommächte unter unseren NATO-Partnern – zum Beispiel Großbritannien oder Frankreich – einen entsprechenden Gegenschlag auf Russland riskieren? Das wäre der schlimmste Härtefall in der Geschichte der Allianz. Falls ja, hätte jedes dieser Länder zweifellos mit einem nuklearen Gegenschlag zu rechnen.

Deshalb muss Richter glasklar vor Augen geführt werden, dass Deutschland das nächste Opfer sein könnte und er Russland – oder wer sonst für diese Cyberattacke verantwortlich ist – damit nicht davonkommen lassen darf.

»Aber wer kann Russland wirklich ausbremsen?«, fragt Noya. »Wen fürchtet Russland am meisten?«

»Die NATO«, antwortet Richter.

Noya zuckt mit den Achseln. »Ja, sicher, Jürgen. Zweifellos ist die Osterweiterung der NATO bis an Russlands Grenzen dem Kreml ein gewaltiger Dorn im Auge. Doch aus russischer Sicht, nehmen Sie es mir bitte nicht übel, Jürgen, aus russischer Sicht ist die NATO fast gleichbedeutend mit Amerika. Zuerst kommt Amerika, dann eine Weile gar nichts und dann seine Verbündeten.«

»Was also könnte sich Russland davon versprechen?« Mich hält es nicht länger auf meinem Stuhl. »Ich kann den Wunsch Russlands nachvollziehen, uns auszuschalten. Uns zurückzuwerfen. Uns empfindlich zu schwächen. Aber gleich vernichten?«

»Jonny«, sagt Noya und stellt ihr Wasserglas ab. »Während des Kalten Krieges sind die Vereinigten Staaten – sind Sie immer davon ausgegangen, die Sowjets wollten Sie vernichten.

Und umgekehrt haben die dasselbe von Ihnen gedacht. In den letzten fünfundzwanzig, dreißig Jahren hat sich eine Menge geändert. Das Sowjetimperium ist zusammengebrochen. Russland ist militärisch zurückgefallen. Die NATO hat sich bis an Russlands Grenzen heran erweitert. Aber hat sich *wirklich* etwas geändert? Russland fühlt sich nach wie vor von Ihnen bedroht. Glauben Sie nicht, dass es eine solche Option, wenn sie sich denn böte, ernstlich in Erwägung ziehen würde? Wollen Sie das Risiko eingehen, sich geirrt zu haben?« Sie neigt den Kopf und bringt den Gedanken mit einem tiefen Seufzer zu Ende: »Es bleibt Ihnen gar nichts anderes übrig, als sich für die Möglichkeit eines direkten Schlags gegen Amerika zu wappnen.«

So unvorstellbar es ist, muss ich auf das Schlimmste vorbereitet sein, während ich alles daransetze, die Bedrohung abzuwenden. Wer glaubt zu verstehen, wie Präsident Tschernokow tickt, der macht sich etwas vor. Der Mann hat einen langen Atem. Was ihn jedoch nicht daran hindern würde, eine Abkürzung zu nehmen, wenn sie sich ihm bietet.

Kanzler Richter sieht auf die Uhr. »Eine Delegation steht noch aus«, sagt er. »Eigentlich müssten sie schon hier sein, nicht wahr?«

»Denen dürften ein paar Dinge durch den Kopf gehen«, sage ich.

In dem Moment betritt Alex Trimble den Raum. Ich drehe mich zu ihm um.

»Sie sind soeben eingetroffen, Mr President«, sagt er. »Die Russen sind da.«

62

Der Konvoi aus schwarzen SUVs biegt auf die Zufahrt ein. Aus dem vordersten Wagen steigen russische Personenschützer und verständigen sich mit Jacobson sowie den anderen Agents des Secret Service.

Als ich in Stellung gehe, um die Gäste zu empfangen, drängt sich mir ein unheilvoller Gedanke auf.

So beginnen Kriege.

Ich habe Präsident Tschernokow zeitgleich mit Israels und Deutschlands Regierungschefs zu unserem Gipfeltreffen gebeten. Zu dem Zeitpunkt ahnte ich noch nicht, dass Russland in den Angriff verstrickt sein könnte – Gewissheit habe ich auch jetzt nicht –, fest steht nur, dass die Russen über die besten Cyberterroristen der Welt verfügen und uns daher, sollten sie nicht dahinterstecken, helfen können, und sei es auch nur, weil für sie genauso viel auf dem Spiel steht wie für uns. Sind die USA durch einen solchen Angriff verwundbar, dann alle anderen Länder auch. Einschließlich Russland.

Aber selbst wenn Russland doch der Drahtzieher ist, erscheint es sinnvoll, seine Vertreter hier dabeizuhaben. Als Sun Tsu in seiner *Kunst des Krieges* riet: »Haltet euch eure Freunde nahe und eure Feinde näher«, hatte er recht.

Zugleich war es eine Art Test. Hatte Russland mit *Dark Ages* zu tun, so meine Überlegung, wäre Präsident Tschernokow sicher nicht bereit, hierherzukommen und mit mir zusammenzusitzen, während dieses Virus detoniert und eine Zerstörung verheerenden Ausmaßes nach sich zieht. Um den Anschein zu wahren, würde er einen Vertreter entsenden.

Die russischen Agenten öffnen die hintere Tür des zweiten SUV.

Ein Regierungsführer steigt aus: Premierminister Iwan Wolkow.

Tschernokows handverlesener stellvertretender Oberkommandeur, ehemaliger Oberst in der Roten Armee. Für manche ist er der Schlächter von der Krim – der militärische Kopf hinter den mutmaßlichen Kriegsverbrechen in Tschetschenien, der Krim und später der Ukraine, die von Vergewaltigung und Mord an unschuldigen Zivilisten bis zur gnadenlosen Folter von Kriegsgefangenen und schließlich dem mutmaßlichen Einsatz von Chemiewaffen reichen.

Klein und stämmig in der Statur, gleicht er einem Mauerpfosten. Das Haar hat er so kurz geschoren, dass es in einer Art Irokesenschnitt nur als Streifen dunkler Stoppeln seinen Oberkopf ziert. Obwohl an die sechzig, ist er körperlich fit; der ehemalige Boxer verbringt, soweit wir wissen, immer noch täglich Zeit im Fitnessstudio, und die flache Nase unter der gefurchten Stirn lässt ahnen, dass sie im Ring mehr als einmal gebrochen wurde.

»Premierminister«, sage ich und strecke ihm zum Gruß die Hand entgegen.

»Mr President.« Ungerührt und mit lauerndem Blick ergreift er meine Hand mit eisernem Griff. Sein Anzug ist schwarz, die Krawatte im oberen Drittel uniblau, darunter rot, zwei von drei Farben der russischen Flagge.

»Es ist schade, dass Präsident Tschernokow nicht persönlich kommen kann«, sage ich.

Mehr als schade.

»So sieht er es auch, Mr President. Er ist seit einigen Tagen krank. Nichts Ernstes, aber er ist nicht reisefähig. Doch ich kann Ihnen versichern, dass ich voll ermächtigt bin, in seinem Namen zu sprechen. Außerdem hat mir der Präsident aufgetragen, Ihnen sein Bedauern zu bekunden. Mehr als Bedauern. Seine Sorge. Seine tiefe Sorge über die jüngsten provokanten Aktivitäten Ihres Landes.« Ich deute mit einer stummen Geste Richtung Garten. Er nickt, und wir legen, nur zu zweit, die kurze Strecke zu Fuß zurück. »Das Zelt, ja«, sagt er. »Angemessen für diese Unterredung.«

Das schwarze Zelt hat keine Tür, keinen Reißverschluss, nur

überlappende Planen an der Eingangsseite. Ich lege die Hände aneinander, teile die Planen und trete ein, während mir Premierminister Wolkow folgt.

Es dringt kein Licht von außen herein, die einzige Beleuchtung bieten künstliche Kerosinlampen in den Ecken. Wie für ein Picknick wurde ein Holztisch mit Stühlen in der Mitte aufgestellt, doch ich mache keine Anstalten, ihn dorthin zu geleiten.

Für dieses Gespräch unter vier Augen – zwischen mir und einem Mann, der mutmaßlich für ein brutales Gemetzel an unschuldigen Zivilisten verantwortlich ist und ein Land vertritt, das möglicherweise hinter diesem furchterregenden Angriff auf mein Land steckt – ziehe ich es vor zu stehen.

»Präsident Tschernokow ist über Ihre provozierenden militärischen Aktivitäten der letzten sechsunddreißig Stunden irritiert«, sagt er. Mit seinem starken Akzent kommen ihm die Worte zähflüssig wie Sirup über die Lippen, besonders der Ausdruck *provozierend*.

»Reine Wehrübungen«, entgegne ich.

Er verzieht den Mund zu einem säuerlichen Lächeln.

»Wehrübungen«, wiederholt er, als sei ihm eine bittere Pille im Halse stecken geblieben. »Genau wie 2014.«

Nach Russlands Vorrücken in die Ukraine 2014 haben die Vereinigten Staaten zwei B2-Tarnkappenbomber zu »Manöverzwecken« nach Europa entsandt. Die Botschaft war mehr als deutlich.

»Genau wie damals, richtig«, merke ich an.

»Nur in wesentlich größerem Umfang«, kontert er. »Mit der Verlegung von Flugzeugträgern und Atom-U-Booten in die Nordsee. Mit Ihren Tarnkappenbomber-Manövern über Deutschland. Und natürlich den gemeinsamen Wehrübungen in Lettland und Polen.«

Zwei der gegenwärtigen Mitglieder der NATO. Von denen eines, Lettland, eine Grenze mit Russland teilt, und das andere, Polen, an die südwestliche Flanke von Weißrussland reicht.

»Inklusive eines simulierten Atomschlags«, fügt er hinzu.

»Russland hat kürzlich dasselbe getan«, merke ich an.

»Aber nicht *achtzig Kilometer von Ihren Grenzen entfernt.*« Er hebt das Kinn. Seine Worte sollen eine Drohung sein, doch ich höre auch Angst heraus.

Die Angst ist echt. Keiner von uns will Krieg. Keiner von uns will gewinnen. Wie immer stellt sich nur die Frage, wie weit wir uns provozieren lassen. Deshalb ist es so wichtig, klare Grenzlinien zu ziehen. Werden diese Linien überschritten, ohne dass wir reagieren, leidet unsere Glaubwürdigkeit. Werden sie überschritten, und wir reagieren – nun, in diesem Fall laufen wir Gefahr, den Krieg heraufzubeschwören, den keiner von uns will.

»Herr Premierminister«, sage ich, »Sie wissen, aus welchem Grund ich Sie eingeladen habe. Das Virus.«

Er blinzelt, zieht die Augenbrauen zusammen, als brächte ihn der unvermittelte Themenwechsel aus dem Konzept. Doch sein Staunen ist gespielt. Er kennt die Zusammenhänge.

»Wir haben das Virus vor etwa zwei Wochen entdeckt«, sage ich. »Und unser erster Gedanke galt unserer Verwundbarkeit bei einem etwaigen Militärschlag. Sollte das Virus unsere Verteidigungsbereitschaft schwächen, böten wir eine offene Flanke. Aus diesem Grund, Herr Premierminister, haben wir augenblicklich zweierlei getan.

Zum einen haben wir unsere Kontinentalsysteme hier bei uns erneuert. Praktisch noch mal von null, Reverse Engineering, wie immer Sie es nennen wollen. Jedenfalls haben wir unsere Operationssysteme in einem gesicherten eigenen Netzwerk, ohne jede Verbindung zu irgendeinem möglicherweise infizierten Device, neu installiert. Neue Server, neue Computer – alles neu. Wir haben mit dem Wichtigsten angefangen – unseren strategischen Verteidigungssystemen, unserer Nuklearflotte – und dafür gesorgt, dass sie virenfrei wieder voll funktionstüchtig sind. Von da aus haben wir uns weiter vorangearbeitet. Ich bin hocherfreut, Ihnen berichten zu können, Herr Premierminister, dass wir diesen Vorgang erfolgreich abgeschlossen haben. Auch wenn es uns in diesen zwei Wochen jede Sekunde gekostet hat, es ist geschafft. Auf dem US-amerikanischen Festland steht unsere militärische operative Infrastruktur. Schließlich haben wir diese Systeme selber eingerichtet, und so war es nicht allzu schwer, sie nachzubauen.«

Mit stoischer Miene lässt Wolkow meine Worte auf sich wirken. Er vertraut mir so wenig wie ich ihm. Wir haben nichts von dieser Arbeit publik gemacht; aus naheliegenden Gründen fand die Erneuerung unserer militärischen Operationssysteme unter strengster Geheimhaltung statt. Aus seiner Sicht kann er nicht wissen, ob ich bluffe. Nachprüfen kann er meine Behauptungen nicht.

Und nun reden wir noch von etwas, das er sehr wohl überprüfen kann.

»Zugleich haben wir noch ein Zweites getan«, fahre ich fort, »wir haben unsere militärische Infrastruktur in *Übersee* komplett von der hiesigen abgekoppelt. Dieselbe Form von Reverse Engineering. Kurz gesagt, die Computersysteme unseres europäischen Arsenals, die bislang von unserer kontinentalen Infrastruktur abhängig waren – nun, die haben wir durch neue Systeme ersetzt. Wir haben sie unabhängig gemacht. Also, selbst bei Verlust unserer hiesigen operativen Systeme, womit nicht zu rechnen ist ...«

Es flackert in Wolkows Augen. Er blinzelt, senkt für eine Sekunde den Blick und sieht mir dann wieder ins Gesicht.

»... haben wir dafür gesorgt, Herr Premierminister, dass wir mit unseren europäischen Beständen immer noch wehrhaft und verteidigungsfähig sind – mit anderen Worten, bereit, auf das Virus mit einem Militärschlag gegen die Nation zu reagieren, die dafür verantwortlich ist. Oder auch jedwede Nation, die auf den absurden Gedanken verfallen könnte, diese für die USA schwierige Situation auszunutzen und uns anzugreifen.

Darum waren diese Wehrübungen in Europa, wie Sie verstehen werden, erforderlich«, komme ich allmählich zum Ende,

»und die gute Nachricht: Sie waren allesamt erfolgreich. Aber das wissen Sie wahrscheinlich schon.«

Er wird abwechselnd rot und blass. Natürlich weiß er es. Selbstverständlich haben die Russen unsere Wehrübungen genau verfolgt. Doch er wird mir nicht die Genugtuung verschaffen, es zuzugeben.

Die Wahrheit? In zwei Wochen war nur das Nötigste zu schaffen. Nur unsere Generäle wissen, wie provisorisch diese neuen Systeme sind, wie rudimentär im Vergleich zu dem, was wir früher hatten. Dennoch sind sie, wie sie beteuern, sicher und effizient. Wir können Raketen abfeuern, und sie werden ihre Ziele treffen.

»Somit wissen wir«, schicke ich noch hinterher, »dass wir im Falle jedweder kriegerischer Auseinandersetzung – nuklear, aus der Luft oder konventionell – von unseren europäischen NATO-Basen aus voll umfänglich verteidigungsfähig sind. Anders gesagt, Herr Premierminister, wir behalten uns das Recht vor und sind in der Lage, gegen jede Nation, ob sie nun für das Virus verantwortlich ist oder es auszunutzen hofft, mit übermächtiger Stärke vorzugehen. Natürlich gilt dies nicht in besonderer Weise für Russland. Es trifft sich nur zufällig, dass viele unserer NATO-Verbündeten Ihre unmittelbaren Nachbarn sind. Gewissermaßen«, füge ich betont hinzu, »Tür an Tür.«

Bei diesen Worten schießen Wolkows Augenbrauen hoch. Die NATO-Osterweiterung bis an die russischen Grenzen ist, wie Noya bereits bemerkt hat, dem Kreml ein gewaltiges Ärgernis.

»Doch falls Russland nichts mit dem Virus zu tun hat, wie Präsident Tschernokow uns versichert, und solange Russland nichts unternimmt, um sich daraus einen Vorteil zu verschaffen, hat es nichts zu befürchten.« Ich mache eine bekräftigende Handbewegung. »Absolut nichts.«

Als er bedächtig nickt, sieht er nicht mehr ganz so säuerlich aus.

»Und wie ich allen versichere«, füge ich hinzu, »*werden* wir herausfinden, wer das getan hat. Sollte dieses Virus aktiviert werden, werden wir dies als eine Kriegshandlung erachten.«

Wolkow nickt immer noch, und als er mühsam schluckt, hüpft sein Adamsapfel.

»Ein Erstschlag hingegen kommt für uns nicht infrage, Herr Premierminister. Mein Ehrenwort.«

Ich lege dem Premierminister die Hand auf die Schulter. »Richten Sie das bitte President Tschernokow von mir aus. Und überbringen Sie ihm meine Genesungswünsche.«

Ich beuge mich dicht zu ihm vor. »Und dann schauen wir doch mal, ob Sie uns nicht dabei helfen können, dieses Virus aufzuhalten«, füge ich hinzu.

63

Noya Baram und ich stehen am Anlegesteg und blicken über den See, in dem sich inzwischen die Mittagssonne spiegelt – eine schimmernde Wasserfläche, ein Anblick von unbeschwerter Schönheit. Der Kontrast zu dem Gefühl nahenden Unheils, das mir immer schwerer im Magen liegt, könnte kaum größer sein. Seit Kennedy im Streit um die auf Kuba stationierten Raketen Chruschtschow in die Schranken wies, war unsere Nation einem dritten Weltkrieg nicht mehr so nah.

Ich habe es getan. Ich habe die Linie gezogen. Jetzt wissen sie, dass unser Militär einsatzbereit ist, ungeachtet des Virus, und sie wissen auch, dass die Vereinigten Staaten es als Erstschlag betrachten werden, falls sie das Virus eingeschleust haben und falls es aktiviert wird. Sie wissen, wir werden auf den Erstschlag reagieren.

Einer meiner Secret-Service-Agents steht in der Nähe der Anlegestelle, zusammen mit je einem Mitglied des Personenschutzes aus Deutschland und aus Israel. Etwa fünfzig Meter vom Ufer entfernt sitzen drei Männer in einem grauen, etwa acht Meter langen Motorboot, von denen zwei zum Schein reglos Angelruten ins Wasser halten, obwohl sie nicht gekommen sind, um Forellenbarsche oder Welse zu fangen. Alle drei sind vom Secret Service, meiner Anweisung gemäß ohne kleine Kinder. Bei ihrem Boot handelt es sich um ein »Charlie«-Boot der Defender-Klasse, wie sie vom Heimatschutz und der Küstenwache verwendet werden; dieses hier wurde von seinem Einsatz in Guantánamo Bay abgezogen und vom Secret Service in Beschlag genommen. Jetzt sieht es nach einem ganz gewöhnlichen Motorboot aus, denn der gepanzerte, kugelsichere Rumpf ist als solcher von außen nicht zu erkennen. Über die an Back- und Steuerbord neben der Kajüte sowie am Bug installierten Maschinengewehre haben die Agenten Abdeckplanen geworfen.

Das Boot liegt in einer kleinen Bucht, deren Wasser ein größeres künstliches Reservoir speist; es befindet sich in der Nähe der schmalen Öffnung, die diese private Bucht vom übrigen See trennt.

Ich blicke vom Fußpfad zum Blockhaus zurück und zum schwarzen Zelt auf dem Rasen. Wolkow ist seit seiner Ankunft so oft in diesem Zelt ein und aus gegangen, dass man meinen könnte, er bekäme dafür einen Orden verliehen.

Im Lauf der letzten drei Stunden wurde Wolkow von Moskau immer wieder zu geheimen Telefonaten und damit ins schwarze Zelt zitiert.

»Das heißt, er glaubt Ihnen«, sagt Noya.

»Oh, dass wir zu einem Gegenschlag in der Lage sind, nehmen sie uns ab«, antworte ich. »Diese Wehrübungen haben daran keinen Zweifel gelassen. Ob sie mir abnehmen, dass ich im Ernstfall dazu bereit bin? Das ist eine andere Frage.«

Instinktiv streiche ich mit der Hand über das Etui mit den nuklearen Codes in meiner Tasche.

Noya sieht mich an. »Glauben *Sie,* dass Sie es im Ernstfall machen würden?«

Das ist die Eine-Million-Dollar-Frage. »Was würden Sie tun, Noya?«

Sie stöhnt. »Wenn ich mir vorstelle, das Virus hätte zugeschlagen«, überlegt sie, »es herrschte wirtschaftliches Chaos, Panik und Massenhysterie … würde man in einer solchen Situation Truppen nach Russland schicken? Oder Atomraketen auf Moskau abfeuern?«

»Zumal sie es in gleicher Münze heimzahlen würden«, ergänze ich ihren Gedanken.

»Ja. Und Sie hätten nicht nur hier vor Ort mit Problemen nie da gewesenen Ausmaßes zu kämpfen, sondern zu allem Überfluss würden Millionen von Amerikanern radioaktiver Strahlung ausgesetzt. Würde Ihre Nation das alles überleben?«

Ich gehe ein wenig in die Hocke und lege die Hände auf die Knie. Eine alte Angewohnheit aus meinen Tagen auf dem Baseballfeld, wenn ich nervös bin.

»Die Kehrseite der Medaille«, fährt sie fort, »ist natürlich die Frage, was passiert, wenn Sie *nicht* reagieren. Was wird aus den Vereinigten Staaten, wenn Sie auf einen Gegenschlag verzichten? Um irgendeine Gegenmaßnahme kommen Sie nicht herum, oder?«

Ich finde einen Stein im Gras, hebe ihn auf und schleudere ihn in den See. Meine Fastballs waren berüchtigt. Mir kommt der Gedanke, dass ich nicht hier stünde, wenn ich mir nicht bei dem Sturz aus dem Black-Hawk-Helikopter im Irak die Schulter ruiniert hätte.

»Die Vereinigten Staaten werden kontern«, sage ich. »Es gibt kein Szenario, in dem wir auf Gegenmaßnahmen verzichten.«

»Ihre vereinigten Stabschefs ziehen vermutlich einen konventionellen Krieg vor«, sagt sie.

Und ob. Ein Atomkrieg ist eine Lose-lose-Option, die überhaupt nur infrage kommt, wenn einem nichts anderes übrig bleibt, weil die andere Seite den Erstschlag vorgenommen hat. Aus diesem schlichten Grund hat ihn noch niemand ausgelöst.

Nicht ohne Grund hat die garantierte gegenseitige Vernichtung bisher als Abschreckung funktioniert.

»Aber eine Bodenoffensive gegen Russland?«, sagt sie. »Selbst mit dem Beistand Ihrer NATO-Verbündeten wird das lang und blutig.«

»Doch wir würden gewinnen«, entgegne ich, »irgendwann. Aber was würde Tschernokow dann tun? Er würde dann doch zu den Atomwaffen greifen, so sieht's aus. Wenn er mit dem Rücken an der Wand stünde? Bevor er aus dem Amt gedrängt würde? Er hätte nichts zu verlieren. Sein eigener Arsch ist ihm wichtiger als sein Volk.«

»Womit wir erneut bei einer nuklearen Massenvernichtung wären.«

»Richtig. Wir verlieren Tausende Männer und Frauen auf dem russischen Schlachtfeld, und er antwortet trotzdem mit einem Atomschlag.«

Noya schweigt. Was soll sie auch sagen?

»Stimmt, alles richtig.« Ich werfe die Hände hoch. »Das alles sind keine ernsthaften Handlungsmöglichkeiten. Die einzige echte Option, die wir haben, ist, dieses gottverdammte Virus aufzuhalten und uns eine solche Entscheidung zu ersparen.«

»Außerdem haben Sie alles in Ihrer Macht Stehende getan, Jonny. Sie haben Russland jeden Anreiz gegeben, Ihnen zu helfen.«

Ich fahre mir mit den Händen übers Gesicht, als könnte ich so den Stress loswerden. »Genau das hat meine Drohung bezweckt.« Ich deute den Pfad hinauf zum Blockhaus. »Wolkow ist immer noch im schwarzen Zelt und telefoniert mit der Chefetage. Ich hoffe, sie nehmen die Botschaft ernst.«

»Immer vorausgesetzt, wir haben es hier mit Russland zu tun«, ruft sie mir ins Gedächtnis. »Was wir nicht mit Sicherheit wissen. Wie reagiert China auf die Wehrübungen mit den Japanern?«

Wir haben in Japan genau dasselbe getan wie in Europa. Luftwaffenübungen und simulierte atomare Raketenabwürfe.

»Peking war alles andere als begeistert«, antworte ich. »Mein Verteidigungsminister hat praktisch dasselbe Drehbuch benutzt. Er hat ihnen erklärt, wir testeten neue Technologien, unabhängig von unseren Festland-Systemen. Das Virus hat er mit keinem Wort erwähnt, doch sollte China dahinterstecken, haben sie die Botschaft wohl verstanden.«

»Wahrscheinlich sorgen sie sich, wie Pjöngjang darüber denkt.«

Sicher, vom nordkoreanischen Diktator ist mit weiterer Gift-und-Galle-Rhetorik zu rechnen.

Noya fasst mich am Arm. »Falls es Sie tröstet, ich hätte kein bisschen anders gehandelt. Sie haben Ihre militärische Schlagkraft verstärkt, aller Welt gezeigt, dass Sie darüber verfügen, Wolkow ein Ultimatum gestellt und die klügsten Köpfe versammelt, um dieses Virus unschädlich zu machen.«

»Sie ahnen nicht, wie tröstlich Ihr Zuspruch ist«, sage ich, während wir uns umdrehen und langsam wieder Richtung Blockhaus gehen.

»Dann *glauben* Sie auch an den Plan«, macht sie mir Mut.

Wir nähern uns dem schwarzen Zelt hinter dem Haus, vor dem die russischen Personenschützer strammstehen. Dann plötzlich treten die Männer zurück, Premierminister Wolkow kommt heraus, rückt sich die Krawatte zurecht und nickt seinen Männern zu.

»Wenn er jetzt abreist«, flüstere ich Noya zu, »haben wir die Antwort auf unsere Frage.«

»Er wird sich eine Ausrede einfallen lassen. Er wird sagen, er reise aus Protest gegen Ihre Manöver nahe der russischen Grenze ab.«

Richtig. Doch der Vorwand wäre bedeutungslos. Falls die Russen jetzt gehen, nach der Drohung, die ich ausgesprochen habe, ist es praktisch ein Eingeständnis, dass sie dahinterstecken.

Wolkow wendet sich in unsere Richtung und sieht uns kommen.

»Mr President, Madam Prime Minister.« Da er Noya zum ersten Mal begegnet, begrüßt er sie recht förmlich mit einem Handschlag.

Dann sieht er mich an. Ich sage nichts. Er ist am Zug.

»Präsident Tschernokow sichert Ihnen, Mr President, Russlands Hilfe dabei zu, die Aktivierung dieses furchterregenden Virus zu verhindern.« Er deutet zur Hütte. »Gehen wir rein?«, fragt er.

64

Plan B.

Also los. Ihr letzter Auftrag. Ihr letzter Abschuss. Dann ist es vorbei, sie ist wohlhabend und frei und kann weit weg von alledem ihre Tochter aufziehen. Ihre Tochter wird einmal wissen, was Liebe ist. Sie wird wissen, was Glück ist. Von Krieg und Gewalt wird sie nur in Büchern lesen oder in den Nachrichten hören.

Sie sieht auf die Uhr. Es ist gleich so weit.

Sie blinzelt in die Nachmittagssonne. Wie immer kämpft sie mit der Morgenübelkeit, vom leichten Schaukeln des Boots auf dem See noch verstärkt, doch am Ende siegt das Adrenalin. Sie hat jetzt wirklich keine Zeit, sich zu übergeben.

Sie wirft einen kurzen Blick auf die anderen Mitglieder ihres Teams auf dem Boot, die mit ihren Fischerhüten und Angelruten ziemlich lächerlich aussehen. Nachdem sie zwei ihrer Kameraden erschossen hat, halten sie sich auf Abstand. Kann ihr nur recht sein. Höchstwahrscheinlich ist ihr Part bei dieser Mission ohnehin erledigt, wenn sie Bach mit dem Boot ans Ziel gebracht haben.

Sie wird ihre Meinung über Männer künftig überdenken müssen. Die meisten Studien belegen, dass Kinder mit zwei Eltern glücklicher, gesünder und anpassungsfähiger sind. Vielleicht sollte sie also heiraten. Schwer vorstellbar, nachdem sie noch nie das Bedürfnis nach einem Mann verspürt hat. Sex? Sex war für sie ein Preis, den es zu zahlen galt. Ein Preis, den ihre Mutter an die serbischen Soldaten dafür gezahlt hat, dass sie ihr erlaubten, mit ihren beiden Kindern in ihrem Haus zu bleiben, nachdem sie ihren Vater getötet hatten – angeblich wegen ihrer christlichen Religionszugehörigkeit im Unterschied zu ihrem muslimischen Mann, doch in Wahrheit wegen ihrer Schönheit und ihrer Bereitschaft, um ihrer Kinder willen jede Nacht die Bedürfnisse der Soldaten zu befriedigen. Sex war auch der Preis, den Bach zahlte, um Brot oder Getreide behalten zu können, das sie auf dem Markt gestohlen hatte, wenn sie abends in einen Hinterhalt geriet und den Soldaten nicht entkommen konnte. Sex war auch der Preis, um an Ranko, den serbischen Soldaten, heranzukommen, der ihr beigebracht hat, aus großer Distanz mit einem Gewehr zu schießen.

Und natürlich war es auch der Preis dafür, ein eigenes Kind zu haben. Der Mann, der sie geschwängert hat, Geoffrey, war ein guter Mann, den sie sich nach gründlichen Recherchen gezielt ausgesucht hat. Intelligenz: ein Radiologe, der in den Vereinigten Staaten in Yale studiert hat. Musikalität: hat Cello gespielt. Sportlichkeit: hat am College Rugby gespielt. Gut aussehend, von stattlicher Statur. In seiner engeren Familie keine Fälle von Krebs oder Geisteskrankheit. Seine Eltern, über achtzig, beide noch am Leben. Um seine Potenz zu steigern, hat sie nicht öfter als drei Mal pro Woche mit ihm geschlafen. Sie hielt die Beziehung aufrecht, bis sie ein positives Testergebnis hatte, und verließ Melbourne ohne ein Wort. Er hat nie ihren echten Namen erfahren.

»Es wird Zeit«, sagt einer der Männer und tippt auf seine Armbanduhr.

Bach schnallt sich die Sauerstoffflaschen auf den Rücken. Zurrt ihre andere Tasche darüber fest. Wirft sich ihr Gewehr, Anna Magdalena, im Hartschalenkasten über die Schulter.

Sie zieht die Taucherbrille herunter, rückt sie sich zurecht, nickt dem übrigen Team zu, sieht jedem von ihnen ein letztes Mal ins Gesicht. Werden sie Bach, wenn das hier vorbei ist, wirklich wieder zum Ausgangspunkt zurückbringen? Oder haben sie vor, sie nach Erfüllung ihrer Mission, wenn sie von keinem Nutzen mehr ist, zu töten?

Letzteres vermutlich. Damit wird sie sich befassen, wenn es so weit ist.

Sie lässt sich rückwärts über die Bordwand des Boots ins Seewasser fallen.

65

Im Kommunikationsraum spreche ich mit meiner CIA-Direktorin Erica Beatty. Danny findet sie gruselig, nicht so sehr, weil sie schon ein Leben lang bei dem Laden ist, sondern wegen ihrer ungerührten Miene, der Augenringe und der Schlupflider. *Mir ist klar, dass sie viel gesehen und erlebt hat,* sagte er einmal, *und wer weiß, was die Stasi damals wirklich mit ihr angestellt hat, aber ich bekomme das Bild einfach nicht aus dem Kopf, wie sie in ihrem Lebkuchenhaus Zaubertränke imHexenkessel zusammenbraut.*

Unheimlich, zugegeben. Aber sie ist *mein* Spuk. Und sie weiß mehr über Russland als irgendjemand sonst unter der Sonne.

Darüber hinaus ist sie eine der sechs Personen, die *Dark Ages* geleakt haben könnte.

»Also, Erica, was wird er jetzt tun?«

Sie nickt und lässt sich alles, was ich ihr erzählt habe, durch den Kopf gehen. *»Mr President, das ist nicht Tschernokows Stil«*, sagt sie. *»Er ist skrupellos, sicher, aber leichtsinnig ist er nicht. Natürlich wäre er daran interessiert, unserem Land gro-*

ßen Schaden zuzufügen, doch das Risiko ist zu hoch. Wenn Russland in diese Sache verwickelt ist, weiß er genau, dass er mit einem gewaltigen Gegenschlag zu rechnen hat. Ich glaube nicht, dass er dieses Risiko eingehen würde.«

»Aber beantworten Sie meine Frage«, sage ich. »Was tut er, falls er hinter diesem Virus steckt und jetzt sieht, dass wir unsere militärische Schlagkraft wiederhergestellt haben?«

»Dann gibt er seinen Plan auf«, sagt sie. *»Wie gesagt, das Risiko ist zu groß, denn selbst wenn wir hier auf dem Kontinent lahmgelegt sind, können wir ihn immer noch schlagen. Aber wie gesagt, Mr President, das hier trägt nicht die Handschrift Russlands.«*

Mein Handy klingelt: **C. Brock.**

»Ich muss weitermachen, Erica.«

»Haben Sie einen Computer in der Nähe?«, fragt Carolyn, sobald ich mich melde.

Wenig später ist auf dem Bildschirm Carolyn Brock im Weißen Haus zu sehen und ein Video, momentan im Standbild, auf dem Toni Winters, der Moderator von *Meet the Press* zu sehen ist, mit vollendet gestylter Frisur, perfektem Krawattenknoten, die Hände erhoben, die Lippen gespitzt, eingefroren mitten im Redefluss.

»Es war vor einer halben Stunde zu Ende«, sagt Carolyn. *»Ausschnitte werden sie heute noch senden. Das ungekürzte Interview bringen sie morgen früh.«*

Ich nicke. Das Video läuft an.

Winters, mitten im Satz: *»–ten Berichten zufolge ist der Präsident verschwunden, und nicht einmal seine engsten Berater und Mitarbeiter wissen, wo er sich aufhält. Madam Vice President, ist der Präsident verschwunden?«*

Kathy nickt, als habe sie die Frage erwartet, mit gravitätischer Miene.

Ich hätte mit einer amüsierten Reaktion gerechnet, nach dem Motto: *was für eine dämliche Frage.* Doch sie hebt die Hand und lässt sie wie ein Fallbeil heruntersausen. *»Toni, der Präsi-*

dent arbeitet Tag und Nacht für die Menschen in diesem Land, um neue Jobs zu ermöglichen, für Amerikas Sicherheit zu sorgen, der Mittelschicht Steuererleichterungen zu verschaffen.«

»Aber ist er nun verschwunden?«

»Toni –«

»Wissen Sie, wo er ist?«

Sie lächelt höflich, endlich. *»Toni, ich führe nicht Buch darüber, wo sich der Präsident der Vereinigen Staaten zu welchem Zeitpunkt gerade befindet. Ich kann nur vermuten, dass er zu jedem Zeitpunkt in Begleitung seiner Berater und des Secret Service ist.«*

»Den Berichten zufolge wissen nicht einmal seine Mitarbeiter, wo er steckt.«

Sie hebt beschwichtigend die Hände. *»Ich bin nicht gewillt, mich zu irgendwelchen Spekulationen dieser Art zu äußern.«*

»Manchen Quellen zufolge hat der Präsident Washington verlassen, um sich auf seine Aussage kommende Woche vor dem Sonderausschuss des Repräsentantenhauses vorzubereiten. Von anderen Quellen ist zu hören, seine Blutkrankheit sei wieder ausgebrochen, und er befinde sich in Behandlung.«

Die Vizepräsidentin schüttelt den Kopf.

»Hier«, sagt Carolyn. »Jetzt kommt's.«

»Toni«, sagt Kathy. *»So gerne seine Kritiker das Bild eines Präsidenten kurz vor dem Nervenzusammenbruch an die Wand malen mögen, der sich verkriecht oder in Panik aus der Hauptstadt flüchtet, kann ich nur sagen, das ist nicht der Fall. Ganz gleich, ob ich in diesem Moment über seinen genauen Aufenthaltsort unterrichtet bin oder nicht: Ich bin mir sicher, dass er die volle Kontrolle über die Regierungsgeschäfte besitzt. Und mehr werde ich zu diesem Thema nicht sagen.«*

Der Clip endet. Ich sacke auf meinem Stuhl zurück.

Carolyn explodiert. *»Seine* Kritiker *würden gerne das Bild von einem Präsidenten an die Wand malen, der sich kurz vor dem Nervenzusammenbruch in die Ecke verkriecht? In Panik* *die Flucht ergreift?* Sie *hat Sie gerade so dargestellt! Nervenzusammenbruch? Ist das ihr Ernst?«*

»Deshalb haben Sie mich angerufen?«, frage ich.

»Dieser Clip wird den ganzen Tag quer durch die Medien geistern. Jeder wird ihn senden. Die Sonntagszeitungen bringen das auf die Titelseiten.«

»Ist mir egal.«

»Nirgendwo in den Spätnachrichten hat irgendjemand etwas von einem Nervenzusammenbruch oder von Flucht gesagt –«

»Carrie.«

»Mr President, das war kalkuliert. Sie ist keine Anfängerin. Sie hat mit der Frage gerechnet. Sie hatte diese Antwort schon –«

»Carrie! Ich hab's kapiert, okay? Es war Absicht. Sie ist mir in den Rücken gefallen. Sie distanziert sich von mir. Es ist mir egal! Hören Sie? Es. Ist. Mir. Egal!«

»Aber wir müssen reagieren. Es ist ein Problem.«

»Carrie, haben Sie verstanden? Im Moment gibt es nur ein einziges Problem. Nämlich das Problem, das unser Land jeden Moment in die Knie zwingen könnte. Wir haben« – ich sehe auf die Uhr; es ist kurz nach zwei – »noch etwa zehn Stunden ›Samstag in Amerika‹, und irgendwann im Lauf dieser Stunden kann unser Land in Flammen aufgehen. Sosehr ich Ihre Loyalität zu schätzen weiß, konzentrieren Sie sich aufs Wesentliche. Verstanden?«

Carolyn nickt beschämt. *»Ja, Sir, tut mir leid. Ich bedaure zutiefst, sie nicht am Verlassen des Operation Rooms gehindert zu haben. Sie wollte nicht auf mich hören. Ich konnte ja schlecht den Secret Service anweisen, sie gewaltsam zurückzuhalten.«*

Ich atme langsam aus, um meine Nerven zu beruhigen. »Das geht auf Kathys Konto, nicht Ihres.«

Ist Kathys Illoyalität, von politischen Spielchen abgesehen, von Bedeutung? Immerhin gehört Kathy zu den sechs Personen, die im Prinzip noch unter Verdacht stehen.

Wäre ich letzte Nacht gestorben, wäre sie jetzt Präsidentin.

»Carrie, sehen Sie zu, dass sie zurückkommt«, sage ich.

»Und sagen Sie ihr, ich wünschte, dass sie in die Einsatzzentrale im Untergeschoss zurückkehrt. Sagen Sie ihr, sobald sie dort ist, rufe ich sie selbst an.«

66

Bach hält sich mit beiden Armen am Unterwasser-Scooter fest, fast wie ein Kind an einem Schwimmbrett. Nur dass solche Schwimmbretter nicht von Doppelstrahlrudern angetrieben werden.

Sie drückt den grünen Knopf am linken Arm und lenkt das Vehikel steil hinab, bis sie in einer Tiefe von zehn Metern unter der Oberfläche in eine waagrechte Richtung wechselt. Sie drückt auf den Knopf, um die Ruder zu beschleunigen, bis sie mit zehn Stundenkilometern durch das trübe Wasser gleitet. Sie hat ein gutes Stück zurückzulegen. Sie befindet sich am östlichen Ende des großen Gewässers.

»Boot in nördlicher Richtung«, sagt eine Stimme in ihrem Ohrhörer. *»Nach Süden schwenken. Nach links. Schwenken Sie nach links.«*

Sie sieht das Boot auf der Wasseroberfläche, doch ihr Team hat es mithilfe von GPS und der Radarausrüstung auf dem Boot früher ausgemacht. Sie schwenkt nach links und schnellt durch das schmutzig grüne Wasser, zwischen Algen und Fischen hindurch. Die GPS-Anzeige auf ihrer Konsole zeigt ihr das Ziel mit einem blinkenden grünen Punkt an, dazu die sich verkürzende Strecke in Metern.

1800 Meter.

1500 Meter.

»Wasserskifahrer von rechts. Halt! Halt!«

Sie sieht das Boot rechts über sich, wie es durch den See pflügt, dicht gefolgt von den seichteren Bahnen der Wasserskier.

Sie hält nicht an. Sie ist weit genug unter ihnen. Sie legt noch einmal an Tempo zu und rast in deutlichem vertikalem Abstand unter ihnen davon.

So ein Spielzeug wäre mal was für später.

1100 Meter.

Sie drosselt das Tempo des Scooters. Der See ist bis zu fünfzig Meter tief, doch je näher sie dem Ufer kommt, desto steiler steigt der Boden wieder an, und die Erde zu rammen, hätte ihr gerade noch gefehlt.

»Halt! Halt! Unten bleiben. Unten bleiben. Wachtposten. Wachtposten.«

Neunhundert Meter vom Ufer entfernt kommt sie so abrupt zum Stillstand, dass sie den Scooter fast loslässt, und treibt eine Weile vor sich hin. Jemand von den Personenschützern – vom Secret Service oder von den Deutschen oder den Israelis – muss in Ufernähe zwischen den Bäumen lauern.

Viele werden nicht durch den Wald patrouillieren. Um ein Gelände von über vierhundert Hektar dicht bewaldetem Gelände zu sichern, wären Hunderte Beamte erforderlich, doch die tatsächliche Zahl der Agents ist eher übersichtlich.

Natürlich haben die Agents das gesamte Anwesen gestern Abend, vor der Ankunft des Präsidenten, gründlich durchforstet. Doch jetzt können sie es sich nicht leisten, ihre Leute überall zu verteilen. Die meisten Sicherheitsbeamten werden rings um das Blockhaus und im Innern sein, ein paar an der Anlegestelle und einige im Garten, am Rande der Lichtung.

»Entwarnung«, sagt die Stimme endlich.

Zur Sicherheit wartet sie noch eine Minute, dann schwimmt sie weiter. In dreihundert Metern Abstand zum Ufer schaltet sie den Motor ganz aus. Sie nimmt noch den Schwung dieses kleinen Spielzeugs mit und gleitet Richtung Wasseroberfläche, so wie sich jemand auf einem Surfbrett ans Ufer treiben lässt. Dennoch bleibt sie so lange, wie es ihr die Luftflaschen, das Gewehr und die Tasche, die sie auf dem Rücken hat, erlauben, unter Wasser, bis sie den schmalen Sandstreifen erreicht.

Kaum hat sie festen Boden unter sich, nimmt sie die Tauchermaske ab und atmet die frische Luft ein. Sie blickt sich um, kann niemanden entdecken. An dieser Stelle hat der See einen kleinen Ausläufer, sodass sie von der Anlegestelle aus nicht zu sehen ist. Die Leute vom Secret Service können sie also unmöglich entdecken.

Sie geht an Land und findet den Platz, an dem sie den Scooter und die Tauchausrüstung verstecken muss. Schnell schlüpft sie aus dem Taucheranzug, streift sich saubere, trockene Tarnkleidung aus ihrer Tasche über. Mit einem Handtuch trocknet sie sich die Haare und besonders gründlich Gesicht und Hals, bevor sie die Tarnfarbe aufträgt.

Sie holt ihr Gewehr aus dem Behälter und hängt es sich über die Schulter. Überprüft ihre Faustfeuerwaffe. Sie ist so weit. Allein, so wie es ihr am liebsten ist, so wie sie es immer war.

67

Der Wald bietet Bach ausgezeichnete Deckung. Die hohen Bäume mit den dicht belaubten, ausladenden Kronen schirmen den größten Teil des Sonnenlichts ab, was auf zweierlei Weise ihre Sicht erschwert – zum einen durch die Dunkelheit an sich, zum anderen sind da die flirrenden Sonnenstrahlen, die immer wieder durch das Blätterdach dringen und ihre Augen irritieren. Hier drinnen findet man sich nur schwer zurecht.

Sie fühlt sich an die Berghänge des Trebević zurückversetzt, zu ihrer Flucht, als es vorbei war, nachdem sie gegenüber Ranko, dem rothaarigen serbischen Soldaten, der ihr aus Mitleid oder für Sex oder einer Mischung aus beidem das Schießen beigebracht hat, den Spieß herumgedreht hat.

»Hier, du zappelst schon wieder zu sehr mit den Armen!«, sagte Ranko zu ihr, als sie in dem ausgebombten Nachtklub saßen, der ihnen hoch oben am Berg als Heckenschützenposten diente. »Ich werde nicht schlau aus dir, Mädchen. Einmal schießt du eine Bierflasche aus hundert Metern Entfernung von einem Baumstumpf, und dann stellst du dich wieder wie ein Anfänger an. Komm, ich zeig's dir ein letztes Mal.« Er nahm ihr das Gewehr ab, ging in die Hocke. »Halt es still, so«, sagte er, seine letzten Worte, bevor sie ihm das Küchenmesser in den Hals stach.

Dann ging sie mit dem Gewehr, an dem sie inzwischen bestens geschult war, zum offenen Fenster mit Blick über Sarajevo und zielte auf Rankos Kameraden, die patrouillierenden serbischen Soldaten, die ihren Vater totgeprügelt und ihm ein Kreuz in die Brust geritzt hatten – nur für das Verbrechen, Muslim zu sein. Peng – peng – peng – peng, pustete sie einen nach dem anderen weg und jagte dem Letzten, der seine Waffe fallen ließ und zu den Bäumen sprintete, eine Salve hinterher.

Über eine Woche lang versteckte sie sich hungernd und frierend in den Bergen, stets in Bewegung, nie lange an einem Ort, während die serbischen Soldaten das junge Mädchen jagten, das sechs ihrer Kameraden getötet hatte, den einen aus nächster Nähe und die anderen aus hundert Metern Entfernung.

Mit dem Rucksack und dem Gewehr auf dem Rücken bewegt sie sich vorsichtig durchs Unterholz, indem sie ihr Gewicht bei jedem Schritt nur langsam verlagert. Rechts von ihr springt etwas hervor, ihr Herzschlag setzt einen Takt aus, sie greift nach ihrer Faustfeuerwaffe. Irgendein kleines Tier, ein Hase oder ein Kaninchen, schon wieder verschwunden, bevor sie es richtig erkennt. Sie wartet, bis der Adrenalinstoß vorbei ist.

»Zwei Kilometer genau nach Norden«, hört sie im Ohr über Funk.

Sie schleicht vorsichtig und lautlos weiter. Würde sie ihrem Instinkt folgen, liefe sie schneller zu ihrem Ziel, doch Disziplin ist alles. Sie kennt den Wald hier nicht. Ausnahmsweise hat sie das Terrain nicht vorher ausgekundschaftet. Der Boden ist uneben und dunkel, unter dem Gestrüpp und dem dichten Kieferndach schwer zu erkennen, voller Baumwurzeln, herabgefallener Zweige und anderer Hindernisse.

Fuß nach vorne, Gewicht nach vorne, stehen bleiben und horchen. Fuß nach vorne, Gewicht nach vorne, stehen bleiben und horchen. Fuß nach vorne, Gewicht nach vorne –

Da bewegt sich etwas.

Weiter vorne, irgendwo hinter einem Baum.

Das Tier ist nicht größer als ein Hund mit dichtem grau meliertem Fell, wachsam aufgestellte Ohren, eine lange Schnauze, die schwarzen Augen aufmerksam auf sie gerichtet.

In dieser Gegend soll es keine Wölfe geben. Ein Kojote? Wahrscheinlich.

Ein Kojote, der sich zwischen sie und ihr Ziel stellt.

Und jetzt hebt, etwas weiter hinten, noch einer, ungefähr gleich groß, den Kopf.

Ein dritter, etwas kleiner und mit dunklerem Fell, löst sich von den anderen und nähert sich Bach mit lauerndem Blick von links, während ihm etwas Fleischiges aus dem Maul tropft.

Ein viertes Tier, von rechts. Ein Rudel von vier in einem Halbkreis, vermutlich so etwas wie eine Formation.

Zur Verteidigung oder zum Angriff. Letzteres trifft es wohl eher.

Acht wachsame Augen sehen sie an.

Als sie einen Schritt auf sie zumacht, ertönt ein kehliges Knurren, das erste Tier zieht die Lefzen hoch, fletscht die Zähne, wahrscheinlich gezackte Fänge, zu weit weg, um sie genauer zu erkennen. Von ihrem Leittier angestachelt, fallen auch die anderen in sein Knurren und Fletschen ein.

Sind das nun Kojoten? Soweit sie weiß, sind sie gegenüber Menschen scheu.

Nahrung, denkt sie. Es muss Nahrung in ihrer Nähe sein, oder sie hat sie mitten in ihrer Mahlzeit überrascht, bei etwas Großem und Schmackhaftem wie einem Großwildkadaver. Folglich ist sie eine Bedrohung für ihr Mittagessen.

Es sei denn, sie betrachten *sie* als Mittagessen.

Sie hat keine Zeit dafür. Die Route zu wechseln wäre zu aufwendig und riskant. Einer muss weichen, und zwar nicht sie.

Während sie möglichst reglos dasteht, holt sie ihre Faustfeuerwaffe, die SIG Sauer mit dem langen Schalldämpfer, aus dem Holster.

Das Leittier senkt den Kopf, knurrt lauter, schnappt in die Luft.

Sie zielt auf den kleinen Raum zwischen den Augen. Dann schwenkt sie ein wenig zur Seite und nimmt ein Ohr ins Visier, drückt ab, ein kurzes, gedämpftes Geräusch.

Das Tier jault auf, wirbelt herum und springt wie der Blitz davon. Es hat nicht mehr als eine kleine Fleischwunde an der Ohrspitze abbekommen. Auch die anderen sind im Nu auf und davon.

Wären sie alle zugleich aus unterschiedlichen Richtungen gekommen und zum Angriff übergegangen, hätte es vielleicht ein Problem gegeben. Sie hätte sie alle unschädlich gemacht, jedoch mehr Munition verbraucht und wahrscheinlich mehr Lärm verursacht.

Es ist immer leichter, nur das Leittier auszuschalten.

Wenn die Geschichte eines lehrt, dann die Tatsache, dass Menschen und Tiere gleichermaßen, von den primitivsten zu den zivilisiertesten Säugern, einem Leittier folgen wollen.

Schalte den Anführer aus, und das übrige Rudel ist in Panik.

68

»Es wäre besser, wenn es von Ihnen käme«, sage ich zu Richter, als wir uns im Wohnzimmer des Blockhauses beratschlagen. »Die anderen führenden Politiker der Europäischen Union blicken auf Sie, Herr Kanzler. Das ist kein Geheimnis.«

»Nun ja.« Richter stellt seine Kaffeetasse auf die Untertasse und sucht nach einer Fläche, auf der er sie abstellen kann; er braucht einen Moment Zeit, um sich zu bedenken. Es kann nicht schaden, den Kanzler an seinem gewaltigen Ego zu kitzeln – das dienstälteste Regierungsoberhaupt der EU und unabhängig von meiner Schmeichelei zunehmend der einflussreichste Staatslenker Europas.

Dabei werde ich natürlich, falls das Virus aktiviert wird und Kriegsentscheidungen zu treffen sind, dieselben Telefonate mit den Regierungschefs von Frankreich, Großbritannien, Spanien, Italien sowie den anderen NATO-Ländern führen und dieselben Appelle an sie richten.

Sollten wir den Bündnisfall nach Artikel fünf erklären und gegen Russland oder einen anderen Staat, der hinter dem Virus steckt, in den Krieg ziehen, wäre es mir lieber, wenn ein anderes Land um Beistand bitten würde als die Vereinigten Staaten. Oder im Idealfall, wie nach dem elften September, ein gemeinsamer Antrag sämtlicher NATO-Mitglieder. Eine nicht eingeforderte Entscheidung wäre einer Beistandsbitte von einer angeschlagenen Supermacht entschieden vorzuziehen.

Er lässt sich mit der Antwort Zeit. Was ich nicht anders erwartet hatte. Trotzdem erlebe ich Jürgen Richter zum ersten Mal um Worte verlegen.

In der Ecke hinter uns sendet das Fernsehen eine schlechte Nachricht nach der anderen: die Probleme mit der Wasserversorgung in Los Angeles, möglicherweise durch Terrorismus verursacht; Nordkoreas Schwur, unsere Manöver in Japan mit einem weiteren Raketentest zu quittieren; die Unruhen in

Honduras, wo das halbe Kabinett des Präsidenten zurückgetreten ist; weitere Entwicklungen im Zusammenhang mit dem Attentatsversuch gegen den saudischen König. Doch das Thema Nummer eins ist natürlich die bevorstehende Aussage des amerikanischen Präsidenten vor dem Sonderausschuss und, dank meiner Vizepräsidentin, die Frage, ob der Präsident einen »Nervenzusammenbruch« erlitten oder »in Panik die Hauptstadt verlassen hat«.

Mein Handy klingelt – **FBI Liz** – und erlöst den Kanzler vom unangenehmen Schweigen. »Entschuldigen Sie mich bitte«, sage ich.

Ich tippe mit dem Finger auf meinen Ohrhörer, während ich in der Küche stehe und über die Lichtung mit dem schwarzen Zelt zum Waldrand dahinter blicke. »Lassen Sie hören, Liz«, sage ich.

»Die Angreifer, die der Secret Service auf der Brücke erschossen hat«, sagt die amtierende FBI-Direktorin Elizabeth Greenfield. *»Wir haben sie identifiziert.«*

»Und?«

»Sie gehören zu einer Gruppe, die sich Ratnici nennt. Das heißt so viel wie Krieger. Es sind Söldner. Sie stammen aus der ganzen Welt und haben schon auf der ganzen Welt gekämpft. Die Narcos in Kolumbien haben sie angeheuert. Sie haben für die Rebellen im Sudan gekämpft, bis die Regierung sie abwarb und sie die Seite wechselten. Sie haben für die tunesische Regierung gegen die Aufständischen gekämpft.«

»Das bestätigt unsere Vermutung. Austauschbare Erfüllungsgehilfen. Praktisch nicht zurückzuverfolgen.«

»Allerdings sind die Dienste der Ratnici nicht umsonst. Sie sind Soldaten, keine Ideologen. Jemand hat sie bezahlt. Und bei dieser Größenordnung, Mr President, kann man nur ahnen, wie viel Geld da geflossen ist.«

»In der Tat«, sage ich. »Gut. Dann folgen Sie dem Geld.«

»Genau das versuchen wir, Sir. Das ist unser bester Anhaltspunkt.«

»Finden Sie's raus. So schnell Sie können«, sage ich, als hinter mir die Tür zum Keller aufgeht.

Die Amerikaner in unserem Tech-Team, Devin Wittmer und Casey Alvarez, kommen in einer Wolke von Zigarettenrauch herauf. Soviel ich weiß, rauchen sie nicht, einige der Russen oder Europäer offenbar schon.

Devin hat seine Sportjacke ausgezogen. Sein Hemd hängt ihm über die Hose, er hat die Ärmel aufgekrempelt. Ihm ist die Anspannung vom Gesicht abzulesen.

Trotzdem lächelt er.

Caseys Pferdeschwanz hat sich gelöst. Sie nimmt die Brille ab und reibt sich die Augen, doch der Anflug eines Lächelns um ihre Lippen stimmt hoffnungsvoll.

Gespannt blicke ich den beiden entgegen.

»Wir haben es lokalisiert, Mr President«, sagt Devin. »Wir haben das Virus gefunden.«

69

Fuß nach vorne, Gewicht nach vorne, stehen bleiben, horchen.

Fuß nach vorne, Gewicht nach vorne, stehen bleiben, horchen. Dieses Mantra hat ihr geholfen, wenn sie auf den Märkten von Sarajevo Essen hamsterte. Es half ihr, als sie, das halb muslimische, bosnische Mädchen, das sechs Soldaten getötet hatte, sich in den Bergen vor der serbischen Armee verstecken musste.

Es half ihr, als sie nach einer Woche allen Mut zusammennahm und sich aus den Bergen nach Hause traute.

Zu einem zweistöckigen Haus, das bis auf die Grundfesten abgefackelt war, nur noch ein Haufen Schutt und Asche.

Daneben die nackte Leiche ihrer Mutter an einen Baum gefesselt, mit aufgeschlitzter Kehle.

Zwei Kilometer. Im Laufschritt könnte Bach die Entfernung in zwölf Minuten zurücklegen, selbst mit Gepäck auf dem Rücken. Im Gehen in zwanzig Minuten. Stattdessen nimmt sie sich aus Vorsicht vierzig Minuten Zeit. Auf ihrem Weg huschen kleine Tiere davon, selbst Rehe stehen plötzlich vor ihr, erstarren für einen Moment und springen davon. Aber keine Kojoten mehr oder was das vorhin war. Vielleicht hat es sich bei ihnen rumgesprochen, dem Mädchen mit der Knarre lieber nicht in die Quere zu kommen.

Auf ihrem Weg Richtung Norden, immer dicht am Seeufer entlang, bleibt sie bisher auf dem östlichen Teil des Geländes. Die Patrouillen sind nicht von dieser Seite, sondern eher aus Norden, Süden oder Westen zu erwarten.

Sie erreicht den Baum, den kräftigsten, den sie in diesem Teil des Waldes ausgemacht hat. Achtzehn Meter hoch und gut sechzig Zentimeter im Durchmesser, hatte man ihr gesagt.

Hier ist der Punkt, an dem es passieren wird. Hier wird sie ihn töten.

Über ihr ist der Baum dicht verzweigt und mit seinen kräftigen Ästen leicht zu erklimmen. In Bodennähe jedoch bietet der Stamm nirgends Halt. Eine volle Kletterausrüstung – mit Spikeschuhen und Trageband – wäre für den Transport zu schwer und unhandlich gewesen.

Deshalb holt sie einen Strick mit einer Schlinge aus ihrem Rucksack. Sie wirft das Seil über den tiefsten Ast, gut vier Meter über dem Boden. Beim dritten Versuch gelingt es ihr. Dann ruckelt sie am offenen Ende so lange herum, bis die Schlinge weit genug herunterhängt und zu fassen ist.

Sie steckt das offene Ende des Seils durch die Schlinge und zieht diese langsam und geschickt wieder hoch, bis sie sich um den Ast verknotet.

Sie schnallt sich wieder den Rucksack und den Gewehrkasten auf den Rücken und greift nach dem Seil. Jetzt muss es schnell gehen. Mit Gepäck belastet sie den Ast mit einem beträchtlichen Gewicht, je schneller also, desto besser.

Sie holt tief Luft. Ihre Übelkeit hat sie überwunden, doch sie ist bis auf die Knochen erschöpft, fühlt sich schwach und zittrig. Der Gedanke an Schlaf, daran, sich auszustrecken und die Augen zu schließen, ist verlockend.

Vielleicht hatte ihr Team nicht ganz unrecht mit seinen Bedenken dagegen, sie auf eigene Faust ziehen zu lassen. Es hatte einen Trupp von zehn, zwölf Mann im Wald aufstellen wollen. Im Prinzip hatte sie nichts dagegen gehabt, wäre es nicht zu riskant gewesen. Sie konnte nicht im Voraus wissen, mit wie vielen Agents im Wald zu rechnen war. Schwierig genug, allein, unerkannt und ohne Zwischenfall zu diesem Baum zu kommen. Zwölf Mann hätten die zwölffache Gefahr mit sich gebracht, aufzufliegen. Nur ein einziger Fehler, nur eine Person, die sich zu laut oder ungeschickt verhält, und die ganze Operation wäre zunichtegemacht.

Sie blickt sich noch einmal um, nichts zu sehen, nichts zu hören.

Dann zieht sie sich mit den Armen, Hand über Hand, das Seil in der Beinschere, nach oben.

Sie greift gerade nach dem Ast, als sie es hört.

Ein Geräusch, aus einiger Entfernung. Nicht von kleinen, davonhuschenden Tieren. Auch nicht das tiefe Knurren eines Raubtiers.

Menschliche Stimmen, die in ihre Richtung kommen.

Als Erstes hört sie Gelächter, dann angeregtes Plaudern, durch die Entfernung gedämpft.

Soll sie sich wieder fallen lassen und zu ihrer Kurzwaffe greifen? Dann wäre immer noch das Seil, das vom Ast herunterbaumelt, zu sehen.

Die Stimmen kommen näher. Erneutes Gelächter.

Sie nimmt die Füße vom Seil und stemmt sie, um Halt zu bekommen, gegen den Baumstamm, spürt die Belastung am Ast. Wenn sie sich absolut still verhält, bleibt sie vielleicht unentdeckt. Nichts zieht die Blicke auf sich wie etwas, das sich bewegt, weit mehr als Farbe oder Geräusche.

Sollte allerdings der Ast abbrechen, würde sie der Lärm verraten. Sie hält still, keine leichte Aufgabe, wenn man an den Armen in der Luft hängt und einem der Schweiß in die Augen tropft.

Jetzt sind sie zu sehen, zwei Männer zwischen den Bäumen im Westen, halb automatische Waffen in den Händen, unbekümmert ins Gespräch vertieft.

Sie nimmt die Rechte vom Seil und tastet damit zu ihrer Kurzwaffe.

Sie kann nicht ewig hier baumeln. Der Ast wird auf Dauer nicht halten. Und früher oder später macht der Arm, an dem sie hängt, nicht mehr mit.

Es gelingt ihr, die Kurzwaffe loszuschnallen.

Sie kommen näher, nicht direkt auf sie zu, sondern eher in südöstliche Richtung. Wenn Bach sie sehen kann, dann auch umgekehrt.

Um die Bewegung der Waffe zu verdecken, lässt sie die Schusshand langsam seitlich am Körper hochgleiten. Sie muss beide ausschalten, bevor sie einen einzigen Schuss zurückfeuern oder zu ihren Funkgeräten greifen können.

Und dann wird sie sehen, wie es weitergeht.

70

Ich sehe auf die Uhr: gleich fünfzehn Uhr. Das Virus kann jede Minute hochgehen, spätestens aber in neun Stunden.

Und meine Leute haben das Virus entdeckt.

»Das ist – das ist großartig, oder?«, wende ich mich an Devin und Casey. »Sie haben es gefunden!«

»Ja, Sir, *großartig* ist das richtige Wort.« Casey rückt sich die Brille auf dem Nasenrücken zurecht. »Dank Augie. Ohne seine Hilfe wäre es hoffnungslos gewesen. Schließlich haben wir es zwei Wochen lang versucht. Wir haben alles versucht. Wir haben sogar manuelle Suchdurchläufe vorgenommen, maßgeschneiderte –«

»Aber jetzt haben Sie es.«

»Ja.« Sie nickt. »Der erste Schritt ist getan.«

»Und der zweite?«

»Es unschädlich zu machen. Wir können nicht einfach eine Löschtaste drücken und es zum Verschwinden bringen. Außerdem, wenn wir es falsch anstellen, na ja – es ist wie eine Bombe. Wenn man sie nicht sachgemäß entschärft, geht sie hoch.«

»Verstehe«, sage ich. »Deshalb …«

»Deshalb versuchen wir, das Virus auf den anderen Computern nachzubilden.«

»Ist Augie dazu fähig?«

»Augie war der Hacker, Sir, nicht zu vergessen. Nina war die Codiererin. Die größte Hilfe, wenn überhaupt, waren bisher die Russen.«

Ich sehe mich kurz um und senke die Stimme. »Was meinen Sie? Helfen die wirklich, oder tun sie nur so? Theoretisch könnten die Sie auch auf eine falsche Fährte locken.«

»Die Gefahr ist uns bewusst«, antwortet Casey. »Aber es sieht nicht danach aus. Sie haben einiges über ihre Operationen ausgeplaudert. Es sieht wirklich danach aus, als hätten sie Order, uns in jeder erdenklichen Weise zu helfen.«

Ich nicke. Genau das hatte ich mir erhofft. Ob es wirklich stimmt, wird sich zeigen.

»Aber auch sie haben diesen Code nicht geschrieben«, fügt sie hinzu. »Dieses Virus hat sich Nina ausgedacht – laut Augie vor drei Jahren. Es ist der raffinierteste Code, den wir je zu sehen bekommen haben. Wirklich erstaunlich.«

»Wenn das hier vorbei ist, können wir ihr eine postume Auszeichnung als beste Cyberterroristin aller Zeiten verleihen, okay? Aber jetzt erzählen Sie mir, wie es weitergeht. Sie werden das Virus nachbilden und dann lernen, wie man es unschädlich macht. Ähnlich wie bei einem simulierten Kriegsspiel?«

»Ja, Sir.«

»Und dazu verfügen Sie über alle Mittel?«

»Ich denke, die Laptops, die wir hier haben, genügen, Sir. Und für das übrige Threat-Response-Team gibt's im Pentagon noch mehrere Tausend.«

Für die anstehende Aufgabe hatte ich hundert Computer hierherschaffen lassen. Am Flughafen, keine drei Meilen von hier, warten in Marine-Gewahrsam noch einmal fünfhundert.

»Und Wasser, Kaffee, Essen – das alles?« Es wäre das Letzte, es diesen Experten körperlich an irgendwas mangeln zu lassen. Der mentale Stress, mit dem sie fertigwerden müssen, reicht. »Zigaretten?«, frage ich und wedle nach der Wolke.

»Nichts für uns. Die Russen und die Deutschen paffen, was das Zeug hält.«

»Das ist die reinste Luftverpestung da unten.« Devin verzieht das Gesicht. »Wir konnten sie wenigstens dazu bringen, nur in der Waschküche zu rauchen. Da können sie ein Fenster öffnen.«

»Sie – da ist ein Fenster?«

»Ja, in der Wasch–«

»Der Secret Service hat sämtliche Fenster verriegelt«, sage ich, was, wie mir jetzt klar wird, niemanden daran hindert, sie von innen wieder zu öffnen.

Ich haste die Treppe hinunter, Devin und Casey folgen mir.

»Mr President?«, ruft Alex und kommt ebenfalls hinterher.

Ich bin schon halb die Treppe hinunter. Als ich mich hastig zur Tür der Einsatzzentrale umdrehe, klingelt es mir in den Ohren, und ich erinnere mich an die Warnung meiner Ärztin.

Im Einsatzraum stehen auf den Schreibtischen die Laptops dicht an dicht, außerdem eine weitere Phalanx von mehreren Dutzend an der Seite, und in der Mitte des Raums fällt eine große Weißwandtafel ins Auge. Abgesehen von der Überwachungskamera in der Ecke, sieht es wie ein gewöhnliches Klassenzimmer aus. Hier drinnen arbeiten sechs Personen – je zwei aus Russland, aus Deutschland und aus Israel, die sich vor ihren geöffneten Laptops austauschen, während sie in ihre Tastaturen hämmern.

Kein Augie.

»Sehen Sie in der Waschküche nach«, sage ich zu Alex. Ich höre ihn hinter mir, dann zwei Zimmer weiter.

»Wieso steht dieses Fenster offen?«

Alex braucht eine Minute, um im gesamten Keller zu suchen, einschließlich des Raums, den ich mir für meine Kommunikation vorbehalten habe. Ich weiß die Antwort, bevor er sie ausspricht.

»Er ist verschwunden, Mr President. Augie ist verschwunden.«

71

Die zwei Männer der Sicherheitspatrouille sind dunkel und stämmig, mit Bürstenhaarschnitt, markantem Kinn und breiter Brust. Was sie auf Deutsch zueinander sagen, während sie ihr immer näher kommen, bringt sie beide zum Lachen. Wendet auf ihrem Weg in südöstlicher Richtung jetzt auch nur einer von ihnen den Kopf nach links, haben sie ausgelacht.

So, wie sie mit nur einer Hand am Seil hängt, schwinden Bach die Kräfte. Sie blinzelt sich den Schweiß aus den Augen, ihr Arm fängt heftig an zu zittern. Zu allem Übel hört sie, wie der Ast, an dem sie mit ihrem ganzen Gewicht hängt, alarmierend knarrt.

Auch wenn sie Gepäck und Kleidung in Tarnfarben trägt und sich sogar Gesicht und Hals tannengrün angemalt hat, beim ersten Bersten dieses Astes ist es aus. Falls sie schießt, dann sofort, zwei Mal direkt hintereinander. Und dann was?

Sie könnte ihnen die Funkgeräte abnehmen, doch lange würde es nicht dauern, bis das übrige Team das Fehlen der beiden Wachtposten bemerkte. Dann bliebe ihr nichts anderes übrig, als die Operation abzubrechen.

Aufgeben. Sie hat noch nie eine Mission abgebrochen, ist noch nie bei einem Unternehmen gescheitert. Möglich wäre es schon, auch wenn sie wahrscheinlich seitens ihrer Auftraggeber mit Vergeltung rechnen müsste. Aber das ist nicht das Problem: Vor Vergeltung hat sie keine Angst. Schon zweimal im Lauf der Jahre haben ihre Auftraggeber, nachdem sie ihre Mission *erfolgreich* abgeschlossen hatte, versucht, sie zu töten, um die Spuren zu verwischen, aber sie ist immer noch da; die Leute, die man ihr auf den Hals gejagt hat, nicht.

Ihr Problem ist Delilah, so wird das Kind heißen – im Gedenken an ihre Mutter. Delilah soll nicht mit dieser Bürde aufwachsen. Sie soll nie erfahren, was ihre Mutter getan hat. Sie soll nicht in Angst und Schrecken leben. Sie soll nicht wissen, was Terror ist, von einem Ausmaß und einer Dauer, dass er einem in jede Pore dringt, einen nie wieder loslässt, alles, was danach kommt, überschattet.

Die Männer geraten für einen Moment aus ihrer Blickachse und verschwinden hinter dem Baum, an dem sie hängt. Wenn sie auf der anderen Seite zum Vorschein kommen, haben die beiden, weniger als zehn Meter entfernt, freie Sicht auf sie. Blickt nur einer der Männer nach links, nach Osten, können sie sie nicht verfehlen.

Sie kommen auf der anderen Seite des Baums wieder zum Vorschein.

Und sie bleiben stehen. Der Vordere hat einen Leberfleck an der Wange und ein deformiertes Ohr, das so aussieht, als habe es über die Jahre schon den einen oder anderen Streifschuss abbekommen. Er trinkt aus einer Wasserflasche, sodass sein Adamsapfel an seinem unrasierten Hals hüpft. Der andere, kleinere Mann steht im Schatten der Kronen. Vor ihm dringt ein Sonnenstrahl durch das Nadeldach bis zum Boden.

Nicht nach links sehen!

Werden sie aber, bestimmt. Und es bleibt keine Zeit. Sie kann sich nicht länger halten. Der Ast ächzt unter ihrem Gewicht.

Der erste Mann lässt die Wasserflasche sinken, blickt auf, dreht sich nach links, in ihre Richtung – Bach zielt mit ihrer SIG auf den ersten Mann, auf eine Schweißperle zwischen seinen Augen –

– als aus den Funkgeräten der beiden lautes Krächzen ertönt, zwar auf Deutsch, doch unverkennbar eine Meldung, dass etwas schiefgegangen ist.

Beide Männer greifen nach den Funkgeräten an ihren Taillen. Sie wechseln ein paar Worte, machen auf dem Absatz kehrt und stürzen, so schnell sie können, in Richtung der Hütte.

Was ist da gerade passiert? Sie weiß es nicht, und es ist ihr auch egal.

Bevor Bach endgültig die Kräfte verlassen, klemmt sie sich die Pistole zwischen die Zähne und packt mit der nun freien rechten Hand den Ast an der dicksten Stelle dicht am Stamm. Dann wechselt sie mit der linken Hand schnell genug vom Seil zum Ast, um nicht im freien Fall zu stürzen. Mit viel zu lautem Ächzen, aber ohne sich jetzt noch um die Konsequenzen zu scheren, kratzt sie die letzte Energie zusammen und zieht sich hoch, ihr Gesicht schrammt dabei gegen den Ast. Die Sohlen fest gegen den Stamm gestemmt, läuft sie daran hoch, bis sie das linke Bein über den Ast bekommt.

Sie hat schon elegantere Manöver hingelegt, um ein Haar hätte sie auch fast ihren Rucksack und das Gewehr verloren, doch endlich sitzt sie rittlings auf dem Ast. Sie atmet durch, wischt sich über die schweißnasse Stirn, auch wenn dadurch die Tarnbemalung zum Teufel ist. Sie gönnt sich eine Minute, schafft es, sosehr ihr die Arme brennen, die Kurzwaffe wieder im Holster festzuschnallen, und senkt ihre Atemfrequenz.

Sie knotet das Seil auf, zieht das lose Ende hoch und wickelt es sich, da sie im Moment nicht an ihren Rucksack herankommt, um den Hals.

Sie wird nicht eine Minute länger auf diesem Ast zubringen, nicht einmal hier auf dem sicheren, dicken Ende.

Sich mit dem Rücken abstützend, steht sie auf, greift nach dem nächsthöheren Ast und klettert hinauf. Oben angekommen, wird sie einen geeigneten Hochsitz finden, um unentdeckt ihren Auftrag auszuführen.

72

»Cowboy ist verschwunden. Wiederhole, Cowboy ist verschwunden. Große Suchaktion auf dem ganzen Waldgelände. Alpha-Team, bleiben Sie vor Ort.«

Alex Trimble schaltet die Sprechfunktion an seinem Funkgerät aus und sieht mich an. »Mr President, es tut mir leid. Das ist meine Schuld.«

Im Interesse der Geheimhaltung hatte ich auf einem Minimum an Sicherheitskräften bestanden. Was blieb uns anderes übrig? Die wenigen Leute, die wir haben, brauchen wir, um dafür zu sorgen, dass niemand ins Blockhaus *hineinkommt*. Dass jemand versuchen könnte, es zu *verlassen*, darüber haben wir uns keine Gedanken gemacht.

»Finden Sie ihn einfach, Alex.«

Auf unserem Weg zur Treppe komme ich an Devin und Casey vorbei, beide aschfahl, als hätten sie einen Fehler gemacht, beide mit offenem Mund, als suchten sie nach Worten.

»Beheben Sie das Problem«, sage ich und deute zurück zur Einsatzzentrale. »Finden Sie raus, wie wir das Virus loswerden. Allein darum geht es. Machen Sie schon!«

Unterdessen eilen Alex und ich die Treppe hinauf und in die Küche, wo wir durch das Südfenster über den weitläufigen Garten und in den scheinbar endlosen Wald dahinter blicken. Über Funk leitet Alex die Aktion, wird jedoch an meiner Seite bleiben. Die Agents sind jetzt in Alarm versetzt, die meisten schwärmen in die Wälder aus, um nach Augie zu suchen, während eine kleine Gruppe – das Alpha-Team – zurückbleibt, um das Haus und die unmittelbare Umgebung zu sichern.

Ich habe keine Ahnung, wie er ungesehen bis in den Wald gekommen ist; ich weiß nur, dass er, falls er irgendwo da draußen ist, von unserem bescheidenen Trupp nur schwer zu finden sein wird.

Vor allem aber: Wieso läuft er weg?

»Alex«, wende ich mich an ihn, »wir sollten –«

Doch ich werde vom Lärm aus dem Wald unterbrochen, der selbst von hier drinnen im Haus unüberhörbar ist.

Das *Rattatatat* aus einem Maschinengewehr.

73

»Mr President!«

Ich ignoriere Alex, bin mit wenigen Sätzen die Gartentreppe hinunter und über unebenes Gelände auf dem Weg in den Wald, wo ich mich halb seitlich zwischen den Bäumen hindurcharbeite.

»Mr President, *bitte!*«

Ich laufe im Schatten der Baumkronen weiter, immer den Rufen der Männer nach.

»Dann lassen Sie mich wenigstens vor«, fleht Alex und überholt mich.

Alex hat seine Automatik im Anschlag und fährt blitzschnell mit dem Kopf hin und her.

Als wir die Lichtung erreichen, sehen wir Augie. Er sitzt, an einen Baum gelehnt, auf dem Boden und greift sich an die Brust. Über ihm ist der Stamm geradezu durchsiebt. Die russischen Agents stehen, die automatischen Waffen gesenkt, da und lassen eine Tirade von Jacobson über sich ergehen, der bei jedem Wort mit dem Finger in die Luft sticht.

Als Jacobson uns kommen sieht, verstummt er und fordert uns mit einer Geste auf, stehen zu bleiben. »Alle wohlbehalten, nichts passiert.« Er straft die Russen mit einem letzten, vernichtenden Blick und kommt herüber.

»Unsere Kameraden von der Russischen Föderation haben ihn als Erste erspäht«, sagt er, »und das Feuer eröffnet. Sie behaupten, sie hätten nur Warnschüsse abgegeben.«

»Warnschüsse? Wozu in Teufels Namen?«

Ich begebe mich zu den Russen und zeige auf das Blockhaus. »Gehen Sie wieder rein! Verschwinden Sie aus meinem Wald!«

Jacobson sagt noch etwas zu ihnen, ein paar Worte auf Russisch. Ihre Mienen sind unversöhnlich, doch sie nicken und gehen.

»Gott sei Dank war ich in der Nähe«, sagt Jacobson. »Ich habe ihnen befohlen, das Feuer einzustellen.«

»Gott sei Dank, weil Sie glauben, die Russen wollten ihn erschießen?«, hake ich nach.

Jacobson überlegt, schnaubt durch die Nase. Dann hebt er beide Hände. »Die Russische Nationalgarde, also, die sollen die Besten sein. Hätten sie ihn umbringen wollen, wäre er jetzt tot.«

Präsident Tschernokow hat unlängst einen neuen Dienst für innere Sicherheit ins Leben gerufen – ihm persönlich unterstellt. Es heißt, diese Leute seien die absolute Elite.

»Wie sicher sind Sie sich?«, frage ich Jacobson.

»Kein bisschen, Sir.«

Durch das Spalier der Secret-Service-Agents gehe ich zu Augie hinüber. Ich hocke mich neben ihn. »Was zur Hölle haben Sie sich nur dabei gedacht, Augie?«

Ihm zittern die Lippen, er keucht, hat einen flackernden Blick, wirkt desorientiert.

»Sie …« Er bringt kaum ein Wort heraus, muss schlucken. »… haben versucht, mich umzubringen.«

Ich sehe mir den Stamm über ihm genauer an. Die Schüsse haben ihn etwa anderthalb Meter über dem Boden durchsiebt. Das sieht mir nicht unbedingt nach »Warnschüssen« aus, je nachdem, wo er stand.

»Wieso sind Sie weggerannt, Augie?«

Er schüttelt nur schwach den Kopf und driftet wieder ab. »Ich ... ich kann es nicht aufhalten. Und ich kann nicht einfach dasitzen und ... wenn es ... wenn es ...«

»Sie haben Angst? Ist es das?«

Kleinlaut und immer noch zitternd, nickt er.

Ist das wirklich alles? Angst, Reue, Ratlosigkeit?

Oder ist mir etwas an Augie entgangen?

»Stehen Sie auf.« Ich packe ihn am Arm und ziehe ihn hoch. »Das ist der falsche Zeitpunkt, um Angst zu haben, Augie. Wir zwei gehen jetzt wieder rein, und dann unterhalten wir uns.«

74

Nach einer anstrengenden Kletterpartie mit schwerem Rucksack und Gewehr auf dem Rücken erreicht Bach mit müden, schmerzenden Gliedern die Astgabel hoch oben im Wipfel der Weymouth-Kiefer, die sie gesucht hat. In ihren Ohrhörern lauscht sie Wilhelm Friedemann Herzogs verspielter Interpretation des Violinkonzerts in E-Dur aus seinem Konzert vor drei Jahren in Budapest.

Über die Baumwipfel hinweg hat sie gute Sicht auf das Blockhaus in der Ferne und das Gelände im Süden.

Dicht am Stamm ist die Krone auch ganz oben dick genug, um ihr Gewicht zu tragen. Sie setzt sich rittlings auf den ausgewählten Ast und legt den Gewehrkasten vor sich im Gezweig ab. Mit dem Daumenabdruck klappt sie ihn auf, holt Anna

Magdalena heraus, setzt sie in weniger als zwei Minuten zusammen und späht dabei über das Dach der Kiefernkronen.

Sie macht Wachtposten aus, die auf dem Gelände rings ums Haus patrouillieren, Männer mit Waffen.

Ein schwarzes Zelt.

Vier Männer, die sehr schnell die Treppe zum Hintereingang hochlaufen –

Fieberhaft stellt sie das Zielfernrohr scharf. Sie hat keine Zeit, sich eine stabile Unterlage zu schaffen, um das Gewehr darauf in Position zu bringen, und so legt sie es stattdessen an die Schulter an und sieht durch das Fernrohr. Nicht ideal, und sie hat nur einen einzigen Schuss, bevor ihre Deckung auffliegt, bevor alles auffliegt, folglich kann sie sich keinen Fehler erlauben –

Sie nimmt die beiden Personen, die sich der Tür zum Blockhaus nähern, von vorne nach hinten ins Visier.

Ein großer dunkelhaariger Mann, Hörmuschel.

Ein kleinerer, leichterer Mann, Hörmuschel.

Der Präsident zwischen den beiden, im Begriff, zur Tür hinein zu verschwinden.

Gefolgt von einem kleineren, zart gebauten Mann mit wirrem dunklem Haar –

Sollte er das sein?

Ist er das?

Ja.

Eine Sekunde, um sich zu entscheiden.

Riskiert sie den Schuss?

75

Ich packe Augie am Arm und ziehe ihn ins Haus. Hinter uns treten Alex und Jacobson ein und schließen die Tür hinter sich.

Ich nehme Augie ins leere Wohnzimmer mit und verfrachte ihn aufs Sofa. »Bringen Sie ihm ein Glas Wasser«, sage ich zu Alex.

Augie sitzt einfach da; er wirkt immer noch verstört. »Das hier … hat sie nicht gewollt«, flüstert er. »Das … hätte sie nie gewollt.«

Alex kommt mit einem Becher Wasser zurück. Ich strecke die Hand danach aus. »Geben Sie es mir«, sage ich.

Ich gehe zu Augie hinüber und schütte ihm das Wasser ins Gesicht, übers Haar und das Hemd. Er schnappt nach Luft, schüttelt den Kopf, sitzt aufrecht.

Ich beuge mich über ihn. »Spielen Sie ein ehrliches Spiel mit mir, Junge? Es hängt hier nämlich eine Menge von Ihnen ab.«

»Ich … ich …« Er sieht zu mir auf, anders als zuvor, er hat Angst, aber nicht nur vor der Situation, sondern jetzt auch vor mir.

»Alex«, sage ich. »Zeigen Sie mal, was auf dem Überwachungsvideo von der Einsatzzentrale jetzt im Augenblick zu sehen ist.«

»Ja, Sir.« Alex zieht sein Handy aus der Tasche, klickt auf etwas und reicht es mir. Zu sehen sind Casey am Handy, Devin an einem Computer und die übrigen Tech-Genies bei der Arbeit an ihren Laptops oder an der Weißwandtafel.

»Sehen Sie genau hin, Augie. Gibt einer von diesen Leuten auf? Nein. Sie haben eine höllische Angst, jeder Einzelne von ihnen, aber sie geben nicht auf. Verdammt noch mal, Sie haben das Virus ausfindig gemacht. Ihnen ist damit gelungen, wozu meine besten Leute zwei Wochen lang nicht in der Lage waren.«

Er schließt die Augen und nickt. »Es tut mir leid.«

Ich trete ihm gegen die Schuhspitzen, um ihn wachzurütteln. »Sehen Sie mich an, Augie. Sehen Sie mich an!«

Er tut es.

»Erzählen Sie mir von Nina. Sie sagen, sie hätte das nicht gewollt. Wie meinen Sie das? Sie wollte Amerika nicht vernichten?«

Mit gesenktem Blick schüttelt Augie den Kopf. »Nina war es leid, wegzurennen. Sie sagte, sie sei schon viel zu lange auf der Flucht.«

»Vor dem Geheimdienst Georgiens?«

»Ja. Der Geheimdienst von Georgien war schon lange hinter ihr her. Einmal hätten sie Nina in Usbekistan beinahe erwischt.«

»Also gut, verstanden – sie war es leid, auf der Flucht zu sein. Was wollte sie? Wollte sie in Amerika leben?«

In meiner Tasche klingelt das Handy. Ich hole es heraus. Es ist Liz Greenfield. Ich gehe nicht dran und stecke das Handy wieder zurück.

»Sie wollte nach Hause«, sagt Augie.

»In die Republik Georgien? Wo wegen Kriegsverbrechen nach ihr gefahndet wurde?«

»Sie hoffte, dass Sie ... ihr dabei helfen könnten.«

»Sie wollte, dass ich mich für sie verwende. Ich sollte Georgien darum bitten, ihr Straffreiheit zu garantieren. Als Zugeständnis an die Vereinigten Staaten.«

Augie nickt. »War das unter den gegebenen Umständen denn so unrealistisch? Konnte Amerika, wenn es in Gefahr war, nicht von einem seiner Verbündeten – erst recht von einem, der mit Russland als Grenznachbar auf Amerikas Freundschaft angewiesen ist –, konnte Amerika von Georgien nicht erst recht einen solchen Freundschaftsdienst erwarten?«

Vermutlich schon. Mit dem nötigen Nachdruck und einer genauen Darlegung der Situation – ja, wir hätten eine Lösung gefunden.

»Nur damit ich Sie richtig verstehe«, sage ich. »Nina hat Suliman Cindoruk bei der Entwicklung des Virus geholfen.«

»Ja.«

»Dabei hatte sie nie die Vernichtung Amerikas zum Ziel?«

Er lässt sich mit der Antwort Zeit. »Sie müssen Suli verstehen«, sagt er. »Wie er operiert. Nina hat ein geniales Virus entwickelt. Ein Stealth-Wiper-Virus von verheerender Zerstörungskraft. Ich habe, so könnte man sagen, am anderen Ende des Unternehmens gearbeitet.«

»Sie waren der Hacker.«

»Ja. Ich hatte die Aufgabe, die amerikanischen Systeme zu infiltrieren und für die größtmögliche Verbreitung des Virus zu sorgen. Dabei waren unsere Aufgabenbereiche ... klar geschieden.«

Ich glaube, mir dämmert es allmählich. »Sie hat also ein brillantes Virus kreiert, ohne so genau zu wissen, zu welchem Zweck es eingesetzt würde. Und Sie haben das Virus überall auf amerikanischen Servern verbreitet, ohne eine klare Vorstellung davon zu haben, was Sie da eigentlich in Umlauf setzen.«

»Ja, genau so, wie Sie es sagen.« Er nickt. Er scheint sich endlich zu beruhigen. »Wir sind beide keine Unschuldslämmer, das will ich auch gar nicht behaupten. Nina kannte ganz offensichtlich die zerstörerische Wirkung ihres Virus, aber sie ahnte nicht, wie weit es sich verbreiten würde. Sie hatte keine Ahnung, dass es sich durch sämtliche Netzwerke Amerikas fräsen und das Leben von aberhundert Millionen Menschen aufs Spiel setzen würde. Und ich ...« Er blickt zur Seite. »Suli hat mir gesagt, was ich da in Umlauf setze, sei eine hoch entwickelte Form von Spionagesoftware. Er wolle sie an den Höchstbietenden verkaufen, um damit unsere anderen Vorhaben zu finanzieren.« Er zuckt mit den Achseln. »Als Nina und mir klar wurde, was wir da angerichtet hatten, konnten wir nicht einfach die Hände in den Schoß legen.«

»Und Nina kam her, um das Virus aufzuhalten«, sage ich. »Im Gegenzug für meine Hilfe, ihr Straffreiheit zu verschaffen.«

Wieder nickt er. »Wir hofften, dass Sie zustimmen würden. Aber natürlich war es schwer, Ihre Reaktion vorherzusagen. Immerhin waren die Söhne des Dschihad in der Vergangenheit schon mehrfach für den Tod von Amerikanern verantwortlich gewesen. Und die Vereinigten Staaten sind für uns alles andere als ein Verbündeter. Deshalb bestand sie darauf, sich zuerst persönlich mit Ihnen zu treffen, allein.«

»Um zu sehen, wie ich reagiere.«

»Um zunächst einmal zu sehen, ob Sie Nina, wenn sie zu Ihnen ins Weiße Haus kommt, wieder gehen lassen. Statt sie festzunehmen, zu foltern oder was auch immer.«

Das klingt glaubhaft. Ihr Besuch wirkte tatsächlich wie ein Test.

»Ich wollte sie davon abbringen, allein ins Weiße Haus zu gehen«, erzählt er weiter. »Aber sie war unbeirrbar. Als wir uns in den Staaten wiedertrafen, hatte sie offensichtlich einen Plan.«

»Moment mal.« Ich berühre ihn am Arm. »Als Sie sich in den Staaten wiedertrafen? Was soll das heißen? Dann waren Sie nicht die ganze Zeit zusammen?«

»Oh nein«, antwortet er. »Nein, nein. Der Tag, an dem wir den Peekaboo auf Ihren Server im Pentagon geschickt haben?«

Samstag, der achtundzwanzigste April. Den Moment, in dem ich zum ersten Mal davon hörte, werde ich nie vergessen. Ich war gerade in Brüssel, der ersten Station meiner Europareise. Der Anruf erreichte mich in der Präsidentensuite. Noch nie hatte ich meinen Verteidigungsminister so aufgelöst erlebt.

»An dem Tag haben Nina und ich Suliman in Algerien verlassen. Allerdings getrennt. Wir hielten das für sicherer. Sie reiste über Kanada nach Amerika ein. Ich kam über Mexiko. Wir hatten geplant, uns am Mittwoch in Baltimore, Maryland, zu treffen.«

»Mittwoch – letzten Mittwoch? Vor drei Tagen?«

»Ja. Mittwoch, um zwölf Uhr, an der University of Baltimore, vor der Statue von Edgar Allan Poe. Nah genug an Washington, aber nicht zu nah, ein typischer Treffpunkt für Leute unseres Alters und ein Ort, den wir beide mühelos finden würden.«

»Und erst da hat Nina Ihnen von ihrem Plan erzählt.«

»Ja, zu dem Zeitpunkt war sie sich sicher, einen guten Plan zu haben. Sie würde alleine am Freitagabend ins Weiße Haus gehen, um Ihre Reaktion zu testen. Danach sollten Sie sich mit mir im Baseballstadion treffen – ein zweiter Test, um festzustellen, ob Sie sich überhaupt blicken lassen. Und falls ja, sollte ich mein Urteil treffen, ob wir Ihnen trauen können. Als Sie im Stadion erschienen, wusste ich, dass Sie Ninas Probe bestanden hatten.«

»Und dann habe ich Ihre Probe bestanden.«

»Ja«, erwidert er. »Spätestens als ich auf den Präsidenten der Vereinigten Staaten eine Waffe richtete und mich niemand auf der Stelle erschoss oder verhaftete – wusste ich, dass Sie uns glaubten und mit uns zusammenarbeiten würden.«

Ich schüttle den Kopf. »Und dann haben Sie sich mit Nina verständigt?«

»Ich habe ihr eine SMS geschickt. Sie wartete auf mein Zeichen, um mit ihrem Transporter am Stadion vorzufahren.«

Da draußen, vor dem Baseballstadion, waren wir der Lösung ganz nahe.

Augie stößt einen Laut aus, der wie Lachen klingt. »Das sollte der entscheidende Moment sein«, sagt er und blickt reumütig in die Ferne. »Wir wären alle zusammen gewesen. *Ich* hätte das Virus lokalisiert, *Sie* hätten sich mit der Regierung in Georgien verständigt, und *sie* hätte das Virus unschädlich gemacht.«

»Stattdessen hat jemand Nina unschädlich gemacht.«

»Ich mach mich dann wieder an die Arbeit, Mr President.« Er steht auf. »Ich entschuldige mich für meine momentane –«

Ich drücke ihn wieder herunter. »Wir sind noch nicht fertig, Augie«, sage ich. »Ich will etwas über Ninas Quelle wissen. Ich will wissen, wer der Verräter im Weißen Haus ist.«

76

Ich stehe immer noch dicht vor Augie; fehlte nur, dass ich ihm mit einer Lampe ins Gesicht leuchte. »Sie sagen, als Sie sich vor drei Tagen in Baltimore mit Nina getroffen haben, hätte sie einen festen Plan gehabt.«

Er nickt.

»Wieso? Was ist in der Zeit zwischen Ihrer Trennung in Algerien und Ihrem Wiedersehen in Baltimore passiert? Was hat sie gemacht? Wo ist sie hingegangen?«

»Das weiß ich nicht.«

»Augie, verkaufen Sie mich nicht für dumm.«

»Entschuldigung, verkaufen?«

Ich beuge mich noch dichter zu ihm vor, bis sich unsere Nasenspitzen fast berühren. »Das kann ich Ihnen nicht glauben. Sie beide haben sich geliebt. Sie haben einander vertraut. Sie waren aufeinander angewiesen.«

»Wir waren auch darauf *angewiesen,* unsere jeweiligen Kenntnisse streng auseinanderzuhalten«, beharrt er. »Zu unserem eigenen Schutz. Sie durfte nicht wissen, wie das Virus zu finden ist, und ich nicht, wie man es unschädlich machen kann. Auf diese Weise wollten wir dafür sorgen, dass wir Ihnen beide von Nutzen sind.«

»Was hat sie Ihnen über ihre Quelle für *Dark Ages* erzählt?«

»Diese Frage habe ich Ihnen mehr als einmal –«

»Dann beantworten Sie sie noch einmal.« Ich packe ihn an der Schulter. »Und vergessen Sie nicht, dass es hier um das Leben von mehreren Hundert Millionen Menschen –«

»Sie hat es mir nicht gesagt!«, bricht es mit fast schriller Stimme aus ihm heraus. »Sie hat mir lediglich gesagt, ich müsse dieses Codewort wissen. Ich habe sie gefragt, weshalb sie sich da so sicher ist, und sie hat nur geantwortet, das sei egal, besser, ich wüsste nichts weiter darüber, zu unserer beider Sicherheit.«

Ich starre ihn stumm an, forsche in seinem Gesicht.

»Ob ich vermutet habe, dass sie mit jemandem in einer wichtigen Position in Washington in Verbindung stand? Selbstverständlich. Ich bin nicht blöd. Aber das war mir eher eine *Beruhigung*. Aus meiner Sicht erhöhte das unsere Chance, die Sache erfolgreich durchzuziehen. Ich habe ihr vertraut. Sie war der klügste Mensch, dem ich je –«

Er würgt, kann nicht weitersprechen.

Mein Handy klingelt. **FBI Liz**, zum zweiten Mal. Ich kann sie nicht weiter ignorieren.

Ich lege ihm die Hand auf die Schulter. »Wollen Sie ihr Andenken ehren, Augie? Dann tun Sie alles in Ihrer Macht, um dieses Virus zu stoppen. Und jetzt gehen Sie schon.«

Er holt tief Luft und steht auf. »Mach ich«, sagt er.

Sobald Augie außer Hörweite ist, habe ich das Handy am Ohr. »Ja, Liz.«

»Mr President«, sagt sie. *»Die Handys in Ninas Transporter.«*

»Ja. Zwei, sagten Sie, nicht wahr?«

»Ja, Sir, eins hatte sie an sich, eins haben wir unter der Bodenverkleidung im Fond gefunden.«

»Okay …«

»Sir, das Handy, das hinten versteckt war – das konnten wir noch nicht knacken. Aber bei dem in ihrer Tasche – da sind wir endlich reingekommen. Es ist eine SMS aus Übersee drauf, die Sie interessieren dürfte. Es hat uns einige Mühe gemacht, sie zurückzuverfolgen, weil sie über drei Kontinente gegangen war, um die IP zu verschleiern –«

»Liz, Liz«, unterbreche ich sie. »Zur Sache.«

»Ich glaube, wir haben ihn gefunden, Sir«, sagt sie. *»Ich glaube, wir haben Suliman Cindoruk gefunden.«*

Ich halte die Luft an.

Eine zweite Chance, nach Algerien.

»Mr President?«

»Ich will ihn lebendig«, sage ich.

77

Vizepräsidentin Katherine Brandt sitzt mit gesenktem Blick stumm da und hört sich alles an. Selbst über den Computerbildschirm, der gelegentlich verschwimmt und Bildsprünge hat, sieht sie telegen aus, von ihrem Auftritt bei *Meet the Press* noch stark geschminkt, schick gemacht im roten Kostüm und weißer Bluse.

»Das ist …« Sie blickt zu mir auf.

»Unfassbar«, sage ich. »Ja. Es übersteigt unsere schlimmsten Befürchtungen. Es ist uns gelungen, unser Militär zu sichern, doch sämtliche anderen Einrichtungen unserer Bundesregierung und der gesamte Privatsektor – der Schaden ist unabsehbar.«

»Und Los Angeles … ist ein Köder.«

Ich schüttle den Kopf. »Kann ich nur vermuten. Es ist ein gerissener Plan. Unsere IT-Superstars sollten am anderen Ende des Landes sein, um dort das Problem mit der Wasseraufbereitung zu lösen, damit wir, wenn das Virus richtig loslegt, gänzlich von ihnen abgeschnitten sind – keine Internetverbindung, keine Telefone, keine Flugzeuge, keine Züge. Unsere besten Leute an der Westküste gestrandet, Tausende Meilen von uns entfernt.«

»Und ich erfahre von alledem, von dem, was unserem Land widerfährt, und von Ihren Aktivitäten erst jetzt, obwohl ich Vizepräsidentin der Vereinigten Staaten bin. Und zwar, weil Sie mir nicht vertrauen. Ich gehöre zu den sechs, denen Sie nicht vertrauen.«

Das Bild ist nicht deutlich genug, um jede Regung in ihrem Gesicht zu erkennen. Aber wem wäre es schon angenehm zu erfahren, dass der Chef, in diesem Fall der Oberbefehlshaber, dich für einen Verräter hält.

»Mr President, trauen Sie mir so etwas wirklich zu?«

»Kathy, ich hätte geschworen, dass keiner von Ihnen zu so

etwas fähig wäre. Weder Sie noch Sam noch Brendan noch Rod noch Dominick noch Erica. Aber einer von Ihnen war's.«

So, es ist gesagt. Sam Haber vom Heimatschutz. Brendan Mohan, nationaler Sicherheitsberater. Rodrigo Sanchez, Generalstabschef. Verteidigungsminister Dominick Dayton. Und CIA-Direktorin Erica Beatty. Plus die Vizepräsidentin. Mein enger Kreis von sechs Personen, alle unter Verdacht.

Katherine Brandt bleibt immer noch stumm; obwohl sie mir zuhört, arbeitet es offenbar fieberhaft in ihrem Kopf.

Alex kommt herein und reicht mir einen Zettel von Devin. Es ist keine gute Nachricht.

Als ich mich wieder Kathy zuwende, scheint sie bereit zu sein, mir etwas mitzuteilen. Ich kann mir denken, was.

»Mr President«, sagt sie, *»wenn ich nicht Ihr Vertrauen habe, dann bleibt mir nichts anderes übrig, als Ihnen meinen Rücktritt anzubieten.«*

78

In der Cyber-Einsatzzentrale blickt Devin von der Arbeit auf, als er mich sieht. Er tippt Casey auf die Schulter, und sie verlassen die anderen – die alle Headsets tragen und in ihre Tasten hämmern –, um mit mir zu sprechen. An der Wand stapeln sich kaputte Laptops. Auf der Weißwand stehen mehrere Worte, Namen und Codes: PETYA und NYETNA, SHAMOON und SCHNEIER ALG, DOD.

Im Raum mischen sich die Gerüche von Kaffee, Tabakrauch und Körperausdünstungen. Wenn mir zum Spaßen zumute wäre, würde ich ihnen anbieten, ein Fenster zu öffnen.

Casey deutet auf die Ecke, in der sich Laptops in Kartons annähernd auf Raumhöhe stapeln, sodass sie fast bis zur Überwachungskamera unter der Decke reichen.

»Alle hinüber«, sagt sie. »Wir lassen nichts unversucht. Aber bis jetzt sind wir dem Virus mit nichts beigekommen.«

»Schon siebzig Computer?«

»Mehr oder weniger«, antwortet sie. »Und auf jeden, den wir hier benutzen, kommen noch einmal drei bis vier beim übrigen Team im Pentagon. Wir haben bereits dreihundert Laptops geschrottet.«

»Die sind ... völlig leer gefegt?«

»Absolut«, bestätigt Devin. »Sobald wir versuchen, es unschädlich zu machen, geht das Wiper-Virus hoch. Diese Laptops da sind nur noch ein Haufen Müll.« Er seufzt. »Können Sie die übrigen fünfhundert ranschaffen lassen?«

Ich drehe mich zu Alex um und beauftrage ihn damit. Die Marines werden uns die Ersatzgeräte in Kürze bringen. »Werden Ihnen fünfhundert genügen?«, frage ich.

Casey grinst. »Uns fallen keine fünfhundert Möglichkeiten ein, dieses Ding zu stoppen. Uns gehen schon jetzt allmählich die Ideen aus.«

»Und Augie ist von keiner Hilfe?«

»Oh, er ist brillant«, sagt Devin. »So wie er dieses Miststück in die Netzwerke eingebettet hat? So was ist mir noch nie untergekommen. Aber wenn es darum geht, es zu stoppen? Das ist nicht sein Spezialgebiet.«

Ich sehe auf die Uhr. »Es ist vier Uhr, Leute. Zeit, kreativ zu werden.«

»Ja, Sir.«

»Kann ich sonst noch irgendetwas für Sie tun?«

»Könnten Sie vielleicht zufällig Suliman herschaffen?«, fragt Casey grinsend.

Ich klopfe ihr auf den Arm, ohne zu antworten. *Wir arbeiten dran*, soll das heißen.

79

Ich kehre in meinen Kommunikationsraum zurück, wo ich immer noch Vizepräsidentin Katherine Brandt auf dem Bildschirm habe, mit niedergeschlagenem Blick und eingesunkenen Schultern. Bevor ich unseren Wortwechsel unterbrechen musste, hat sie mir etwas Wichtiges gesagt.

Als sie sieht, wie ich wieder den Raum betrete, nimmt sie Haltung an.

»Immer noch kein Glück mit dem Virus«, sage ich und nehme Platz. »Wer sich das Ding hat einfallen lassen, spielt Schach und wir nur Mensch ärgere dich nicht.«

»Mr President«, sagt Kathy, *»ich habe Ihnen soeben meinen Rücktritt angeboten.«*

»Ja, ich entsinne mich«, sage ich. »Für so etwas ist jetzt nicht die Zeit, Kathy. Die haben zweimal versucht, Augie und mich zu liquidieren. Und wie ich Ihnen eben erklärt habe, bin ich gesundheitlich angeschlagen.«

»Tut mir leid, das zu hören. Ich wusste nicht, dass Ihnen Ihre Krankheit wieder Probleme macht.«

»Ich habe auch niemandem davon erzählt. Kein guter Zeitpunkt, Gerüchten Nahrung zu geben, der Präsident befinde sich in einem kritischen Gesundheitszustand. Weder bei Freund noch Feind.« Sie nickt.

»Hören Sie, Carolyn war die ganze Zeit ein paar Stockwerke über Ihnen im Weißen Haus. Sie weiß über alles Bescheid. Wir haben auch alles in einem Dokument schriftlich festgehalten. Wäre mir etwas zugestoßen, hätte Sie Carolyn binnen Minuten umfänglich unterrichtet. Einschließlich meiner verschiedenen Notfallpläne, je nachdem, wie schlimm es mit diesem Virus wird. Einschließlich Militärschlägen gegen Russland, China, Nordkorea – je nachdem, wer hinter dem Virus steckt. Samt Krisenplänen zur Einführung des Kriegsrechts, Aussetzung des Haftprüfungsrechts, Einführung von Preiskontrollen, Rationierung lebenswichtiger Güter – alles, was im schlimmsten Fall erforderlich wird.«

»Aber wenn ich der Verräter bin, Mr President«, bringt sie mühsam über die Lippen, *»wieso sollten Sie mich dann damit betrauen, diese Leute aufzuhalten? Wenn ich doch mit denen unter einer Decke stecke?«*

»Kathy, was blieb mir denn anderes übrig? Ich kann Sie nicht einfach gegen jemand Neues austauschen. Was hätte ich machen sollen, als ich vor vier Tagen durch meine Tochter über Nina von dieser undichten Stelle erfuhr? Ihren Rücktritt fordern? Und dann was? Überlegen Sie mal, wie lange es dauert, Sie zu ersetzen. Eine Sicherheitsüberprüfung, die Nominierung, die Bestätigung durch beide Häuser. Die Zeit hatte ich nicht. Und wenn Sie Ihren Sessel geräumt hätten … überlegen Sie mal, wer der Nächste in der Rangfolge gewesen wäre.«

Sie antwortet nicht, senkt den Blick. Der Verweis auf Sprecher Lester Rhodes scheint ihr nicht zu schmecken.

»Aber vor allem, Kathy, konnte ich mir nicht sicher sein, ob Sie es sind. Ich konnte mir nicht sicher sein, ob es überhaupt einer von Ihnen ist. Klar, ich hätte Sie alle sechs feuern können, um den geheimen Informanten zweifelsfrei auszuschalten. Doch das hätte bedeutet, praktisch mein gesamtes nationales Sicherheitsteam zu verlieren, während ich gerade mehr denn je darauf angewiesen bin.«

»Sie hätten uns mit dem Lügendetektor überprüfen können«, sagt sie.

»Klar. Das hat Carolyn vorgeschlagen. Sie alle dem Test zu unterziehen.«

»Haben Sie aber nicht.«

»Nein, habe ich nicht.«

»Wieso nicht, Sir?«

»Das Überraschungsmoment«, antworte ich. »Dass ich von der Existenz einer undichten Stelle wusste, war mein einziges Ass im Ärmel, denn der Verräter wusste nicht, dass ich es weiß. Hätte ich Sie alle dem Detektortest unterzogen und Sie gefragt, ob Sie Informationen über *Dark Ages* geleakt haben, dann hätte ich meine Karten auf den Tisch gelegt. Derjenige, der dahintersteckt, hätte gewusst, woran er mit mir ist. Ich fand es klüger, mich dumm zu stellen.

Deshalb habe ich alles darangesetzt, das Problem zu lösen«, fahre ich fort. »Ich habe mich hinter die Staatssekretärin des Verteidigungsministeriums geklemmt und sie unabhängig überprüfen lassen, ob die Neuauflage unserer militärischen Operationssysteme gelungen ist. Für den Fall, dass Minister Dayton unser Verräter ist. General Burke hatte denselben Auftrag für unser Zentralkommando in Übersee, für den Fall, dass Admiral Sanchez ein doppeltes Spiel spielt.«

»Und Ihnen wurde versichert, dass alles zufriedenstellend ausgeführt wurde.«

»Einigermaßen zufriedenstellend. Natürlich konnten wir in zwei Wochen nicht alles hundertprozentig wiederherstellen, aber immerhin gut genug, um Bomben abzuwerfen und Luft- und Bodenstreitkräfte einzusetzen. Unsere Wehrübungen waren erfolgreich.«

»Ist daraus zu schließen, dass Sie Dayton und Sanchez von Ihrer Liste gestrichen haben? Sind es jetzt nur noch vier?«

»Was meinen Sie, Kathy? Sollen wir sie streichen?«

Sie lässt es sich eine Minute durch den Kopf gehen. *»Falls einer von ihnen der Verräter wäre, dann würde er sicher nicht die Dummheit begehen, etwas in seinem unmittelbaren Verantwortungsbereich zu sabotieren. Sie könnten das Codewort anonym geleakt haben. Sie könnten Informationen an den Feind weitergegeben haben. Aber bei diesen klar umrissenen Aufträgen, die Sie ihnen erteilt haben – stehen sie direkt im Scheinwerferlicht. Das können sie nicht vermasseln. Sie flögen sofort auf. Wer das getan hat, der hat es sich gründlich überlegt.«*

»Genau das denke ich auch«, sage ich. »Und deshalb habe ich keinen von der Liste gestrichen.«

Was ich Kathy da erkläre, ist schwer verdauliche Kost, und

dabei ist ihr bewusst, dass ich, wenn ich von dem Verräter spreche, sie im Auge haben könnte. Jeder hätte damit seine Schwierigkeiten. Andererseits begreift sie auch, dass sie in dieser ganzen Situation nicht das Unschuldslamm spielen kann.

Schließlich sagt sie: *»Mr President, falls wir das alles überstehen –«*

»Wenn«, korrigiere ich sie. »Wenn wir das alles überstanden haben. Hier gibt es kein ›falls‹. ›Falls‹ ist keine Option.«

»Wenn wir das alles hinter uns haben«, fängt sie noch einmal an, *»werde ich Ihnen zu einem angemessenen Zeitpunkt meinen Rücktritt anbieten, zu Ihrer freien Entscheidung. Wenn Sie mir nicht trauen können, Sir, weiß ich nicht, wie ich Ihnen weiterhin dienen kann.«*

»Und was dann?«, frage ich zurück und spreche damit bewusst zum zweiten Mal das heikle Thema an.

Sie blinzelt ein paar Mal, obwohl die Antwort relativ naheliegt. *»Nun, selbstverständlich würde ich erst zurücktreten, wenn Sie einen geeigneten Ersatz gefunden hätten –«*

»Sie bringen es nicht einmal über sich, seinen Namen auszusprechen, Kathy, nicht wahr? Den Ihres Freundes Lester Rhodes.«

»Ich … ich weiß nicht, ob ich ihn als meinen Freund bezeichnen würde, Sir.«

»Ach nein?«

»Gewiss nicht. Ich – ich bin ihm heute Morgen zufällig –«

»Hören Sie auf«, sage ich. »Von mir aus können Sie sich selbst was vormachen, Kathy. Aber lügen Sie mich nicht an.«

Einen Moment lang bewegt sie noch die Lippen, als suche sie nach Worten, dann macht sie den Mund zu und schweigt.

»Was war wohl das Erste, was ich getan habe, als ich vor vier Tagen von der undichten Stelle erfuhr?«, frage ich. »Dreimal dürfen Sie raten. Sie können es sich denken, nicht wahr?«

Sie schüttelt den Kopf, wagt jedoch nicht, explizit zu widersprechen.

»Ich habe Sie beide überwachen lassen«, sage ich.

Sie fährt sich mit der Hand an die Brust. *»Sie haben … mich …«*

»Nicht nur Sie, sondern alle sechs«, sage ich. »Mit FISA-Vollmachten. Ich habe die eidesstattlichen Erklärungen eigenhändig unterschrieben. *So etwas* hatten diese Richter noch nie gesehen. Liz Greenfield vom FBI wurde mit der Ausführung betraut. Abfangeinrichtungen, Abhörmaßnahmen, das ganze Pipapo.«

»Sie haben …«

»Verschonen Sie mich mit Ihrer Entrüstung. Sie hätten an meiner Stelle dasselbe getan. Und versuchen Sie mir schon gar nicht weiszumachen, Sie seien Lester Rhodes heute Morgen auf Ihrem Weg zum Frühstück ›zufällig‹ über den Weg gelaufen.«

Was kann sie darauf schon erwidern. Nach allem, was sie sich geleistet hat, wackelt der Stuhl, auf dem sie sitzt, an allen vier Beinen. Sie macht ein Gesicht, als wollte sie sich in irgendeinen Winkel verkriechen.

»Konzentrieren Sie sich auf das Problem«, sage ich. »Vergessen Sie mal für einen Moment die politischen Ränkespielchen. Vergessen Sie die Anhörung nächste Woche. Vergessen Sie, wer in einem Monat Präsident sein wird. Unser Land sieht sich einer gigantischen Bedrohung gegenüber, und das Einzige, was jetzt zählt, ist, die Katastrophe abzuwenden.«

Sie nickt, bringt kein Wort heraus.

»Falls mir etwas zustößt, sind Sie am Ball«, sage ich. »Also reißen Sie sich gefälligst zusammen, und halten Sie sich bereit.«

Wieder nickt sie, zuerst zögerlich, dann schon energischer. Ihre Haltung strafft sich, als wische sie innerlich alles andere beiseite, um sich auf eine neue Strategie einzustimmen.

»Carolyn wird Sie mit den Krisenplänen vertraut machen. Die sind nur für Ihre Augen gedacht. Sie werden die Einsatzzentrale nicht verlassen. Sie werden mit niemandem außer Carolyn und mir kommunizieren können. Verstanden?«

»Ja«, antwortet sie. *»Darf ich etwas sagen, Sir?«*

Ich seufze. »Ja.«

»Setzen Sie mich an den Lügendetektor«, sagt sie.

Ich zucke zurück.

»Das Überraschungsmoment ist hinfällig«, fährt sie fort. *»Sie haben mir alles gesagt. Unterziehen Sie mich einem Test, und fragen Sie mich, ob ich* Dark Ages *verraten habe. Von mir aus fragen Sie mich auch nach Lester Rhodes. Fragen Sie, was Sie wollen. Aber fragen Sie mich, verdammt noch mal, ob ich jemals in irgendeiner Weise unser Land verraten habe.«*

Das, muss ich zugeben, habe ich nicht kommen gesehen.

»Fragen Sie mich«, beharrt sie, *»und ich werde Ihnen die Wahrheit sagen.«*

80

Berlin, Deutschland, 23:03 Uhr.

Vier Dinge passieren zur gleichen Zeit.

Erstens: Eine Frau in einem langen weißen Mantel tritt durch die Eingangstür des Hochhauses, mehrere Einkaufstüten wie unhandliche Gewichte in beiden Händen. Sie geht zielstrebig zu dem Angestellten am Empfang, nicht ohne sich im prächtig verzierten, weitläufigen Foyer umzusehen und die Kamera in der Ecke zu registrieren. Sie stellt ihre Taschen ab und lächelt den Concierge an. Er fragt sie nach ihrem Namen, sie öffnet ihr Klappetui und zeigt ihm ihre Marke.

»Polizei«, sagt sie, ihr Lächeln verfliegt. »Ich benötige Ihre Hilfe, und zwar unverzüglich.«

Zweitens: An der östlichen Gebäudeseite, an der ein scharfer Wind von der Spree herüberweht, fährt ein großer orangefarbener Müllwagen der Berliner Stadtreinigungsbetriebe vor. Als das Fahrzeug hält, geht die Heckklappe hoch. Zwölf Männer, Spezialkräfte der GSG9, einer Eliteeinheit der Polizei, springen in Kampfausrüstung – kugelsichere Weste, Helm und Einsatzstiefel – sowie mit speziellen Nahkampfgewehren vom Typ HK-MP5 bewaffnet heraus. Die nur wenige Meter entfernte Tür zum Wohngebäude öffnet sich dank dem Portier am Empfang automatisch, und die Männer betreten das Gebäude.

Drittens: Ein Helikopter mit dem Logo eines Fernsehsenders auf weißem Grund, in Wahrheit jedoch ein Tarnkappenhubschrauber, der über die Möglichkeit verfügt, geräuschlos zu operieren, schwebt leise über dem Dach desselben Gebäudes. Aus dem Helikopter seilen sich vier GSG9-Spezialkräfte zehn Meter tief auf das Flachdach ab und entkoppeln, sobald sie gelandet sind, die Seile von ihren Gurten.

Und viertens: Suliman Cindoruk lacht sich beim Anblick seines Teams in der Penthouse-Suite ins Fäustchen. Seine vier Männer – die letzten vier Mitglieder der Söhne des Dschihad außer ihm – müssen sich immer noch von den Ausschweifungen der letzten Nacht erholen; halb nackt und ungepflegt, verkatert, wenn nicht noch betrunken, tapsen sie durch die Wohnung. Seit sie heute aufgewacht sind, manche nicht vor Mittag, haben sie unterm Strich rein gar nichts getan.

El Murod, über dessen Wampe sich das leuchtend violette T-Shirt spannt, plumpst aufs Sofa und greift zur Fernbedienung, um den Fernseher einzuschalten. Mahmad, in fleckigem Unterhemd über den Boxershorts und mit zu Berge stehenden Haaren, nuckelt an einer Flasche Wasser. Hagan, der als Letzter aufgewacht ist, mampft mit nacktem Oberkörper und in Jogginghosen ein paar Weintrauben, die er zwischen den Resten vom nächtlichen Gelage gefunden hat. Levi, schlaksig und linkisch, sehr spärlich gekleidet, bettet, nachdem er letzte Nacht mit Sicherheit seine Jungfräulichkeit verloren hat, mit einem verklärten Lächeln seinen Kopf in ein Kissen auf dem Sofa.

Suli schließt die Augen und genießt die Brise im Gesicht. Manche klagen über den scharfen Wind von der Spree, besonders abends, doch er kann nicht genug davon bekommen. Der Wind gehört zu den Dingen, die er am meisten vermissen wird.

Aus schierer Gewohnheit überprüft er die Pistole neben sich. So wie Tag für Tag beinahe stündlich.

Er checkt das Magazin, überzeugt sich davon, dass es geladen ist.

Geladen mit einem einzigen Schuss.

81

Als sie sich im Treppenhaus von Stockwerk zu Stockwerk hinaufbewegen, sichern sie in eingeübter Taktik jedes Geschoss mit einem Polizisten, den sie als Wachtposten zurücklassen, bevor sich das übrige Team weiter hinaufbegibt. Überall sind blinde Flecken, auf jedem Stockwerk tote Winkel, ideal für einen Hinterhalt. Ihre Kontaktperson am Empfang im Foyer hat ihnen für das gesamte Treppenhaus Entwarnung gegeben, doch die Auskunft ist nur so verlässlich wie das, was auf den Überwachungsmonitoren zu sehen ist.

Der von Team eins, ein Mann namens Christoph, ist jetzt schon elf Jahre bei der GSG9. Als die zwölf Mann seines Trupps in den Flur des Penthouse-Stockwerks gelangen, meldet er dem Einsatzleiter per Funk: *»Team eins an roter Position.«*

»Rote Position halten, Team eins«, kommt die Anweisung des Einsatzleiters von seinem Standort aus, einem Fahrzeug unten auf der Straße.

Die Einsatzleitung dieser Operation hat der Kommandeur der GSG9 höchstpersönlich übernommen. Soweit Christoph weiß, ist dies das erste Mal, dass der höchstrangige Beamte eine Mission selbst leitet. Andererseits kommt es natürlich auch nicht alle Tage vor, dass die Eliteeinheit eine Anweisung vom Kanzler persönlich erhält.

Die Zielperson ist Suliman Cindoruk, hat Kanzler Richter dem Kommandeur klargemacht. *Sie müssen ihn lebendig fas-*

sen, in einem Zustand, der es ermöglicht, ihn unverzüglich zu verhören.

Daher die ARWEN, die Anti Riot Weapon Enfield, in Christophs Händen, eine Nahkampfwaffe, geladen mit nicht tödlicher Munition, die ihre fünf Gummigeschosse im Magazin in vier Sekunden verschießt.

Sechs der zwölf Männer sind mit ARWENs bewaffnet, um ihre Ziele unschädlich zu machen, die anderen sechs mit MP5-Maschinenpistolen, für den Fall, dass tödliche Munition erforderlich wird.

»Team zwei, Status?«, meldet sich der Kommandeur.

Team zwei, das sind die vier Männer auf dem Dach. »Team zwei an roter Position.« Zwei der GSG9-Beamten stehen bereit, um sich vom Dach auf den Balkon darunter abzuseilen. Zwei weitere sichern das Dach für den Fall eines Fluchtversuchs.

Doch es wird keine Flucht geben, denkt Christoph. *Der Bursche gehört mir.*

Das hier wird sein Osama bin Laden.

Durch die Hörmuschel der Kommandeur: *»Team drei, bestätigen Sie Anzahl und Standort der Ziele.«*

Team drei ist der Helikopter in der Luft, der mithilfe von Infrarotwärmesignatur die Anzahl der Personen im Penthouse erkennt.

»Bestätigt: fünf Ziele, Kommandeur«, kommt die Antwort. *»Vier im Innern des Penthouse, alle im Wohnzimmer versammelt, einer auf dem Balkon.«*

»Fünf Zielpersonen, verstanden. Team eins, an gelbe Position verlagern.«

»Team eins verlagert an gelbe Position.« Christoph dreht sich zu seinen Männern um und nickt. Sie gehen in Anschlag.

Christoph drückt sachte die Klinke der Tür zum Penthouse, holt einmal Luft und stößt die Tür energisch auf.

Im Flur ist niemand, es herrscht Stille.

Alle zwölf schleichen geduckt und mit erhobenen Waffen

lautlos über den Teppichboden zur einzigen Tür an der rechten Wand. Seine Sinne sind in höchster Alarmbereitschaft, Christoph spürt die Körperwärme und die Energie der Männer hinter ihm, riecht den Zitronenduft des Teppichbodens, hört den schweren Atem im Rücken und gedämpftes Lachen hinter der Tür vorne am anderen Ende des Flurs.

Noch acht Meter. Sechs Meter. Adrenalinstoß. Beschleunigter Puls. Doch mit voller Körperkontrolle, Siegesgewissheit –

Klick-klick-klick.

Er fährt mit dem Kopf nach links herum. Das Geräusch ist leise, doch nicht zu überhören. An der Wand ist ein winziges quadratisches Kästchen, ein Thermostat –

Nein, kein Thermostat.

»Mist«, sagt er.

82

Suliman zündet sich eine Zigarette an und überprüft sein Handy. Nichts Neues an der internationalen Front. Das Wasserproblem in Los Angeles scheint ihnen allerdings Sorgen zu machen. *Haben die Amerikaner den Köder geschluckt?*, wüsste er gern.

Drinnen im Penthouse reißt Hagan eine Silberschale vom Buffet-Tisch und erbricht sich hinein. Der teure Champagner, vermutet Suli. Hagan mag ja ein begnadeter Codierer sein, trinkfest ist er nicht –

Sulis Handy gibt einen schrillen Piepton von sich, den er für einen einzigen Fall reserviert hat.

Für die Auslösung des Sensors im Flur.

Instinktiv streift er mit der Hand die Pistole an seiner Seite, die mit dem einen Schuss Munition.

Er wird sich niemals lebendig festnehmen lassen. Niemals

werden sie ihn in einen Käfig sperren und verhören, ihn verprügeln und mit Waterboarding foltern, ihn wie ein Tier dahinvegetieren lassen. Wenn er stirbt, dann auf seine Art, indem er sich den Lauf unters Kinn hält und abdrückt.

Aber natürlich weiß er, dass wie bei all seinen Schwüren irgendwann die Stunde der Wahrheit schlagen könnte. Und er hat sich immer gefragt, ob er, wenn es so weit wäre, tatsächlich den Mut aufbringen und die Sache durchziehen würde.

83

»Die haben uns reingelegt!«, sagt Christoph in wütendem Flüsterton. »Team eins, verlagern an grüne Position.«

»Team eins, verlagert an grüne Position.«

Nachdem sie den Überraschungsangriff nun vergessen können, hasten die Männer zur Tür und verteilen sich fächerförmig in doppelter Zutrittsformation, je fünf Mann an einer Seite, während zwei Männer mit einem Rammbock zurücktreten, bereit, die Tür aufzubrechen.

»Die Zielperson auf dem Balkon hat das Wohnzimmer betreten«, sagt der Leiter von Team drei im Helikopter mit der Wärmesignatur-Aufklärung.

Das ist er, mit Sicherheit, denkt Christoph und stählt sich innerlich.

Mit einem mächtigen Stoß brechen sie die Tür auf. Sie birst aus den Scharnieren und kracht, mit der oberen Hälfte zuerst, in die Wohnung.

Die Polizisten, die links und rechts am nächsten stehen, werfen Blendgranaten hinein und wenden sich an der Schwelle blitzschnell ab. Eine Sekunde später detonieren die Granaten mit einem Knall von hundertachtzig Dezibel und einem gleißenden Licht.

Fünf Sekunden lang werden die Männer drinnen im Zimmer blind, taub und in Schockstarre sein.

Eins, zwei. Christoph ist, sobald das weiße Licht verpufft, als Erster drinnen, noch bevor das Dröhnen ganz verhallt.

»Keine Bewegung! Keine Bewegung!«, brüllt er auf Deutsch und ein Kollege auf Türkisch.

Mit blitzschnellen Kopfbewegungen sucht er den Raum ab.

Der Dicke im lila T-Shirt, halb vom Sofa gerutscht, mit den zugekniffenen Augen – *nicht unser Mann.*

Der Mann in Unterhemd und Boxershorts, der mit einer Wasserflasche nach hinten taumelt und zu Boden geht – *negativ.*

Der Mann mit nacktem Oberkörper, der benommen auf dem Boden liegt, eine Obstschale auf der Brust – *nein.*

Christoph ist mit einem Satz hinter dem Sofa, wo jemand in Unterwäsche bewusstlos daliegt. *Nicht* –

Und schließlich an der Glastür zum Balkon die letzte Zielperson, die es hingestreckt hat: eine junge Asiatin, nur mit BH und Höschen bekleidet, mit einem gequälten Gesichtsausdruck.

»Nur fünf Zielpersonen, Team drei?«, brüllt er.

»Bestätige, Teamleiter. Fünf Zielpersonen.«

Christoph stürmt an dem Mädchen vorbei, das bereits einer der Kollegen überwältigt hat. Er öffnet die Schiebetür, ist mit einem Satz in geduckter Haltung auf dem Balkon und schwenkt seine Anti-Riot-Waffe hin und her. Der Balkon ist leer.

»Die übrige Wohnung ist leer«, meldet sein stellvertretender Kommandoführer, als Christoph mit hängenden Schultern ins Wohnzimmer zurückkehrt.

Enttäuscht blickt er sich um und sieht zu, wie fünf Personen mit Kabelbindern gefesselt und, immer noch benommen, nur halb bei Bewusstsein, vom Boden hochgezerrt werden.

Und dann wandert sein Blick zu einer Zimmerecke unter der Decke.

Zu der Kamera, die in seine Richtung zeigt.

84

»*Guten Tag*«, sagt Suliman mit gespieltem Salut zu dem Elitepolizisten, der ihn nicht sehen kann. Der Bursche macht ein so belämmertes Gesicht, dass Suli beinahe Mitleid mit ihm hat.

Als der Kellner zu seinem Tisch kommt, klappt er auf der Terrasse des Biergartens direkt an der Spree, zwanzig Kilometer vom Penthouse entfernt, seinen Laptop zu. »Haben Sie heute Abend noch einen Wunsch, Sir?«, fragt der Kellner.

»Ich möchte gerne zahlen«, sagt Suliman. Er muss los. Es ist eine lange Bootsfahrt.

85

Im schwarzen Besprechungszelt beendet Kanzler Richter sein Telefonat. »Es tut mir leid, Mr President.«

»Spurlos verschwunden?«, frage ich.

»Ja. Die anderen, die festgenommen wurden, sagen aus, er habe die Wohnung zwei Stunden zuvor verlassen.«

Er war uns also wie immer einen Schritt voraus.

»Ich … ich muss nachdenken«, sage ich.

Ich öffne die Planen des Zelts und gehe wieder zum Blockhaus hinauf. Ich hatte mir wirklich Hoffnungen gemacht, mehr, als ich mir eingestanden habe. Das war unsere beste Chance. Der letzte Mensch, der das Virus noch hätte aufhalten können.

Mit Alex Trimble begebe ich mich in den Keller. Ich höre sie schon vom Flur aus, bevor ich die Einsatzzentrale betrete.

In der Tür bleibe ich stehen, halte mich auf Abstand. Die Techniker beugen sich in einer dichten Traube über eine Freisprecheinrichtung, zweifellos im Austausch mit dem übrigen Threat-Response-Team im Pentagon.

»Ich sag ja, wenn wir die Sequenz invertieren würden!«, ruft Devin gerade ins Telefon. »Ihr wisst schon, was *invertieren* heißt, ja? Ihr habt da irgendwo ein Lexikon rumliegen?«

Die Antwort auf Lautsprecher: *»Aber WannaCry hat nicht –«*

»Das hier ist nicht WannaCry, Jared! Das hier ist keine Erpressersoftware. Das hier hat nicht das Geringste mit WannaCry zu tun. Das hier ist anders als alles, was ich überhaupt je zu Gesicht bekommen habe.« Devin schleudert eine leere Wasserflasche quer durch den Raum.

»Devin, hör zu, ich sag doch nur, wir müssen darauf achten, was sie vielleicht durch die Hintertür …«

Während die Stimme aus dem Pentagon weiterredet, blickt Devin zu Casey auf. »Er faselt immer noch von WannaCry, echt zum Heulen.«

Casey läuft im Raum auf und ab. »Das ist eine Sackgasse«, sagt sie, »das bringt uns nicht weiter.«

Ich mache kehrt und verlasse den Raum. Sie haben meine Frage schon beantwortet.

»Ich bin im Kommunikationsraum«, gebe ich Alex Bescheid. Er folgt mir bis zur Tür, doch ich gehe allein hinein.

Ich ziehe die Tür hinter mir zu. Schalte das Licht aus.

Ich sinke auf den Boden und kneife die Augen zu, obwohl es bereits dunkel ist.

Ich greife in meine Tasche, hole meine Ranger-Münze hervor und fange an, meinen Eid aufzusagen.

»Ich habe mich freiwillig zu den Rangers gemeldet, im vollen Wissen um die Risiken und Gefahren …«

Die vollständige Vernichtung einer Nation mit dreihundert Millionen Menschen. *Dreihundert Millionen Menschen,* ruiniert, verzweifelt, in Angst und Schrecken, all dessen beraubt, was sie eben noch besaßen – Sicherheit und Geborgenheit, Ersparnisse, Träume –, alles von ein paar Genies mit dem Computer zunichtegemacht.

»… Mein Land erwartet von mir, dass ich weiter gehe und schneller bin und härter kämpfe als jeder andere Soldat …

… Ich werde mehr als mein Soll erfüllen, was immer es sei, hundert Prozent und dann …«

Hunderte Testcomputer, gebraucht und unbrauchbar. Unsere besten Experten ohne einen Anhaltspunkt, wie sie das Virus stoppen sollen. Ein Virus, das jede Minute zuschlagen kann, während der eine Mensch, der fähig wäre, es in seine Schranken zu verweisen, mit uns Katz und Maus spielt und von ferne zusieht, wie eine deutsche Eliteeinheit sein Penthouse stürmt.

»… Ich werde sie im Gefecht verteidigen …

Für einen Ranger gibt es das Wort Kapitulation nicht.«

Vielleicht nicht, doch falls uns das Virus weiterhin standhält, wird mir nichts anderes übrig bleiben, als die drakonischsten Maßnahmen zu ergreifen, um die Menschen davon abzuhalten, sich im Kampf um Nahrung, sauberes Wasser und Obdach gegenseitig umzubringen.

Wenn es so weit kommt, sind wir nicht mehr wiederzuerkennen. Dann sind wir nicht länger die Vereinigten Staaten von Amerika oder das, was die Welt jemals darunter verstanden hat. Ganz zu schweigen davon, dass ungeachtet des Chaos auf Amerikas Straßen die reale Gefahr eines Krieges besteht, mit dem Risiko eines atomaren Schlagabtauschs, ernster als zu irgendeinem Zeitpunkt seit Kennedy und Chruschtschow.

Die Selbstgespräche helfen mir nicht weiter. Ich muss mit jemandem reden. Ich hole mein Handy heraus und rufe den Mann für den Notfall an. Nach drei Klingelzeichen meldet sich Danny Akers.

»Mr President«, sagt er.

Schon allein seine Stimme zu hören hebt meine Stimmung.

»Ich weiß nicht weiter, Danny. Ich fühle mich, als wäre ich sehenden Auges in einen Hinterhalt marschiert. Und mir gehen die Kaninchen aus, die ich noch aus dem Hut zaubern könnte. Diesmal werden sie uns möglicherweise schlagen. Ich habe keine Antwort.«

»Noch nicht. Du hast immer eine, hast immer eine gehabt.«

»Aber das hier ist was anderes.«

»Weißt du noch, als sie dich mit der Bravo Company zu Desert Storm schickten? Weißt du noch, wie das lief? Obwohl du noch nicht mal die Ranger-Ausbildung in der Tasche hattest, haben sie dich zum Corporal gemacht, um dich zum Gruppenführer zu ernennen, nachdem Donlin in Basra verwundet worden war. Vermutlich die schnellste Beförderung dieser Art in der Geschichte der Bravo Company.«

»Auch das war was anderes.«

»Du wurdest nicht ohne Grund befördert, Jon. Schon gar nicht vor all den anderen, die an der Akademie gewesen waren. Was meinst du wohl, warum?«

»Was weiß ich. Aber wie gesagt, das war –«

»Blödsinn, die Sache machte die Runde, bis in die Staaten. Der Leutnant sagte, als es Donlin erwischte und ihr unter feindlichem Beschuss wart, hättest du übernommen. Er nannte dich ›die geborene Führungspersönlichkeit, die immer einen kühlen Kopf behält und einen Ausweg findet‹. Und damit lag er richtig. Jonathan Lincoln Duncan – und das ist kein Schmus –, in diesem Moment möchte ich keinen anderen zum Oberbefehlshaber haben als dich.«

Ob er nun recht hat oder nicht, ob ich ihm glaube oder nicht, ich trage die Verantwortung. Schluss mit dem Gejammer, steh's durch!

»Danke, Danny.« Ich rapple mich hoch. »Auch wenn du da jede Menge Blödsinn redest, trotzdem danke.«

»Kopf hoch, Mr President und finde einen Weg«, sagt er.

86

Ich trenne die Verbindung, stecke das Handy weg und mache Licht. Bevor ich die Tür öffnen kann, bekomme ich einen Anruf. Es ist Carolyn.

»Mr President, ich habe Liz in der Leitung.«

»Mr President, wir haben bei der Vizepräsidentin den Lügendetektortest durchgeführt«, erklärt Liz. *»Das Ergebnis war nicht eindeutig.«*

»Heißt?«, hake ich nach.

»Das heißt: ›keine Klärung des Falls‹, Sir.«

»Und was schließen wir daraus?«

»Nun ja, Sir, offen gesagt, war mit diesem Ergebnis zu rechnen. Wir haben unsere Fragen schnell zusammengestoppelt, statt sie wie normalerweise mit großer Sorgfalt vorzubereiten. Außerdem ist zu berücksichtigen, dass sie, ob schuldig oder unschuldig, unter enormem Stress steht.«

Ich habe einmal einen Lügendetektortest bestanden. Bei den Irakis. Sie stellten mir alle möglichen Fragen über Truppenbewegungen und die Stationierung von militärischem Gerät. Ich habe sie nach Strich und Faden belogen, aber trotzdem bestanden. Weil ich bei der Ausbildung Gegenmaßnahmen erlernt hatte. Es gibt Tricks, mit denen man den Detektor schlagen kann.

»Halten wir ihr immerhin zugute, dass sie sich auf eigene Initiative dem Test unterzogen hat?«, frage ich.

»Nein, eher nicht«, antwortet Carolyn. *»Wenn sie nicht besteht, kann sie es auf den Stress schieben und uns genau dies vorhalten – wieso hätte ich mich wohl freiwillig gemeldet, wenn ich etwas zu verbergen hätte?«*

»Außerdem«, fügt Liz Greenfield hinzu, *»musste sie wissen, dass wir sie und alle anderen früher oder später ohnehin testen würden. Sie hat sich also freiwillig für etwas gemeldet, das, wie ihr sehr wohl klar war, früher oder später ohnehin fällig geworden wäre.«*

Sie haben recht. Kathy war Strategin genug, um dies alles durchdacht zu haben.

Himmel, keine Zeit zum Durchatmen.

»Carolyn«, sage ich, »es ist Zeit, die Telefonate zu führen.«

87

»Mr Chief Justice, ich wünschte, ich könnte Ihnen mehr sagen«, erkläre ich dem Vorsitzenden des Obersten Gerichtshofs am Telefon. »Im Moment muss ich mich nur vergewissern, dass alle Mitglieder des Obersten Gerichtshofs in Sicherheit sind und wir einen abhörsicheren Kommunikationskanal mit Ihnen haben.«

»Verstehe, Mr President«, sagt der oberste Richter der Vereinigten Staaten. *»Wir sind alle in Sicherheit, und wir alle beten für Sie und unser Land.«*

Ganz ähnlich verläuft das Telefonat mit dem Mehrheitsführer des Senats, der zusammen mit seinem Leitungsteam in unterirdische Bunker gebracht wird.

Lester Rhodes, der nach allem, was ich ihm dargelegt habe, instinktiv mit Misstrauen reagiert, fragt zurück: *»Mr President, mit was für einer Art von Bedrohung haben wir es hier zu tun?«*

»Darüber kann ich Ihnen im Moment keine Auskunft geben, Lester. Für den Augenblick muss es genügen, dass Sie und Ihre Führungskräfte in Sicherheit sind. Sobald ich kann, werde ich Sie unterrichten.«

Ich lege auf, bevor er mit der Frage herausrücken kann, was dies für die Anhörung vor dem Sonderausschuss nächste Woche zu bedeuten hat, garantiert einer seiner ersten Gedanken. Wahrscheinlich denkt er, das Ganze sei nur ein Ablenkungsmanöver. Bei Leuten von Lesters Schlag ist so etwas das Erste, was ihnen in den Sinn kommt. Da sehen wir uns einer Krise gegenüber, die wir als DEFCON1-Szenario, den höchsten Alarmzustand, behandeln, um die Handlungsfähigkeit unserer Regierung sicherzustellen, und er hat immer noch nichts anderes als billige Machtspielchen im Kopf.

Im Kommunikationsraum klicke ich den Laptop an und rufe Carolyn Brock an.

»Mr President«, sagt sie, *»sie befinden sich alle sicher in der Einsatzzentrale.«*

»Brendan Mohan?«, frage ich, mein nationaler Sicherheitsberater.

»In Sicherheit, ja.«

»Rod Sanchez?« Vorsitzender der Vereinigten Stabschefs.

»In Sicherheit«, sagt Carolyn.

»Dom Dayton?« Verteidigungsminister.

»In Sicherheit.«

»Erica Beatty?«

»In Sicherheit, Sir.«

»Sam Haber?«

»Ja, Sir.«

»Und die Vizepräsidentin.«

Der Kreis der sechs.

»Sie sind alle wohlbehalten in der Einsatzzentrale«, sagt Carolyn.

Kopf hoch und finde einen Weg.

»Sorgen Sie dafür, dass sie in ein paar Minuten alle mit mir sprechen können«, weise ich sie an.

88

Ich kehre zur Cyber-Einsatzzentrale zurück, wo die Computerspezialisten nach wie vor ihr Bestes geben. Mit ihren relativ jungen Gesichtern, den müden, geröteten Augen, dem Ernst und der Dringlichkeit, mit der sie ihre Arbeit tun, wirken sie eher wie Studenten, die für ihre Abschlussprüfungen pauken, als wie Cybersicherheitsexperten bei dem Versuch, die Welt zu retten.

»Aufhören«, sage ich. »Alle mal aufhören.«

Es wird still im Raum. Ihre Augen sind auf mich gerichtet.

»Könnte es vielleicht sein«, frage ich, »dass ihr alle einfach viel zu gescheit seid?«

»Zu gescheit, Sir?«

»Ja. Ich meine, Sie verfügen über so viel Fachwissen und haben es hier mit einem so vertrackten Problem zu tun, dass es Ihnen vielleicht gar nicht erst in den Sinn kommt, nach einer einfachen Lösung zu suchen? Dass Sie den Wald vor Bäumen nicht sehen.«

Casey blickt sich im Raum um, zuckt mit den Achseln. »An diesem Punkt bin ich für so ziemlich alles offen – «

»Zeigen Sie's mir«, sage ich. »Ich will das Ding sehen.«

»Das Virus?«

»Ja, Casey, das Virus. Das Ding, das dabei ist, unser Land zu zerstören, falls Sie nicht wissen, welches Virus ich meine.«

Alle sind nervös, erschöpft – es liegt Verzweiflung in der Luft.

»Tut mir leid, Sir.« Sie senkt den Kopf und macht sich an einem Laptop an die Arbeit. »Ich zeige es Ihnen am besten am SmartScreen«, sagt sie, und zum ersten Mal wird mir klar, dass es sich bei der Weißwandtafel in Wirklichkeit um eine Art Computer-Smartboard handelt.

Ich blicke auf das Screen, auf dem in diesem Moment ein langes Menü von Dateien erscheint.

Casey scrollt sie herunter, bis sie eine anklickt. »Da ist es«, sagt sie. »Ihr Virus.«

Ich sehe zweimal hin:

Suliman.exe

»Wie bescheiden von ihm«, sage ich. Er hat das Virus nach sich selbst benannt. »Das also ist die Datei, die wir zwei Wochen lang nicht finden konnten?«

»Sir, es hat sich der Entdeckung entzogen«, erklärt Casey. »Nina hat es so programmiert, dass es jede Erfassung umging und, na ja, jedes Mal, wenn wir danach suchten, verschwand.«

Ich schüttle den Kopf. »Können Sie das Ding dann öffnen? Lässt es sich öffnen?«

»Ja, Sir. Selbst das hat uns eine Menge Zeit gekostet.« Sie tippt auf ihrem Laptop etwas ein, und auf dem SmartScreen erscheint der Inhalt des Virus.

Ich weiß nicht, was ich erwartet hatte. Vielleicht ein kleines grünes Monster, das mit seinem gefräßigen Maul Daten und Ordner verschlingt.

Dabei sieht es nach Buchstaben- und Zahlensalat aus. Sechs Zeilen aus scheinbar wild zusammengewürfelten Symbolen – Et- und Pfund-Zeichen, Groß- und Kleinbuchstaben, Zahlen, Satzzeichen –, nichts, was auch nur entfernt an ein geschriebenes Wort in irgendeiner Sprache erinnert.

»Ist das so etwas wie ein chiffrierter Code, den wir aufdröseln sollen?«

»Nein«, sagt Augie. »Er ist verschleiert. Nina hat den Schadcode so verschleiert, dass man ihn nicht analysieren und durch Reverse-Engineering rückgängig machen kann. Es geht gerade darum, ihn unlesbar zu machen.«

»Aber Sie haben ihn doch nachgebildet, oder?«

»Ja, weitestgehend«, räumt Augie ein. »Sie haben hier tolle Leute in diesem Raum, aber wir können uns nicht sicher sein, dass wir alles rekonstruiert haben. Fest steht, dass wir den Timing-Mechanismus nicht wiederherstellen konnten.«

Ich atme aus, stemme die Hände in die Hüften, blicke zu Boden.

»Na schön, Sie können ihn nicht unschädlich machen, deaktivieren, was auch immer.«

»Stimmt«, sagt Casey. »Sobald wir nämlich versuchen, ihn zu deaktivieren oder zu entfernen, wird er aktiv.«

»Erklären Sie mir, was ich unter ›aktiv‹ zu verstehen habe. Sie meinen, er löscht alle Daten?«

»Er überschreibt alle aktiven Daten«, sagt sie, »sodass sie nicht wiederhergestellt werden können.«

»Als ob ich eine Datei in den Papierkorb verschieben und sie dann da noch einmal löschen muss, wie bei meinem Macintosh in den Neunzigerjahren?«

Sie kräuselt die Nase. »Nein. Wenn etwas gelöscht ist, dann ist es als solches gekennzeichnet. Es ist inaktiv, wird zu nicht zugeordnetem Speicherplatz, der für anderweitige Daten zur Verfügung steht, wenn die Speicherkapazität ans Limit kommt –«

»Casey, bitte, kein Fachchinesisch!«

Sie schiebt die dicke Brille hoch. »Ist eigentlich nicht wichtig, Sir. Ich wollte damit nur sagen, wenn der User eine Datei löscht, ist sie nicht endgültig weg. Auf dem Computer erscheint sie als gelöscht, damit Speicherplatz frei wird, und sie verschwindet aus Ihren aktiven Dateien. Aber ein Experte könnte sie rekonstruieren. Bei diesem Virus verhält es sich anders. Das Wiper-Virus überschreibt die Daten. Und das *ist* endgültig und unwiderruflich.«

»Zeigen Sie's mir«, fordere ich sie zum zweiten Mal auf. »Zeigen Sie mir, wie das Virus die Daten überschreibt.«

»In Ordnung. Wir haben eine Simulation erstellt, für den Fall, dass Sie es sich ansehen wollen.« Casey führt auf dem Computer eine Reihe von Schritten in so atemberaubendem Tempo durch, dass ich keine Ahnung habe, was sie da treibt. »Hier ist eine beliebige aktive Datei auf diesem Laptop. Sehen Sie? Hier? All diese Zeilen, die verschiedenen Eigenschaften der Datei?«

Auf dem SmartScreen hat sich ein Fenster mit den Eigenschaften einer einzelnen Datei geöffnet. Mehrere horizontale Zeilen, jede mit einer Zahl oder einem Wort.

»Und jetzt zeige ich Ihnen dieselbe Datei, nachdem sie überschrieben wurde.«

Nun erscheint ein anderes Bild auf dem SmartScreen.

Wieder hätte ich es mir dramatischer vorgestellt, der tatsächliche visuelle Eindruck ist enttäuschend.

»Es ist identisch«, sage ich, »außer dass die letzten drei Zeilen durch eine Null ersetzt worden sind.«

»Das ist die Überschreibung. Die Null. Was davon überschrieben wurde, ist nicht wiederherzustellen.«

Ein paar Nullen. Amerika wird von ein paar Nullen in ein Dritte-Welt-Land verwandelt.

»Zeigen Sie mir das Virus noch mal«, sage ich.

Sie bringt ihn ruck, zuck wieder auf den Screen, diesen Wirrwarr aus Buchstaben, Zahlen und Symbolen.

»Wenn das Ding da loslegt, ist alles weg, einfach so?« Ich schnippe mit den Fingern.

»Nicht ganz«, antwortet Casey. »Manche Wiper-Viren funktionieren so, aber dieses hier nimmt sich eine Datei nach der anderen vor. Das ist zwar immer noch ziemlich schnell, aber langsamer als ein Fingerschnippen. Etwa so wie der Unterschied, an einem Herzinfarkt zu sterben oder an Krebs.«

»Wie langsam ist langsam?«

»Keine Ahnung, vielleicht zwanzig Minuten.«

Finde einen Weg.

»Ist in das Ding da ein Zeitmechanismus eingebaut?«

»Gut möglich. Das können wir nicht sagen.«

»Falls nicht, was wäre die andere Möglichkeit?«

»Dass es auf einen Ausführen-Befehl wartet. Dass die Viren in jedem befallenen Rechner miteinander kommunizieren. Einer davon erteilt den Ausführen-Befehl, und dann tun sie es, zeitgleich auf allen Rechnern.«

Ich sehe Augie an. »Was von beidem ist es?«

Er zuckt mit den Achseln. »Ich weiß es nicht. Es tut mir leid. Aber Nina hat es mir nicht gesagt.«

»Also können wir nicht mit dem Zeitfaktor spielen?«, frage ich. »Können wir nicht die Zeit auf dem Computer auf ein anderes Jahr zurückstellen? Wenn es darauf programmiert ist, heute hochzugehen, könnten wir dann den Kalender nicht hundert Jahre zurückstellen, sodass es denkt, es müsste noch hundert Jahre warten? Ich meine, wie zum Teufel weiß das Virus, welches Datum und welches Jahr wir haben, wenn wir ihm was anderes sagen?«

Augie schüttelt den Kopf. »Nina hätte es nicht an eine Computeruhr gekoppelt«, sagt er. »Das ist zu unpräzise und zu leicht zu manipulieren. Entweder ist es Master-gesteuert, oder sie hat ihm eine bestimmte Zeitspanne vorgegeben. In dem Fall hat sie von dem gewünschten Datum und Zeitpunkt in Sekunden zurückgerechnet und ihm den Befehl gegeben, nach soundso vielen Sekunden loszulegen.«

»Vor drei Jahren?«

»Ja, Mr President. Das wäre eine einfache Multiplikation, Aberbillionen von Sekunden, na und? Immer noch schlichte Mathematik.«

Bei mir ist die Luft raus.

»Wenn am Zeitschalter nicht zu drehen ist«, frage ich, »wie haben Sie das Virus dann dazu gebracht, hochzugehen?«

»Wir haben versucht, es zu entfernen oder zu deaktivieren«, sagt Devin. »Stattdessen ist es aktiv geworden. Es hat eine Auslöserfunktion, wie eine Sprengfalle, die feindliche Aktivitäten erkennt.«

»Nina hat nicht damit gerechnet, dass es jemals ausfindig gemacht wird«, fügt Augie hinzu. »Und sie hatte recht. Ist ja auch nicht passiert. Aber vorsichtshalber hat sie trotzdem diesen Auslöser installiert.«

»Na schön«, sage ich und fange an, im Raum hin und her zu gehen. »Noch mal alle zusammen. Denken Sie an das große Ganze. Groß, aber einfach.«

Alle nicken und konzentrieren sich, als würden sie ihre Denkweise umprogrammieren. Diese Leute sind Hochleistungsdenker, Tüftler, stets mit den Besten ihrer Zunft im geistigen Wettstreit.

»Können wir – können wir das Virus irgendwie unter Quarantäne stellen? Es in eine Box einschließen, aus der es nicht herausfindet?«

Augie schüttelt den Kopf, bevor ich mit dem Satz zu Ende bin. »Es wird sämtliche aktiven Dateien überschreiben, Mr President. Daran könnte keine ›Box‹ etwas ändern.«

»Das haben wir versucht, glauben Sie mir«, pflichtet ihm Casey bei. »In unterschiedlichen Spielarten. Wir können das Virus nicht von den übrigen Dateien isolieren.«

»Können wir ... könnten wir nicht bei sämtlichen Rechnern die Internetverbindung trennen?«

Sie legt den Kopf schief. »Schon möglich. Es wäre denkbar, dass es sich um ein verteiltes System handelt, bei dem die Viren von Rechner zu Rechner kommunizieren, wie wir gerade sagten, und einer davon sendet den Ausführen-Befehl an die anderen Viren. Gut möglich, dass sie es so angelegt hat. Falls sie es so gemacht hat, dann ja, wenn wir dann alle Geräte vom Internet trennen, können sie den Befehl nicht empfangen, und das Wiper-Virus würde nicht aktiviert.«

»Okay. Und ...« Ich beuge mich vor.

»Sir, wenn wir alles vom Internet trennen ... dann trennen wir alles vom Internet. Wenn wir landesweit sämtliche Internetdienste schließen lassen würden ...«

»... dann würden wir alles lahmlegen, was aufs Internet angewiesen ist.«

»Und genau das für sie erledigen, was die planen, Sir.«

»Und ohne auch nur zu wissen, ob es funktioniert, Sir«, sagt Devin. »Nach allem, was wir wissen, könnte jedes Virus seinen eigenen internen Timer haben, unabhängig vom Internet. In dem Fall fände zwischen den Viren keine Kommunikation statt. Wir wissen es einfach nicht.«

»Also gut.« Ich wringe unablässig die Hände. »Weiter, machen Sie weiter. Was passiert mit dem Wiper-Virus, wenn es mit dem Überschreiben fertig ist?«

Devin breitet die Hände aus. »Wenn es fertig ist, stürzt der Computer ab. Sind die Kerndateien erst mal überschrieben, stürzt der Computer endgültig ab.«

»Aber was ist mit dem Virus?«

Casey zuckt mit den Achseln. »Was passiert mit einer Krebszelle, nachdem der Körper gestorben ist?«

»Sie meinen, das Virus stirbt, wenn der Computer stirbt?«

»Ich ...« Casey sieht Devin an, dann Augie. »*Alles* stirbt.«

»Und wenn nun der Computer abstürzt und Sie die Betriebssoftware neu installieren und den Computer wieder hochfahren würden? Wäre das Virus gleich wieder da, als hätte es nur auf Sie gewartet? Oder wäre es tot? Oder würde wenigstens für immer schlafen?«

Devin überlegt einen Moment. »Das wäre nicht von Belang, Sir. Die Dateien, die Ihnen wichtig sind, wären bereits überschrieben und ein für alle Male verloren.«

»Könnten wir – es ginge sicher nicht, einfach unsere sämtlichen Rechner abzuschalten und zu warten, bis der Zeitpunkt vorüber ist, oder?«

»Nein, Sir.«

Ich trete zurück und sehe alle drei an – Casey, Devin und Augie. »Zurück an die Arbeit. Seien Sie kreativ. Kehren Sie das Oberste zuunterst. Finden. Sie. Einen. Weg.«

Als ich zum Kommunikationsraum hinausstürme, renne ich beinahe Alex um.

Es ist meine letzte Chance. Mein letztes Ass im Ärmel.

89

Mein Kreis der sechs erscheint vollzählig auf dem Computerbildschirm. Eine dieser sechs Personen – Brendan Mohan, NSA-Chef; Rodrigo Sanchez, Leiter der Vereinigten Stabschefs; Dominick Dayton, Verteidigungsminister; Erica Beatty, CIA-Direktorin; Sam Haber, Heimatschutzminister; und Vizepräsidentin Katherine Brandt – einer von ihnen …

»Ein Verräter?«, fragt Sam Haber und bricht das beklommene Schweigen.

»Es kann nur einer von Ihnen gewesen sein«, sage ich. Nachdem es endlich ausgesprochen ist, kann ich eine gewisse Erleichterung nicht leugnen. Seit vier Tagen weiß ich, dass ein Insider mit unserem Feind kollaboriert. Dieses Wissen hat jede Kommunikation mit dieser Gruppe belastet. Es fühlt sich gut an, die Wahrheit endlich auszusprechen.

»Und nun Folgendes«, sage ich, »wer von Ihnen es auch ist, ich habe keine Ahnung, warum Sie es getan haben. Geld, vermute ich, denn ich kann und will einfach nicht glauben, dass einer von Ihnen, Menschen, die ihr Leben in den Dienst des Gemeinwohls gestellt haben, dieses Land so sehr hasst, dass er es in Flammen aufgehen sehen will.

Vielleicht sind Sie da unversehens reingeschlittert. Vielleicht haben Sie das für einen Feld-Wald-und-Wiesen-Hack gehalten. Einen Diebstahl von sensiblen Informationen oder dergleichen. Ihnen war nicht bewusst, dass Sie für unser Land die Hölle lostreten. Und als es Ihnen dann klar wurde, war es zu spät, umzukehren. Das würde ich Ihnen abnehmen. Ich würde Ihnen glauben, dass Sie diese verheerende Entwicklung nicht gewollt haben.

Wenn ich Ihnen das so sage, dann meine ich es auch so. Ich kann mir nicht vorstellen, dass unser Verräter unser Land vernichten will. Er oder sie mag durch Erpressung unter Druck gesetzt worden sein oder konnte der guten alten Bestechung nicht widerstehen, aber ich kann und will nicht glauben, dass einer von Ihnen insgeheim als Agent für eine ausländische Macht arbeitet, die unser Land in die Knie zwingen will.

Doch selbst für den Fall, dass ich mich irre, soll der Verräter unter Ihnen wissen, dass ich Ihre Motive so einschätze. Ich versuche, ihm oder ihr einen Ausweg aufzuzeigen.

Doch das ist im Moment nicht vorrangig«, fahre ich fort. »Im Moment kann es nur darum gehen, das Virus aufzuhalten, bevor es aktiv wird und Chaos und Verwüstung anrichtet. Daher werde ich etwas tun, was ich mir nie hätte träumen lassen.«

Ich fasse selbst nicht, was ich da tue, doch mir bleibt keine andere Wahl.

»Wer von Ihnen auch immer – wenn Sie sich jetzt melden und mir dabei helfen, das Virus zu besiegen, werde ich Sie für alle Verbrechen, die Sie begangen haben, begnadigen.«

Während ich diese Worte ausspreche, forsche ich in den Gesichtern der sechs, doch die Bildschirmsektionen sind zu klein, um ihre Reaktionen zu erkennen.

»Wer von Ihnen es auch ist, die anderen fünf können bezeugen, was ich gerade gesagt habe. Wenn Sie mit mir kooperieren, wenn Sie mir helfen, das Virus zu stoppen, und, und mir sagen, wer dahintersteckt, werde ich Sie begnadigen.

Im Übrigen werde ich diese Mitteilung als geheim einstufen. Sie werden von Ihrem Posten zurücktreten, augenblicklich das Land verlassen und nie zurückkehren. Niemand wird erfahren, weshalb Sie weggegangen sind. Niemand wird je erfahren, was Sie getan haben. Sollten Sie von unserem Feind Geld bekommen haben, können Sie es behalten. Sie werden das Land verlassen und dürfen nie zurückkehren. Aber Sie haben Ihre Freiheit. Was unendlich viel mehr ist, als Sie verdient haben.

Sollten Sie sich nicht stellen, kann ich Ihnen nur Folgendes versichern: Sie werden damit nicht durchkommen. Ich werde nicht ruhen, bis wir den Verantwortlichen entlarvt haben. Sie kommen vor Gericht und werden sich für so viele Verbrechen verantworten müssen, dass ich sie gar nicht alle aufzählen kann.

Doch eins davon wird Hochverrat gegen die Vereinigten Staaten sein, in einem so schweren Fall, dass darauf die Todesstrafe steht.«

Ich hole tief Luft. »Das ist alles, was ich Ihnen zu sagen habe«, komme ich zum Ende. »Sie können sich für Freiheit und vermutlich Reichtum entscheiden und sich darauf verlassen, dass Ihre Tat unter Verschluss bleibt. Oder Sie können als die Ethel und Julius Rosenberg oder der Robert Hanssen dieser Generation in die Geschichte eingehen. Das ist die leichteste Entscheidung, die Sie je zu treffen haben werden.

Dieses Angebot läuft in dreißig Minuten ab, oder bis das Virus hochgeht, je nachdem, was früher passiert«, sage ich. »Treffen Sie eine gute Entscheidung.«

Ich trenne die Verbindung und verlasse den Raum.

90

Ich stehe in der Küche und blicke durchs Fenster in den Garten, in den Wald. Draußen hat die Dämmerung schon eingesetzt. Noch ungefähr eine Stunde, bis die Sonne hinter den Bäumen versinkt. Von »Samstag in Amerika« sind nur noch fünf Stunden übrig.

Und seit meinem Angebot an den Kreis der sechs sind elf Minuten und dreißig Sekunden vergangen.

Noya Baram tritt neben mich, nimmt meine Hand und verschränkt sie mit ihren knöchernen, zarten Fingern.

»Ich habe mir gewünscht, dass in meinem Land ein neuer Geist herrscht«, sage ich. »Ich wollte, dass wir wieder näher zusammenrücken. Ich habe mir gewünscht, dass wir in dieser Krise alle zusammenstehen. Oder wenigstens Fortschritte in diese Richtung machen. Ich hatte es mir zugetraut. Ich hatte wirklich gehofft, das hinzubekommen.«

»Das können Sie immer noch«, sagt Noya.

»Ich kann von Glück reden, wenn ich uns am Leben erhalte«, sage ich. »Und verhindere, dass wir uns über einem Laib Brot oder einem Kanister Benzin an die Gurgel gehen.«

Unsere Nation wird das überleben. Daran glaube ich, aber trotzdem werden wir so weit zurückgeworfen werden. Das Leid wird unermesslich sein.

»Was habe ich bis jetzt übersehen, Noya?«, frage ich. »Was habe ich bisher unterlassen, was ich noch versuchen sollte?«

Sie atmet mit einem tiefen Seufzer aus. »Treffen Sie Vorbereitungen, um, falls nötig, sämtliche aktiven und Reserve-Streitkräfte zu mobilisieren, um die öffentliche Ordnung aufrechtzuerhalten?«

»Ja.«

»Haben Sie die Führung der anderen beiden Staatsgewalten in Sicherheit gebracht?«

»Ja.«

»Bereiten Sie Notfallmaßnahmen zur Stabilisierung der Märkte vor?«

»Schon aufgesetzt«, sage ich. »Was ich meine, Noya, was habe ich übersehen, um es noch aufzuhalten?«

»Ah. Was machen Sie, wenn Sie wissen, dass ein Feind im Anmarsch ist, den Sie nicht mehr aufhalten können?« Sie dreht sich zu mir um. »Viele Staatslenker der Weltgeschichte hätten gern die Antwort auf diese Frage gewusst.«

»Dann zählen Sie mich dazu.«

Sie sieht mich an. »Was haben Sie im Irak gemacht, als Ihr Flugzeug abgeschossen wurde?«

Eigentlich war es ein Helikopter, ein Black Hawk auf einer Such- und Rettungsmission für einen abgeschossenen F-16-Piloten in der Nähe von Basra. Von dem Moment, in dem die irakische Boden-Luft-Rakete unser Heck wegsprengte, und dem Augenblick, als unser Vogel wie ein Kreisel zu Boden stürzte, können nicht mehr als fünf bis zehn Sekunden vergangen sein.

Ich zucke mit den Achseln. »Ich habe nur für mich und mein Team gebetet und mir geschworen, keine Informationen preiszugeben.«

Das ist meine Standardantwort. Nur Rachel und Danny kennen die Wahrheit.

Irgendwie hatte es mich während des Sturzflugs aus der Kabine geschleudert. Wenn ich daran denke, habe ich es wieder lebhaft vor Augen, fühle, wie sich alles dreht, wie sich mir der Magen umdreht, als ich den Rauch und den Treibstoff rieche. Dann erhob sich der Wüstensand wie eine Wand vor mir und pufferte meine turbulente, raue Landung erheblich ab, auch wenn mir erst einmal die Luft wegblieb.

Sand in den Augen, Sand im Mund. Ich konnte mich nicht rühren. Ich konnte nichts sehen. Aber ich konnte hören. Und ich hörte die lebhaften Stimmen der republikanischen Garden nahen, die sich in ihrer Muttersprache laut und aufgeregt verständigten.

Von meinem Gewehr war weit und breit nichts zu sehen. Ich versuchte, den rechten Arm zu bewegen. Ich versuchte, mich umzudrehen. Meine Kurzwaffe war unter mir eingeklemmt.

Ich konnte mich überhaupt nicht rühren. Mein Schlüsselbein war zertrümmert, meine Schulter übel ausgekugelt, und mein Arm lag wie das abgebrochene Körperglied einer Puppe unter dem Gewicht meines Körpers.

Also fiel mir nichts Besseres ein – blieb mir, hilflos, wie ich war, nichts anderes übrig –, als absolut still liegen zu bleiben, in der Hoffnung, dass mich die Irakis, wenn sie kamen, um ihren Siegespreis einzufordern, für tot halten würden –

Warten.

Ich packe Noya am Arm. Erschrocken zuckt sie zusammen.

Ohne ein Wort lasse ich sie stehen und eile die Treppe zur Einsatzzentrale hinunter.

Casey springt fast aus ihrem Stuhl, als sie mich sieht, als sie den Ausdruck in meinem Gesicht sieht.

»Was?«, fragt sie.

»Wir können dieses Ding nicht erledigen?«, sage ich. »Und den Schaden, den es anrichtet, nicht nachträglich wieder in Ordnung bringen.«

»Nein, wie gesagt …«

»Und wenn wir es nun austricksen würden?«, frage ich.

»Austricksen –«

»Sie haben gesagt, wenn man Daten löscht, sind sie nicht mehr aktiv, nicht wahr?«

»Ja.«

»Und das Virus überschreibt nur aktive Dateien, richtig? Das haben Sie gesagt.«

»Ja. Also …«

»Also?« Ich bin mit einem Satz bei Casey und packe sie an der Schulter.

»Was, wenn wir uns tot stellen?«, frage ich.

91

»Uns tot stellen«, wiederholt Casey meine Worte. »Wir löschen die Dateien, bevor es das Virus tut?«

»Also – ich halt mich einfach an das, was Sie gesagt haben«, antworte ich. »Sie sagten, wenn man Dateien löscht, sind sie damit nicht wirklich verloren. Sie werden nur als gelöscht *markiert*. Sie verschwinden nicht unwiederbringlich, sondern sind nur inaktiv.«

Sie nickt.

»Und Sie sagten, das Virus würde nur *aktive* Dateien überschreiben«, fahre ich fort. »Daraus folgere ich, dass es keine inaktiven, als gelöscht markierten Dateien überschreibt.«

Augie, der jetzt am Smartboard steht, wedelt mit dem Finger. »Sie schlagen also vor, dass wir sämtliche aktiven Dateien auf dem Computer löschen sollen.«

»Ja«, sage ich. »Wenn es dann so weit ist, dass das Virus in Aktion tritt, macht es die Augen auf und sieht keine aktiven Dateien, die es löschen kann. Sagen wir so: Stellen wir uns das Virus als einen Attentäter vor, und zwar einen Attentäter mit dem Auftrag, in einen Raum zu marschieren und jeden, der ihm darin vor den Lauf kommt, abzuknallen. Und jetzt stellen wir uns vor, er kommt in diesen Raum, und alle sind schon tot. Glaubt er zumindest. Folglich zieht er gar nicht erst die Waffe. Er macht kehrt und geht, weil sich seine Arbeit erledigt hat.«

»Wir kennzeichnen also jede aktive Datei als gelöscht«, sagt Casey. »Dann wird das Virus aktiviert. Es tut aber nichts, weil es keine aktiven Dateien findet, die es überschreiben kann.«

Sie sieht sich zu Devin um, der skeptisch wirkt. »Und dann was?«, fragt er. »Früher oder später müssen wir all diese Dateien wiederherstellen, nicht wahr? Ich meine, darum geht es uns schließlich – diese Dateien zu erhalten, all diese Daten zu schützen. Wenn wir sie also wiederherstellen, wenn wir sie reaktivieren –, kommt das Virus gleich wieder daher und überschreibt sie eben dann. Es passiert einfach nur später, aber es passiert. Damit zögern wir das Unausweichliche lediglich hinaus.«

Ich sehe im ganzen Raum von einem zum anderen; so schnell gebe ich mich nicht geschlagen. Ich verfüge nicht einmal über einen Bruchteil ihrer Kenntnisse, doch je mehr ich mich mit ihnen unterhalte, desto mehr wird mir bewusst, dass dieser Mangel auch seine Vorzüge haben könnte. Sie haben sich viel zu tief zwischen den Bäumen verrannt, um noch den Wald zu sehen.

»Sind Sie da sicher?«, frage ich. »Woher wollen wir wissen, ob sich das Virus, nachdem es seinen Job erledigt hat, nicht wieder schlafen legt oder stirbt oder was weiß ich? Die Frage habe ich Ihnen vorhin schon einmal gestellt, und Sie kamen mit der Gegenfrage, was die Krebszelle tut, nachdem der Körper gestorben ist. Lassen Sie sich stattdessen mal für einen Moment auf meine Analogie ein. Der Auftragskiller tritt in den Raum, um alle zu töten, und findet sie bereits alle tot vor. Geht der Killer wieder, weil er denkt, seine Aufgabe sei bereits erledigt? Oder bleibt er und wartet eine Ewigkeit, nur für den Fall, dass jemand wieder aufwacht?«

Casey denkt darüber nach und nickt. »Er hat recht«, sagt sie zu Devin. »Wir wissen es nicht. Bei jedem Modell, das wir bisher durchgespielt haben, hat das Virus die Systemdateien überschrieben und den Rechner zum Absturz gebracht. Wir haben uns nie die Frage gestellt, was hinterher mit dem Virus passiert. Wir haben noch nicht ausprobiert, was geschieht, wenn der Rechner anschließend *überlebt*. Wir können nicht mit Sicherheit wissen, ob das Virus aktiv bleibt.«

»Aber wieso *sollte* es *nicht?*«, beharrt Devin. »Ich kann mir nicht vorstellen, dass Nina das Suliman-Virus so programmiert hätte, dass es an irgendeinem Punkt einfach aufhört. Oder?«

Aller Augen richten sich auf Augie, der, die Hände in den Hosentaschen, mit zusammengekniffenen Augen offenkundig hoch konzentriert auf einen Punkt in der Gegenwart oder der Vergangenheit blickt. Unterdessen höre ich nichts anderes als das Ticken der Uhr. Ich hätte nicht übel Lust, ihn zu packen und zu schütteln. Aber er denkt die Sache offenbar gründlich durch. Als er den Mund aufmacht, beugen sich alle anderen im Raum unwillkürlich zu ihm vor.

»Ich denke, Ihr Plan könnte funktionieren«, sagt er. »Ist auf jeden Fall wert, einen Versuch zu starten.«

Ich sehe auf meine Armbanduhr. Seit meinem Begnadigungsangebot sind achtzehn Minuten verstrichen. Bislang keine Kontaktversuche. Wieso nicht? Für den Schuldigen ist es der Deal seines Lebens.

»Machen wir diesen Testlauf, jetzt sofort«, schlägt Casey vor.

Devin verschränkt die Arme, wirkt immer noch nicht überzeugt.

»Was?«, frage ich ihn.

»Das wird nicht funktionieren«, sagt er. »Und wir vergeuden Zeit, die wir nicht haben.«

92

Eine Gruppe zerzauster, schmuddeliger und erschöpfter IT-Experten starrt auf das Smartboard in der Mitte des Raums, während Devin seine Vorbereitungen für den Testlauf abschließt.

»Okay«, sagt Devin und dreht sich von der Tastatur eines der Test-Computer zu seinen Mitstreitern um. »Auf diesem Rechner ist jetzt jede Datei als gelöscht markiert. Selbst die Systemdateien.«

»Sie können die Systemdateien löschen und trotzdem weiter mit dem Rechner arbeiten?«

»Normalerweise nicht. Aber wir haben –«

»Schon gut. Muss ich nicht wissen«, fahre ich fort. »Also … gehen wir's an. Aktivieren Sie das Virus.«

»Ich lösche das Virus, womit ich es nach unserer bisherigen Erfahrung aktivieren sollte.«

Ich wende mich dem Smartboard zu, als Devin etwas tut, wozu selbst ein Dinosaurier wie ich in der Lage gewesen wäre – er klickt die Datei Suliman.exe an und drückt die Löschtaste.

Nichts geschieht.

»Okay, es hat meinem Löschversuch widerstanden«, sagt Devin. »Es hat den Aktivierungsprozess ausgelöst.«

»Devin –«

»Das Virus ist aktiv, Mr President«, übersetzt Casey für mich. »Der Killer hat den Raum betreten.«

Auf dem großen Bildschirm erscheint eine Reihe von Dateien, so wie die Beispiele, die sie mir zuvor gezeigt haben, eine Anzahl von Fenstern mit den jeweiligen Eigenschaften einer Datei in einer Gruppe absteigender Zeilen.

»Es überschreibt sie nicht«, sagt Casey.

Bis jetzt hat der Killer noch niemanden gefunden, den er töten kann. So weit, so gut. Ich wende mich an Casey. »Sie sagten, das Virus brauche ungefähr zwanzig Minuten, um nach sämtlichen Dateien zu suchen. Somit haben wir zwanzig –«

»Nein«, unterbricht sie mich. »Ich habe gesagt, es braucht zwanzig Minuten, um sie eine nach der anderen zu überschreiben. Sie zu *finden* geht wesentlich schneller. Es –«

»Hier.« Devin tippt in die Tastatur und bringt ein Bild vom Suliman-Virus auf das Smartboard.

Suchvorgang fast abgeschlossen ...

Sie hat recht. Es geht deutlich schneller.

Siebzig Prozent ... achtzig Prozent ...

Ich schließe die Augen, öffne sie und starre auf das Smartboard:

Suchvorgang abgeschlossen.
Zahl der gefundenen Dateien: 0

»Okay«, sagt Devin. »Es hat nichts überschrieben. Keine einzige Datei wurde angerührt.«

»Dann sehen wir doch mal, ob der Killer den Raum verlässt und glaubt, der Auftrag sei ausgeführt«, sage ich.

Augie, der, die Hand am Kinn, die ganze Zeit stumm in der Ecke gestanden und nervös mit dem Fuß gewippt hat, klinkt sich wieder ein. »Wir sollten das Virus jetzt löschen – erneut –, nachdem es seine Funktion erfüllt hat. Vielleicht widersetzt es sich jetzt nicht.«

»Oder es wird reaktiviert«, wendet Devin ein. »Wieder aufgeweckt«, sagt er zu mir.

»In dem Fall«, schlägt Augie vor, »machen wir den Testlauf eben noch mal, aber ohne es zu löschen.«

Mit einem Schlag begreife ich, wieso jeder Schritt, den sie machen, Konsequenzen hat, warum jede Taktik, die sie anwenden, mehrere Durchläufe erfordert – wieso es nötig war, so viele Test-Computer anzuschaffen, für so viele Versuche.

»Dann lasst es uns zuerst auf meine Tour machen«, sagt Devin, »da ist die Chance größer, dass das Virus mit den Dateien weiterexistiert –«

Im Raum kommt es zu einer Streiterei, die in mehreren Sprachen geführt wird. Jeder hat eine andere Meinung. Ich hebe die Hand und übertöne den Lärm. »Hey! Hey! Machen Sie es so, wie Augie sagt«, setze ich dem Hin und Her ein Ende. »Löschen Sie das Virus erneut, und schauen Sie, was passiert.« Ich nicke Devin zu. »Tun Sie's.«

»In Ordnung«, sagt er.

Auf dem SmartScreen kann ich verfolgen, wie Devin den Cursor über die einzige aktive Datei auf dem ganzen Rechner bewegt, das Suliman.exe-Virus. Dann drückt er die Löschtaste.

Das Icon verschwindet.

Im Raum ist ein kollektives Ausatmen zu hören, als die führenden Cybersicherheitsexperten der Welt staunend auf den leeren Bildschirm starren.

»Heilige Scheiße«, platzt Casey heraus. »Wissen Sie, wie oft wir schon versucht haben, dieses verdammte Ding zu löschen?«

»Etwa fünfhundert Mal?«

»Es ist buchstäblich das erste Mal, dass so was passiert.«

»Die böse Hexe ist tot?«, fragt Devin und hämmert wie wild in die Computertasten, und was auf dem Screenboard zu sehen ist, wechselt so rasant, dass ich nicht hinsehen kann. »Die böse Hexe ist tot!«

Ich dämpfe meine Begeisterung, unterdrücke eine Woge der Erleichterung. Noch haben wir es nicht geschafft.

»Jetzt stell alle anderen Dateien wieder her!«, sagt Casey. »Wollen doch mal sehen, ob der Killer tatsächlich den Raum verlassen hat.«

»Okay, ich stelle alle als gelöscht gekennzeichneten Dateien wieder her«, sagt Devin und flitzt dabei mit den Fingern fieberhaft auf der Tastatur hin und her. »Außer dem Virus natürlich.«

Ich wende mich ab. Ich ertrage es nicht länger, hinzusehen. Im Raum herrscht absolutes Schweigen.

Ich werfe einen Blick auf mein Handy, um festzustellen, wie spät es ist. Seit meinem Begnadigungsangebot sind achtundzwanzig Minuten vergangen. Niemand hat angerufen. Ich verstehe das nicht. Natürlich habe ich nicht erwartet, dass jemand auf der Stelle ein Geständnis ablegt. Zweifellos muss es denjenigen kolossale Überwindung kosten, etwas so Ungeheuerliches zuzugeben; ein Kraftakt. Noch nie in seinem Leben hat er an einem solchen Scheideweg gestanden. Natürlich braucht er ein paar Minuten, um darüber nachzudenken.

Doch dass er es sich überlegt, steht fest: des Hochverrats gegen Amerika überführt zu werden und dafür die furchtbaren Konsequenzen zu tragen – Gefängnis, Schande, den Ruin für die Familie? Und da biete ich ihm einen Freibrief an, wie er verlockender nicht sein könnte, nicht nur dem Gefängnis oder gar der Todesstrafe zu entgehen, sondern auch der Schmach. Ich habe mein Versprechen gegeben, es geheim zu halten. Niemand würde je erfahren, was der Verräter getan hat. Falls Geld geflossen ist, und alles spricht dafür, kann er sogar das behalten.

Kein Gefängnis, keine Bloßstellung, keine Beschlagnahme – wer würde da Nein sagen? Glaubt mir etwa keiner?

»Mr President«, reißt mich Devin aus meinen Gedanken.

Ich drehe mich zu ihm um. Er deutet mit dem Kopf auf das Screenboard, auf dem eine Reihe Dateien zu sehen sind, samt ihren Eigenschaften in denselben absteigenden Zeilen.

»Keine Nullen«, sage ich.

»Keine Nullen«, bestätigt Devin. »Die Dateien sind wiederhergestellt und aktiv, und das Virus rührt sie nicht an!«

»Ja!« Casey boxt mit der Faust in die Luft. »Wir haben das verfluchte Virus ausgetrickst!« Alle fallen einander in die Arme, klatschen sich mit High Fives ab, endlich erlöst nach Stunden der Frustration.

»Seht ihr? Ich wusste doch, dass das eine gute Idee ist«, witzelt Devin.

In meiner Hand klingelt das Handy.

»Und jetzt probt den Ernstfall!«, rufe ich Devin, Casey und den anderen zu. »Nehmt euch den Pentagon-Server vor.«

»Ja, Sir!«

»Wie lange wird es dauern, Leute? Minuten?«

»Ein paar Minuten«, antwortet Casey. »Vielleicht zwanzig, dreißig? Ein bisschen Zeit müssen wir schon rechnen –«

»Dann Beeilung. Wenn Sie so weit sind und ich gerade nicht hier bin, suchen Sie mich.«

Ich verlasse die Cyber-Einsatzzentrale, um den Anruf anzunehmen.

Seit meinem Begnadigungsangebot sind neunundzwanzig Minuten vergangen. Der Schuldige hat seine dreißig Minuten fast bis zur letzten Sekunde aufgebraucht. Ich blicke auf das Display, sehe das Gesicht, die Anruferkennung.

FBI Liz, lese ich.

93

Im Flur vor der Einsatzzentrale nehme ich den Anruf einer Person entgegen, die ich von meinem Verdacht bereits ausgenommen hatte –

»Mr President?«

»Director Greenfield«, antworte ich.

»Wir konnten gerade Ninas zweites Handy entsperren«, sagt sie. *»Das Handy, das wir hinten im Transporter gefunden haben.«*

»Das ist gut, oder?«

»Hoffen wir zumindest. Wir sind gerade dabei, alles herunterzuladen. Sie bekommen es dann gleich.«

Wieso hatte Nina zwei Handys? Ich habe keine Ahnung.

»Es muss etwas Gutes auf diesem Handy sein, Liz.«

»Die Chance besteht, Sir.«

»Es *muss*«, sage ich und sehe auf die Armbanduhr.

Inzwischen sind einunddreißig Minuten vergangen. Mein Begnadigungsangebot ist abgelaufen, ohne dass sich einer von ihnen gemeldet hat.

94

Hoch oben in der Krone der Weymouth-Kiefer horcht und wartet Bach, das Zielfernrohr ihres Gewehrs durch die Zweige auf die Rückseite des Hauses gerichtet.

Wo bleibt er?, fragt sie sich. *Wo bleibt der Helikopter?*

Sie hat ihre Chance verpasst. Das war er, inzwischen hegt sie daran keinen Zweifel – der dürre, zottelhaarige Mann, der nach dem Präsidenten das Blockhaus betreten hat. Wären ihr nur wenige Sekunden geblieben, um sich zu vergewissern, wäre dieser Mann jetzt tot, und sie säße bereits in einem Flugzeug.

Doch sie hat Rankos Worte aus jenem Sommer, aus jenen drei Monaten, in denen sie bei ihm in die Lehre gegangen ist, nicht vergessen: *Ein Fehlschuss ist weit schlimmer als gar kein Schuss.*

Sie hat auf Vorsicht gespielt. Er hätte im Lauf der Stunden, in denen sie hier schon wartet, erneut herauskommen und ihr eine zweite Chance bieten können. Auch wenn er das nicht getan hat, auch wenn er sich noch nicht wieder vor dem Haus hat blicken lassen, war ihre Entscheidung in dem Moment deswegen nicht unvernünftig oder gar falsch.

In ihren Ohrhörern spielt gerade leise die Gavotte II aus der Orchestersuite Nr. drei in D-Dur, die Wilhelm Friedemann Herzog vor etwa zwölf Jahren bei einem Seminar für Schüler der Suzuki-Methode gespielt hat. Es ist zwar bei Weitem nicht ihr Lieblingsstück von Johann Sebastian Bach: Wenn sie ehrlich ist, hat sie sich noch nie viel daraus gemacht, und wenn überhaupt, dann nicht als Solostück für Geige, sondern von einem ganzen Ensemble gespielt. Aber sie kommt von diesem Stück nicht los. Sie weiß noch, wie sie es auf der Geige ihrer Mutter gespielt hat, zuerst schwerfällig und ungeschickt, doch mit der Zeit flüssiger, bis irgendwann aus einer Aneinanderreihung von Noten etwas Schönes, Berührendes wurde. Und immer wachte ihre Mutter über ihren Fortschritt, korrigierte jeden Strich. *Bogenführung! … Jetzt mit voller Kraft … Erst stark – stark, leicht, leicht … Noch mal … Auf- und Abstrich ausgleichen,* draga … *Griffe langsamer, aber nicht den Bogen – nicht den Bogen! Hier,* draga, *ich zeig's dir.*

Dann griff ihre Mutter selbst zur Violine und spielte die Gavotte aus dem Gedächtnis. Mit solcher Sicherheit und Leidenschaft spielte sie das Stück, dass sie sich in der Musik verlor, dass keine Bombendetonation und kein Artilleriefeuer mehr von draußen hereindrangen und sie im Haus, eingehüllt in die sanfte Magie der Musik, sicher waren.

Ihr Bruder … so viel begabter am Instrument, nicht nur, weil er zwei Jahre älter war und ihr zwei Jahre Geigenunterricht voraushatte, sondern weil es ihm einfach zuzufallen schien, mühelos, als sei die Geige nicht einfach ein Musikinstrument, sondern ein Teil von ihm, als bringe er von Natur aus schöne Musik hervor, so wie man spricht und atmet.

Für ihn eine Geige. Für sie ein Gewehr.

Ein Gewehr, allerdings! Und zum letzten Mal.

Sie sieht auf die Uhr. Es ist Zeit. Es ist über die Zeit.

Wieso passiert dort drüben nichts?

Wo bleibt der Helikopter?

95

»Ich kann Ihnen nicht genug danken«, sage ich zu Kanzler Jürgen Richter.

»Also, ich bin über unseren Fehlschlag in Berlin untröstlich.«

»Das stand nicht in Ihrer Macht. Er wusste, dass Sie kommen.«

Und dann füge ich, indem ich ihn mit dem Vornamen anrede, was bei ihm, einem so förmlichen Mann, nur selten geschieht, hinzu: »Jürgen, wenn es hart auf hart kommt, wird Ihr Einfluss auf die NATO entscheidend sein.«

»Ja.« Er nickt gravitätisch. Er kennt den maßgeblichen Grund, weshalb ich ihn hierhergebracht habe: Ich wollte ihm in die Augen sehen und mich vergewissern, dass unsere NATO-Partner an der Seite Amerikas stehen, sollte ein militärischer Konflikt unausweichlich sein. Sollte sich die traditionelle Rollenverteilung umkehren und die größte Supermacht der Welt auf einmal in einer Krise, die leicht zu einem dritten Weltkrieg eskalieren könnte, auf den Beistand ihrer Partner angewiesen sein, so wäre dies zweifellos die denkbar härteste Bewährungsprobe für Artikel fünf und den Zusammenhalt der NATO selbst.

»Noya.« Ich nehme sie lange und innig in die Arme, schöpfe Trost aus der Freundschaftsgeste.

»Ich könnte bleiben, Jonny«, flüstert sie mir ins Ohr.

Ich trete zurück. »Nein, es ist bereits nach sieben. Ich habe Sie schon länger in Anspruch genommen als geplant. Falls es passiert … falls es zum Schlimmsten … dann will ich nicht für Ihre Sicherheit verantwortlich sein. Und dann werden Sie zu Hause sein wollen.«

Sie widerspricht mir nicht. Sie weiß, ich habe recht. Falls dieses Virus aktiviert wird und sich unsere schlimmsten Befürchtungen erfüllen, werden die Auswirkungen rund um den

Globus zu spüren sein. Wenn das passiert, werden diese Regierungschefs zu Hause gebraucht.

»Aber meine Experten könnten bleiben«, bietet sie mir an.

Ich schüttle den Kopf. »Sie haben getan, was sie konnten. Meine Leute setzen ihre Arbeit jetzt auf dem Pentagon-Server fort, und wie Sie sich vorstellen können, müssen wir dies als innere Angelegenheit behandeln.«

»Selbstverständlich.«

Ich zucke mit den Achseln. »Davon abgesehen, ist das jetzt der Moment der Wahrheit, Noya. Das ist unsere letzte Chance, das Virus zu stoppen.«

Sie nimmt meine Hand in ihre beiden zarten, faltigen Hände. »Israel hat keinen besseren Freund«, sagt sie. »Und ich habe keinen besseren Freund.«

Noya heute dazuzubitten war die beste Entscheidung, die ich treffen konnte. Weil meine engsten Mitarbeiter nicht bei mir sein konnten, waren mir ihre Gegenwart und Beratung ein unbeschreiblicher Trost. Doch unterm Strich können noch so viele Vertraute oder Ratschläge nichts an der Tatsache ändern, dass es am Ende an mir hängt. Ich muss dafür den Kopf hinhalten. Ich trage die Verantwortung.

»Herr Premierminister«, sage ich und schüttle Iwan Wolkow die Hand.

»Mr President, ich hoffe, unsere Experten konnten helfen.«

»Das haben sie, ja. Bitte richten Sie Präsident Tschernokow meinen Dank aus.«

Soweit es meine Leute beurteilen können, haben sich die russischen Kollegen ernsthaft ins Zeug gelegt. Jedenfalls deutete für Casey und Devin nichts auf Versuche hin, die Arbeit zu sabotieren. Was natürlich nicht ausschließt, dass sie etwas zurückgehalten haben. Das können wir nicht beurteilen.

»Meine Experten sagen mir, Ihr Plan, dieses Virus aufzuhalten, könnte funktionieren«, sagt Wolkow. »Wir hoffen sehr, dass sie recht behalten.«

Ich mache mich bei diesem kaltblütigen Mann mit der steinernen Miene schon auf den Anflug eines Grinsens, auf ein ironisches Zucken um die Mundwinkel gefasst.

»Das können wir alle nur hoffen«, sage ich. »Denn wenn es uns trifft, dann trifft es *jeden,* wobei die Leute, die hinter dieser Attacke stecken, natürlich den größten Grund zur Sorge haben, Herr Premierminister. Denn die Vereinigten Staaten werden an den Verantwortlichen Vergeltung üben. Und unsere NATO-Verbündeten haben uns ihren Beistand zugesichert.«

Er nickt, runzelt die Stirn, sieht mich mit tiefer Sorge an. »In den kommenden Tagen«, sagt er schließlich, »werden die Regierungschefs umsichtig und wohlüberlegt agieren müssen.«

»In den kommenden Tagen«, sage ich, »werden wir herausfinden, wer Amerikas Freunde und wer Amerikas Feinde sind. Und niemand wird sich wünschen, unser Feind zu sein.«

Daraufhin verabschiedet sich Wolkow.

Die drei Staatschefs, ihre Berater sowie ihre IT-Experten gehen die Treppe zum Garten hinunter.

Dort landet in diesem Moment auf dem Helipad ein Hubschrauber, um sie hier herauszufliegen.

96

Es geht los.

Auf ihrem Posten in der Weymouth-Kiefer blickt Bach durch das Zielfernrohr ihres Gewehrs zum Garten hinüber.

Atmen. Entspannen. Zielen. Abdrücken.

Der Militärhubschrauber, der über eine Geräuschdämpfung verfügt, sodass das übliche Knattern der Rotoren auf ein leises Flüstern reduziert ist, setzt zur Landung an.

Am Blockhaus geht die Tür auf. Sie spannt alle Muskeln an.

Im Licht der Außenlampen über der Treppe kommen die Staatschefs heraus.

Sie nimmt jeden von ihnen ins Fadenkreuz, sieht die Möglichkeit für einen sauberen Kopfschuss.

Die israelische Premierministerin.

Der deutsche Kanzler.

Der russische Premierminister.

Und andere in ihrem Gefolge. Sie geht ihre Gesichter durch. Eine Sekunde, mehr braucht sie nicht, jetzt, da sie bereit ist.

Atmen. Entspannen. Zielen. Abdrücken.

Ein dunkelhaariger Mann –

– sie krümmt den Finger um den Abzug –

Negativ.

Ihr rauscht das Adrenalin durch den Körper. Es ist so weit, und das war es dann für den Rest ihres Lebens –

Ein langhaariger Mann –

Nein. Nicht ihre Zielperson.

Die Tür steht immer noch offen.

Und geht zu.

»Jebi ga«, flucht sie leise. Er ist nicht herausgekommen. Er ist immer noch da drinnen.

Der Hubschrauber hebt ab. Als er an Höhe gewinnt und seitlich abschwenkt, ist der Wind, den er aufwirbelt, noch an ihrem Aussichtsposten zu spüren; kurz darauf ist der Hubschrauber fast lautlos am Himmel verschwunden.

Er wird das Blockhaus nicht verlassen. Er wird nicht zu ihnen kommen.

Folglich müssen sie zu ihm.

Sie legt ihr Gewehr ab und greift zum Fernglas. Die Leute vom amerikanischen Secret Service sind immer noch auf dem Rasen und an der Hintertür postiert. Gegen die Dunkelheit haben sie rings um den Garten Leuchtfackeln aufgestellt.

Ihr nächster Zug wird um einiges riskanter sein.

»Team eins in Position«, hört sie im Ohr.

»Team zwei in Position.«

Und um einiges blutiger.

97

»Schnell«, sage ich zu Devin und Casey im Keller, wo Devin, ins Netzwerk des Pentagons eingeloggt, daran arbeitet, sämtliche Pentagon-Dateien als gelöscht zu markieren. Kaum habe ich es ausgesprochen, ist mir klar, dass er so schnell arbeitet, wie er nur kann, und es nichts bringt, ihn zusätzlich zu hetzen.

Mein Handy klingelt. »Liz«, sage ich, als ich rangehe.

»Mr President, wir haben den Inhalt von Ninas zweitem Handy jetzt heruntergeladen. Das müssen Sie sich unverzüglich ansehen.«

»Okay. Und wie?«

»Ich schicke es Ihnen direkt auf Ihr Handy.«

»Alles? Wonach soll ich Ausschau halten?«

»Sie hat es nur zu einem einzigen Zweck verwendet«, sagt Liz. *»Sonst nichts. Für alles andere hat sie ein Wegwerfhandy benutzt und für ihre SMS ein zweites Wegwerfhandy. Nina hat mit unserem Insider kommuniziert, Mr President. Sie hat mit unserem … unserem Verräter gesimst.«*

Mir wird eiskalt. Irgendwie hatte ich mir noch ein Fünkchen Hoffnung bewahrt, dass es doch keinen Verräter gibt, dass Nina und Augie das Codewort *Dark Ages* auf anderem Wege erfahren haben könnten und keiner von meinen Leuten so etwas getan hat.

»Raus damit, wer, Liz«, sage ich mit zittriger Stimme. »Wer war es?«

»Kein Name, Sir. Ich habe es Ihnen gerade geschickt.«

»Ich lese es und rufe Sie zurück.«

Ich trenne die Verbindung.

»Devin, Casey!«, sage ich über die Schulter. »Ich bin im Kommunikationsraum. Rufen Sie mich unverzüglich, wenn Sie so weit sind.«

»Ja, Sir.« Eine Sekunde später ertönt das Zeichen für den Eingang einer Nachricht auf meinem Smartphone, eine Nachricht von Liz. Sie hat ein Dokument angehängt, das ich, Alex im Schlepptau, auf dem Weg in den Kommunikationsraum öffne.

Bei dem Dokument handelt es sich um die Transkription eines SMS-Austauschs zwischen zwei Personen, von denen die eine als »Nina« gekennzeichnet ist und die andere als »U/A«, was für »Unbekannter Anrufer« steht – mir wäre lieber »Verräter« oder »Judas« –, nach Datum und Uhrzeit sortiert.

Die erste SMS geht am vierten Mai vom unbekannten Anrufer ein. Das war ein Freitag. An dem Tag bin ich von meiner Europareise zurückgekehrt, nachdem tags zuvor die Nachricht in Umlauf gesetzt wurde, die Vereinigten Staaten hätten einen Mordanschlag auf Suliman Cindoruk vereitelt und die Mutter eines toten CIA-Agenten verlange eine Erklärung.

Ich sehe mir den ersten SMS-Wechsel vom vierten Mai an, und mein Blick fällt auf die Adresse, von der die Nachricht des unbekannten Anrufers kam:

1600 Pennsylvania Avenue

Die SMS kamen aus dem Weißen Haus. Wer auch immer dahintersteckt, hat innerhalb der Wände des Weißen Hauses kommuniziert. Es ist … unfassbar. Ich schiebe es fürs Erste beiseite und lese:

Freitag, 4. Mai
U/A: 1600 Pennsylvania Avenue
Nina: Ort unbekannt.
** alle Zeitangaben Eastern Standard Time **

U/A (7:52): Natürlich habe ich Ihre Nachricht gelesen. Wer sind Sie? Und woher soll ich wissen, dass das ernst gemeint ist?
Nina (7:58): Sie wissen, ich bin echt. Woher sollte ich sonst, auf zwei Sekunden genau, den präzisen Zeitpunkt wissen, wann das Virus auf Ihrem Pentagon-Server aufgetaucht ist?

Nina (8:29): Keine Antwort? Sie haben mir nichts zu sagen?
Nina (9:02): Sie glauben mir nicht? Na schön. Dann sehen Sie eben Ihr Land in Flammen 🔥 untergehen, statt ein Held zu sein, können Sie dann dem POTUS erklären, Sie hätten es verhindern können, haben es aber nicht. Statt Held dumme 🐮 !!
Nina (9:43): Wieso sollte ich Sie belügen? Was habe ich zu verlieren? Wieso ignorieren Sie mich??

Ich denke an den Zeitpunkt zurück. An dem Morgen hatten wir eine Sitzung des Nationalen Sicherheitsteams. Mein innerer Kreis, alle im Weißen Haus.

Egal, wer das hier ist, er hat das mitten im Meeting erhalten.

Ich lese weiter. Nina bombardiert den Unbekannten mit weiteren SMS:

Nina (9:54): Dann wollen Sie offenbar kein Held sein und lieber den Kopf in den Sand stecken und so tun, als gäbe es mich nicht??? 🙈🙉🙊
Nina (9:59): 🔥🔥🔥🔥🔥🔥🔥
Nina (10:09): Vielleicht glauben Sie mir ja nach Toronto

Toronto. Richtig. An dem Freitag kam es zu dem Totalausfall des U-Bahn-Systems in Toronto, und zwar durch ein Computervirus, das wir den Söhnen des Dschihad zuschrieben. Es passierte während der abendlichen Stoßzeit. Nina hat den Vorfall schon am Morgen desselben Tages, bevor es passiert war, in ihrer SMS erwähnt. So wie sie mir später von dem Hubschrauberabsturz in Dubai erzählte, kurz bevor es dazu kam.

Das erklärt also zumindest, wie es angefangen hat. Es war mir bisher ein Rätsel gewesen, wie eine Cyberterroristin und ein Mitglied meines Nationalen Sicherheitsstabs überhaupt miteinander in Verbindung treten konnten. *Nina* hat die Kommunikation eröffnet. Irgendwie hat sie ihre Botschaft zum Judas in unserem inneren Kreis durchbekommen.

Aber egal, wer dieser Insider ist, es fragt sich, wieso er oder sie mich nicht sofort davon unterrichtet hat. Wieso hat derjenige sich nicht gleich bei mir gemeldet, als die erste Nachricht einging? Wieso hat er es geheim gehalten?

Wäre der Insider zu diesem Zeitpunkt damit einfach zu mir gekommen, sähe die Welt jetzt anders aus.

Ich scrolle herunter. Für den vierten Mai war's das.

Der zweite SMS-Austausch folgt am nächsten Tag, am Samstagmorgen, dem fünften Mai. Auch diesmal simst der unbekannte Anrufer aus dem Weißen Haus.

Clever, wird mir bewusst. Dem Verräter war klar, dass seine Kommunikation bis zur genauen Adresse, der 1600 Pennsylvania, zurückverfolgt werden kann, und hat dafür gesorgt, zur Zeit seiner Mitteilungen immer in Gegenwart anderer hochrangiger Staatsdiener zu sein. Sich im inneren Zirkel zu verstecken. Vorsichtig. Clever.

Ich lese:

Samstag, 5. Mai
U/A: 1600 Pennsylvania Avenue
Nina: An unbekanntem Ort
** alle Zeitangaben Eastern Standard Time **

U/A (10:40): Sie sind also ernst zu nehmen. Wollen Sie das, was Sie gestern Abend mit der U-Bahn in Toronto gemacht haben, auch mit unseren militärischen Systemen machen?
Nina (10:58): Das hoch eine Million. Ich hoffe, Sie hören mir jetzt zu!!
U/A (10:59): Ja, ich glaube Ihnen jetzt. Können Sie dieses Virus stoppen?
Nina (11:01): Ja, ich kann Ihnen sagen, wie man es stoppt.
U/A (11:02): Es mir zu sagen, würde nicht helfen. Ich kenne mich nicht gut genug mit Computern aus.
Nina (11:05): Sie müssen sich nicht auskennen, ich sage Ihnen, was Sie tun sollen, furchtbar einfach

U/A (11:24): Dann stellen Sie sich. Begeben Sie sich in die nächste US-Botschaft.
Nina (11:25): Und ab nach Gitmo? Nein danke!!!
U/A (11:28): Dann sagen Sie mir einfach, wie das Virus zu stoppen ist.
Nina (11:31): Und gebe mein Druckmittel aus der Hand?? Das ist der einzige Grund, weshalb Sie mir Amnestie gewähren werden. Wenn ich Ihnen sage, wie Sie das Virus stoppen können, woher soll ich dann wissen, dass Sie sich Ihrerseits an den Deal halten?? Nein, sorry, vergessen Sie's. Niemals.
U/A (11:34): Dann kann ich Ihnen nicht helfen. Kriegen Sie das selber hin.
Nina (11:36): Wieso können Sie mir nicht helfen?????
U/A (11:49): Weil ich jetzt in Schwierigkeiten stecke. Sie haben mir gestern über Toronto geschrieben, bevor es passiert ist, und ich habe niemandem etwas gesagt.
Nina (11:51): Wieso haben Sie keinem was gesagt??
U/A (11:55): Ich hab Ihnen nicht geglaubt. Und lesen Sie keine Nachrichten? Der Präsident wird schon dafür gekreuzigt, dass er Suliman auch nur angerufen hat. Und ich simse hier mit jemandem, der mit ihm zusammenarbeitet. Ich habe einen Fehler gemacht. Aber das ist jetzt nicht mehr zu ändern.
Jedenfalls glaube ich Ihnen jetzt. Ich überlege mir etwas, okay? Warten Sie, bis Sie wieder von mir hören, okay? Bleibt uns so viel Zeit? Wann schlägt das Virus zu?
Nina (11:57): In einer Woche. Ich geb Ihnen bis morgen, nicht länger.

Hier endet die SMS-Korrespondenz vom Samstag, dem fünften Mai. Mir schwirrt der Kopf bei dem Versuch, mir einen Reim darauf zu machen. Das war also kein von langer Hand geplanter Verrat? Es war auch keine Erpressung. Es hatte nichts mit Geld zu tun. Einfach nur eine Fehleinschätzung? Ein Mangel an Urteilsvermögen? Eine falsche Entscheidung nach der anderen, und plötzlich stecken wir in diesem Schlamassel?

Die nächste Nachricht kommt von unserem Verräter, auch diesmal aus dem Weißen Haus, und zwar am folgenden Morgen, Sonntag, dem sechsten Mai:

> U/A (7:04): Ich habe eine Idee, wie wir das machen können und ich mich raushalten kann.
> Sind Sie in der Nähe von Paris?

98

Ein weißer Transporter mit dem Logo von *Lee's Boats and Docks* nimmt die Abfahrt vom Virginia County Highway und biegt auf eine Schotterstraße ein. Weiter vorne ist eine Straßensperre errichtet, ein Schild verkündet: PRIVATGRUNDSTÜCK – ZUTRITT VERBOTEN. Dahinter stehen zwei schwarze SUVs quer.

Der Fahrer des Transporters, der auf den Namen Lojzik hört, hält an und wirft einen Blick in den Rückspiegel, auf die acht Männer im hinteren Teil des Wagens, alle in Körperpanzerung. Vier von ihnen sind mit AK-47 bewaffnet, die anderen vier mit panzerbrechenden Raketenwerfern gerüstet.

»Wenn ich meine Mütze abnehme …«, sagt er, um ihnen das Signal in Erinnerung zu rufen.

Lojzik steigt aus. Mit seiner eingerissenen Baseballkappe, dem Flanellhemd und den löchrigen Jeans entspricht er perfekt dem Bild des Raubeins vom Lande. Er geht auf die SUVs an der Straßensperre zu und hebt eine Hand, als wollte er eine Frage stellen.

»Hallo?«, ruft er. »Wissen Sie vielleicht, wie ich zur County Road 20 komme?«

Keine Antwort. Die Fenster der Karossen sind getönt, sodass man nicht hineinsehen kann.

»Jemand da?«, fragt er.

Er fragt noch einmal. Und noch einmal. Genau, wie sie vermutet hatten: Die Autos sind nicht bemannt. Sie haben zu wenig Agents, erst recht, nachdem die ausländischen Personenschützer mit einen Helikopter der Marines abgeflogen sind.

Und so behält Lojzik seine Mütze auf, die MG-Schützen springen nicht hervor, um mit ihren Raketenwerfern auf die Straßensperre zu ballern.

Gut. Sie werden sie noch für das Blockhaus brauchen.

Lojzik kehrt zum Transporter zurück und nickt den Männern zu. »Offenbar freie Fahrt zum Haus«, sagt er. »Moment.«

Er schaltet in den Rückwärtsgang und fährt bis zum Ende der Schotterstraße zurück. Er bleibt stehen, legt den Vorwärtsgang ein, drückt das Gaspedal durch und rast auf die Barrikade zu.

Wenig später treibt ein Schnellboot langsam auf die kleine Bucht zu, in der Agents vom Secret Service, in der letzten Dämmerung noch gut zu erkennen, in einem Boot Wache halten. Anders als der Transporter mit Team eins, das von Norden her eindringt, ist das Schnellboot wegen mangelnder Deckung nur mit vier Mann besetzt. Zwei Männer stehen am Bug. Zu ihren Füßen an Deck: die anderen beiden Männer flach auf den Planken, außerdem vier mit Unterlauf-Granatwerfern ausgerüstete AK-74-Sturmgewehre.

»Boot sofort anhalten!«, ruft der Secret-Service-Agent durch ein Megafon. *»Dies ist ein gesperrtes Gewässer!«*

Der Anführer, ein Mann namens Hamid, legt die Hände um den Mund und brüllt den Agenten zu: »Können Sie uns an Land holen? Unser Motor springt nicht an!«

»Wenden Sie Ihr Boot!«

Hamid breitet die Arme aus. »Kann ich nicht. Der Motor

tut's nicht!« Der Mann, der neben Hamid steht, sagt mit leicht gesenktem Kopf zu den Männern zu seinen Füßen: »Auf mein Kommando.«

»Dann gehen Sie vor Anker, und wir schicken Hilfe!«

»Ich soll –«

»Anhalten! Sofort Anker werfen!«

In das Boot des Secret Service kommt plötzlich Leben hinein; je ein Mann springt nach links und rechts, der dritte zum Bug, und jeder reißt Planen weg, unter denen fest montierte Maschinengewehre zum Vorschein kommen.

»Jetzt!«, flüstert Hamid und bückt sich selbst nach einer der Waffen.

Die versteckten Männer springen mit ihren AK-74 und Granatwerfern auf und eröffnen das Feuer auf die amerikanischen Agenten.

99

Im Kommunikationsraum wird mir bei der Lektüre der SMS zwischen Nina und unserem Verräter vom Sonntag, dem sechsten Mai, klar, wie Lilly in die Sache verwickelt wurde. Das hat unser Insider ausgeheckt, um Nina ohne weitere Mittelsleute und ohne dass der Insider selbst dabei Fingerabdrücke hinterlässt, unmittelbaren Zugang zu mir zu verschaffen. Ninas Antwort:

Nina (7:23): Ich soll es der Tochter des Präsidenten sagen?
U/A (7:28): Ja. Wenn Sie ihr die Information geben, wird sie die Nachricht direkt an ihren Vater weiterleiten. Und der Präsident wird sich direkt mit Ihnen befassen.
Nina (7:34): Meinen Sie, der Präsident macht diesen Deal mit mir?

U/A (7:35): Und ob er das wird. Amnestie von der Regierung Ihres Heimatlandes im Tausch gegen die Rettung unseres Landes? Natürlich macht er das! Aber Sie müssen sich persönlich mit ihm treffen. Geht das? Können Sie in die USA einreisen?
Nina (7:38): Muss ich ihn persönlich treffen?
U/A (7:41): Ja. Am Telefon würde er sich nicht auf Ihr Wort verlassen.
Nina (7:45): Ich weiß nicht. Woher soll ich wissen, dass er mich nicht sofort nach Gitmo bringen und foltern lässt?
U/A (7:48): Würde er nicht. Glauben Sie mir.

In Wahrheit weiß ich nicht, *wozu* ich bereit gewesen wäre, um dieses Virus zu stoppen. Sicher hätte ich Nina verhört, wenn ich mir davon Antworten versprochen hätte.

Aber die Frage hat sich von Anfang an nicht gestellt, da Nina – zunächst durch Lilly und dann mir bei ihrem Besuch im Weißen Haus – klargemacht hat, dass sie einen Partner habe, der mit der anderen Hälfte des Puzzles vertraut sei. Sie seien ein Verhandlungspaket, machte Nina mir klar, und wenn ich sie im Weißen Haus festhalte, würde ich nie die andere Hälfte zu Gesicht bekommen und somit das Virus nicht aufhalten können.

Genau da, wo wir jetzt stehen.

Nina (7:54): Wenn ich das mache, wenn ich mich mit seiner Tochter in Paris treffe, wer sagt mir, dass der Präsident mich dann ernst nimmt?
U/A (7:59): Das wird er.
Nina (8:02): Wieso? Haben Sie ja auch nicht.
U/A (8:04): Weil ich Ihnen ein Codewort geben werde, das Ihnen augenblicklich Glaubwürdigkeit verschafft. Sobald er dieses Codewort hört, nimmt er Sie ernst. Keine Frage.
Nina (8:09): Okay, was ist der Code?
U/A (8:12): Ich muss Ihnen vertrauen. Ich gebe Ihnen hier ein als geheim eingestuftes Codewort preis. Dafür würde

ich nicht nur meinen Job verlieren, ich käme ins Gefängnis. Kapiert?

Nina (8:15): Ja. Edward Snowden Chelsea Manning?

U/A (8:17): Sowas in der Art. Ich riskiere alles, um Ihnen zu helfen. Ich vertraue Ihnen.

Nina (8:22): Wir müssen uns GEGENSEITIG vertrauen. Ich werde niemals jemandem verraten, wer Sie sind oder was Sie mir gesagt haben. Schwöre bei Gott!!

U/A (9:01): In Ordnung. Ich gehe hier das Risiko meines Lebens ein. Ich hoffe, das ist Ihnen klar. Ich hoffe, ich kann Ihnen vertrauen.

Nina (9:05): Ich tu's. Können Sie auch.

So also hat Nina von *Dark Ages* erfahren. Und einen Tag nach diesem SMS-Wechsel – vor gerade einmal fünf Tagen, diesen Monat – machte Nina Lilly in Paris an der Sorbonne ausfindig und flüsterte ihr *Dark Ages* ins Ohr. Lilly rief mich an, und seit nunmehr über vier Tagen versuche ich herauszubekommen, wer der Insider ist.

Und bin der Wahrheit noch keinen Schritt näher gekommen. Ich scrolle zur nächsten Seite weiter –

»Mr President!« Casey ruft nach mir. »Wir sind so weit!«

Ich stürme aus dem Kommunikationsraum, Alex hinterher, und stoße zu Casey, Devin und Augie in der Einsatzzentrale.

»Bereit, das Virus zu aktivieren?« Ich lege mein Smartphone auf einen Schreibtisch und stelle mich hinter Devin. Casey dreht sich zu mir um. »Mr President, bevor wir loslegen: Ihnen ist klar, dass wir nicht wissen, ob das Virus zwischen den Rechnern kommuniziert. Theoretisch könnte jedes Virus auf jedem befallenen Rechner quer durchs Land einzeln mit einem Timer versehen sein, um zu einem bestimmten Zeitpunkt hochzugehen. Aber ebenso gut wäre es möglich, dass das Virus auf einem Rechner den anderen das Signal gibt, also den Befehl erteilt, das Virus gleichzeitig auf allen betroffenen Rechnern zu aktivieren.«

»Ja, das hatten Sie schon erklärt.«

»Was ich damit sagen will, Sir, ich hoffe, es funktioniert – aber falls nicht, falls das Virus auf dem Pentagon-Server loslegt, könnte es dadurch auch auf den Millionen, eher Milliarden von Endgeräten im ganzen Land aktiviert werden. Wenn unser Plan danebengeht, wird unser schlimmstes Szenario wahr.«

»Es hat beim Probelauf funktioniert«, sage ich.

»Ja. Für unsere Probeläufe haben wir das Virus rekonstruiert, so gut wir konnten. Aber ich kann Ihnen nicht mit hundertprozentiger Sicherheit sagen, ob die Nachbildung perfekt war. Uns standen dafür nur ein paar Stunden zur Verfügung. Es musste sehr schnell gehen. Ich kann also nicht garantieren, dass es bei dem realen Virus klappt.«

Ich hole tief Luft. »Auch wenn wir nichts unternehmen, schlägt das Virus zu«, sage ich. »Vielleicht in einer Minute, spätestens in ein paar Stunden – jedenfalls schon bald. Und diese Vorgehensweise, die wir uns da ausgedacht haben – ist die beste Chance, die wir haben, um das Virus zu besiegen, richtig?«

»Ja, Sir. Es ist das Einzige, was Erfolg verspricht.«

»Also?« Ich zucke mit den Achseln. »Fällt Ihnen was Besseres ein?«

»Nein, Sir. Ich wollte nur, dass Sie die Risiken verstehen. Wenn es nicht funktioniert …«

»Könnte alles in die Hose gehen. Ich hab's kapiert. Das hier kann ein riesiger Sieg für uns sein oder auch Armageddon.« Ich sehe Augie an. »Was meinen Sie, Augie?«

»Ich stimme Ihnen zu, Mr President. Das ist unsere einzige Chance.«

»Casey?«

»Ja. Wir sollten es versuchen.«

»Devin?«

»Einverstanden, Sir.«

Ich reibe mir die Hände. »Also, gehen wir's an.«

Devins Finger schweben über der Tastatur. »Dann mal los –«

»Was?« Alex Trimble, der in meiner Nähe steht, zuckt zu-

sammen und drückt den Finger gegen seinen Ohrhörer. »Die nördliche Zugangssperre wurde durchbrochen? Viper!«, brüllt er in sein Funkgerät. »Viper, können Sie mich hören, Viper?« In einer fließenden Bewegung ist Alex bei mir, packt mich am Arm und zieht mich weg. »In den Kommunikationsraum, Mr President! Wir müssen abriegeln. Es ist der sicherste –«

»Nein, ich bleibe hier.«

Alex ist unnachgiebig, lässt mich nicht los. »Nein, Sir, Sie müssen sofort mit mir kommen.«

»Dann kommen die anderen auch mit«, sage ich.

»Gut, aber sofort.«

Devin zieht das Netzteil seines Laptops, und alle hasten mit uns in den Kommunikationsraum.

Genau in dem Moment, als in der Ferne schweres Maschinengewehrfeuer zu hören ist.

100

Nachdem er mit dem weißen Transporter die Sperre durchbrochen hat, reduziert Lojzik die Geschwindigkeit und kommt fast ganz zum Stehen, um nach dem nicht gekennzeichneten Feldweg zu suchen. Da. Er hat ihn verfehlt. Er hält an, fährt zurück und nimmt die Abzweigung links. Ohne vorher von ihrer Existenz zu wissen, hätte er sie nicht gefunden.

Selbst für ein einziges Fahrzeug ist der Pfad sehr schmal. Und da die hohen Bäume zu beiden Seiten das letzte einfallende Sonnenlicht schlucken, ist es dunkel. Lojzik packt das Lenkrad fest mit beiden Händen und reckt den Hals, während er auf dem unebenen Terrain nur mühsam vorankommt und nur mäßig beschleunigen kann.

Bis zum Blockhaus sind es ganze sechshundert Meter.

Auf dem See tobt ein Gefecht. Team zwei feuert Rauchgranaten ab und nimmt das Boot mit den AK-74 unter heftigen Beschuss. Das Boot erwidert das Maschinengewehrfeuer und zwingt die Angreifer, im Bootsrumpf Deckung zu suchen.

Die wenigen verbliebenen Secret-Service-Agents sind zu Fuß unterwegs und sichern den Garten an der Rückseite des Hauses. Sie rennen zur Anlegestelle, legen an und nehmen ihrerseits das Boot von Team zwei unter Beschuss.

Kaum sind die Agents an der Anlegestelle und konzentrieren sich ganz auf das Schnellboot, eilt Bach im Schutz der Dunkelheit und des Ablenkungsmanövers auf dem See am Waldrand entlang zum Haus und springt in den Fensterschacht der Waschküche im Keller.

101

Alex Trimble zieht die schwere Tür zum Kommunikationsraum zu und schließt von innen ab. Er holt ein Smartphone aus der Tasche und klickt es an.

Devin sitzt mit geöffnetem Laptop auf dem Stuhl, bereit, mit der Arbeit loszulegen.

»Also, Devin«, sage ich. »Aktivieren Sie das Virus.«

Ich blicke Alex über die Schulter auf sein Display. Der Secret Service hat Überwachungskameras auf dem Dach installiert, und Alex und ich sehen uns an, was die nach Norden ausgerichtete Kamera einfängt – ein weißer Transporter, der auf dem Feldweg in unsere Richtung jagt.

»Wo bleiben Sie, Viper!«, ruft Alex in sein Funkgerät. Wie aufs Stichwort eines Bühnenregisseurs erscheint aus dem Nichts ein Marine-Helikopter, Teil einer neuen Flotte von Viper-Kampfhubschraubern, und stößt, sobald er den Transporter eingeholt hat, von hinten herab. Aus seinem Drehflügel geht eine Hellfire-Luft-Boden-Rakete spiralförmig auf den Transporter nieder.

Der Wagen explodiert in einem leuchtenden Feuerball und überschlägt sich, bevor er auf der Seite liegen bleibt. Die Sturmgewehre im Anschlag, rückt eine Formation Agents in kurzen Schritten an. Als Alex auf einen Knopf drückt, wechselt das Bild: Wir haben Sicht nach Südosten, auf einen Kampf zu Wasser, bei dem US-Agents auf einem Boot sowie eine Handvoll auf dem Steg ein feindliches Schnellboot mit schwerem Beschuss vom Ufer fernzuhalten versuchen.

Alex, den Finger am Ohrhörer, ruft in sein Funkgerät: »Navigator, Bahn frei! Bahn frei! Alle Agents Platz machen für Viper!«

Prompt dreht das Boot des Secret Service ab und entfernt sich, während die Agenten auf dem Steg ans Ufer zurücklaufen und am Boden Deckung suchen.

Jetzt kommt der Viper heran und feuert eine weitere Hellfire ab. Das Schnellboot geht in Flammen, Rauch und einer Wasserfontäne unter. Das Boot des Secret Service kentert.

»Und jetzt lasst einen Trupp Marines runter!«, ruft Alex ins Funkgerät, um augenblicklich die nächste Kampfphase einzuleiten. Die Marines im Viper am unweit gelegenen Flughafen auf Abruf zu haben war seine Idee – eine beachtliche Verstärkung für die schmale Besetzung, auf die ich im Interesse der Geheimhaltung bestanden hatte.

»Die Agents im Wasser!«, sage ich zu Alex und stoße ihn an der Schulter.

Er lässt das Funkgerät sinken. »Die haben Schwimmwesten. Denen passiert nichts.« Wieder per Funk: »Wo bleiben meine Marines? Und ich brauche eine Verlustmeldung!«

»Okay, das Virus ist auf dem Pentagon-Server aktiviert«, sagt Devin.

Ich fahre mit dem Kopf herum und konzentriere mich auf Devin, während Alex zur Tür des Kommunikationsraums geht und weiterhin über Funk Anweisungen brüllt.

»Dann schauen wir mal, ob es funktioniert.« Devin atmet hörbar aus. »Zeit für ein Stoßgebet.«

Er tippt in den Computer. Da wir in dem beengten Raum kein SmartScreen haben, blicke ich ihm zusammen mit Casey und Augie über die Schulter, als er auf die Datei-Eigenschaften zugreift, um zu sehen, ob die als gelöscht markierten Dateien überleben.

»Das ist eine Null«, sage ich mit Blick auf die unterste Zeile des Dateieigenschaften-Fensters. »Eine Null ist schlecht, nicht wahr?«

»Es ... nein ... nein ...«, sagt Devin. »Es überschreibt die Dateien.«

»Aber Sie haben sie gelöscht?«, frage ich. »Sie haben sie als gelöscht mar–«

»Ja, ja, ja.« Frustriert packt Devin den Laptop. *»Shit!«*

Ich sehe dieselben Dateieigenschaften, die Fenster mit absteigenden Wort- und Zahlenreihen – und der Null in den letzten Zeilen. »Wieso funktioniert es nicht?«, frage ich. »Was –«

»Offenbar haben wir das Virus in unseren Probeläufen nicht vollständig rekonstruiert«, antowortet Augie. »Die Teile, die wir nicht entschlüsseln konnten.«

»Wir haben etwas übersehen«, sagt Casey.

Mir wird heiß und kalt. »Das heißt, der Server des Pentagons wird gelöscht?«

Casey fährt sich mit der Hand an ihren Ohrhörer. »Wiederholen Sie das!«, sagt sie und schließt, um sich zu konzentrieren, die Augen. »Sind Sie sicher?«

»Was, Casey?«

Sie dreht sich zu mir um. »Mr President, unser Team im Pentagon – die sagen ... das Virus, das wir gerade aktiviert haben, das Virus hat im gesamten System einen Befehl zum Ausführen erteilt. Das Virus ist aktiv im Finanzministerium ...« Sie tippt sich mit dem Finger ans Ohr. »Im Heimatschutz. Im Verkehrsministerium. Ü-Überall.« Sie starrt auf ihr Smartphone. »Auch auf meinem Handy.«

Ich greife nach meinem Smartphone. »Wo ist mein Handy?«
»Oh, nein!«, stößt Augie aus. »Oh nein, oh nein, oh nein.«
»Auch auf meinem«, sagt Devin. »Es ist passiert. Mein Gott, es geht überall hoch! Das Virus greift überall an.« Casey sackt in die Hocke, rauft sich das Haar.
»Es ist passiert«, wiederholt sie. »Gott stehe uns bei.«
Einen Moment lang bin ich fassungslos, es will mir nicht in den Schädel.
Tief in meinem Innern habe ich immer geglaubt, dass es uns irgendwie erspart bleiben würde, dass wir noch irgendeine Lösung fänden.
Gott stehe uns bei, wie wahr!
Dark Ages ist über uns gekommen.

102

Der Privatjet landet auf einer schmalen Piste außerhalb von Zagreb. Suliman Cindoruk streckt die Glieder, steht auf und geht die Treppe hinunter ins Freie.
Dort wird er von zwei Männern begrüßt, jeder hat ein Gewehr geschultert. Große, dunkle Männer, mit undurchdringlicher Miene, nur einem Anflug von respektvoller Anerkennung gegenüber Suli. Er folgt ihnen zu einem Jeep. Sie steigen vorne, er hinten ein. Schon bald fahren sie auf einer zweispurigen Straße parallel zum großartigen Bärenberg, der Medvednica, so majestätisch in seiner –
Als der Klingelton seines Smartphones ertönt, zuckt er zusammen. Damit hat er nicht gerechnet. Der Knall einer explodierenden Bombe. Der Klingelton, den er für ein einziges Ereignis reserviert hat.
Es kommt einige Stunden zu früh. Die Amerikaner müssen versucht haben, es zu entfernen.

Er greift zum Smartphone und liest die ersehnten Worte: Virus aktiviert.

Er schließt die Augen; die Befriedigung rieselt ihm warm den Rücken herunter.

Nichts ist so sexy wie eine gute, vernichtende Überschreibung, die Macht, die er von einer Tastatur aus Tausenden Meilen Entfernung ausüben kann.

Auf der zügigen Fahrt im offenen Jeep, auf der ihm der Wind das Haar aus dem Gesicht bläst, kostet er den Rausch aus. *Er* hat das vollbracht.

Ein Mann hat den Lauf der Geschichte verändert.

Ein Mann hat die einzige Supermacht der Welt in die Knie gezwungen.

Dieser Mann wird bald reich genug sein, um es zu genießen.

103

»Das darf nicht wahr sein!«

»Nein, Gott, nein –«

Rings um mich Panik, Flüche, Schreie. Ich zittere am ganzen Leib. Immer noch starr vor Fassungslosigkeit, warte ich darauf, aus diesem Albtraum aufzuwachen. Benommen taumle ich zu dem Computer im Kommunikationsraum, der durch eine separate Leitung gesichert ist, sodass ihn *Dark Ages* nicht erreichen kann.

Wir sind in die Phase der Schadensbegrenzung eingetreten. Ich muss Carolyn erreichen.

Erstens: Die Partei- und Fraktionsvorstände müssen benachrichtigt werden – Repräsentantenhaus und Senat müssen so schnell wie möglich dem landesweiten Einsatz des Militärs auf unseren Straßen zustimmen, sodann das Haftprüfungsgesetz außer Kraft setzen sowie der Exekutive weitreichende

Vollmachten zur Preiskontrolle und Rationierung knapper Güter übertragen.

Zweitens: Ich muss die vorbereiteten Verordnungen erlassen.

»Moment, was?«, ruft Devin in den Raum. »Moment, Moment, Moment! Casey, sieh dir das an!«

Sie eilt an seine Seite, ich ebenfalls.

Devin arbeitet am Computer – eine Art Scrollen im Schnelldurchlauf, bei dem er von einem Dateienverzeichnis zum nächsten springt. »Es … ich fass es nicht … es …«

»Es *was?*«, brülle ich. »Reden Sie!«

»Es …« Sowie Devin in den Computer tippt, erscheinen mehrere Fenster und verschwinden wieder. »Es hat angefangen … es hat einige Dateien überschrieben, als wollte es uns zeigen, dass es das kann … aber jetzt hat es aufgehört.«

»Es hat aufgehört? Das Virus hat *aufgehört?*«

Casey drängt sich neben mich und starrt ebenfalls auf den Bildschirm. »Was ist *das?*«, fragt sie.

104

Bach steht im Fensterschacht, während auf dem See der Schusswechsel wütet. »Team eins, Status«, sagt sie und wartet auf die Antwort von Lojzik, dem tschechischen Teamleiter.

»Wir rücken zu – was ist – was –«

»Team eins, Status!«, zischt sie möglichst leise.

»Helikoptéra!«, ruft Lojzik in seiner Muttersprache. *»Odkud pochází Helikoptéra?«*

Ein Hubschrauber?

»Team eins –«

Sie hört die Explosion in Stereo, von Norden als auch in ihren Ohrhörern über Lojziks Funkgerät. Sie blickt zu der Stelle, wo die Flammen den Himmel färben.

Ein Angriff mit einem Kampfhubschrauber? Sie verlässt der Mut.

Sie versucht, das Fenster zur Waschküche zu öffnen. Abgeschlossen.

»Jebi ga«, zischt sie in einem ersten Anflug von Panik. Sie packt ihre Faustfeuerwaffe am Schalldämpfer und beugt sich zum Fenster vor –

»Ularning vertolyotlari bor!«, schreit Hamid, der Anführer von Team zwei, ihr ins Ohr. Sie spricht nicht Usbekisch, doch sie ahnt –

»Sie haben Helikopter! Sie –« Diesmal ist die Explosion sogar noch lauter, ein gewaltiger Knall vom See, der ihr zugleich so heftig ans Trommelfell schlägt, dass sie für einen Moment das Gleichgewicht verliert.

Das ist ihr fremd, diese Angst, die in ihr aufsteigt, so heftig, dass ihr davon heiß wird und der Magen zittert. Seit Sarajevo hat sie sich nicht mehr wirklich vor etwas oder jemandem gefürchtet. Sie hatte nicht geahnt, dass sie überhaupt noch dazu fähig ist.

Sie hämmert mit dem Pistolengriff gegen das Fenster und zerschlägt die Scheibe. Sie greift hinein und legt den Griff um, horcht, ob drinnen jemand auf das berstende Geräusch reagiert, ihre übliche Vorsichtsmaßnahme. Fünf Sekunden. Zehn Sekunden. Nichts zu hören.

Sie öffnet das Fenster und gleitet mit den Füßen zuerst in den Kellerraum.

105

»Was?«, frage ich. »Sagen Sie, was los ist.«

»Es ist ein …« Devin schüttelt den Kopf. »Nina hat eine Sicherung eingebaut.«

»Eine Sicherung?«

»Eine – sie hat einen Stopper und eine Passwortsperre eingebaut.«

»Was zum Teufel geht hier vor, Leute?«

Augie berührt mich am Arm. »Offenbar«, sagt er in panischem Ton, »hat Nina einen Mechanismus eingebaut, der das Virus nach der Aktivierung anhält. Wie Devin schon sagte, hat es damit begonnen, eine kleine Datenmenge zu überschreiben, um uns seine Macht zu demonstrieren oder so, aber jetzt ist es ausgesetzt und gibt uns die Gelegenheit, es mit einem Passwort zu stoppen.«

»Das haben wir bei der Rekonstruktion des Virus nicht repliziert«, erklärt Casey. »Wir wussten nichts von seiner Existenz.«

»Und was ist mit den Viren auf den anderen Rechnern und Geräten im ganzen Land?«, frage ich. »Es redet mit ihnen, haben Sie gesagt. Hat es dort auch aufgehört?«

Casey spricht in eindringlichem Ton in ihr Headset. »Jared, wir haben eine Sicherung, die das Virus vorerst außer Kraft setzt – habt ihr das auch? Müsste bei euch genauso sein.«

Ich starre sie an und warte.

Noch nie sind zwanzig Sekunden so langsam vergangen. Ihr Gesicht hellt sich auf, sie hält die Hand wie ein Stoppschild hoch. »Ja«, sagt sie. »Ja! Das Virus auf dem Pentagon-Server muss im gesamten System einen Suspend-Befehl verschickt haben.«

»Demnach ist das Virus überall im Ruhemodus?«

»Ja, Sir. Wir haben eine Galgenfrist.«

»Lassen Sie dieses Passwort-Sicherungs-Dingsbums mal

sehen.« Ich schiebe Augie zur Seite und sehe mir den Bildschirm an.

Passwort eingeben: ______________ 28:47

»Die Uhr«, stelle ich fest. »Das ist ein Countdown, von, was, dreißig Minuten.«

28:41 … 28:33 … 28:28 …

»Dieses Virus ist demnach für rund achtundzwanzig Minuten außer Kraft gesetzt?«

»Ja«, sagt Augie. »Uns bleiben achtundzwanzig Minuten, um das Passwort einzugeben. Sonst wird das Virus endgültig aktiviert. Im gesamten System, auf sämtlichen Geräten.«

»Das darf doch nicht wahr sein«, sage ich und raufe mir das Haar. »Nein, das ist gut, das ist gut, das Spiel ist noch nicht vorbei. Eine letzte Chance. Okay, ein Passwort.« Ich wende mich an Casey. »Haben wir keine Software, die Passwörter entschlüsseln kann?«

»Also … ja, aber nichts, was wir in achtundzwanzig Minuten installieren und einsetzen können, schon gar nicht bei *diesem* Virus. Das würde Stunden, eher Tage oder Wochen –«

»Okay, dann müssen wir raten. Wir müssen raten.«

Einfach, hat Nina in ihrer SMS geschrieben, als es darum ging zu erklären, wie das Virus zu stoppen sei. Sie brauchen kein Experte zu sein, hat sie gesagt.

Einfach.

Einfach, wenn man das Passwort kennt.

»Wie zum Teufel lautet das Passwort?« Ich sehe Augie an. »Hat sie nie etwas erwähnt?«

»Ich hatte nicht die geringste Ahnung davon«, sagt er. »Ich kann nur vermuten, dass sie mich schützen wollte und mir deshalb nichts verraten hat –«

»Aber vielleicht hat sie irgendetwas zu Ihnen gesagt. Ihnen

im Nachhinein einen Hinweis gegeben? Überlegen Sie, Augie, *denken Sie nach!*«

»Ich …« Augie fasst sich mit der Hand an die Stirn. »Ich …«

Ich überlege, was Nina mir im Oval Office gesagt hat. Sie hat davon geredet, dass unser Land in Flammen stehen würde und dass sie und Augie nur im Doppelpack zu haben seien. Dann hat sie mir das Ticket für das Baseballspiel dagelassen. Dann die Sache mit dem Helikopter in Dubai …

Es könnte alles sein.

»Geben Sie ›Suliman‹ ein«, weise ich Devin an.

Er tippt es ein und drückt die Eingabetaste. Das Wort verschwindet.

Passwort eingeben: ______________ 27:46

»Versuch's mit Großbuchstaben«, sagt Casey. »Es könnte zwischen Groß- und Kleinschreibung unterscheiden.«

Devin tut es.

Nichts.

»Dann alles klein.«

»Fehlanzeige.«

»Tippen Sie seinen ganzen Namen ein. Suliman Cindoruk«, sage ich.

Devin tippt, keine Reaktion.

»Mein Gott, wie kriegen wir das raus?«, frage ich.

Einfach, steht in Ninas SMS.

Ich taste meine Taschen ab, sehe mich im Zimmer um. »Wo ist mein Handy? Wo zum Teufel ist mein Handy?«

»Versuch's mit ›Nina‹«, schlägt Augie vor.

»Nichts. Auch nicht in Großbuchstaben«, sagt Devin, nachdem er es versucht hat.

»Auch nicht alles klein.«

»Was ist mit ›Nina Shinkuba‹, alle drei Varianten.«

»Wie schreibt sich Shinkuba?«

Alle sehen Augie an, der mit den Achseln zuckt. »Ich kannte

ihren Nachnamen nicht, bis ich ihn von Ihnen erfahren habe«, sagt er zu mir.

Und ich habe ihn nie schriftlich gesehen. Ich habe die Information von Liz. Ich muss sie anrufen. Wieder klopfe ich meine Taschen ab, sehe mich im Raum um.

»Wo ist mein Handy?«

»Wahrscheinlich s-h-i-n-k-u-b-a«, sagt Casey, »oder s-c-h-i-n-k-u-b-a.« Devin probiert einige Möglichkeiten aus:

Nina Shinkuba
nina shinkuba
NINA SHINKUBA
NINASHINKUBA
ninashinkuba
Nina Schinkuba

Kein Glück. Ich sehe auf den Timer:

26:35

»Wo zum Teufel ist mein Handy?«, frage ich erneut. »Hat irgendjemand –«

Dann fällt es mir endlich ein. Ich habe mein Smartphone in der Einsatzzentrale gelassen. Ich habe es abgelegt, als Devin gerade das Virus aktivieren wollte. Als Alex von den Angriffen draußen hörte und uns in den Kommunikationsraum scheuchte, habe ich es dort vergessen.

»Bin gleich wieder da«, sage ich.

Alex, immer noch dabei, über Funk die Geschehnisse draußen zu überwachen, sieht, was ich vorhabe, und ist mit einem Satz an der Tür, um mir den Weg zu versperren.

»Nein, Sir! Wir sind im Lockdown. Wir haben noch keine Entwarnung.«

»Mein Handy, Alex. Ich brauche es –«

»Nein, Sir, Mr President.«

Ich packe ihn am Hemd, er ist verblüfft. »Ich gebe Ihnen einen direkten Befehl, Agent. Dieses Handy ist wichtiger als mein Leben.«

»Dann hole ich es Ihnen«, erwidert er und greift in seine Tasche.

»Dann beeilen Sie sich, Alex! Los!«

»Einen Moment, Sir«, sagt er und holt etwas aus der Tasche.

»Versuchen Sie's weiter!«, rufe ich meinem Team zu. »Versuchen Sie es mit Augies Namen! Augie Koslenko!«

106

Bach, die auf einer Waschmaschinen-Trockner-Kombination sitzt, stößt sich ab und springt in dem dunklen Raum leise auf den Boden. Sie späht zur Tür hinaus. Wie sie schon vor dem Einsatz wusste, handelt es sich beim Kellergeschoss nicht um ein Labyrinth von Räumen, sondern um einen langen Flur, von dem mehrere Räume und eine Treppe auf halbem Wege links abgehen.

Hinter sich hört sie durch das offene Fenster Geräusche von draußen: den dumpfen Aufprall eines Wasserfahrzeugs auf dem Ufer, gebrüllte Kommandos, das Trampeln vieler Füße, von Männern, die fächerförmig ausschwärmen.

Und dann erneut den Helikopter. Marines, vielleicht eine Sondereinsatztruppe.

Trappeln. In schnellem Lauf. Auf das geöffnete Fenster zu.

Sie geht in die Hocke, hebt ihre Waffe.

Die Männer rennen vorbei und bleiben dann plötzlich stehen. Einer von ihnen hält dicht am Fenster an.

Was haben sie –

Dann hört sie eine Stimme: »West-Team in Position!«

West-Team.

Dies ist die Westseite des Blockhauses. Das West-Team. Folglich gibt es wohl auch ein Nord-, Süd- und Ost-Team.

Haus und Gelände sind umstellt.

Genau in diesem Moment denkt sie an ihre Mutter Delilah und daran, was sie bei jenen nächtlichen Besuchen der Soldaten erduldet hat, was sie jede Nacht für ihre Kinder getan hat, die sie, weit weg vom Schlafzimmer, in eine Kammer einschloss, nachdem sie ihnen Kopfhörer aufgesetzt hatte, um sie in die Passacaglia oder das Konzert für zwei Violinen einzuhüllen und ihnen die Geräusche aus dem Schlafzimmer zu ersparen. »Hört nur auf die Musik«, sagte sie zu Bach und ihrem Bruder.

Bach stählt sich, tritt aus der Waschküche und bis zur Schwelle des Raums links nebenan, der Einsatzzentrale, wie sie das nennen.

Sie wirft einen Blick hinein. Ein großes weißes Screenboard, auf dem zu lesen ist:

Passwort eingeben: ______________ 26:54

Dann ein Wort in einem Fenster: **Nina Shinkuba**

Das Wort verschwindet, ein anderes erscheint: **ninashinkuba**

Die Worte kommen und verschwinden:

NINA SHINKUBA
NINASHINKUBA
ninashinkuba

Die Zahlenfolge neben dem Fenster – eine Art Countdown.

26:42
26:39
26:35

Sie ist, die Waffe im Anschlag, mit einem Satz in dem Raum. Sie durchsucht ihn, findet niemanden. Sie sieht sogar hinter dem

Aktenschrank und einem Stapel Schachteln nach. Niemand hat sich hier versteckt.

Der Raum ist leer. Hier sollte sie ihn finden, doch niemand ist da.

Sie blickt erneut auf den weißen Bildschirm, auf dem jetzt neue Worte eingetippt werden.

Augie Koslenko
AugieKoslenko
augiekoslenko
Augustas Koslenko

Selbstverständlich ist ihr der Name bekannt, aber nicht, wieso er auf einen Bildschirm geschrieben wird.

Als auf einem hölzernen Schreibtisch plötzlich ein Handy vibriert und sich leicht bewegt, schreckt sie zusammen. Auf dem Display steht **FBI Liz**.

Erst jetzt wandert ihr Blick nach oben. Und erst jetzt bemerkt sie die Überwachungskamera in der Ecke, die auf sie gerichtet ist; das blinkende rote Licht lässt keinen Zweifel daran, dass sie eingeschaltet ist und Bach beobachtet.

Sie geht ein Stück nach rechts. Die Kamera bewegt sich mit. Ihr läuft ein Schauder über den Rücken.

Im selben Moment hört sie ein Geräusch aus der Waschküche, jemand tritt von außen gegen das Fenster, um einzusteigen.

Dann eiliges Trappeln über ihr im Erdgeschoss, so viele Männer, dass sie sie gar nicht zählen kann, alle auf dem Weg zur Kellertür. Die Kellertür geht auf.

Polternd eilen die Männer herunter.

Bach hastet zur Tür der Einsatzzentrale, verriegelt sie und geht rückwärts, bis sie mit dem Rücken an die hintere Wand stößt. Sie schraubt den Schalldämpfer von ihrer Pistole ab.

Sie atmet tief ein, kämpft gegen den jagenden Puls in ihrer Kehle an. Ihr Blick ist jetzt von warmen Tränen getrübt.

Sanft legt sie die Hand auf den Bauch. »Du bist mein wunderschönes Geschenk, *draga*«, flüstert sie mit zitternder Stimme in ihrer Muttersprache. »Ich werde immer bei dir sein.«

Sie löst ihr Handy aus der Gürteltasche und hakt ihre Kopfhörer ab, die sich unter ihrem Bodysuit bis zu den Ohren schlängeln. »Hier, *draga*«, sagt sie zu dem Kind in ihr. »Hör dir das an, mein schöner Engel.«

Sie wählt die Kirchenkantate *Selig ist der Mann*. Die innigen Klänge der Streicher, mit dem Solo von Wilhelm Friedemann Herzogs Violine; die empfindsame Einführung der Vox Christi; die bewegten Klagen des Soprans.

Ich ende behende mein irdisches Leben,
mit Freuden zu scheiden verlang ich itz eben.

Langsam gleitet sie an der Wand zu Boden. Sie drückt das Handy an den Bauch und dreht die Lautstärke auf.

»Hör nur auf die Musik, *draga*«, sagt sie.

107

Alex und ich beobachten über das Display seines Smartphones, wie die Auftragsmörderin in der Einsatzzentrale langsam zu Boden gleitet. Sie hat die Augen geschlossen, ihr mit Tarnfarben bemaltes Gesicht strahlt Ruhe aus.

Sie hält sich die Pistole unters Kinn. Ihr Smartphone drückt sie gegen ihren Bauch.

»Sie weiß, dass es kein Entkommen gibt«, sage ich.

»Ansonsten haben wir Entwarnung«, informiert mich Alex. »Die übrigen Räume im Keller und im Rest des Hauses sind gesichert. Da ist nur noch die Frau. Das Einsatzteam ist direkt vor ihrer Tür in Stellung, bereit, den Raum zu stürmen. Jetzt ist es Zeit für uns zu gehen, Mr President.«

»Wir können noch nicht gehen, Alex, wir müssen –«

»Sie könnte Sprengstoff an sich haben, Sir.«

»Sie trägt einen hautengen Bodysuit.«

»Sie könnte ihn darunter haben. Das Handy könnte ein Zünder sein. Sie hält es sich an den Unterleib. Wieso sollte sie das tun?«

Ich sehe noch einmal auf den Bildschirm. Sie hat die Ohrhörer ausgestöpselt, bevor sie das Smartphone an den Bauch drückte.

Eine Erinnerung steigt hoch, daran, wie ich Lilly etwas vorsinge, als sie noch im gewölbten Bauch von Rachel ist.

»Wir müssen hier raus, Sir.« Alex packt mich am Arm. Wenn ich nicht freiwillig mitkomme, wird er mich gewaltsam mitziehen.

Unterdessen versuchen Devin, Casey und Augie weiterhin, das Passwort zu erraten.

»Wie viel Zeit noch, Devin?«

»Zweiundzwanzig Minuten.«

»Können Sie diesen Laptop in die *Marine One* mitnehmen? Funktioniert er da auch?«

»Ja, natürlich.«

»Dann nichts wie los, Leute!«

Als Alex die Tür öffnet, steht auf der anderen Seite schon ein Trupp Marines bereit. Sie geleiten uns die Treppe hinauf, durchs Haus, zum Hinterausgang, von dort die Treppe hinunter und zum Helipad, auf dem uns die *Marine One* erwartet. Alex führt mich fast wie einen Verbrecher ab, während Devin seinen Laptop so behutsam in Händen hält wie ein Kind.

»Ich brauche mein Handy«, wende ich mich an Alex, als wir in den Helikopter drängen. »Bringen Sie uns in die Luft, in eine sichere Entfernung, aber so nah wie möglich am Haus. Und jemand muss mir das Handy bringen.«

Wir steigen in den Hubschrauber; die vertraute Umgebung wirkt tröstlich.

Kaum hat sich Devin auf einen der cremefarbenen Ledersitze fallen lassen, macht er sich schon wieder an die Arbeit. »Jetzt nur noch zwanzig Minuten«, sagt er, als die *Marine One* abhebt und schräg über die Bäume, über das Feuer auf dem See, die Reste des Boots fliegt, das der Viper in die Luft gesprengt hat.

Während ich über Alex' Schulter auf das Smartphone in seiner Hand blicke, rufe ich Devin zu: »Versuchen Sie's mit ›Söhne des Dschihad‹, ›SdD‹ und allen Variationen. Vielleicht auch nur ›Dschihad‹.«

»Ja, Sir.«

Auf dem Bildschirm sieht man die Auftragsmörderin reglos dasitzen, den Lauf ihrer Waffe ans Kinn gedrückt, das Handy an den Bauch gepresst.

An ihren schwangeren Bauch.

Alex hält sich das Funkgerät vor den Mund. »Marines, der Präsident ist in Sicherheit. Sichern Sie den Raum.«

Ich nehme Alex das Funkgerät aus der Hand. »Hier spricht Präsident Duncan«, sage ich. »Wenn möglich, will ich sie lebend.«

108

Sie schließt die Augen und summt die Musik mit; nichts auf der Welt als Delilah, das Kind, das in ihr wächst, und die heiteren Streicher, der beseelte Gesang des Chors.

Nicht das Geräusch der berstenden Tür.

Nicht die Befehle der Soldaten, ihre Waffe fallen zu lassen, sich zu ergeben.

Die SIG immer noch unter dem Kinn, sieht sie zu, wie die Männer sie umstellen und ihre Sturmgewehre auf sie richten. Sie müssen den Befehl haben, sie lebendig festzunehmen. Sonst wäre sie jetzt schon tot.

Sie können ihr nicht mehr wehtun. Sie hat mit ihrer Entscheidung ihren Frieden gemacht.

»Das ist alles, was ich für dich tun kann, *draga*«, flüstert sie.

Sie wirft die Waffe vor sich auf den Boden und legt sich, die Handflächen nach oben, mit dem Gesicht nach unten flach auf den Teppich.

Die Marines ziehen sie wie ein Federgewicht mit einem Griff hoch und führen sie ab.

109

»Bringen Sie uns wieder runter«, sage ich zu Alex. »Ich brauche dieses Smartphone!«

»Noch nicht.« Alex spricht in sein Funkgerät. »Sagen Sie mir, wenn sie außer Gefecht gesetzt ist!« Wenn er die Bestätigung hat, bedeutet das, sie trägt keinen Sprengstoff an sich, oder sie haben die Frau so weit weggeschafft, dass sie keine Bedrohung mehr für mich ist.

Die Marines tragen sie an Beinen und Armen aus dem Raum und verschwinden aus dem Blickfeld der Kamera.

»Und?«, frage ich Devin, auch wenn ich die Antwort schon weiß.

»Fehlanzeige bei ›SdD‹ und ›Dschihad‹ und den Variationen.«

»Versuchen Sie's mit ›Abchasien‹ oder ›Georgien‹«, sage ich.

»Wie buchstabiert man Abchasien?«

»A-b- … ich muss es aufschreiben. Wo ist Papier? *Wo* ist ein Stift und Papier!«

Casey drückt mir einen kleinen Notizblock in die Hand und reicht mir einen Stift. Ich schreibe das Wort auf und lese es ihm vor.

Er tippt es ein. »Nein zur Standardschreibung … nein zu Großbuchstaben … nein zu Kleinschreibung …«

»Streichen Sie den vorletzten Buchstaben. ›Abchasin‹.«
Ninas Nationalität.
Er tut es. »Nein.«
»Sicher, dass Sie es richtig geschrieben haben?«
»Ich … glaube, ja.«
»Sie *glauben*? Das reicht nicht, Devin!« Ich gehe zu seinem Computer hinüber und werfe einen Blick auf den Timer –

18:01
17:58

– und versuche, mir alles in Erinnerung zu rufen, was Nina zu mir gesagt hat und was ich in den SMS gelesen habe –
»Alles gesichert!«, ruft Alex. »Bringen wir diesen Vogel wieder runter!«
Der Pilot reagiert so schnell, wie ich es in der *Marine One* noch nie erlebt habe, er geht fast im Sturzflug hinunter und richtet den Hubschrauber erst waagrecht aus, als wir schon fast auf dem Helipad aufsetzen, das wir eben erst verlassen haben.
Agent Jacobson stürmt herein und reicht mir mein Handy.
Ich rufe das Dokument auf, die Transkription der SMS, die ich im Chaos der letzten Stunde nicht einmal zu Ende lesen konnte.
Das Handy klingelt in meiner Hand. **FBI Liz**, sagt mir die Anruferkennung.
»Liz«, melde ich mich. »Wir haben keine Zeit. Machen Sie's kurz.«

110

Ich rufe Carolyn, meine Stabschefin, an, mit der ich heute schon zig Mal gesprochen habe; doch nach allem, was in der Zwischenzeit passiert ist – der »Totstell-Probelauf«, die Entsperrung von Ninas zweitem Handy durch das FBI, der Überfall auf das Blockhaus, die Entdeckung der Sicherung, die Nina mittels Passwort eingebaut hat –, kommt es mir wie eine Ewigkeit vor.

»Mr President! Gott sei Dank! Ich habe –«

»Hören Sie, Carrie, hören Sie. Ich habe keine Zeit für Erklärungen. Uns bleiben weniger als sechs Minuten, bevor das Virus hochgeht.«

Ich höre, wie Carolyn nach Luft schnappt.

»Es gibt ein Passwort«, fahre ich fort. »Nina hat ein Passwort installiert, um das Virus zu stoppen. Wenn wir das Passwort knacken, deaktivieren wir das Virus in sämtlichen Systemen. Wenn nicht, wird es quer durch sämtliche Systeme aktiv – und wir haben *Dark Ages*. Ich habe mit unseren Cyber-Experten alles versucht. Wir können nur noch raten. Ich brauche jetzt die klügsten Köpfe, die ich kenne. Ich brauche unser nationales Sicherheitsteam. Trommeln Sie alle zusammen.«

»Alle?«, fragt sie. *»Einschließlich der Vizepräsidentin?«*

»Ganz besonders die Vizepräsidentin«, erwidere ich.

»Ja, Sir.«

»Sie war es, Carrie. Ich erklär's Ihnen später. Nur damit Sie Bescheid wissen: Ich habe soeben die Büroräume der Vizepräsidentin im West Wing durchsuchen lassen. Wenn jemand vom FBI bei Ihnen auftaucht, wird er es Ihnen bestätigen. Lassen Sie die nur ihre Arbeit tun.«

»Ja, Sir.«

»Holen Sie alle zu einer Konferenzschaltung zusammen, und schalten Sie mich aus der *Marine One* dazu, denn da befinde ich mich gerade.«

»Ja, Sir.«

»Sofort, Carrie. Wir haben noch … fünf Minuten.«

111

Ich gehe an Devin und Casey vorbei, die in der Hauptkabine der *Marine One* mit völlig ausgelaugtem Gesicht, schweißverklebtem Haar und starr nach oben gerichtetem Blick in ihren weichen Ledersitzen versinken. Sie sehen aus wie aus dem Dampfdrucktopf entwichen; sie haben ihr Letztes gegeben. Ich brauche sie nicht mehr. Jetzt ist es an mir und dem nationalen Sicherheitsteam.

Und Augie, der direktesten Verbindung zu Nina, die wir haben.

Ich gehe zur Heckkabine, winke Augie herein und schließe die Tür hinter mir. Mit zittrigen Händen greife ich zur Fernbedienung unter dem Flachbildfernseher und drücke den Knopf. Sofort erscheinen acht Personen – Liz, Carolyn und der »Kreis der sechs«.

Augie sitzt, den Laptop auf dem Schoß, bereit zu tippen, mir schräg gegenüber.

»Carolyn hat Sie gebrieft?«, frage ich mein Team auf dem Bildschirm. »Es gibt ein Passwort, und wir haben …«

Ich sehe auf mein Handy, dessen Timer ich mit dem des Virus gleichgeschaltet habe.

4:26
4:25

»… viereinhalb Minuten, um es herauszufinden. Wir haben sämtliche Variationen ihres Namens, von Augie und Suliman Cindoruk, von ›Abchasien‹ und ›Georgien‹ und der ›Söhne des

Dschihad‹ probiert. Ich brauche Ideen, Leute, und zwar sofort.«

»Wann hat sie Geburtstag?«, fragt Erica Beatty, die CIA-Direktorin.

Liz, die Ninas Dossier vor sich hat, antwortet: *»Ich glaube, am elften August 1992.«*

Ich nicke Augie zu. »Versuchen Sie es. ›11. August‹, ›elfter August 1992‹ oder ›8-11-92‹.«

»Nein«, sagt Erica. *»Europäer setzen den Tag vor den Monat: ›11-8-92‹.«*

»Richtig.« Mir klopft das Herz an den Schläfen. Ich wende mich an Augie. »Vielleicht versuchen Sie beides.«

Mit gesenktem Kopf und vor Konzentration gefurchter Stirn tippt er und sagt fast im selben Moment zum ersten Versuch: »Nein.«

»Nein« zur zweiten Version.

»Nein« zur dritten.

»Nein« zur vierten.

3:57

3:54

Mein Blick ruht auf Vizepräsidentin Kathy Brandt, die bis jetzt geschwiegen hat.

Endlich hebt Kathy den Kopf. *»Was ist mit ihrer Familie? Familiennamen. Mutter, Vater, Geschwister.«*

»Liz?«

»Mutter Nadja, N-a-d-j-a, Mädchenname unbekannt. Vater Michail. M-i-c-h-a-i-l.«

»Versuchen Sie's, Augie, alle Varianten – alles in Großbuchstaben, alles in Kleinbuchstaben, normal, was auch immer. Und mit ihren beiden Namen zusammen«, das heißt natürlich, mit sämtlichen Schriftvariationen. Jeder Vorschlag zieht einen Rattenschwanz von Umsetzungen nach sich. Jede Variante kostet uns Zeit.

»Überlegen Sie weiter, während er tippt, Leute. Geschwister sind gut. Wie wäre es mit –«

Ich schnippe mit den Fingern, bringe meinen Satz nicht zu Ende. »Nina hatte eine Nichte, nicht wahr? Nina hat mir erzählt, sie hat bei einem Bombenangriff den Tod gefunden. Nina hat dabei einen Granatsplitter in den Kopf bekommen. Wissen wir, wie die Nichte hieß? Liz? Augie?«

»Dazu habe ich keine Angaben«, sagt Liz.

»Die Familiennamen haben nicht funktioniert«, konstatiert Augie. »Ich habe alle Optionen durchprobiert.«

3:14

3:11

»Augie, was ist mit der Nichte? Hat sie Ihnen nie von ihr erzählt?«

»Ich ... glaube, ihr Name fing mit R an ...«

»Fing mit R an? Ich brauche ein bisschen mehr als ›fing mit R an‹. Kommt schon, Leute!«

»Was lag ihr besonders am Herzen?«, fragt Carolyn. *»Was war ihr am wichtigsten?«*

Ich sehe Augie an. »Freiheit? Versuchen Sie's.«

Augie tippt, schüttelt den Kopf.

»Ihre Passnummer«, sagt der Verteidigungsminister Dominick Dayton.

Liz hat sie. Augie tippt sie ein. Nein.

»Wo ist sie geboren?«, fragt Rod Sanchez, Vorsitzender der Vereinigten Stabschefs.

»Ein Haustier – Hund oder Katze«, sagt Sam Haber vom Heimatschutz.

»Der Name der Bahnstation, die sie gesprengt hat«, schlägt Brendan Mohan, der Nationale Sicherheitsberater, vor.

»Wie steht's mit ›Virus‹, ›Zeitbombe‹, ›Wumm‹?«

»Armageddon.«

»Dark Ages.«

»Ihr Name, Mr President.«

»USA. Vereinigte Staaten.«

Alles gute Ideen. Alle mit den möglichen Varianten eingetippt.

Alles Nieten.

2:01

1:58

Soweit ich sehen kann, starrt die Vizepräsidentin mit äußerster Konzentration geradeaus. Was geht ihr in diesem Moment wohl durch den Kopf?

»Sie war auf der Flucht – so viel wissen wir über sie, oder?« Wieder Carolyn.

»Ja.«

»Können wir damit was anfangen? Was war ihr am wichtigsten?«

Ich sehe Augie an und nicke ihm zu.

»Sie wollte nach Hause zurück«, sagt Augie.

»Stimmt«, sage ich. »Aber das haben wir schon versucht.«

»Vielleicht … Abchasien liegt am Schwarzen Meer, nicht wahr?«, sagt Carolyn. *»Hat sie das Schwarze Meer vermisst? So was in der Art?«*

Ich strecke den Finger zu Augie aus. »Das ist gut. Versuchen Sie ›Schwarzes Meer‹, alle Varianten.«

Während Augie tippt, während jeder mit neuen Ideen kommt, behalte ich nur Brandt im Blick, die Person, die ich zu meiner Vizekandidatin gekürt und damit vielen anderen vorgezogen habe, Leuten, die sich glücklich geschätzt hätten, mir und diesem Land loyal zu dienen.

Trotz ihrer stoischen Miene schweift ihr Blick durch den Raum, in dem sie sich befindet, in der Einsatzzentrale unter dem Weißen Haus. Ich wünschte, ich könnte ihr Gesicht besser sehen. Ich wüsste gar zu gerne, ob sie das hier zumindest belastet.

»Nein zu ›Schwarzes Meer‹«, sagt Augie.

Es kommen weitere Vorschläge herein:

»Amnestie.«

»Familie.«

»Aber wo genau ist ihr Zuhause?«, fragt Carolyn. *»Wenn sie die ganze Zeit nur daran gedacht hat, wenn das ihr einziges Ziel war … aus welcher Stadt kommt sie?«*

»Sie hat recht«, sage ich. »Dem sollten wir nachgehen. Augie, wo hat sie gewohnt? Wo genau? Oder Liz. Sonst jemand? Wissen wir, woher sie stammt?«

»Ihre Eltern haben in der Stadt Sochumi gelebt. Das muss die Hauptstadt der Republik Abchasien sein.«

»Gut. Buchstabieren Sie, Liz.«

»S-o-c-h-u-m-i.«

»Los, Augie – ›Sochumi‹.«

»Sind Sie sicher?«, fragt Carolyn.

Ich blicke auf mein Handy, mein Puls spielt verrückt.

0:55

0:52

Ich beobachte die Vizepräsidentin, die den Mund aufmacht. Sie sagt etwas, doch es geht in anderen Vorschlägen unter –

»Moment, alle mal still«, sage ich. »Kathy, was haben Sie gesagt?«

Sie strafft die Haltung, offenbar erstaunt, dass ich mich auf sie konzentriere. *»Ich sagte, versuchen Sie ›Lilly‹.«*

Ich stöhne auf. Es sollte mich eigentlich nicht verwundern, tut es dann aber doch.

Ich zeige auf Augie. »Los. Versuchen Sie's mit dem Namen meiner Tochter.«

0:32

0:28

Augie tippt, schüttelt den Kopf. Versucht es mit Großbuchstaben, schüttelt den Kopf. Versucht noch eine Variante –

»Mr President«, sagt Carolyn. *»Sochumi gibt es in mehreren Schreibungen. Als ich beim Geheimdienstausschuss war, habe ich es immer mit zwei u gesehen ohne o und ohne das i am Ende.«*

Ich senke den Kopf und schließe die Augen. Auch ich entsinne mich an diese Schreibung.

»Nein zu ›Lilly‹«, sagt Augie.

»S-u-c-h-u-m«, sage ich zu ihm.

Er tippt es ein. Es herrscht absolute Stille.

0:10
0:09

Augie nimmt die Finger von der Tastatur. Den Blick auf den Bildschirm gerichtet, hebt er die Hand.

0:04
0:03

»Das Passwort wurde akzeptiert«, sagt er. »Das Virus ist unschädlich gemacht.«

112

Casey, die inzwischen zu mir in die Heckkabine gekommen ist, hält den Laptop in der Hand und sagt: »Wir haben die Bestätigung, dass der Stopp-Befehl an das gesamte Netzwerk übertragen wurde. Das Virus wurde aufgehalten. Überall.«

»Wie steht es mit Rechnern und anderen Geräten, die im Moment offline sind, ohne Internetzugang?«, frage ich.

»Die haben die ›Stopp-Nachricht‹ nicht erhalten.«

»Dann aber auch nicht den ›Ausführen-Befehl‹«, sagt Devin. »Werden sie jetzt auch nicht mehr. Der ›Stopp-Befehl‹ ist dauerhaft.«

»Aber für alle Fälle«, fügt Casey hinzu, »werde ich mit Argusaugen über diesem Laptop wachen.«

Ich hole so tief Luft wie eine Ewigkeit nicht mehr, köstlich prickelnder Sauerstoff. »Das Virus wird also kein einziges Gerät schädigen?«

»Richtig, Sir.«

Und nur, um auf Nummer sicher zu gehen, nur für den Fall, dass das Suliman-Virus irgendwie doch noch einmal zum Leben erwacht, wird der Heimatschutz das Passwort »Suchum« über ein Frühwarnsystem, das durch eine Reihe von Verfügungen sowohl von meinem Vorgänger als auch von mir für die wirkungsvolle Bekämpfung industriellen Cyberterrorismus eingerichtet wurde, in alle Welt hinausposaunen. Im Prinzip können wir über dieses System Informationen zu jeder Tag- und Nachtzeit an bestimmte Empfänger, zum Beispiel eine Kontaktperson in jeder Einrichtung, schicken. Jeder Internetdienstleister, jede bundesstaatliche, Bezirks- und kommunale Verwaltungsstelle, jedes Mitglied eines jeden Wirtschaftssektors – Banken, Krankenhäuser, Versicherungsgesellschaften, Produktionsbetriebe bis hin zu den zahlreichen kleineren Unternehmen, die wir dazu bringen konnten, sich für dieses Programm zu registrieren: Binnen weniger Sekunden werden sie alle dieses Passwort empfangen.

Außerdem wird es über unser Notalarmsystem auf jedem Fernseher, jedem Rechner und jedem Smartphone erscheinen.

Ich nicke, richte mich auf und merke, wie plötzlich meine Gefühle die Oberhand gewinnen. Durch das Fenster der *Marine One* blicke ich in den Himmel, der bei Sonnenuntergang am Samstag in allen Regenbogenfarben leuchtet.

Wir haben unser Land nicht verloren.

Die Finanzmärkte, die Spareinlagen und Altersvorsorge der

Menschen, Versicherungspolicen, Krankenhäuser, die öffentlichen Versorgungseinrichtungen bleiben unangetastet. Die Lichter bleiben an. Die Investmentfonds und Sparkonten der Bürger sind intakt. Sozialhilfe und Renten werden weiterhin pünktlich ausgezahlt. Rolltreppen und Fahrstühle funktionieren. Flugzeuge bleiben nicht am Boden. Nahrungsmittel werden nicht vernichtet. Es wird nicht an sauberem Trinkwasser fehlen. Es wird keine Wirtschaftskrise geben. Kein Chaos. Keine Plünderungen, keine Krawalle.

Dark Ages bleibt uns erspart.

Ich gehe in die Hauptkabine hinüber, wo ich Alex finde.

»Mr President«, sagt er, »wir nähern uns dem Weißen Haus.«

Mein Handy klingelt. Liz. *»Mr President, sie haben es in der Bürosuite der Vizepräsidentin gefunden.«*

»Das Handy«, sage ich.

»Ja, Sir, das Partner-Handy zu Ninas.«

»Danke, Liz. Wir sehen uns gleich im Weißen Haus. Und, Liz?«

»Ja, Sir.«

»Bringen Sie Handschellen mit«, füge ich hinzu.

113

Suliman Cindoruk sitzt in dem kleinen geheimen Schutzhaus am Fuße der Medvednica, zu dem sie ihn gebracht haben, und starrt auf sein Handy, als könne er an der Nachricht auf dem Display durch einen schieren Willensakt etwas ändern.

Virus deaktiviert

Zuerst die Nachricht »**Virus angehalten**«, die er zuvor im Jeep bekam, kurz nachdem er sich dafür auf die Schulter geklopft hatte, den Vereinigten Staaten einen vernichtenden Schlag versetzt zu haben. Und dann, keine halbe Stunde später, das. Er starrt weiter auf das Display, als müsse sein magischer Blick eine erneute Änderung bewirken.

Wie kann das sein? Das Virus war wasserdicht. Sie waren sich ihrer Sache absolut sicher. Augie – am Ende war Augie nur ein Hacker. Das hier ist nicht auf seinem Mist gewachsen.

Nina, es kann nur Nina gewesen sein. Nina muss etwas getan haben, um es zu sabotieren –

Es klopft energisch an der Tür, und sie geht auf. Einer der Soldaten kommt herein und hält ihm einen Korb mit Essen hin – ein Baguette, Käse, eine große Flasche Wasser.

»Wie lange soll ich hier bleiben?«, fragt Suli.

Der Mann sieht ihn an. »Mir wurde gesagt, noch vier Stunden.«

Vier Stunden. Also ungefähr bis Mitternacht Eastern Standard Time – bis zu dem Moment, in dem das Virus hochgegangen wäre, hätten die Amerikaner es nicht vorzeitig losgetreten.

Sie warten auf den Erfolgsmoment, den Augenblick der Aktivierung, bevor sie ihn zu seinem eigentlichen Bestimmungsort bringen. Wieder blickt er auf sein Handy.

Virus deaktiviert

»Es gibt … Problem?«, fragt der Soldat.

»Nein, nein«, sagt er. »Kein Problem.«

114

Ich steige die Treppe der *Marine One* hinunter und salutiere den Marines, halte meinen Salut länger als gewöhnlich. Gott segne die Marines.

Carolyn erwartet mich bereits. »Herzlichen Glückwunsch, Mr President«, sagt sie.

»Ganz meinerseits, Carrie. Wir haben eine Menge zu besprechen, aber ich brauche eine Minute.«

»Selbstverständlich, Sir.«

Ich laufe los, verfalle, bis ich am Ziel bin, fast in einen Sprint.

»Dad, oh mein Gott …«

Lilly springt so abrupt vom Bett, dass das Buch auf ihrem Schoß zu Boden fällt. Sie fliegt mir in die Arme, bevor sie auch nur den Satz zu Ende bringen kann.

»Dir ist nichts passiert«, flüstert sie an meiner Schulter, während ich ihr übers Haar streiche. »Ich war außer mir vor Sorge, Dad. Ich war mir so sicher, dass dir etwas zustößt. Ich dachte schon, ich würde dich auch noch verlieren …«

Sie zittert am ganzen Körper, als ich sie fest an mich drücke und zu ihr sage: »Ich bin ja da, mir fehlt nichts«, immer und immer wieder, während ich ihren Duft rieche, ihre Wärme spüre. Ich bin da und fühle mich so gut wie schon lange nicht mehr. So dankbar, so voller Liebe.

Alles andere ist wie weggeblasen. Es gibt noch so viel zu tun, doch in diesem Moment fällt alles von mir ab, verflüchtigt sich in einem Nebel, und was zählt, ist nur mein schönes, kluges, liebes Mädchen.

»Sie fehlt mir immer noch«, flüstert sie. »Sie fehlt mir mehr denn je.«

Mir auch. So sehr, dass es mich fast zerreißt. Ich wünschte mir, sie wäre jetzt hier, würde mit mir feiern, mich umarmen, ihre Witze reißen und mich von meinen Höhenflügen auf den Teppich zurückholen.

»Sie ist immer bei uns«, sage ich. »Sie war heute den ganzen Tag bei mir.«

Ich löse mich aus Lillys Armen, wische ihr eine Träne von der Wange.

Das Gesicht, das mir entgegenblickt, hat Rachel noch nie so ähnlich gesehen.

»Ich muss los und Präsident sein«, sage ich.

115

Ebenso erleichtert wie erschöpft sitze ich im Oval Office auf dem Sofa. Ich kann immer noch nicht glauben, dass es vorbei ist.

Und natürlich ist es noch nicht wirklich vorbei. In gewisser Hinsicht steht mir der schwierigste Teil noch bevor.

Neben mir sitzt Danny, der mir ein Glas Bourbon gebracht hat – den Drink, den er mir schuldet, weil er die Münzprobe nicht bestanden hat. Er sagt nicht viel, spürt, dass ich erst einmal runterkommen muss. Er ist einfach nur da.

Unterdessen befindet sich die Vizepräsidentin immer noch in der Einsatzzentrale, immer noch unter Bewachung in diesem unterirdischen Raum. Sie weiß nicht, wieso. Niemand hat ihr eine Erklärung dafür gegeben. Wahrscheinlich schwitzt sie in diesem Moment.

Soll sie ruhig. Soll sie schwitzen.

Sam Haber hält mich ständig auf dem Laufenden. Die Redewendung »Keine Nachrichten sind gute Nachrichten« hat sich noch nie so richtig angefühlt wie jetzt. Das Virus ist besiegt. Keine Überraschungen. Keine dramatische, unerwartete Wiederbelebung der Schadsoftware. Trotzdem haben wir überall

Leute sitzen, die wie Helikoptereltern über ihren Computern wachen.

Die Nachrichtensender kennen kein anderes Thema als das Suliman-Virus. Auf allen Kanälen ist am oberen Bildschirmrand die Laufzeile **PASSWORT: SUCHUM** zu sehen.

»Ich habe noch etwas zu erledigen«, sage ich zu Danny. »Ich fürchte, ich muss dich rauswerfen.«

»Geht klar.« Er steht auf. »Übrigens beabsichtige ich, den ganzen Ruhm dafür einzuheimsen. Meine aufmunternden Worte am Telefon haben es gebracht.«

»Keine Frage.«

»Jedenfalls werde ich es so in Erinnerung behalten.«

»Tu das, Daniel, du hast meinen vollen Segen.«

Ich lächle, während Danny geht. Dann drücke ich die Taste an meinem Telefon und sage meiner Sekretärin JoAnn, ich wolle Carolyn sehen.

Carolyn ist sofort zur Stelle. Sie sieht mitgenommen aus, aber das gilt natürlich für uns alle. Niemand hat letzte Nacht geschlafen, und der Stress der letzten vierundzwanzig Stunden ... alles in allem sieht Carolyn besser als die meisten von uns aus.

»Director Greenfield ist da draußen«, sagt sie.

»Ich weiß. Ich habe sie gebeten zu warten. Ich wollte zuerst mit Ihnen sprechen.«

»In Ordnung, Sir.«

Sie kommt herein und nimmt in einem der Sessel dem Sofa gegenüber Platz.

»Sie waren es, Carrie«, sage ich. »Sie sind diejenige, die es gelöst hat.«

»Das waren Sie, Mr President, nicht ich.«

Nun ja, so läuft es in diesem Laden. Im Guten wie im Schlechten bleibt es am Präsidenten hängen. Wenn mein Team einen Sieg einfährt, streicht der Präsident die Lorbeeren ein. Dabei wissen wir beide, wer das Passwort herausbekommen hat.

Mir flattern immer noch die Nerven, und ich atme einmal tief durch.

»Ich habe Mist gebaut, Carrie«, räume ich ein. »Indem ich Kathy Brandt zur Vizekandidatin gemacht habe.«

Sie hat es nicht eilig damit, mir zu widersprechen. »Es war ein kluger, strategischer Schachzug, Sir.«

»Und genau deshalb habe ich es getan. Aus strategischem Kalkül. Es war ein Fehler.«

Sie lässt meine Bemerkung kommentarlos stehen.

»Ich hätte meine Wahl nach Verdienst treffen sollen. Und ich denke, wir beide wissen, auf wen sie nach diesem Kriterium gefallen wäre. Auf den klügsten Menschen, dem ich je begegnet bin. Den diszipliniertesten und talentiertesten.«

Sie wird rot, ist immer schnell dabei, Lob und Anerkennung abzuwehren.

»Stattdessen habe ich Ihnen den schwierigsten Job in Washington gegeben. Den undankbarsten.«

Von meinen Lobeshymnen verlegen, winkt sie ab und errötet noch mehr. »Es ist mir eine Ehre, Ihnen zu dienen, Mr President, in der Funktion, die Sie mir zugedacht haben.«

Ich nehme einen letzten Schluck, einen großzügigen Schluck von dem verbliebenen Bourbon in meinem Glas und stelle es ab.

»Darf ich fragen, Sir – was Sie mit der Vizepräsidentin vorhaben?«

»Was würden Sie an meiner Stelle mit ihr tun?«

Sie denkt darüber nach, wiegt dabei kaum merklich den Kopf.

»Im Interesse des Landes«, sagt sie, »würde ich sie nicht vor Gericht stellen. Ich würde einen unauffälligen Ausweg wählen. Ich würde ihren Rücktritt verlangen, unter irgendeinem Vorwand, der ihr genehm ist, und ich würde Stillschweigen darüber wahren, was sie getan hat. Ich würde die Sache möglichst diskret abwickeln. In diesem Moment erfährt das amerikanische Volk, dass uns ein fähiges nationales Sicherheitsteam unter Ihrer Führung vor einem furchtbaren Desaster bewahrt hat. Niemand spricht von einem Verräter oder von Verrat. Es ist eine positive Geschichte, eine Warnung und eine Lehre, aber mit einem Happy End. Dabei sollte es auch bleiben.«

Diese Überlegungen habe ich auch schon angestellt. »Die Sache ist nur die«, sage ich, »bevor ich das tue, will ich wissen, warum.«

»Wieso sie es getan hat, Sir?«

»Sie wurde nicht bestochen. Sie wurde nicht erpresst. Sie wollte nicht unser Land zerstören. Es war nicht einmal ihre Idee, sondern Ninas und Augies.«

»Woher wollen wir das mit Sicherheit wissen?«, kontert Carolyn.

»Ach so, richtig«, sage ich. »Sie wissen ja noch nichts von dem Handy.«

»Dem Handy, Sir?«

»Ja, in dem ganzen Chaos der letzten Stunden ist es dem FBI am Ende doch noch gelungen, das zweite Handy zu entsperren, das sie in Ninas Transporter gefunden haben. Dabei haben sie eine ganze Reihe SMS zutage gefördert. SMS zwischen Nina und unserem Verräter.«

»Oh Gott«, sagt sie. »Nein, das wusste ich nicht.«

Ich mache eine ausladende Geste. »Nina und Augie sind da in etwas reingerutscht, dessen ganzes Ausmaß sie nicht ahnten, geschweige denn beabsichtigten. Als ihnen klar wurde, was für eine verheerende Zerstörung sie anrichten würden, trennten sie sich von Suliman. Sie schickten uns das ›Peekaboo‹, um uns auf das Problem aufmerksam zu machen, und kamen anschließend her, um mit uns einen Handel abzuschließen: Wenn wir bei der Republik Georgien für Nina Amnestie erwirken, deaktiviert sie das Virus. Unser Verräter? War nur Vermittler, Kontaktperson. Das war kein verräterischer Plan, den sie da ausgeheckt hat. Sie hat sogar versucht, Nina zu überreden, sich in der amerikanischen Botschaft zu stellen. Und sie hat Nina gefragt, wie man das Virus entschärfen kann.«

»Aber sie hat uns Übrigen nichts gesagt«, wendet Carolyn ein.

»Richtig. Ich glaube, nach allem, was ich gelesen habe, je länger sie mit Nina im Austausch stand und niemandem davon erzählte, desto tiefer hat sie sich da reingeritten. Deshalb wollte sie aus der direkten Kommunikation mit Nina aussteigen; sie gab Nina das Codewort *Dark Ages,* damit die sich – über Lilly – direkt mit mir in Verbindung setzen konnte und ich sie ernst nehmen würde.«

»Das ... hat eine gewisse Logik, nehme ich an«, wirft Carolyn ein.

»Aber das ist ja gerade der Haken – es ergibt nämlich keinen Sinn«, sage ich. »Denn in dem Moment, in dem ich von Nina das Stichwort *Dark Ages* höre, weiß ich, dass ich in meinem inneren Kreis einen Judas habe. Sie muss also wissen, dass ich Himmel und Erde in Bewegung setzen werde, um den Verräter zu entlarven. Sie war eine von acht Verdächtigen.«

Carolyn nickt und überlegt.

»Wieso also tut sie das, Carrie? Wieso lenkt sie einen solchen Verdacht auf sich? Kathy Brandt mag so einiges sein, aber dumm ist sie nicht.«

Carolyn breitet die Hände aus. »Manchmal ... tun kluge Leute etwas Dummes?«

Wie wahr!

»Ich will Ihnen etwas zeigen«, sage ich.

Ich greife nach einem Ordner mit dem Logo des FBI. Ich hatte mir von Liz Greenfield zwei Ausdrucke von der Transkription der SMS erbeten. Ich reiche Carolyn die von letztem Freitag, Samstag und Sonntag, den ersten Tagen, die ich gelesen habe.

»Lesen Sie, und dann sagen Sie mir, wie ›dumm‹ unser Verräter ist.«

»Sie haben recht.« Nach der Lektüre der dreitägigen SMS-Korrespondenz hebt Carolyn das Kinn. »Das hat sie offensichtlich nicht selbst ausgeheckt, aber das können noch nicht alle SMS sein. Es endet am Sonntag, mit ihrem Versprechen, Nina das Codewort zu geben.«

»Richtig, es kommt noch mehr.« Ich reiche ihr das nächste Blatt. »Hier kommt Montag, der siebte Mai. Vor nur sechs Tagen. Das ist der Tag, an dem Nina Lilly *Dark Ages* ins Ohr geflüstert hat.«

Carolyn nimmt die Transkription und liest. Ich lese auf meiner Kopie mit.

Montag, 7. Mai
U/A: 1600 Pennsylvania Avenue
Nina: An unbekanntem Ort
** Alle Zeitangaben Eastern Standard Time **

Nina (7:43): Ich habe es bis nach Paris geschafft. Bin hergekommen obwohl Sie mir immer noch nicht das Codewort gegeben haben!! Wollen Sie nun oder nicht? Ich glaube gestern Nacht ist mir jemand gefolgt. Suli versucht mich umzubringen nur mal so am Rande.
U/A (7:58): Ich habe letzte Nacht gründlich darüber nachgedacht und finde, wenn wir uns vertrauen sollen, dann richtig. Und das heißt, Sie müssen mir sagen, wie man das Virus aufhalten kann.
Nina (7:59): Das hatten wir schon. NEIN!!! Wie oft muss ich das noch sagen?? Kapieren Sie was Trumpf heißt?!?
U/A (8:06): Sie sagen doch selbst, dass Sie in Gefahr sind. Wenn Sie es nun nicht bis hierher schaffen? Wenn Ihnen nun etwas zustößt? Dann können wir das Virus nicht mehr stoppen.

Nina (8:11): In dem Moment wo ich Ihnen sage wie Sie das Virus stoppen können bin ich Ihnen egal. Das ist mein einziger Trumpf.
U/A (8:15): Verstehen Sie denn immer noch nicht? Ich kann nicht offenlegen, dass wir in Kontakt sind. Wie sollte ich erklären, dass ich weiß, wie man das Virus stoppen kann, ohne zuzugeben, dass ich seit ein paar Tagen mit Ihnen rede? Wenn ich das zugebe, bin ich erledigt. Ich muss kündigen. Wahrscheinlich ins Gefängnis.
Nina (8:17): Wieso müssen Sie es dann wissen? Wenn Sie es doch nie benutzen können??
U/A (8:22): Weil ich, falls Ihnen etwas zustößt und es keine andere Möglichkeit gibt, das Virus zu stoppen, es tun werde, um unser Land zu retten. Sonst könnte ich nicht mehr in den Spiegel sehen. Aber das ist nur eine aller-aller-allerletzte Option. Mir wäre es tausendmal lieber, wenn Sie einfach herkämen, sich mit POTUS treffen, die Sache mit ihm aushandeln und mich aus dem Spiel lassen würden.
Nina (8:25): Vergessen Sies.
U/A (8:28): Dann leben Sie wohl und viel Glück. Vertrauen Sie mir oder vergessen Sie's.

Es folgt eine lange Funkstille, gute drei Stunden.
Dann:

Nina (11:43): Ich bin jetzt hier an der Sorbonne. Ich treffe bald POTUS Tochter. Nennen Sie mir das Codewort oder das wars endgültig.
U/A (11:49): Sagen Sie mir, wie man das Virus stoppt, und ich gebe Ihnen das Codewort. Wenn nicht, schreiben Sie mir nicht mehr.
Nina (12:09): Es wird 1 Chance geben Passwort vor Aktivierung einzugeben. Fenster von 30 Minuten. Tippen Sie das Wort ein und Virus sagt bye-bye. Wenn Sie mich reinlegen Lady verrate ich allen wer Sie sind ich schwörs.

U/A (12:13): Ich werde Sie nicht reinlegen. Ich will, dass es klappt! Wir wollen dasselbe.

U/A (12:16): Hören Sie, ich weiß, Sie gehen ein großes Risiko ein. Ich auch. Ich weiß, wie viel Angst Sie haben. Ich habe wahnsinnig Angst! Wir stecken da zusammen drin, Kleine.

Zuckerbrot und Peitsche. Sie hat Nina manipuliert. Sie hat erkannt, dass Nina gewaltig unter Druck stand und sie mehr brauchte als umgekehrt. Nina war eine versierte Cyberterroristin und eine der besten Codiererinnen, aber einer Person, die es gewohnt war, auf der Weltbühne auf höchster Ebene zu verhandeln, war sie nicht gewachsen. Es kam fast zehn Minuten später:

Nina (12:25): Das Passwort lautet Suchum.

U/A (12:26): Das Codewort lautet Dark Ages.

Carolyn blickt vom Blatt auf.

»Sie wusste es«, sagt sie. »Sie kannte das Passwort seit Montag.«

Ich sage nichts. Ich wünschte, ich hätte mehr Bourbon, doch Dr. Lane würde mich wahrscheinlich schon für das eine Glas zusammenstauchen.

»Aber – warten Sie. Wann haben Sie das hier gelesen, Mr President?«

»Diese Seite – die Seite vom Montag? Erst an Bord der *Marine One*. Nachdem mir die Marines mein Handy gebracht hatten.«

Sie blickt zur Seite, zählt zwei und zwei zusammen. »Demnach … bei unserer letzten Konferenzschaltung, als Sie in der *Marine One* waren, bei unserem Brainstorming nach dem Passwort, als die Uhr tickte …«

»Ach so, sicher«, sage ich. »Da kannte ich das Passwort bereits. Devin hatte es schon eingegeben. Die Krise war schon vorbei. Devin und Casey waren vor Erschöpfung und Erleichterung kaum noch ansprechbar, während ich mit Augie in der Heckkabine saß und mit Ihnen allen sprach.«

Carolyn starrt mich an.

»Da hatten Sie das Virus schon entfernt?«

»Ja, Carrie.«

»Die ganze Sache mit der tickenden Uhr und dass wir alle Vorschläge für das Passwort machen sollten ... das war eine Finte?«

»So was in der Art.« Ich erhebe mich vom Sofa. Ich habe weiche Knie, mir steigt die Hitze ins Gesicht. Ich habe eine stundenlange Achterbahnfahrt aus Sorge, Angst, Erleichterung und Dankbarkeit hinter mir.

Doch in diesem Moment bin ich einfach nur stinksauer.

Ich gehe zum *Resolute*-Schreibtisch hinüber und betrachte die Fotos von Rachel, von Lilly, von meinen Eltern, von der Familie Duncan und der Familie Brock auf Camp David, einen Schnappschuss, auf dem Carolyns Kinder alberne Matrosenmützen tragen.

Ich gieße mir zwei Fingerbreit Bourbon nach und kippe ihn in einem Zug herunter.

»Alles in Ordnung, Sir?«

Ich knalle das Glas heftiger auf den Tisch als beabsichtigt. »Nichts ist in Ordnung, Carrie. Im Moment müsste ich ›in Ordnung‹ mit der Lupe suchen. Sehen Sie, die Sache hat nämlich einen entscheidenden Haken.«

Mit zusammengebissenen Zähnen komme ich um den Schreibtisch herum und lehne mich mit dem Rücken dagegen.

»Sie haben recht, dass kluge Leute schon mal etwas Dummes machen«, sage ich. »Aber Kathy müsste schon nachweislich *geisteskrank* sein, um Nina *Dark Ages* zuzuspielen und auf diese Weise den Verdacht auf sich zu lenken. Für sie war die Gefahr, aufzufliegen, viel zu groß. Sie hätte andere Mittel und Wege finden können, um dem Mädchen Zugang zu mir zu verschaffen. Irgendetwas. Etwas Besseres als *das*.«

Carolyns Augenbrauen schnellen hoch. Sie überlegt, ohne

zu einem Schluss zu kommen. »Was … wollen Sie damit sagen, Sir?«

»Ich will damit sagen«, antworte ich, »dass die Person, die Nina *Dark Ages* zugespielt hat, in *voller Absicht* den Verdacht auf meinen inneren Kreis gelenkt hat.«

Carolyn verzieht konsterniert das Gesicht. »Aber wer … hätte ein Interesse daran, den Verdacht auf diese Leute zu lenken?«, fragt sie. »Wozu?«

117

»Oh, das Wozu und Warum ist nicht allzu schwer zu begreifen, nicht wahr? Oder vielleicht doch.« Ich schreite im Oval Office auf und ab und gestikuliere mit den Händen. »Mir ist es zumindest entgangen. Wer weiß? Vielleicht bin ich der größte Vollidiot, der je dieses Amt innehatte.«

Vielleicht ist aber auch nur das, woran ich glaube – Vertrauen –, in unserer Hauptstadt einfach Mangelware, und ich habe davon zu viel. Vertrauen kann blind machen. Es hat mich blind gemacht.

Ich komme an dem Beistelltisch neben dem Sofa vorbei, vor dem Nina gestern stand, und werfe einen Blick auf das Foto von Lilly und mir draußen vor dem Weißen Haus, auf dem Weg zur *Marine One*.

Carolyn sagt mit gefurchter Stirn: »Ich … kann Ihnen nicht folgen, Sir. Ich kann mir nicht vorstellen, weshalb es irgendjemand darauf anlegen sollte, dass Sie von der Existenz eines Verräters erfahren.«

Neben dem Foto mit Lilly steht eins von Carolyn und mir von dem Abend, an dem ich die Präsidentschaftswahl gewonnen hatte und auf dem wir Arm in Arm für die Kamera posieren. Ich nehme es in die Hand und erinnere mich an den

Siegestaumel, an den überwältigend glücklichen Moment. Dann knalle ich das Bild auf den Tisch, sodass Glas und Rahmen zersplittern.

Carolyn springt vor Schreck fast aus dem Sessel.

»Dann versuchen Sie, mir mal zu folgen«, sage ich, ohne den Blick von dem zerbrochenen Bild von meiner Stabschefin und mir zu nehmen. »Das Leck lenkt den Verdacht auf das Nationale Sicherheitsteam. Eine Person in diesem inneren Kreis, jemand von besonders hohem Rang – sagen wir mal, die Vizepräsidentin der Vereinigten Staaten –, wird beschuldigt. Sie gibt eine gute Zielscheibe ab. Sie hat sich illoyal verhalten. Sie ist mir, zugegeben, mehr als einmal gründlich auf die Nerven gegangen. Also ist sie natürlich weg vom Fenster. Tritt in Schimpf und Schande zurück. Muss sich vielleicht sogar vor Gericht verantworten. Vielleicht auch nicht – auf jeden Fall ist sie weg, das ist der entscheidende Punkt. Und jemand anders muss sie ersetzen, nicht wahr? *Nicht wahr?*«, blaffe ich.

»Ja, Sir«, flüstert Carolyn.

»Richtig! Wer also könnte ihr Amt übernehmen? Nun, wie wär's mit der Heldin unserer Geschichte? Der Person, die, als der Countdown lief, das Passwort erraten hat? Jemand, die der festen Meinung ist, sie hätte von Anfang an Vizepräsidentin werden sollen?«

Carolyn Brock steht vom Sessel auf, starrt mich mit offenem Mund an wie ein Reh im Scheinwerferlicht. Sie bringt kein Wort heraus. Was gäbe es auch schon zu sagen.

»Diese letzte Konferenzschaltung mit dem Nationalen Sicherheitsteam während des Countdown«, sage ich. »Die Finte, so nannten Sie es gerade, nicht wahr? Das war ein Test. Ich wollte sehen, wer mit dem Passwort herausrücken würde. Ich wusste, auf einen von Ihnen konnte ich zählen.«

Ich fasse mir ans Gesicht, kneife mir in den Nasenrücken. »Ich habe zu Gott gefleht. Ich schwör's Ihnen, beim Grab meiner Frau, ich habe zu *Gott* gefleht. Jeder andere, nur nicht Carrie, habe ich gebetet.«

Alex Trimble kommt zusammen mit seinem Stellvertreter Jacobson rein; beide postieren sich an der Wand und stehen stramm. Als Nächste betritt die FBI-Direktorin Elizabeth Greenfield den Raum.

»Sie haben bis zum letzten Moment clever gespielt, Carrie«, sage ich, »Sie haben uns mit der Nase auf Ninas Heimatstadt gestoßen, uns die Lösung geradezu in den Mund gelegt, ohne sie selber auszusprechen.«

Carolyns betroffener Gesichtsausdruck schlägt um. Sie blinzelt heftig, blickt bei der Erinnerung zur Seite. »Sie haben es absichtlich falsch buchstabiert«, flüstert sie.

»Und Sie haben sich beeilt, uns zu korrigieren«, sage ich. »Suchum mit zwei u und ohne das i am Ende.«

Carolyn schließt die Augen.

Ich nicke Liz Greenfield zu.

»Carolyn Brock«, sagt sie, »Sie sind verhaftet wegen des Verdachts des Verstoßes gegen das Spionagegesetz und der Vorbereitung des Hochverrats. Sie haben das Recht zu schweigen. Alles, was Sie sagen, kann und wird vor Gericht gegen Sie verwendet werden ...«

118

»Warten Sie einen Moment! Nur einen Moment!«

Direktor Greenfields amtliche Förmlichkeit, die Erwähnung der Verhaftung und das Verlesen ihrer Rechte lösen bei Carolyn einen Abwehrreflex aus. Sie hält die flache Hand hoch, um sich Gehör zu verschaffen.

Sie dreht sich zu mir um. »Nina wollte nach Hause. Es war also nur logisch. Ich weiß zufällig, wie man die Hauptstadt eines osteuropäischen Landes buchstabiert, und deshalb bin ich schon gleich ein Verräter? Nach allem, was wir zusammen durchgemacht haben, Mr President, können Sie doch nicht allen Ernstes –«

»Unterstehen Sie sich«, brülle ich. »Nichts, was wir ›durchgemacht‹ haben, gibt Ihnen das Recht zu dem, was Sie getan haben!«

»Bitte, Mr President. Können wir … können wir einfach – unter vier Augen reden? Zwei Minuten. Bekomme ich wenigstens zwei Minuten? Habe ich nicht wenigstens *das* verdient?«

Liz Greenfield geht auf Carolyn zu, doch ich hebe die Hand.

»Geben Sie uns zwei Minuten. Und behalten Sie die Uhr im Blick, Liz. Einhundertundzwanzig Sekunden. Mehr bekommt sie nicht.«

Liz sieht mich an. »Mr President. Das ist keine gute –«

»Einhundertundzwanzig Sekunden.« Ich zeige zur Tür. »Lassen Sie uns allein. Alle.«

Während der Secret Service und die FBI-Direktorin das Oval Office verlassen, behalte ich Carolyn im Auge. Ich kann nur ahnen, was ihr durch den Kopf geht. Ihre Kinder, ihr Mann Morty. Eine Strafverfolgung. Schimpf und Schande. Und der verzweifelte Versuch, noch irgendwie den Hals aus der Schlinge zu ziehen.

»Ich höre«, sage ich, sobald wir allein sind.

Carolyn holt tief Luft, streckt beide Hände vor sich aus, als nehme darin eine Lösung Gestalt an. »Denken Sie daran, was heute passiert ist. Sie haben unser Land gerettet. Das drohende Amtsenthebungsverfahren ist vom Tisch. Lester Rhodes wird im Schmollwinkel sitzen und am Daumen lutschen. Ihre Umfragewerte werden jetzt in schwindelnde Höhen schnellen. Sie verfügen über einen Rückhalt, wie Sie ihn noch nie hatten. Überlegen Sie nur einmal, was Sie in den nächsten anderthalb Jahren schaffen können – in den nächsten fünfeinhalb Jahren. Denken Sie an Ihren Platz in der Geschichte.«

Ich nicke. »Aber …«

»Aber nun stellen Sie sich auch vor, was passiert, wenn Sie das hier durchziehen, Sir. Wenn Sie mir das hier zur Last legen.

Wenn Sie mich öffentlich bloßstellen. Glauben Sie wirklich, ich würde das schlucken wie ein gefügiges kleines Mädchen?« Dabei legt sie die Hand auf die Brust, neigt den Kopf und schneidet eine Grimasse. »Glauben Sie wirklich, ich setze mich nicht zur Wehr? Die Durchsuchung des Büros der Vizepräsidentin – was hat die wohl erbracht? Was Gutes gefunden?«

Nun, von dem bekümmerten Blick des Rehs im Scheinwerferlicht ist nichts mehr geblieben. Sie hat die Samthandschuhe ausgezogen. Sie hat das alles durchdacht. Wie auch nicht! Sie hat jede Möglichkeit, jeden Blickwinkel in Betracht gezogen. Eins muss man Carolyn Brock lassen, sie ist ein harter Gegner.

»Sie hatten reichlich Gelegenheit, ihr dieses Handy in ihren Büroräumen unterzujubeln«, sage ich. »Kathy wäre nicht so dumm gewesen, es hinter einem Bücherregal zu verstecken, verflucht noch mal. Sie hätte es in tausend Scherben zertreten.«

»Sagen Sie«, erwidert sie. »Meine Anwälte werden etwas anderes sagen. Sie bringen mich wegen Hochverrats vor Gericht, dann bringe ich Brandt mit demselben Vorwurf vor den Kadi. Überlegen Sie, welche Chance Sie jetzt noch haben, das Richtige zu tun, Mr President.«

»Ist mir egal«, sage ich.

»Es ist Ihnen alles andere als egal, und das wissen Sie genau«, erwidert sie, während sie um den Schreibtisch herumtritt.

»Denn Sie wollen in diesem Amt etwas bewirken und ganz bestimmt nicht Ihren größten Triumph in einen Skandal umschlagen lassen. ›Hochverrat im Weißen Haus‹. Wer war der Verräter – Duncans engste Beraterin oder seine amtierende Vizepräsidentin? Und das soll egal sein? Wir waren beide Ihre Wahl. Man wird Ihr Urteilsvermögen in Zweifel ziehen. Dieser gewaltige, beispiellose Erfolg wird sich für Sie in die schlimmste Blamage umkehren. Ihre Gefühle sind verletzt, *Jon?* Kommen Sie drüber hinweg, verflucht noch mal.«

Sie macht noch einen Schritt auf mich zu, die Hände wie zum Gebet gefaltet. »Denken Sie an das Land. Denken Sie an die Menschen da draußen, die darauf setzen, dass Sie ein guter Präsident, was sage ich, ein großer Präsident sind.«

Ich sage nichts.

»Wenn Sie mir das antun«, schließt sie ihr Plädoyer, »ist es mit Ihrer Präsidentschaft vorbei.«

Liz Greenfield tritt wieder ein und sieht mich an.

Ich sehe Carolyn an.

»Geben Sie uns noch einmal zwei Minuten, Liz«, sage ich.

119

Jetzt bin ich an der Reihe.

»Sie werden sich schuldig bekennen«, erkläre ich Carolyn, sobald wir wieder alleine sind. »Mein Urteilsvermögen wird kritisiert werden, und mit Recht, dafür, dass ich Sie eingestellt habe. Dem muss ich mich stellen. Das ist ein politisches Problem. Aber ich werde das hier *keinesfalls* unter den Teppich kehren und Sie ungestraft davonkommen lassen. Und Sie *werden* sich schuldig bekennen.«

»Mr Pres–«

»Agenten des Secret Service sind *gestorben,* Carrie. Nina ist tot. Ich wäre um ein Haar draufgegangen. So etwas kehren wir in diesem Land nicht unter den Teppich.«

»Sir –«

»Sie wollen Ihrerseits vor Gericht ziehen? Dann können Sie sicher erklären, wie Nina, als sie in Europa war und Kathy hier in Washington, der Vizepräsidentin diese erste Nachricht zustecken konnte. Was? Sie hat sie per E-Mail geschickt? Oder vielleicht mit einer FedEx-Sendung? Weder das eine noch das andere würde unsere Sicherheitsschranken passieren. Sie hingegen, die Stabschefin, auf der letzten Etappe unserer Europareise in Sevilla? Nina hätte locker in dieses Hotel spazieren und sie Ihnen aushändigen können. Glauben Sie im Ernst, wir hätten nicht das Filmmaterial von der Überwachungskamera? Die spanische Regierung hat es uns geschickt. Von diesem letzten Tag in Spanien, wenige Stunden vor unserer Abreise. Wie Nina das Hotel betritt und eine Stunde später wieder geht.«

Das Funkeln in ihren Augen verglimmt.

»Und was meinen Sie wohl, wie lange wir brauchen, um die Nachricht abzufangen und zu entschlüsseln, die Sie an Suliman Cindoruk geschickt haben?«

Jetzt steht ihr das blanke Entsetzen ins Gesicht geschrieben.

»Das FBI und der Mossad suchen gerade danach. Sie haben ihm einen Tipp gegeben, stimmt's? Denn Ihr Plan wäre nicht aufgegangen, hätte Nina überlebt. Hätte sie überlebt, wären Augie und ich am Baseballstadion in ihren Transporter gestiegen, und ich hätte mit Nina den Deal abgeschlossen. Ich hätte die Georgier überredet, sie wieder ins Land zu lassen, sie hätte mir das Passwort gegeben, und Sie, Carrie, hätten nicht die Heldin spielen und Kathy zum Sündenbock machen können. Und wer weiß? Vielleicht hätte Nina Sie am Ende doch noch verraten.«

Als ich ihr den schlimmsten Albtraum vor Augen führe, fährt sich Carolyn mit der Hand ans Gesicht.

»Sie wussten natürlich besser als jeder andere, wie Sie an Suliman herankommen«, fahre ich fort. »Schließlich haben Sie unseren ersten Anruf durch unsere Mittelsmänner in der Türkei eingefädelt. Sie hätten es also locker ein zweites Mal tun können. Sie hat Ihnen alles verraten, Carrie. Ich habe auch die restlichen SMS gelesen. Sie hat Ihnen den Ablauf samt Zeiten mitgeteilt. Augie, das Baseballstadion, die Aktivierung des Virus um Mitternacht. Sie haben sich ihr Vertrauen erschlichen. Nina hat Ihnen vertraut, Carrie, und zum Dank haben Sie das Mädchen umgebracht.«

Das scheint der Tropfen zu sein, der das Fass zum Überlaufen bringt. Carolyn verliert die Fassung und bricht in so heftiges Schluchzen aus, dass sie am ganzen Körper bebt.

Und ich stelle fest, dass bei mir am Ende die Trauer über die Wut siegt. Tatsächlich sind wir miteinander durch dick und dünn gegangen. Sie hat mir den Weg zur Präsidentschaft vorgezeichnet, mir geholfen, einigermaßen unbeschadet durch das Minenfeld von Washington zu navigieren, hat unzählige Stunden Schlaf und Zeit mit ihrer Familie geopfert, um dafür zu sorgen, dass das Oval Office effizient und reibungslos geführt wird. Sie ist die beste Stabschefin, die ich mir hätte träumen lassen können.

Nach einer Weile versiegen die Tränen. Nach einem letzten Schauder, der ihr durch die Glieder läuft, wischt sie sich die Tränen ab. Dabei lässt sie immer noch den Kopf hängen, verbirgt ihr Gesicht in den Händen. Sie kann mir nicht ins Auge sehen.

»Führen Sie sich hier nicht auf wie eine Feld-Wald-und-Wiesen-Tatverdächtige«, sage ich. »Und tun Sie das Richtige. Das hier ist kein Gerichtssaal. Das ist das Oval Office. Wie konnten Sie nur so etwas tun, Carrie?«

»Sagt der Mann, der Präsident geworden ist.«

Die Stimme, mit der sie das sagt, erkenne ich nicht wieder, diese Stimme habe ich noch nie gehört, diese Seite von Carolyn, die da aus ihr spricht, ist mir in all unseren gemeinsamen Jahren nie begegnet. Sie hebt den Kopf aus den Händen, und als sie mich endlich anblickt, ist ihr Gesicht vor Qual und Bitterkeit so verzerrt, wie ich es noch nie gesehen habe. »Sagt der *Mann*, dessen politische Karriere nicht den Bach runterging, nur weil ihm ein einziger derber Ausdruck bei eingeschaltetem Mikrofon herausgerutscht ist.«

Das alles habe ich nicht gesehen. Der Neid, die Missgunst, die Bitterkeit, die sich in ihr aufgestaut haben müssen, das alles ist mir entgangen. Das gehört zu den Risiken, wenn man bei der Präsidentschaftswahl ins Rennen geht und schließlich Präsident wird. Es geht immer nur um die eigene Person. Jede Minute jeder Stunde eines jeden Tages geht es einzig und allein darum, was das Beste für den Kandidaten ist, was der Kandidat braucht, wie man dem Kandidaten, der einzigen Person, deren

Name am Ende auf dem Stimmzettel steht, helfen kann. Und hat man es dann schließlich geschafft und ist im Amt, geht es jeden Tag so weiter, wie auf Steroiden. Natürlich hatten wir auch privaten Umgang miteinander. Ich habe ihre Familie kennengelernt. Aber das hier war mein blinder Fleck. Sie war gut in ihrem Job. Ich hatte mir tatsächlich eingebildet, sie sei stolz auf die guten Dinge, die uns gelangen, sie fände die Herausforderungen inspirierend, hätte Freude an der Arbeit und fände Erfüllung darin.

»Ich vermute mal …« Sie bringt ein bitteres Lachen heraus. »Ich vermute mal, dieses Begnadigungsangebot steht nicht mehr.« Es scheint ihr peinlich zu sein, es auch nur zu erwähnen. Was für ein jäher Absturz! Als sie vorhin hereinkam, hegte sie noch die Erwartung, ich würde sie, die Heldin der Stunde, als neue Vizepräsidentin in Erwägung ziehen, und jetzt fleht sie nur noch darum, nicht ins Gefängnis zu kommen.

Liz Greenfield tritt erneut ein. Diesmal winke ich sie heran.

Als das FBI sie in Gewahrsam nimmt, leistet Carolyn keinen Widerstand.

Auf ihrem Weg aus dem Oval Office blickt sie ein letztes Mal in meine Richtung, in die Augen sieht sie mir nicht.

120

»Nein. Nein.«

Suliman Cindoruk starrt auf sein Handy. Quer durchs Internet springt ihm auf jeder Webseite diese »Eilmeldung« ins Auge, in leicht variiertem Wortlaut:

»ES HÄTTE AMERIKA ZERSTÖRT«
DIE VEREINIGTEN STAATEN VEREITELN VERNICHTENDEN CYBERANGRIFF

DIE VEREINIGTEN STAATEN STOPPEN VERHEERENDES CYBERVIRUS
CYBERBOMBE DER »SÖHNE DES DSCHIHAD« AUF DIE VEREINIGTEN STAATEN ENTSCHÄRFT

Jede Meldung, jeder Artikel posaunt das Passwort – Suchum – heraus, das die Aktivierung des Virus verhindert hat.

Suchum. Damit steht es fest. Es war Nina. Sie hat das Virus mit einem Passwort außer Kraft gesetzt.

Er fährt mit dem Kopf zum Fenster des geschützten Hauses herum. Er sieht die beiden Soldaten, die immer noch draußen in ihrem Jeep sitzen und auf ihre nächsten Befehle warten.

Doch die Leute, die ihn hierhergebracht haben, werden nun nicht mehr bis Mitternacht Eastern Standard Time warten, um sich vom Erfolg oder Scheitern des Virus zu überzeugen. Nicht, wenn sie die Nachrichten lesen.

Aus einer Socke, in der er sie verstaut hatte, holt er die Pistole heraus, die nach wie vor mit einer einzigen Kugel geladen ist.

Dann findet er eine Tür, die an der Rückseite des Hauses zum Berg führt. Er drückt die Klinke – abgeschlossen. Er zieht an dem einzigen Fenster, doch auch das lässt sich nicht öffnen. Er sieht sich in dem spärlich möblierten Zimmer um und findet einen kleinen Glastisch. Er schleudert ihn gegen das Fenster. Mit seiner Pistole schlägt er die verbleibenden gezackten Glassplitter heraus.

Er hört, wie die Eingangstür auffliegt. Mit dem Kopf zuerst springt er durchs Fenster und hält sich an seiner Waffe wie an einer Rettungsleine fest. Er rennt zu den ersten Bäumen und hofft, unter ihrem Laub in der frühen Abenddämmerung Deckung zu finden.

Sie brüllen ihm hinterher, doch er bleibt nicht stehen. Er stößt mit dem Fuß gegen etwas – eine Baumwurzel –, stolpert, fällt nach vorne, schlägt so heftig auf dem Boden auf, dass es ihm den Atem verschlägt, dass er Sternchen sieht und ihm die Waffe aus der Hand rutscht.

Als ihn eine Kugel an der Sohle erwischt, schreit er vor Schmerz laut auf. Schräg nach rechts kriecht er weiter, während von einem zweiten Schuss dicht an seiner Achsel eine Wolke aus trockenem Laub auffliegt. Er tastet seine Umgebung nach der Waffe ab, kann sie aber nirgends finden.

Ihre Stimmen kommen näher, rufen ihm in einer Sprache, die er nicht versteht, Warnungen zu.

Er kann die Waffe mit der einen Kugel, die dem hier ein Ende setzen soll, nicht entdecken. Jetzt weiß er, dass er den Mut dazu hat. Er wird sich nicht von ihnen ergreifen lassen.

Aber er kann die Waffe nicht finden.

Er holt tief Luft, trifft eine Entscheidung.

Er rappelt sich hoch, dreht sich zu den beiden Männern um und zielt mit gestreckten leeren Hände auf sie.

Sie entladen ihre Gewehre in seine Brust.

121

Im zweiten Untergeschoss öffne ich die Tür und verharre an der Schwelle des Raums, in dem die Vizepräsidentin bis jetzt gewartet hat. Als sie mich sieht, steht sie auf.

»Mr President«, sagt sie in einem Ton, aus dem ihre ganze Verunsicherung spricht. Auch ihre Augenringe verraten ihren Gemütszustand. Sie sieht müde und gestresst aus. Sie greift zu einer Fernbedienung und schaltet den Flachbildfernseher an der Wand auf stumm. »Ich sehe gerade …«

Ja, die Nachrichten. Sie hat die Meldungen nicht als die zweithöchste Amtsträgerin bekommen, sondern als gewöhnliche Bürgerin aus dem Fernsehen erfahren. Sie wirkt fast eingeschüchtert.

»Meinen Glückwunsch«, sagt sie zu mir.

Statt zu antworten, nicke ich nur.

»Das war ich nicht, Sir«, sagt sie.

Ich werfe einen kurzen Blick auf den Fernseher, mit der laufenden Berichterstattung über das Suliman-Virus und das von uns entdeckte Passwort.

»Ich weiß«, sage ich.

Erleichtert atmet sie auf.

»Steht Ihr Rücktrittsangebot noch?«, frage ich.

Sie senkt den Kopf. »Wenn Sie meinen Rücktritt wollen, Mr President, bekommen Sie ihn, wann immer Sie wünschen.«

»Und entspricht das Ihren Wünschen? Der Rücktritt?«

»Nein, Sir.« Sie sieht zu mir auf. »Aber wenn Sie mir nicht vertrauen …«

»Was würden Sie an meiner Stelle tun?«, frage ich.

»Ich würde annehmen.«

Damit überrascht sie mich. Ich verschränke die Arme, lehne mich an den Türrahmen.

»Ich habe Nein gesagt, Mr President. Aber das wissen Sie vermutlich schon, wenn Sie meine Limousine verwanzt haben.«

Haben wir nicht. Das FBI wäre dazu nicht imstande gewesen, ohne dass ihr Personenschutz vom Secret Service davon erfahren hätte. Doch das weiß sie nicht.

»Ich will es trotzdem von Ihnen hören«, sage ich.

»Ich habe Lester wissen lassen, ich sei nicht bereit, die zwölf Stimmen aufzutreiben, die er im Senat von unserer Seite bräuchte. Ich habe ihm erklärt, egal, was passiert, aber diese rote Linie würde ich nicht überschreiten. Ich … habe etwas über mich selbst gelernt, ehrlich.«

»Na toll, Kathy. Aber das hier ist keine Folge aus *Dr. Phil.* Allein schon, sich auf dieses Treffen einzulassen, war illoyal von Ihnen.«

»Zugegeben, zugegeben.« Sie legt die Hände zusammen und sieht mich an. »Bei dem Lügentest haben sie mich nicht nach Lester gefragt.«

»Weil es dabei nicht um politische Ränkespielchen ging. Zu dem Zeitpunkt jedenfalls nicht. Nachdem wir die Krise nun überstanden haben, ist mir die Frage, ob ich meiner Vizepräsidentin vertrauen kann, allerdings umso wichtiger.«

Was soll sie dazu sagen? Schicksalsergeben breitet sie die Hände aus. »Dann nehmen Sie meinen Rücktritt an?«

»Sie würden bleiben, bis ich Sie ersetzen kann?«

»Ja, Sir, selbstverständlich.« Sie lässt die Schultern hängen.

»Wen sollte ich ernennen?«, frage ich. Sie holt tief Luft. »Da fallen mir eine Reihe geeigneter Leute ein. Allerdings vor allem eine. So schwer es mir fällt, das zu sagen. Das kostet mich wirklich Überwindung, aber wenn ich an Ihrer Stelle wäre, Mr President, wenn ich die Wahl hätte ... würde ich mich für Carolyn Brock entscheiden.«

Ich schüttle den Kopf. Wenigstens war ich nicht der einzige mit dem blinden Fleck.

»Kathy, Ihr Rücktrittsgesuch ist abgelehnt, und jetzt machen Sie sich wieder an die Arbeit.«

122

Bach wiegt sich zur Matthäus-Passion. Sie hat keine Musik in den Ohrhörern – die wurden ihr abgenommen –, nur die Erinnerung an die Chorpassagen und die Sopranarien, zu denen sie immer mitgesungen hat. Sie stellt sich vor, wie sie im achtzehnten Jahrhundert in der Kirche sitzt und die Komposition zum ersten Mal hört.

Als die Tür zu ihrer Zelle aufgeht, wird sie in die Gegenwart zurückkatapultiert.

Der Mann, der hereinkommt, ist jung, mit dunkelblondem Haar, in Button-down-Hemd und Jeans leger gekleidet. Er bringt einen Stuhl mit herein, stellt ihn neben ihr Bett und setzt sich.

Bach richtet sich auf und lässt, den Rücken an die Wand gelehnt, die Füße über den Pritschenrand baumeln. Die Ketten bleiben an ihren Handgelenken.

»Ich heiße Randy«, stellt er sich vor. »Ich bin der Typ, der nett fragt. Andere tun das eher nicht.«

»Die … Taktik ist mir vertraut«, antwortet sie.

»Und Sie sind … Catharina.«

Sie hat keine Ahnung, wie sie ihre Identität herausgefunden haben – wahrscheinlich mithilfe der DNA-Probe, die sie genommen haben. Vielleicht auch mittels Gesichtserkennungs-Software, obwohl sie da ihre Zweifel hegt.

»So heißen Sie doch, nicht wahr? Catharina Dorothea Ninkovic. Catharina Dorothea – das war Johann Sebastian Bachs erste Tochter, nicht wahr?«

Sie antwortet nicht. Sie greift zu dem Pappbecher und trinkt die letzten Tropfen des Wassers, das sie ihr gegeben haben.

»Ich möchte Ihnen eine Frage stellen, Catharina. Glauben Sie, dass wir Sie schonend behandeln werden, weil Sie schwanger sind?«

Sie rutscht auf ihrem Bett, einer Platte aus unnachgiebigem Stahl, zurecht.

»Sie haben versucht, ein Attentat auf einen Präsidenten zu verüben«, sagt er.

Sie kneift die Augen zusammen. »Hätte ich einen Präsidenten liquidieren wollen«, antwortet sie, »dann wäre er jetzt liquidiert.«

Randy hat hier eindeutig das bessere Blatt in der Hand, und er genießt es. Er nickt, beinahe amüsiert. »Es gibt noch eine ganze Reihe anderer Länder, die sich liebend gerne mit Ihnen unterhalten würden«, fährt er fort. »Und manche davon haben keine so fortschrittliche Auffassung von Menschenrechten. Vielleicht liefern wir Sie an eins davon aus. Die können Sie ja jederzeit wieder zu uns zurückschicken – falls es dann noch etwas zurückzuschicken gibt. Wie finden Sie das, Bach? Wollen Sie's mal mit Uganda versuchen? Oder mit Nicaragua? Die Jordanier sind ganz darauf versessen, mit Ihnen ein paar Takte zu reden. Sie scheinen zu glauben, Sie hätten letztes Jahr ihrem Sicherheitschef eine Kugel zwischen die Augen gejagt.«

Sie wartet, bis er geendet hat, und noch ein wenig länger.

»Ich werde Ihnen alles sagen, was Sie wissen wollen«, antwortet sie. »Ich stelle nur eine einzige Forderung.«

»Meinen Sie wirklich, Sie seien in der Position, irgendwelche Forderungen zu stellen?«

»Sie, wie war noch mal Ihr Name –«

»Randy.«

»– Sie sollten mich fragen, was ich mir als Gegenleistung wünsche.«

Er lehnt sich auf seinem Stuhl zurück. »Na schön, Catharina. Was wollen Sie?«

»Ich weiß, dass ich für den Rest meines Lebens hinter Gittern bleibe. Da ... mache ich mir nichts vor.«

»Das ist schon mal ein guter Anfang.«

»Ich möchte, dass mein Baby, meine Tochter, gesund zur Welt kommt. Ich möchte, dass sie in Amerika geboren wird und dass mein Bruder sie adoptiert.«

»Ihr Bruder«, sagt Randy.

Als sie vor den Trümmern ihres Hauses stand, als sie das Gesicht ihrer geschundenen, an den Baum gefesselten, aufgeschlitzten toten Mutter berührte, kam er hinter dem Nachbarhaus hervor.

»Stimmt das?«, fragte er, als er tränenüberströmt und am ganzen Leib zitternd zu ihr herüberkam. Er musterte sie mit einem einzigen Blick, das Gewehr in ihrer Hand, die Faustfeuerwaffe, die ihr im Hosenbund steckte. »Es stimmt *also, nicht wahr? Du hast sie getötet. Du hast diese Soldaten getötet!«*

»Ich habe die Soldaten getötet, die Papa getötet haben.«

»Und jetzt haben sie Mama umgebracht!«, weinte er. »Wie konntest du das nur tun?«

»Ich wusste nicht ... es tut mir leid ... ich –« Sie machte einen Schritt auf ihn zu, ihren älteren Bruder, doch er wich wie angewidert vor ihr zurück.

»Nein«, sagte er. »Komm mir nicht nahe. Niemals. Niemals!«

Dann drehte er sich um und rannte weg. Er war schneller. Sie jagte ihm hinterher, flehte ihn an, zurückzukommen. Rief seinen Namen, doch er verschwand.

Sie hat ihn nie wiedergesehen.

Eine Zeit lang dachte sie, er habe nicht überlebt. Doch dann erfuhr sie, dass ihn das Waisenhaus aus Sarajevo außer Landes schmuggeln konnte. Jungen hatten es leichter als Mädchen.

So oft wollte sie ihn seitdem besuchen. Mit ihm sprechen. Ihn in die Arme schließen. Sie musste sich damit zufriedengeben, ihn spielen zu hören.

»Wilhelm Friedemann Herzog«, sagt Randy, »ein in Wien ansässiger Geiger. Hat den Nachnamen seiner österreichischen Adoptivfamilie angenommen, seine Vornamen dagegen behalten. Er wurde nach Johann Sebastians erstem Sohn benannt. Ich ahne ein Muster.«

Sie starrt ihn an, sieht keinen Grund zur Eile.

»Also gut, Sie möchten, dass Ihr Bruder Wilhelm Ihr Kind adoptiert.«

»Und ich möchte ihm meine gesamten Kapitalanlagen überschreiben. Und ich möchte einen Anwalt, der die entsprechenden Dokumente aufsetzt und beglaubigt.«

»Hmm, verstehe. Sie gehen davon aus, dass Ihr Bruder Ihr Kind haben will?«

Bei der Frage merkt sie, wie ihr die Augen feucht werden. Genau diese Frage hat sie sich selbst oft genug gestellt. Es wird ein Schock für Will sein. Zweifellos. Aber er ist ein guter Mensch. Ihr Kind wird seine Blutsverwandte sein, und Will wird seiner kleinen Nichte nicht die Sünden ihrer Mutter anlasten. Die fünfzehn Millionen Dollar werden überdies dafür sorgen, dass Delilah und ihre neue Familie finanziell abgesichert sind.

Vor allem aber wird Delilah nie allein sein.

Randy schüttelt den Kopf. »Sehen Sie, das Problem ist, dass Sie mit mir reden, als säßen Sie am längeren Hebel –«

»Ich kann Ihnen Informationen über zig internationale Vorfälle der letzten zehn Jahre liefern. Über Attentate auf zahlreiche Regierungsvertreter. Ich kann Ihnen sagen, wer mich für welches Attentat angeheuert hat. Ich werde Ihnen bei Ihren Ermittlungen behilflich sein. Ich werde vor jedem Tribunal aussagen, vor das Sie mich laden. Das alles werde ich tun, vorausgesetzt, mein Kind kommt in Amerika zur Welt und wird von meinem Bruder adoptiert. Ich werde Ihnen zu jedem einzelnen Auftrag, den ich je ausgeführt habe, Rede und Antwort stehen.«

Randy spielt immer noch die Rolle des Mannes, der die Fäden in der Hand hält, doch ihr entgeht nicht, dass sich sein Gesichtsausdruck geändert hat.

»Einschließlich *dieses* Auftrags«, fügt sie hinzu.

123

Durch die Osttür des Oval Office trete ich in den Rosengarten, Augie an meiner Seite. Zu dieser späten Stunde ist es draußen schwül, es liegt Regen in der Luft.

Rachel und ich haben jeden Abend nach dem Essen noch einen Spaziergang durch den Garten gemacht. Bei einem dieser Spaziergänge hat sie mir eröffnet, dass der Krebs sie wieder eingeholt habe.

»Ich weiß nicht, ob ich mich bei Ihnen je angemessen bedankt habe«, wende ich mich an Augie.

»Nicht nötig«, antwortet er.

»Was haben Sie jetzt vor?«

Er zuckt mit den Achseln. »Wenn ich das wüsste. Wir – Nina und ich – haben immer nur davon gesprochen, nach Suchum zurückzukehren.«

Schon wieder dieses Wort. Dieses Wort trendet, wie es so

schön heißt. Es geht im Internet viral. Es wird mich noch in meinen Albträumen verfolgen.

»Ist schon irgendwie komisch«, fährt er fort, »wir wussten die ganze Zeit, dass unser Plan scheitern könnte. Uns war klar, dass Suliman uns jemanden hinterherschicken würde. Und wie Sie reagieren würden, war völlig offen. Es gab so viele ...«

»Unbekannte Größen.«

»Ja, unbekannte Größen. Und doch haben wir immer so davon gesprochen, als sei es eine abgemachte Sache. Sie redete von dem Haus, das sie kaufen wollte, knapp tausend Meter von ihren Eltern entfernt, unweit des Meeres. Sogar von den Namen, die wir unseren Kindern eines Tages geben würden.«

Seine Stimme klingt aufgewühlt. In seinen Augen schimmern Tränen.

Ich lege ihm die Hand auf die Schulter. »Sie könnten hierbleiben«, schlage ich vor. »Und für uns arbeiten.«

Er verzieht den Mund. »Ich habe keine ... Aufenthaltsgenehmigung. Ich habe kein ...«

Ich bleibe stehen und drehe mich zu ihm um. »Dabei kann ich Ihnen möglicherweise behilflich sein«, sage ich, »ich kenne da ein paar Leute.«

Er lächelt. »Ja, natürlich, aber –«

»Augie, ich kann nicht zulassen, dass so etwas noch mal passiert. Diesmal sind wir mit einem blauen Auge davongekommen. Künftig brauchen wir mehr als Glück. Wir müssen weit besser vorbereitet sein, als wir es diesmal waren. Ich brauche Leute wie Sie. Ich brauche *Sie*.«

Er wendet den Blick ab, lässt ihn über den Garten, die Rosen, Narzissen und Hyazinthen schweifen. Rachel kannte jede Blume in diesem Garten beim Namen. Für mich waren sie einfach immer nur schön. In diesem Moment schöner als je zuvor.

»Amerika«, sagt er, als mache er sich mit dem Gedanken vertraut. »Der Baseballwettkampf hat mir ganz gut gefallen.«

Es ist das erste Mal seit langer Zeit, dass ich vor Lachen lospruste. »Baseball*spiel*«, berichtige ich ihn.

SONNTAG

124

»Eure Hoheit«, spreche ich am Telefon König Saad ibn Saud von Saudi-Arabien an, als ich an meinem Schreibtisch im Oval Office sitze. Ich hebe einen Becher Kaffee an die Lippen. Normalerweise trinke ich nachmittags keinen Kaffee, aber nach nur zwei Stunden Schlaf und diesem Freitag und diesem Samstag, die wir gerade hinter uns haben, ist »normalerweise« denkbar unpassend.

»Mr President«, antwortet er. *»Wie's aussieht, haben Sie ein paar ereignisreiche Tage hinter sich.«*

»So wie Sie auch. Wie geht es Ihnen?«

»Wie man bei Ihnen sagt, bin ich dem Tod um Haaresbreite entkommen. Ich kann von Glück sagen, dass das Komplott im letzten Moment aufgedeckt und das Attentat vereitelt wurde. Ich bin von Herzen dankbar. In unserem Königreich ist die Ordnung wiederhergestellt.«

»Normalerweise«, sage ich, »hätte ich Sie direkt angerufen, nachdem ich von dem Komplott hörte. Aber unter den gegebenen Umständen –«

»Das brauchen Sie mir nicht zu erklären, Mr President. Ich habe volles Verständnis. Wie ich annehme, wurden Sie über den Grund meines Anrufs unterrichtet.«

»Von meiner CIA-Direktorin, ja.«

»Wie Sie wissen, Mr President, ist die königliche Familie groß und weit verzweigt.«

Das ist stark untertrieben. Das Königshaus der Saudis ist unüberschaubar verästelt und zählt mehrere Tausend Mitglieder. Die meisten davon haben wenig bis keinen Einfluss und beziehen einfach nur dicke Schecks aus dem Ölgeschäft. Aber selbst innerhalb der Führungsriege, immer noch um die zweitausend, gibt es Verzweigungen und Hierarchien. Und wie in jeder Familie sowie in jeder politischen Hierarchie treiben dort Eifersucht und Missgunst ihre Blüten. Als Saad ibn Saud an mehreren Anwärtern vorbei der nächste König wurde, sorgte das für reichlich Zündstoff und für die finanzielle Unterstützung eines Komplotts, das uns alle an den Rand des Abgrunds brachte.

»Die Familienmitglieder, die hinter diesem Coup stecken, waren mit meiner Herrschaft … unzufrieden.«

»Meinen Glückwunsch, Eure Majestät, für Ihre grandiose Untertreibung und dafür, dass Sie die Verschwörer dingfest gemacht haben.«

»Es beschämt mich, dass diese Verschwörung hinter meinem Rücken über einen längeren Zeitraum Gestalt annehmen konnte. Oder besser gesagt, direkt vor meiner Nase, ohne dass ich die geringste Ahnung hatte. Unser Geheimdienst hat versagt, und ich versichere Ihnen, so etwas kommt nicht wieder vor.«

Ich kenne das Gefühl, etwas, das ich direkt vor der Nase habe, nicht zu sehen. »Was genau hatten die vor? Was erhofften die sich davon?«

»Eine Rückkehr in alte Zeiten«, fasst er es zusammen. *»In eine Welt ohne die Führungsmacht Amerika und somit ohne ein starkes Israel. Sie wollten über das saudische Königreich herrschen und gleich über den gesamten Nahen Osten mit. Soweit ich weiß, lag es nicht so sehr in ihrer Absicht, Amerika zu zerstören, sondern vielmehr, es in einem Maße zu schwächen, dass es als Supermacht Geschichte ist. Wie gesagt, eine Rückkehr in längst vergangene Zeiten. Zu Regionalmächten ohne eine globale Supermacht.«*

»Wir wären so sehr mit unseren eigenen Problemen beschäftigt gewesen, dass wir uns nicht mehr um den Nahen Osten gekümmert hätten – das war in etwa die Logik?«

»Wie unrealistisch auch immer, ja. So lassen sich die Motive korrekt beschreiben.«

Ich bin mir nicht sicher, *wie* unrealistisch diese Pläne waren. Es wäre um ein Haar dazu gekommen. Ich muss unwillkürlich immer wieder an das Undenkbare denken – was passiert wäre, hätte Nina nicht die Sicherung eingebaut, das Passwort, um das Virus zu deaktivieren. Oder wenn sie uns das Peekaboo nicht geschickt hätte, um uns vorzuwarnen. Was wäre passiert, hätte es keine Nina und keinen Augie gegeben? Wir hätten es niemals kommen gesehen. *Dark Ages* wäre Wirklichkeit geworden. Wir wären lahmgelegt worden.

Lahmgelegt, nicht vernichtet. Doch von deren Warte aus hätte das genügt. Wir wären jetzt von dem Notstand in unserem Land so in Anspruch genommen, dass wir uns um den Rest der Welt nicht gekümmert hätten.

Sie wollten uns nicht vernichten. Sie wollten uns nicht von der Landkarte streichen. Sie wollten uns nur einen so verheerenden Schlag versetzen, dass wir uns aus ihrem Teil der Welt verabschiedet hätten.

»Unsere Vernehmung der betreffenden Personen war erfolgreich«, sagt der König.

Die Saudis sind mit ihren Vernehmungsmethoden weniger zurückhaltend als wir.

»Sie reden?«

»Selbstverständlich«, sagt er, als erübrige sich die Frage. *»Und selbstverständlich werden wir Ihnen all diese Informationen zugänglich machen.«*

»Das weiß ich zu schätzen.«

»Unterm Strich, Mr President, haben die Mitglieder dieser Splittergruppe der königlichen Familie der Terrororganisation Söhne des Dschihad *eine gewaltige Summe dafür bezahlt, die amerikanische Infrastruktur zu zerstören. Zu diesem Unternehmen gehörte es offenbar auch, abtrünnige Mitglieder der Dschihadisten durch eine eigens angeheuerte Profikillerin zu eliminieren.«*

»Ja, wir haben die Attentäterin in Gewahrsam.«

»Und ist sie bei Ihren Ermittlungen kooperativ?«

»Ja«, sage ich. »Wir sind mit ihr zu einer Übereinkunft gelangt.«

»Dann wissen Sie bereits, was ich Ihnen als Nächstes zu sagen habe.«

»Gut möglich, Eure Hoheit. Aber ich würde es trotzdem gerne hören.«

125

»Nehmen Sie Platz«, sage ich im Roosevelt-Zimmer. Normalerweise finden solche Gespräche im Oval Office statt, doch die anstehende Unterhaltung will ich dort nicht führen.

Mein Besucher knöpft sich das Jackett auf und nimmt Platz. Ich nehme das obere Ende des Tischs ein.

»Ich muss wohl nicht erwähnen, Mr President, dass wir über den Ausgang des gestrigen Tages hocherfreut waren. Und es war uns eine Genugtuung, ein wenig zu Ihrem Erfolg beitragen zu können.«

»Ja, Herr Botschafter.«

»Andrei, bitte.«

Andrei Ivanenko könnte der Großvater in einer Frühstücksflockenwerbung sein – mit Altersflecken auf der Glatze, einem schütteren weißen Haarkranz und seiner insgesamt recht altbackenen Erscheinung. Das Aussehen kommt ihm zupass. Denn unter der harmlosen Fassade verbirgt sich ein Berufsspion, das Produkt von Russlands Eliteschule, einer der Topleute des früheren KGB, in einer späteren Lebensphase aufs diplomatische Parkett geschickt und schließlich als Botschafter in die Vereinigten Staaten entsandt.

»Sie hätten einen noch erheblich größeren Beitrag zu meinem Erfolg leisten können, hätten Sie uns im Voraus vor diesem Computervirus gewarnt.«

»Im … Voraus?« Er hebt beide Hände. »Ich verstehe nicht ganz.«

»Russland wusste Bescheid, Andrei. Sie wussten, was diese Saudi-Royals im Schilde führten. Sie wollten dasselbe wie die. Uns nicht direkt vernichten, aber so weit lahmlegen, dass wir keinen Einfluss mehr haben. Dass wir Ihren Ambitionen nicht mehr im Weg stehen. Während wir unsere Wunden lecken, hätten Sie das Sowjetreich wieder aufrichten können.«

»Mr President«, bringt er nur heraus, und um seine Sprachlosigkeit zum Ausdruck zu bringen, so gedehnt, dass es schon fast nach Südstaaten-Akzent klingt. Dieser Mann könnte einem ins Auge sehen und einem weiszumachen versuchen, die Erde sei eine Scheibe, die Sonne gehe im Westen auf, und der Mond mit seinen Kratern sei ein Schweizer Käse, und er würde vermutlich den Lügendetektortest bestehen.

»Die Saudi-Royals haben Sie verraten«, sage ich.

»Mr President, in ihrer Verzweiflung«, kontert er, ohne eine Sekunde zu zögern, »sagen Menschen so manches –«

»Von der Attentäterin, die Sie gedungen haben, hören wir dasselbe«, sage ich. »Die Aussagen stimmen in einem Maße überein, dass … nun ja, so sehr, dass sie nicht falsch sein können. Außerdem haben wir das Geld zurückverfolgt – das Geld, das Russland den Söldnern überwiesen hat – den Ratnici. Und Bach.«

»Ratnici?«, fragt er. »Bach?«

»Schon seltsam«, fahre ich fort, »dass Bach und die Söldner mit ihrem Angriff auf unser Blockhaus gewartet haben, bis die russische Delegation abgeflogen war.«

»Das ist … das entbehrt jeder Grundlage, diese Anschuldigung …«

Ich nicke, schenke ihm sogar ein kaltes Lächeln. »Sie hatten natürlich Mittelsmänner. Russland ist nicht blöd. Sie haben dafür gesorgt, dass Sie es glaubhaft abstreiten können. Aber bei mir funktioniert das nicht.«

Nach allem, was wir aus den Verhören der saudischen Aufwiegler wissen, sieht es danach aus, dass Suliman ihnen die Idee verkauft und sich für seine Dienste von ihnen fürstlich hat bezahlen lassen. Die Russen haben zwar damit nicht angefangen, doch sie wussten davon. Die Saudis wiederum hatten Angst, eigene Gelder fließen zu lassen, und so wandten sie sich an russische Mittelsleute, weil sie davon ausgehen konnten, dass Russland ihr Interesse teilte, die Vereinigten Staaten in die Knie zu zwingen. Russland übernahm daraufhin nicht nur die Zahlungsflüsse, sondern steuerte überdies die Söldner und die Attentäterin Bach bei.

Ich stehe auf. »Andrei, es ist Zeit für Sie zu gehen.«

Er schüttelt den Kopf und hievt sich hoch. »Mr President, sobald ich wieder in der Botschaft bin, werde ich mich mit Präsident Tschernokow ins Benehmen setzen, und ich bin zuver–«

»Sie werden diese Unterhaltung persönlich führen, Andrei.«

Er erstarrt.

»Sie sind des Landes verwiesen«, sage ich. »Ich setze Sie augenblicklich in eine Maschine nach Moskau. Die übrigen Angehörigen der Botschaft haben bis Sonnenuntergang Zeit zu verschwinden.«

Ihm fällt die Kinnlade herunter. Zum ersten Mal sehe ich Schweiß auf der Stirn dieses Mannes. »Sie ... schließen die russische Botschaft in den Vereinigten Staaten? Brechen die diplomatischen Beziehungen –«

»Und das ist nur der Anfang«, fahre ich fort. »Wenn Sie erst die Latte an Sanktionen sehen, die wir planen, werden Sie den Tag verwünschen, an dem Sie diesen Deal mit den saudischen Dissidenten geschlossen haben. Ach, ehe ich's vergesse, diese Raketenabwehrsysteme, um die Lettland und Litauen uns gebeten haben? Die wir ihnen, wie Sie uns so dringend baten, nicht verkaufen sollen? Keine Sorge, Andrei, wir werden sie ihnen nicht verkaufen.«

Er schluckt schwer, doch sein Gesichtsausdruck wird etwas milder. »Wenigstens –«

»Wir werden sie ihnen gratis zur Verfügung stellen«, bringe ich die Sache auf den Punkt.

»Ich … Mr President, ich muss … ich kann nicht …« Ich trete so dicht an ihn heran, dass er mich verstehen würde, wenn ich flüsterte, doch ich spreche laut und deutlich.

»Richten Sie Tschernokow aus, er kann von Glück sagen, dass es uns gelungen ist, das Virus zu stoppen, bevor es Schaden angerichtet hat«, sage ich. »Oder Russland befände sich jetzt im Krieg mit der NATO. Und den würde es verlieren.«

»Stellen Sie mich nie wieder auf die Probe, Andrei«, füge ich hinzu. »Ach ja, und halten Sie sich aus unseren Wahlen heraus. Nach meiner Rede morgen werden Sie alle Hände voll damit zu tun haben, Ihre eigenen Wahlen zu manipulieren. Und jetzt verschwinden Sie aus meinem Land.«

126

JoAnn tritt ins Oval Office, wo ich gerade mit Sam Haber zusammensitze und den Einsatznachbericht des Heimatschutzministeriums durchgehe, der die potenziellen Auswirkungen des Suliman-Virus abschätzt.

»Mr President, der Vorsitzende des Repräsentantenhauses ist am Telefon.«

Ich blicke von Sam zu JoAnn. »Nicht jetzt«, sage ich.

»Er sagt die morgige Anhörung vor dem Sonderausschuss ab, Sir. Und er bittet Sie, morgen Abend bei der gemeinsamen Sitzung von Senat und Repräsentantenhaus zu sprechen.«

Das kommt wenig überraschend. Seit wir das Virus gestoppt haben, schlägt Lester Rhodes in der Öffentlichkeit eine ganz andere Tonart an.

»Sagen Sie ihm, das werde ich mir um nichts in der Welt entgehen lassen.«

MONTAG

127

»Mr Speaker«, verkündet der Sergeant at Arms, »der Präsident der Vereinigten Staaten!«

Als ich, von meinen Delegierten eskortiert, den Kongresssaal im Kapitol betrete, erheben sich die Mitglieder von Senat und Repräsentantenhaus von ihren Stühlen. Ich habe die Gelegenheiten, mich in gemeinsamer Sitzung an den Kongress zu wenden, stets begrüßt. Auf meinem Weg durch die Reihen der versammelten Volksvertreter genieße ich den Pomp und den politischen Small Talk sogar mehr denn je. Noch vor einer Woche hätte ich mir nicht träumen lassen, an diesem Abend hier zu stehen, geschweige denn den beiden Menschen die Hand zu schütteln, die mich am Podium erwarten, der Vizepräsidentin Brandt und Sprecher Rhodes.

Ich stehe vor dem Kongress, mein Teleprompter ist bereit, und ich nehme mir einen Moment Zeit, alles in mich aufzunehmen. Welche Möglichkeiten sich jetzt auftun! Wie gut es das Schicksal mit unserer Nation gemeint hat!

Wir haben es geschafft, denke ich im Stillen. *Und wenn wir das hier gemeistert haben, was können wir danach nicht alles erreichen?*

128

Madam Vice President, Mr Speaker, Mitglieder des Kongresses, liebe Mitbürger.

Gestern Nacht hat ein hoch engagiertes Team amerikanischer Staatsdiener mit der Unterstützung zweier eng verbündeter Mächte sowie eines mutigen ausländischen Staatsbürgers den gefährlichsten Cyberangriff, der je gegen die Vereinigten Staaten oder irgendeine andere Nation gerichtet wurde, abgewehrt.

Wäre er erfolgreich gewesen, hätte er unser Militär lahmgelegt, sämtliche Daten im Finanzsektor einschließlich der Sicherungskopien gelöscht, unser Stromnetz ebenso wie unsere Übertragungsnetzwerke zerstört, unsere Wasserversorgung einschließlich der Aufbereitungsanlagen sabotiert, unsere Handys sowie andere elektronische Geräte funktionsuntüchtig gemacht und vieles mehr. Im Gefolge des Angriffs wäre mit hohen Verlusten an Menschenleben, der Gesundheitsschädigung von Millionen Amerikanern jeden Alters, einem die Depression in den Schatten stellenden wirtschaftlichen Zusammenbruch sowie landesweit mit Gewalt und Anarchie auf den Straßen unserer Kommunen und Großstädte zu rechnen gewesen, mit unabsehbaren Folgen weltweit. Es hätte Jahre gedauert, die katastrophalen Schäden zu beheben – unsere derzeitige wirtschaftliche, politische und militärische Stellung hätten wir vielleicht in zehn Jahren wieder erreicht.

Wir wissen jetzt, dass dieser Angriff von Suliman Cindoruk organisiert und ausgelöst wurde – einem türkischen, wenngleich nicht religiös motivierten Terroristen, der es sich für eine gigantische Summe Geld und wohl auch um des Nervenkitzels willen zum Ziel gemacht hatte, die Vereinigten Staaten in eine Katastrophe zu stürzen. Das Geld kam von einer relativ kleinen Gruppe sehr wohlhabender saudischer Prinzen, die keinen Einfluss auf ihre gegenwärtige Regierung haben. Sie beabsichtigten, das Verschwinden Amerikas von der Weltbühne zu nutzen, um den saudischen König abzusetzen, seinen Zweig der Familie und deren Anhänger zu enteignen, eine Versöhnung mit dem Iran und mit Syrien herbeizuführen und mithilfe von Wissenschaft und Technologie ein modernes, technokratisches Kalifat zu errichten, in dem Wunschdenken, mit einem Schlag den Status der islamischen Welt in einem Ausmaß zu heben wie seit eintausend Jahren nicht mehr.

Bedauerlicherweise gibt es bei dieser Geschichte noch einen zweiten Übeltäter: Russland. Am Samstag habe ich den russischen Präsidenten, den deutschen Bundeskanzler und die israelische Premierministerin wegen ihrer nachweislichen Kompetenz in Sachen Cybersicherheit und, im Falle Russlands, in Cyberattacken, zu einer Operationsbasis dazugebeten, die ich, nicht weit von hier, im ländlichen Virginia eingerichtet hatte. Die zwei Letzteren kamen und unterstützten uns in jeder erdenklichen Weise. Jeder Amerikaner schuldet Deutschland und Israel Dank.

Der russische Präsident kam nicht persönlich, sondern entsandte den Premierminister, um Anteilnahme zu demonstrieren. Inzwischen wissen wir, wie stark die russische Regierung zuvor den Angriff unterstützt hat und wieso. Erstens war sie lange im Voraus von dem Komplott unterrichtet und versäumte es, selbst auf meine ausdrückliche Anfrage hin, ihr Wissen mit uns zu teilen. Zweitens half sie den saudischen Prinzen, ihre Identität geheim zu halten, indem sie die Geldüberweisungen an Suliman für das Komplott übernahm und sogar ihrerseits Söldner sowie eine Attentäterin anheuerte, um das Vorhaben zu unterstützen. Dabei verfolgten die Russen nicht das Ziel, uns mit einem späteren atomaren Angriff zu vernichten, sondern unsere Infrastruktur so nachhaltig zu schädigen, dass sie nicht nur freie Hand hätten, ihren Würgegriff um ihre Nachbarn zu verstärken, sondern darüber hinaus ihre Macht und ihren Einfluss in jeder anderen Region der Erde auszubauen. Vor seiner Abreise Samstagnacht habe ich gegenüber dem Premierminister meinen Verdacht deutlich ausgesprochen und ihm versichert, Russland habe mit einer angemessenen Reaktion zu rechnen. Gestern habe ich den ersten entsprechenden Schritt unternommen und den russischen Botschafter sowie das gesamte russische Botschaftspersonal ausgewiesen. Und dies ist der zweite Schritt – ich bezeuge vor aller Welt, dass sie die gefährlichsten Geldschleuser auf dem Globus sind.

Die Saudis sind von diesem Plan vollumfänglich in Kenntnis gesetzt. Sie haben ihrerseits entsprechende Maßnahmen gegen ihre eigenen Verräter ergriffen.

Und Suliman, religiös oder nicht, ist vor seinen Schöpfer getreten.

Am Samstag war die Situation noch vollkommen in der Schwebe. Denn in den letzten turbulenten Stunden, in einem dramatischen Wettlauf gegen die Zeit, wurde unser Hauptquartier von hoch professionellen Auftragskillern angegriffen – der dritte bewaffnete Angriff dieser Art, seit ich das Weiße Haus verlassen hatte, um mich dieser Herausforderung zu stellen. Viele der Angreifer fanden den Tod, doch auch zwei tapfere Agents des Secret Service ließen ihr Leben, um – im Moment größter Gefahr – meins zu retten und um unser Land zu schützen. Sie sind Helden.

Und noch eine Person starb, eine bemerkenswerte junge Frau, gewissermaßen der Kopf, das Gehirn hinter der Cyberbombe, die jedoch zusammen mit ihrem Partner, einem jungen Mann, der sie sehr liebte, zu der Einsicht gelangte, dass sie dieses Vorhaben nicht länger mit ihrem Gewissen vereinbaren konnte. Die beiden setzten sich von Sulimans Operation ab und unternahmen ungewöhnliche Schritte, um uns vor dem Angriff zu warnen und zu helfen, ihn zu vereiteln, während sie zugleich Sulimans langen Arm und seine tödliche Rache zu fürchten hatten. Nur der junge Mann hat überlebt. Hätten die beiden sich nicht rechtzeitig auf ihre Menschlichkeit besonnen, hätten die Dinge höchstwahrscheinlich einen anderen Verlauf genommen, und wir hätten jetzt keinen Grund, den Ausgang zu bejubeln.

Die Frau suchte auf einem klugen, indirekten Weg einen ersten Kontakt mit uns und gab uns genügend Informationen, die den Ernst der Gefahr vor Augen führten. Sie machte uns zugleich klar, dass nur sie und ihr Partner die Katastrophe abwenden könnten. Im Gegenzug suchten die beiden Straffreiheit und die sichere Rückkehr in ihr Heimatland.

Ihr Partner, der unserer Regierung zunächst äußerst argwöhnisch gegenüberstand, kam auf getrenntem Wege hierher, trat mit uns in Verbindung und bekräftigte die Forderung seiner Partnerin, nur mit mir persönlich zu verhandeln und sich zu diesem Zweck mit mir, ganz allein, an einem gut besuchten öffentlichen Ort zu treffen. Aus diesem Grund war Ihr Präsident für eine Weile unauffindbar. Nachdem klar wurde, was auf dem Spiel stand, kam ich zu dem Ergebnis, dass ich diesen äußerst riskanten und beinahe tödlichen Schritt unternehmen und mich inkognito allein mit ihm treffen müsse. Ich bin immer noch davon überzeugt, dass es die richtige Entscheidung war, doch ich bete, dass sich nie wieder ein künftiger Präsident in einer Krise zu einem solchen Schritt genötigt sehen wird.

In den letzten Tagen ist viel geschehen. Wir werden der Öffentlichkeit so bald wie möglich weitere Einzelheiten zugänglich machen. Vorerst gilt es noch ein paar Fragen zu klären und Sicherheitsbelange zu berücksichtigen.

Während meiner Abwesenheit überschlug sich die Presse – verständlicherweise – mit Spekulationen darüber, wo ich mich befinde, aus welchem Grunde ich von der Bildfläche verschwunden sei und was ich gerade tue. Kurz zuvor hatte ich mich, gegen den ausdrücklichen Rat meiner Mitarbeiter, bereit erklärt, vor einem Sonderausschuss des Repräsentantenhauses zu erscheinen, der einberufen worden war, um über ein Amtsenthebungsverfahren gegen mich zu befinden.

In dem Vakuum, das ich hinterließ, brodelte die Gerüchteküche. Wohlwollende Pressekanäle äußerten die Vermutung, ich liege wegen meiner allseits bekannten Blutkrankheit im Sterben oder habe aufgrund beruflicher Belastung, schwindender Popularität und der immer noch offenen Wunde durch den Tod meiner Frau einen Zusammenbruch erlitten. Weniger wohlgesinnte Medien waren schnell mit düstereren Erklärungen bei der Hand: Ich sei auf der Flucht, nachdem ich mein Land an den berüchtigtsten Terroristen der Welt sowie an jene feindliche Macht, die unsere Demokratie zersetzen will, verraten und riesige Summen Geld auf geheimen Konten gebunkert hätte.

Fairerweise muss ich einräumen, dass ich solchen Reaktionen Vorschub leistete, indem ich niemanden außer meiner Stabschefin in meine Pläne und meine Gründe dafür einweihte. Nicht einmal Vizepräsidentin Brandt, die mir, wäre ich letzte Nacht gestorben, im Amt gefolgt wäre, war über meinen Aufenthaltsort in Kenntnis gesetzt.

Die Partei- und Fraktionsvorstände des Kongresses ließ ich im Dunkeln, da ich mich auf ihre Geheimhaltung nicht verlassen wollte. Wäre die Bedrohung ans Licht gekommen, hätte dies landesweit Panik ausgelöst und unsere Bemühungen, den Angriff zu vereiteln, untergraben. Schlimmer noch, wir hatten Grund, im Kreis der wenigen Personen, die von der drohenden Attacke wussten, einen Verräter zu vermuten. Außer meiner ehemaligen Stabschefin und mir wussten nur sieben weitere Personen, darunter Vizepräsidentin Brandt, von dem Virus. Zu dem Zeitpunkt, als ich das Weiße Haus verlassen musste, hatten wir noch nicht herausgefunden, wer der Verräter war, deshalb ließ ich selbst die Vizepräsidentin über meine Pläne und meinen Verbleib im Ungewissen.

Nach meinem Verschwinden setzte sich der Sprecher mit ihr in Verbindung, um ihr mitzuteilen, er habe die Voten der Abgeordneten zu einer Anklage gegen mich wegen Amtsvergehen zusammen, benötige jedoch für die erforderliche Zwei-Drittel-Mehrheit im Senat noch ein paar Stimmen von unserer Seite. Er bat sie, ihm bei dieser Mehrheitsbeschaffung zu helfen, und erklärte ihr, es sei ihm gleichgültig, ob sie Präsidentin werde, denn meine Ablösung werde ihm für lange Zeit die Kontrolle über das Repräsentantenhaus und damit über die Gesetzgebungsvorhaben verschaffen.

Es kann der Vizepräsidentin nicht hoch genug angerechnet werden, dass sie sich diesem Plan verweigerte.

Ich sage das nicht etwa, um die jahrelange Fehde mit dem Sprecher des Hauses zu befeuern, sondern um reinen Tisch und einen neuen Anfang zu machen. *Wir hätten gegen diese Bedrohung zusammenstehen sollen,* über Parteigrenzen hinweg.

Die gegenwärtige Abwärtsspirale hin zu kleinlichen Fehden, voreiliger Polarisierung und wutschäumender Feindseligkeit kann unsere Demokratie auf Dauer nicht überleben. Heute herrscht in Amerika ein Geist des »wir gegen die«. Politik ist zu einem Blutsport verkommen. Damit wächst unsere Bereitschaft, von jedermann außerhalb unserer Blase immer gleich das Schlimmste anzunehmen, während unsere Fähigkeit, Probleme zu lösen und unsere Handlungsspielräume sinnvoll zu nutzen, im gleichen Maße schrumpft.

Das müssen wir ändern. Wir haben ernst zu nehmende Meinungsverschiedenheiten. Wir brauchen leidenschaftliche Debatten. Gesunde Skepsis hat noch nie geschadet. Sie bewahrt uns ebenso vor Blauäugigkeit wie vor Zynismus. Wenn jedoch das Vertrauen zwischen den Lagern völlig versiegt, verödet die Demokratie.

Das Allgemeine Persönlichkeitsrecht, wie es in der *Bill of Rights* garantiert wird, und die Gewaltenteilung als Grundfeste unserer Verfassung waren dazu gedacht, uns vor den Verletzungen zu bewahren, die wir uns dann doch selbst zugefügt haben und unter denen wir heute leiden. Doch wie wir aus unserer langen Geschichte lernen können, muss geschriebenes Recht in jeder neuen Ära von den Verantwortlichen mit frischem Leben erfüllt werden. Nur so konnte es gelingen, dass Afroamerikaner nicht länger Sklaven blieben, sondern vor dem Gesetz gleichberechtigte Bürger wurden, nur so konnten sie sich auf den langen Marsch zu tatsächlicher Gleichberechtigung begeben, einen Marsch, der, wie wir alle wissen, noch lange nicht zu Ende ist. Dasselbe gilt für die Rechte der Frauen, der Arbeiter, Einwanderer, die Rechte von Behinderten, das Ringen um die Definition und Garantie freier Religionsausübung sowie die volle, unveräußerliche Gleichberechtigung von Menschen ungeachtet ihrer sexuellen Orientierung oder Geschlechtsidentität.

Um all diese Themen wurde, auf unsicherem Terrain, mit wechselndem Geländegewinn, hart gerungen. Jeder Fortschritt entfachte bei jenen, die ihre Interessen und Überzeugungen bedroht sahen, heftige Reaktionen.

Heute sehen wir uns einem rasanten Wandel und einer Lebenswelt gegenüber, in der uns Informationen und Fehlinformationen wie ein Blizzard bestürmen und uns fortgesetzt zwingen, unseren Standort, unser Selbstverständnis, neu zu justieren.

Was heißt es heute, Amerikaner zu sein? Diese Frage wird sich von selbst beantworten, wenn wir uns wieder auf das besinnen, was uns so weit gebracht hat: die ständige Erweiterung von Bildungs- und Berufschancen, ein vertieftes Verständnis von Freiheit und einen gestärkten Gemeinsinn. Wir müssen unsere Definition der *anderen* immer enger und unsere Definition von *wir* immer weiter fassen. Bis niemand zurückbleibt, ausgeschlossen oder mit Geringschätzung behandelt wird.

Wir müssen uns auf unseren Auftrag zurückbesinnen, mit Entschlossenheit und mit Demut, in dem Bewusstsein, dass unsere Zeit begrenzt und unsere Macht kein Selbstzweck ist, sondern das Mittel, um weitere noble und notwendige Vorhaben zu realisieren.

Der amerikanische Traum kann nur verwirklicht werden, wenn wir das, was uns alle als Menschen eint, höher einstufen als unsere unterschiedlichen Interessen, und wenn wir beides miteinander verbinden, um immer wieder neues Terrain zu erschließen.

Das ist ein Amerika, für das es sich zu kämpfen – und wenn nötig, zu sterben – lohnt. Vor allem aber ist es ein Amerika, für das es sich zu leben und zu arbeiten lohnt.

Ich habe unser Land und meine beeidigte Amtspflicht, es zu beschützen und zu verteidigen, nicht verraten, als ich verschwand, um gegen eine Bedrohung zu kämpfen, die wir *Dark Ages* nannten, und zwar aus demselben Grund, aus dem ich es nicht verraten habe, als ich in meiner Kriegsgefangenschaft im Irak gefoltert wurde. Ich habe es nicht getan, weil ich es nicht konnte. Dafür liebe ich mein Land zu sehr, und ich wünsche den Vereinigten Staaten Freiheit, Wohlstand, Frieden und Sicherheit und in jeglicher Hinsicht Fortschritt auf Generationen.

Ich sage dies nicht, um mich damit hervorzutun. Gewiss hätten die meisten von Ihnen in meiner Situation dasselbe getan. Ich hoffe, dies genügt als Vertrauensbasis zwischen uns, um einen neuen Anfang zu wagen.

Liebe Mitbürger, wir sind soeben der größten Bedrohung seit dem Zweiten Weltkrieg knapp entronnen. Amerika hat eine zweite Chance bekommen. Wir dürfen sie nicht verspielen. Und nur gemeinsam können wir sie zu unser aller Wohl nutzen.

Ich glaube, wir sollten den Anfang damit machen, unsere Wahlen zu reformieren und abzusichern. Jeder Wahlberechtigte sollte ungehinderten Zutritt zur Wahlurne haben, ohne die Sorge, aus dem Wählerverzeichnis gestrichen zu werden, ohne die Gefahr, dass die abgegebene Stimme nicht korrekt gezählt wird, weil Wahlautomaten binnen fünf bis sechs Minuten gehackt werden können. Und, wo dies ratsam erscheint, sollten Wahlbezirke sowohl auf bundesstaatlicher als auch nationaler Ebene von überparteilichen Instanzen neu abgesteckt werden, um besser als bisher die ganze Meinungs- und Interessenvielfalt widerzuspiegeln, einen der größten Reichtümer unserer Nation.

Überlegen Sie nur einmal, welchen Unterschied es machen würde, wenn wir über den Tellerrand unserer Parteibasis hinaus ein vielfältigeres Meinungs- und Interessenspektrum vertreten würden. Wir würden lernen, einander besser zuzuhören und weniger zu diffamieren. Auf diese Weise würde das nötige Vertrauen für unsere Zusammenarbeit wachsen. Auf dieser Grundlage könnten wir das kleinstädtische und ländliche Amerika, Menschen in großstädtischen Elendsvierteln sowie Gemeinwesen der Ureinwohner in die moderne Ökonomie einbinden: mit erschwinglichem Breitbandzugang und bleifreiem Wasser für alle Familien; mit mehr sauberer Energie und gleichmäßiger über alle Regionen Amerikas verteilten Jobangeboten; mit einer Abgabenordnung, die Investitionen in rückständigen Regionen begünstigt und Unternehmern wie auch Großinvestoren Anreize bietet, allen statt nur sich selbst zu helfen.

Wir könnten eine echte Einwanderungsreform zustande bringen, mit einer verbesserten Grenzsicherung, jedoch ohne uns gegen Menschen abzuschotten, die hierherkommen, um für sich und ihre Familien Sicherheit und eine bessere Zukunft zu finden. Unsere eigene Geburtenrate erreicht nur knapp das natürliche Reproduktionsniveau. Wir brauchen die *Dreamers* und die Arbeiter, die Fachkräfte und die Unternehmer, die doppelt so viele Neugründungen für sich verbuchen wie der nationale Durchschnitt. Wir könnten gründliche Ausbildungs- und Förderprogramme für Polizisten und Gemeindevorsteher einführen, um gesetzeswidrige zivile Todesfälle zu vermeiden, die Sicherheit der Polizeikräfte zu erhöhen und die Verbrechensrate zu vermindern. Wir könnten Waffengesetze erlassen, die verhindern, dass Schusswaffen in die falschen Hände gelangen, um die unfassbare Zahl von Massakern zu reduzieren, ohne das Recht auf Waffenbesitz zu Jagd- und Sportzwecken sowie zur Selbstverteidigung anzutasten.

Wir könnten eine ernsthafte Debatte über den Klimawandel führen. Wer hat die besten Ideen, um der Bedrohung schnell und nachhaltig entgegenzuwirken und dabei die meisten neuen Gewerbe mit guten Jobs zu gründen? Mit dem raschen Vormarsch der Automatisierung und der künstlichen Intelligenz wird unser Bedarf daran rapide steigen.

Wir könnten so viel mehr tun, um die Opioid-Krise einzudämmen, indem wir sie enttabuisieren und die erschreckend große Zahl von Menschen aufklären, die immer noch nicht wissen, dass sie ihr eigenes Leben gefährden, und sicherstellen, dass jeder Amerikaner in erreichbarer Nähe Zugang zu erschwinglicher, wirksamer Behandlung hat.

Und wir könnten unsere Verteidigungsausgaben neu ordnen, um der enormen, beständig wachsenden Bedrohung durch Cyberangriffe zu begegnen und unsere Internetsicherheit auf den weltweit besten Stand zu bringen, sodass wir andere Nationen einladen können, mit uns gemeinsam die überall lauernden Gefahren zu reduzieren, bevor wir uns einer weiteren Apokalypse gegenübersehen. Das nächste Mal werden wir nicht das Glück haben, dass uns zwei abtrünnige junge Genies zu Hilfe eilen.

Überlegen Sie nur einmal, wie befriedigend es wäre, wenn wir jeden Tag zur Arbeit kämen und uns fragten: »Wem können wir heute helfen, und wie stellen wir es am besten an?«

Statt: »Wem kann ich eins auswischen, und wie viel mediale Aufmerksamkeit bringt mir das ein?«

Unsere Gründerväter haben uns den unbefristeten Auftrag erteilt, unsere Union immer weiter zu verbessern. Und sie haben uns eine Regierungsform hinterlassen, widerstandsfähig genug, um unsere Freiheiten zu bewahren, flexibel genug, um sie an die Erfordernisse jeder neuen Ära anzupassen. Diese zwei Vermächtnisse haben uns ziemlich weit gebracht. Wir müssen aufhören, sie als selbstverständlich anzusehen oder gar um flüchtiger Vorteile willen aufs Spiel zu setzen. Bis gestern Nacht haben wir uns die meisten Verletzungen, nicht zuletzt durch unsere veraltete Cyberabwehr, selbst zugefügt.

Gott sei Dank haben wir immer noch eine Zukunft voller Möglichkeiten statt der düsteren Pflicht, uns mühsam wieder aus dem Ruin herauszuwühlen.

Wir sind es unseren Kindern, uns selbst und Milliarden anständigen Menschen auf der ganzen Welt, die in uns immer noch eine Quelle der Inspiration, ein Vorbild und einen Freund sehen wollen, schuldig, das Beste aus dieser zweiten Chance zu machen.

Feiern wir an diesem Abend, dass die Katastrophe abgewendet wurde, freuen wir uns darauf, mit verstärktem Engagement *unser* Leben, *unser* Geschick und *unsere* Ehre daranzusetzen, unsere *gemeinsame* Union zu fördern und zu verbessern.

Gott segne die Vereinigten Staaten von Amerika und *alle,* die hier heimisch sind.

Ich danke Ihnen und wünsche Ihnen eine geruhsame Nacht.

EPILOG

Nach der Rede schnellten meine Umfragewerte von unter dreißig auf über achtzig Prozent hoch. Auch wenn ich wusste, dass das nicht von Dauer sein würde, fühlte es sich gut an, aus dem Keller zu sein.

Dafür, dass ich die Rede genutzt hatte, um für mein Programm zu werben, habe ich einige Kritik eingesteckt, aber das amerikanische Volk sollte erfahren, was ich für das Land zu tun gedachte, während reichlich Gestaltungsspielraum für die Zusammenarbeit mit der anderen Seite blieb.

Der Sprecher hat mich widerstrebend unterstützt. Binnen zwei Wochen verabschiedete der Kongress, mit einer parteiübergreifenden Mehrheit, ein Gesetz, das ehrlichere, offene, zuverlässige Wahlen sicherstellt und zudem für den Übergang zu einer nicht zu hackenden Stimmabgabe – zunächst einmal mit dem guten alten Stimmzettel aus Papier – Gelder bereitstellt. Die übrige Agenda steht noch aus, doch ich bin zuversichtlich, dass wir – mit den richtigen Kompromissen und Anreizen – künftig mehr umsetzen können. Sogar in das Verbot von Sturmgewehren sowie eine Regelung zu wirklich umfangreichen Personenüberprüfungen bei Waffenkäufen kommt Bewegung hinein.

Der Sprecher überlegt sich noch seinen nächsten Schachzug. Wegen der öffentlichen Bloßstellung war er stocksauer auf mich, zugleich jedoch darüber erleichtert, dass ich Amerika nicht auch noch von seinem Ansinnen an Vizepräsidentin Brandt erzählt hatte, sie im Gegenzug für die Berufung seiner Tochter an den Obersten Gerichtshof zur Präsidentin zu küren.

Gegen Carolyn Brock wurde in zwanzig Punkten Anklage erhoben, unter anderem wegen mehrerer Formen von Landesverrat, wegen Terrorakten, missbräuchlicher Weitergabe vertraulicher Informationen, Mord, Verschwörung zum Mord und Behinderung der Justiz. Ihre Anwälte verhandeln, in der Hoffnung, ihr wenigstens lebenslänglich zu ersparen, ein Schuldbekenntnis. Es ist auf vielfältige Weise herzzerreißend – ihr Verrat an allem, wofür wir so hart gearbeitet haben, die strahlende Zukunft, die sie hätte haben können, wäre sie nicht ihrem ungezügelten Ehrgeiz erlegen, vor allem aber die Folgen für ihre Familie. Es kann mir immer noch passieren, dass ich über eine schwierige Frage nachsinne und mich dabei ertappe, ihren Namen zu rufen.

Inzwischen habe ich mich Dr. Debs Proteinbehandlung und einer Steroidtransfusion unterzogen. Meine Blutplättchenzahl ist wieder im sechsstelligen und somit grünen Bereich. Ich fühle mich besser und brauche nicht mehr zu befürchten, tot umzufallen, wenn ich mal meine Pillen nicht pünktlich nehme. Es ist auch ganz angenehm, dass nicht auf mich geschossen wird.

Und Gott sei Dank kann meine Tochter aufatmen und wieder ihr eigenes Leben führen.

Die Berichterstattung der Mainstream-Medien ist geradliniger geworden, weniger aufgrund meiner Rede als vielmehr, weil die Amerikaner gegenüber extremen Informationskanälen auf Abstand gehen und sich zunehmend auf die verlassen, die mehr auf Fakten und Analyse als auf persönliche Angriffe setzen.

Ich habe tatsächlich jemanden zu dem obdachlosen Veteranen geschickt, den ich bei meinem Verschwinden auf der Straße getroffen hatte. Er ist jetzt in einer Gruppentherapie und bekommt Hilfe dabei, einen anständigen Job und eine erschwingliche Unterkunft zu finden. Und es sieht ganz danach aus, als werde der Kongress Gelder für Maßnahmen bewilligen, das Töten unbewaffneter Zivilisten einzudämmen, die Sicherheit von Polizisten zu erhöhen sowie Bürgervereinigungen ins Leben zu rufen, die mit der Polizei zusammenarbeiten.

Was uns die Zukunft bringt, kann ich nicht sagen. Ich weiß nur, dass das Land, das ich liebe, einen Neuanfang wagen kann.

Am Ende der verfassungsgebenden Versammlung fragte ein Bürger Benjamin Franklin, was für eine Regierungsform unsere Gründerväter uns gegeben hätten. »Eine Republik – wenn ihr sie erhalten könnt.« Das ist eine Aufgabe, die kein Präsident alleine schultern kann. Es ist an uns allen, sie zu erhalten. Und das Beste daraus zu machen.

DANKSAGUNG

Für ihre unschätzbare Beratung in technischen Fragen gilt unser Dank John Melton, der von 1992 bis 1994 im 75. Ranger Regiment diente; James Wagner; Thomas Kinzler; schließlich Richard Clarke, Berater für Sicherheit und Terrorismusbekämpfung unter vier Präsidenten.